KB195958

이종호 장편소설

시시각각 한반도

판문점 井 프로젝트

이종호장편소설

시시각각 한반도

판문점  프로젝트

초판 1쇄 인쇄 2018년 8월 9일
초판 1쇄 발행 2018년 8월 15일

편저자 이종호
펴낸이 이재욱
펴낸곳 (주)새로운사람들
디자인 김명선
마케팅·관리 김종림

등록일 1994년 10월 27일
등록번호 제2-1825호
주소 서울 도봉구 덕릉로 54가길 25(창동 557-85, 우 01473)
전화 02)2237-3301 **팩스** 02)2237-3389
이메일 ssbooks@chol.com
홈페이지 http://www.ssbooks.biz

ISBN 978-89-8120-564-5(03810)

*책값은 뒤표지에 씌어 있습니다.

이종호 장편소설

시시각각 한반도

판문점 井 프로젝트

새로운사람들

머리말

소설 『판문점 #프로젝트』에 관한 이야기가 처음 나온 것은 광화문의 어느 조그만 순댓집에서였다.

동력자원부 산하 '한국에너지기술연구원(KIER)'의 프랑스 주재 '소피아앤티폴리스연구소'에서 근무할 때 자주 만났던 네 사람의 모임에서 국내 영화가 화제로 떠올랐을 때였다. 2000년대가 들어서기 직전 한국 영화사상 공전의 흥행에 성공한 <쉬리>와 <JSA>의 후속편으로 어떤 소재의 영화가 나오겠느냐 하는 것이었다.

한국영화는 거의 모두 본다는 외교관 출신의 K씨는 당연히 통일에 관한 영화일 것이라고 말했다. <쉬리>는 남북의 대결을 그렸고, <JSA>는 화해를 그렸으니까 대결→화해 다음은 통일이라면서 필자에게 창작의욕을 부추겼다.

사실 한국 국민이 가장 많이 사용하는 단어 중의 하나가 통일이라는 데는 이론의 여지가 없다. 2018년 6월 구글 사이트에서 '통일'이란 단어를 치면 3,100만 개의 기사가 떠오른다. 그야말로 많은 사람들이 한반도의 통일이라는 단어에 집중하고 있음을 알 수 있다.

1945년 미국, 소련 등 강대국들에 의해 한반도가 남과 북으로 분단된 이후 거의 모든 한국인들이 통일을 갈망해왔다. 남북 간의 교류나 협력도 통일을 전제로 하지 않고는 그 의미가 반감되고 만다. 아무튼 우리 국민들은 작금의 여러 가지 정황에 비추어 한반도가 궁극적으로는 통일이 될 것이라는 희망을 버리지 않고 있다.

그러나 통일에 대한 민족의 열망에도 불구하고 어떻게 해야 통일이 가능한지 구체적으로 이야기하는 사람은 많지 않다. 많은 학자와 위정자들이 통일 방안을 연구하여 제시했지만 그런 해법이 성사된 적은 아직 없다. 그 때문에 '내 평생에 통일이 되는 것을 볼 수 있다.'고 생각하는 사람은 예상외로 적다.

거의 모두가 통일을 원하는데도 성사되기가 어려운 것은 나름대로의 기득권을 가지고 살아왔던 남과 북이 그 기득권을 어느 쪽이 언제, 어떻게 포기하느냐 하는 근본적인 문제가 해결되지 않기 때문이다. 더군다나 한반도 주변 4강인 미국, 중국, 러시아, 일본의 한반도 통일에 관한 이해관계가 서로 달라 한민족이 통일을 원한다고 해서 이들 4강이 한반도 통일에 쉽게 동의해줄 것도 아니다.

이런 내용을 기초로 하여 2002년에 새로운사람들에서 『오, 통일코리아』라는 소설 1권과 2권을 출간했다. 이 책은 통일의 이슈에 대한 근접한 내용을 다뤄 당대에 상당한 반응을 받았지만 필자가 기대한 바대로 통일이 진전된 것은 아니다. 북한의 핵무장과 핵폭탄 등을 두고 관련국들의 논란과 긴장이 쉽게 해소되지 않아 아무튼 한반도의 통일은 이래저래 간단하지가 않다는 이야기로 귀결된다.

『오, 통일코리아』 이후 15년이 훌쩍 지났다.

지금의 국제 상황은 과거에는 상상할 수 없던 변화를 겪고 있다. 북한에서 원자폭탄은 물론 수소폭탄까지 개발했고 미국을 목표로 발사할 수 있는 ICBM의 개발도 완료되었다며 한껏 기세를 올렸다.

이후 국제 정황은 갑자기 변화하여 미국은 '악의 축'으로 매도하던 북한과 직접 협상 테이블에 마주앉았고, 그동안 견지되던 한국전쟁의 정전협정을 종전 선언과 평화협정으로 바꾸면서 북한의 핵무기와

ICBM 등을 폐기하는 빅딜이 이루어졌다.

남북통일로 나아가는 데 있어서 근원적인 장애물을 제거하고 진전의 기운이 감돌기 시작했다. 애당초 『판문점 井프로젝트』로 이름 지었던 『판문점 井프로젝트』는 그런 의미에서 한국이 통일로 가는 환상의 시나리오 가운데 하나다.

한국 국민은 모두 전쟁의 위험에서 벗어나 통일을 이룩하고 세계를 상대로 떳떳하게 큰소리치면서 살기를 원하지만 아직 시원한 통일 해법이 세상에 나와 있지 않다.

그 때문에 『오, 통일코리아』에 이어 현금의 세계정황을 가미하여 업그레이드한 『판문점 井프로젝트』는 한국인이라면 누구나 읽어볼 만한 가치가 충분할 것으로 생각한다.

이 책에서 제시하는 내용이 가장 현실적인, 최선의 방법은 아니겠지만 독자들은 이 책을 읽으면서 나름대로 창의적인 방안을 구상하고 검토해볼 기회를 가질 수 있을 것으로 믿는다.

필자는 『판문점 井프로젝트』에서 현대과학의 화두인 인간복제 문제를 많이 다루었다.

스티븐 스필버그 감독이 <쥬라기공원> 시리즈에서 복제된 공룡을 등장시켜 세계인들로 하여금 동물 복제에 관심을 갖게 한 이래 복제 관련 이야기가 하루도 빠지지 않고 언론에 오르내린다.

양이나 원숭이, 소나 돼지 등의 복제는 이미 상식이 되었고 인간이 복제될 날도 멀지 않다고들 말한다.

통일을 모색하는 길목에서 중요한 역할을 하도록 설정된 인간복제가 이 소설을 읽는 또 하나의 재미가 될 것이다.

끝으로 한 마디 더 덧붙여 두고자 한다.

이 글에서 큰 활약을 하는 사람은 '정(井)'의 명문(銘文)으로 알려진, 큰 틀에서 한반도의 통일을 실현하게 만드는 장본인이다. '정(井)'은 세계를 놀라게 한 스텔스피라미드, 인공태양, EMP 등 최첨단 무기를 개발하여 주변국의 간섭을 원천적으로 배제할 수 있도록 함으로써 진정한 통일이 가능하도록 한다.

소설에서는 X로 지칭되는 '정(井)'이 과연 누구이며 어떻게 한반도 통일을 완성하는지 필자와 여정을 함께 하며 호기심의 퍼즐을 맞춰보기 바란다.

마이클 클라이튼의 소설 『쥬라기 공원』이 영화로 나온 다음 게임이 등장했고 또 수많은 캐릭터가 쏟아져 나왔듯이 소설 『판문점 井프로젝트』에 이어 이 글을 소재로 한 영화와 게임 역시 나올 수 있겠다는 기대를 해도 좋다고 믿는다. 이 소설이 바로 그 밑거름이기 때문이다.

차례

프롤로그

_1._

남성우 '국가특수업무원' 원장은 진영숙 박사를 대동하고 청와대로 들어갔다. 대통령을 독대하기 위해서였다.

안내를 받고 들어간 곳은 한갓지고 조촐한 분위기를 풍기는 응접실 이었다. 대통령이 비공식적으로 방문객과 만나는 방이다. 국가특수업 무원장과는 독대를 하더라도 집무실에서 면담하는 게 보통이지만, 진 영숙과 동행했기 때문에 장소를 바꾼 듯하다.

"그러니까 유골만 찾으면 된다고?"

대통령이 응접실로 들어서기가 무섭게 질문을 던진다. 먼저 방으로 안 내되어 기다리고 있던 남성우와 진영숙이 인사를 할 틈도 주지 않는다.

대통령은 그만큼 남성우 원장이 면담을 청할 때 전화로 언급한 유골 에 대해 관심이 많다는 뜻이었다.

남성우가 엉거주춤한 상태에서 대답한다.

"그렇습니다, 각하."

"정말로 그랬으면 좋겠네. 하지만 무덤을 뒤져 유골을 발견하더라 도 그것이 대왕의 유골이라는 걸 어떻게 확인할 수 있겠소?"

"탄소(C14)연대측정법을 사용하면 확인할 수 있다고 합니다. 이 유 골을 보십시오. 어느 시대에 살던 사람의 유골인지 아시겠습니까?"

남성우가 가방에서 유골을 내보이자 대통령이 받아들고 살펴보다가 입을 연다.

"모르겠소. 유골이 깨끗한 걸 보니 한 100년쯤 되었을까?"

"이 뼈는 최영 장군의 묘를 이장할 때 발굴한 것입니다. 이 유골을 탄소연대측정으로 조사해보니 1,390년으로 나타났는데, 그분의 사망

연대인 1388년과 거의 합치하는 셈입니다. 탄소연대측정의 오차 한도를 ±50년 정도로 예상하니까 대왕의 유골을 찾기만 하면 신원 확인은 어렵지 않을 것입니다."

"좋아요. 하지만 유골을 찾았다고 해도 정말로 우리가 원하는 결과를 얻을 수 있겠소?"

"틀림없습니다, 각하."

"이론적인 설명 말고 확실한 증거를 보고 싶소."

"그래서 '한국과학기술연구원'의 진영숙 박사를 모시고 왔습니다."

그제야 대통령이 남성우 옆에 엉거주춤 앉아 있는 진영숙에게 손을 내민다.

"이렇게 와 주어 고맙소."

진영숙이 대통령이 내민 손을 잡으며 대꾸한다.

"아닙니다, 대통령 각하. 제가 조금이라도 도움이 된다면 언제든지 불러 주십시오."

"도대체 유골을 가지고 어떤 결과를 만들어낼 수 있는지 진 박사가 나에게 자세히 설명해 줄 수 있겠소?"

"물론입니다, 각하. 이 사진을 한 번 살펴보시죠."

진영숙은 핸드백에서 몇 장의 사진을 꺼내 대통령에게 건네준다. 대통령은 사진과 진영숙을 비교해 보더니 의아한 표정을 지으며 묻는다.

"이건 모두 진 박사의 사진 아니오?"

"아닙니다, 각하. 그 중에서 두 장은 제 사진이지만 나머지 넉 장은 다른 사람을 찍은 사진입니다. 구별하실 수 있겠는지요?"

"아니오. 전혀 구별할 수 없겠어요."

"그러실 겁니다. 넉 장은 제 딸을 찍은 것인데, 좀 이상하다는 생각이 들지 않습니까?"

"딸이라고요? 진 박사님 나이로 볼 때 딸이 너무나 숙성해 보이는데?"

"그렇습니다. 제 딸은 저와 네 살밖에 차이가 나지 않으니까요."

대통령의 눈이 휘둥그레진다. 그러자 진영숙이 웃으며 덧붙인다.

"다시금 사진을 자세히 보세요. 이 사진을 보시고도 믿지 못하시겠어요?"

"눈으로 보면서도 믿지 못할 만큼 너무나 놀랍소. 하지만, 진 박사! 유골을 가지고 살려낸들 그분들의 과거 지식을 어떻게 얻어낼 수 있겠소?"

"방법이 있기 때문에 이 작전을 추진하자는 겁니다."

"방법이 있다?"

"그렇습니다, 각하. 인간 세포 안에 있는 DNA에는 자신이 살아있을 때의 모든 기억이 들어있습니다. 그분은 생전에 이미 남이 이룩하기 어려운 업적을 쌓았기 때문에 그분의 경륜에다 오늘날의 모든 지식을 보탠다면 엄청난 능력의 소유자가 되실 겁니다."

"유골의 세포에 DNA가 있고, 그 DNA에 기억이 저장되어 있다고요?"

대통령은 도저히 납득하기 어렵다는 표정을 짓는다.

"원리를 설명해 드려도 이해하시기 어려울 것입니다. 직접 증거를 보시죠."

대통령과 진영숙이 이야기를 하는 동안 응접실 밖으로 나갔던 남성우가 누군가를 데리고 들어온다. 그 사람을 보고 깜짝 놀라는 대통령에게 진영숙이 웃으면서 묻는다.

"각하, 이제 이해하시겠습니까?"

"세상에… 진 박사의 이야기가 모두 사실이란 말이오?"

"지금 그 증거를 보고 계시지 않습니까?"

"놀랍소. 이런 일이 다 있다니…… 이제야 통일을 성취할 수 있겠다는 확신이 섰어요."

2.

칠흑 같은 밤, 검은 옷을 입은 몇 명의 그림자가 작업에 몰두하고 있다. 밖으로 불빛이 새나가지 못하도록 단단히 차단막을 친 가운데 소리를 죽여 가며 진행하는 작업의 속도는 무척이나 빨라 보인다.

권준혁은 차단막 안에서 초조한 듯 연달아 담배를 빨아댄다. 만반의 준비를 하고 달려든 작업이지만, 팔자에 없는 도굴꾼 노릇은 그야말로 죽을 맛이다. 천칠백 년도 더 지난 고분을 뒤져 삭아서 흙이 되었을지도 모르는 뼈다귀를 찾아내라니 아무래도 제 정신들이 아닌 모양이라고, 권준혁은 혼자 투덜거린다.

책임자로 작업을 지휘하면서도 도무지 영문을 알 수 없는 것이 이번 임무였다. 권준혁이 날카로운 목소리로 물었다.

"다 되었나?"

"조금만 기다리십시오. 30분 안에 뚜껑을 열 수 있을 겁니다."

대답하는 작업반장의 헤드렌턴 불빛에 이마의 땀방울이 반사된다.

"빨리빨리 하자고. 날 밝기 전에 원상복구까지 해놓지 않으면 낭패거든."

소형이지만 소음이 나지 않는 최첨단 굴착 장비까지 동원하여 작업 속도가 매우 빠르긴 해도 세계적으로 유명한 고분을 도굴한다는 꺼림칙함이 뒷덜미를 잡아채는 듯하다.

더구나 내부 설계도 따위도 있을 리 없는 고분에서 유골이 안장된 현실(玄室)을 찾는 것은 결코 쉬운 일이 아니다. 더구나 대왕의 무덤이라고 도굴에 대비하여 시공도 철저하게 했을 테니까.

"현실인 듯합니다, 팀장님."

이윽고 작업반장의 들뜬 목소리가 들렸다. 계획했던 시간보다 한 시간도 더 지났을 때였다. 드디어 모습을 드러낸 현실은 동서 2.82미터, 남북 3.16미터나 되었고, 그 위에 동서 지름 4.55미터, 두께 0.8미터나 되는 큰 화강암 판석을 뚜껑돌로 덮었다.

지면에서 현실 천장까지의 높이는 약 16미터로 그들이 얼마나 빨리 굴착했는지 짐작할 만하다. 그런 데다 뚜껑돌이 견고하게 맞추어져 있어서 네 명의 인원으로는 들 수가 없다. 하지만 뚜껑돌을 절단할 수도 없다. 그나마 유압 재크로 조금씩 올릴 수 있어서 다행이었다.

"15분 내로 열지 못하면 포기하고 돌아가야 해."

문제는 시간이다. 권준혁이 연신 시계를 보며 무덤 안에서 부지런히 손을 놀리고 있는 작업반장을 재촉한다. 막무가내로 몰아치는 지시에 치받치기도 하련만 다소 어려 보이는 작업반장은 묵묵히 손을 놀리다가 이윽고 결과를 보고한다.

"팀장님, 뚜껑돌을 올렸습니다. 안의 내용물을 보시죠."

"수고했어."

권준혁은 대답과 동시에 훌쩍 뛰어내려 무덤 속으로 들어간다. 뚜껑돌이 들린 상태에서 속을 들여다보는 권준혁의 어깨 너머로 작업반장이 머리를 들이대다가 깜짝 놀란다.

"대단하군요?"

"당연한 일이지, 명색이 대왕의 무덤인데……."

특별히 고고학에 조예가 깊은 사람이 아니더라도 유골은 한 눈에 알아볼 수 있다. 보존상태가 좋아서 머리뼈와 갈비뼈, 골반과 넓적다리뼈, 손발과 팔다리뼈가 보이고 머리 부분에는 왕관을 쓴 모습이다.

몸통 부분에 황금으로 된 전투용 흉갑이 있고 주위에는 전장에서 사용했을 칼, 창, 석궁이 가지런히 놓여 있다. 놀라운 것은 강철로 만든 이들 무기가 1700년이 지났는데도 전혀 부식되지 않았고 표면이 마치 거울처럼 반짝거려 그들의 얼굴이 비치는 것 같았다. 얼마나 날이 예리한지 손으로 쓸어보며 작업반장이 깜짝 놀란다.

"손을 벨 정도로군요."

"고구려 시대의 철기 제작 기술이 세계 최고였다고 하니 그럴 만도 하지."

"유골을 모두 수습할까요?"

"아냐, 우린 도굴꾼이 아니라 유골의 DNA를 채취하려 온 거야. 소량의 유골로도 DNA를 채취할 수 있으니까 다섯 샘플쯤만 확보하면 돼."

권준혁의 말에 작업반장이 보존상태가 가장 좋은 유골 두 개를 골라 권준혁에게 보여준다. 권준혁이 뼈를 들고 있으라고 한 후 휴대한 DNA 추출기를 뼈에 대자 DNA 상태가 확인된다.

"놀랍네. 이렇게 쉽게 DNA를 추출할 수 있다니 생각지도 못했어."

"이제 됐습니까?"

"단 세 개의 뼈에서 10개의 DNA를 채취했으니 소기의 목적은 이룬 셈이지. 빨리 원상복구 해놓고 나가도록 하자고."

권준혁이 짧게 말하자 작업반장이 뼈를 다시 석관 안에 넣는다. 작업 인원들이 다시 유압 재크를 조정하여 뚜껑돌을 원래 위치로 올려놓고 재빠른 솜씨로 무덤을 복구하기 시작한다.

모든 작업이 완료된 것은 해가 뜨기 30분 전. 누가 보더라도 무덤 훼손 사실을 전혀 알 수 없을 정도로 완벽하게 복구가 되었다. 작업반장이 봉고차를 직접 운전하며 조수석에 선탑한 권준혁에게 묻는다.

"곧장 출발하실 겁니까?"

"그래야지. 한 시라도 빨리 귀국해야 안심할 수 있을 것 같군."

"어쨌든 통일에 도움이 된다는 바람에 도굴꾼이 되기는 했습니다만, 도무지 이해하기가 어렵네요."

"뭐가?"

"하필이면 왜 유골인지 모르겠다는 말입니다. 유골과 통일이 도대체 무슨 상관이 있는지……."

"그것까지는 알 필요 없어. 높은 사람들이 아무 생각 없이 지시를 내렸겠나? 언젠가는 우리가 죽을 고생을 하며 확보한 유골이 어떤 식으로 통일의 밑거름이 되었다는 걸 알기나 하면 다행이지."

권준혁은 작업반장의 질문에 자신도 잘 모른다고 얼버무린다. 상부의 명령대로 따르기만 할 뿐이라는 권준혁의 말에 작업반장은 더 이상 질문할 건덕지가 없다.

"예. 모든 일을 다 알려고 할 필요는 없겠죠. 어쨌든 무사히 돌아가시기 바랍니다, 팀장님."

"고맙네. 자네들이 이번에 고생 많았어. 다시 한 번 당부하지만 절대로 외부에 알려지지 않도록 비밀을 철저하게 지켜주기 바라네."

권준혁의 말에 작업반장과 일꾼들은 대답 대신 고개를 끄떡인다.

"그리고 돌아가면 원장님께 자네들 고생한 얘기는 꼭 말씀드리겠네."

권준혁이 작업 팀에게 마지막으로 한 마디 덧붙인 다음, 휴대전화를 꺼내 리콜 버튼을 누른다. 곧바로 응답이 온다.

"드디어 식수가 있는 우물을 발견했습니다."

휴대전화 목소리가 들린다.

"우물을 발견했으니까 이제 식수 걱정은 없겠네."

"그렇습니다."

중국에 와서 벌인 작전이 성공했다는 것을 위성 휴대전화로 보고한 다음 권준혁은 심양 공항까지 가는 봉고차 속에서 깊은 잠에 빠져든다.

3.

한 눈에 방 안을 가득 채운 첨단 기자재들이 눈에 들어온다.

진영숙 박사가 버튼을 누르자 중앙에 있는 커다란 인큐베이터의 뚜껑이 열리며 한 사람이 일어난다. 그의 얼굴은 보이지 않지만 기골이 장대한 남자다. 진영숙이 묻는다.

"정신이 드십니까?"

"마치 꿈을 꾸다 일어난 것 같아. 내가 지금 어디 있는 거지?"

"조금 있으면 모든 것을 아시게 됩니다. 그 전에 몇 가지만 여쭤보겠습니다."

진영숙의 말에 기골이 장대한 남자가 그녀에게로 머리를 돌린다.

방 안의 모습을 총리와 국가특수업무원장 남성우, 신한수 차장과 권준혁이 유리창을 통하여 들여다보고 있다. 스피커를 통하여 진영숙 박사가 질문하는 목소리가 들린다. 기골이 장대한 남자가 처음에는 무슨 말인지 이해하지 못하겠다는 표정을 짓더니 진영숙의 설명을 들은 후로는 그녀의 질문에 적극적으로 대답하기 시작한다.

기골이 장대한 남자의 음성이 연구실 한 쪽에 있는 음파기록기에 기록된다. 계속 음파기록을 검토하던 한 연구원이 진영숙에게 고개를 끄떡이며 만족스러운 표정을 짓는다.

"성공입니다."

진영숙이 연구실 바깥에 있는 사람들이 들으라는 듯이 외친다. 목소리가 떨리고 있다.

"알아요, 진 박사. 수고했어요."

총리가 진영숙의 말에 맞장구를 친 다음, 한껏 목소리를 낮춰 주위 사람들에게 당부하듯 말한다.

"이제부터 X는 각하를 제외하고는 여기에 있는 우리밖에 모르는 사실입니다. 어떠한 일이 있더라도 그날이 올 때까지 X가 외부에 알려져서는 안 된다는 걸 명심하세요."

"여부가 있겠습니까? 우리는 모르는 일입니다."

남성우 국가특수업무원 원장이 맞장구를 치자 총리가 되받았다.

"그렇소, 그날이 올 때까지……."

제1장 치명적 바이러스

1.

진영숙은 다시 모니터를 들여다보며 중얼거린다.

'정말 놀라운 일이야. 한국인을 대상으로 이런 음모를 펼치다니. 이들의 짓을 어떻게 막지?'

진영숙은 부지런히 프로그램을 보면서 다시 한 번 서류 하나를 꼼꼼하게 읽은 후 고개를 주억거린다.

분명히 낫세포빈혈증 유전자와 유사하다.

낫세포빈혈증이라는 유전병은 산소를 운반하는 단백질인 헤모글로빈의 형태가 정상 헤모글로빈과는 달리 낫 모양으로 생겼다고 해서 붙여진 이름이다. 낫세포빈혈증에 걸린 사람의 헤모글로빈은 정상적인 헤모글로빈에 있는 아미노산 중 글루탐산이 발린(Valine)으로 바뀌어 있다. 놀라운 것은 그 이외의 아미노산 구성과 배열은 동일하다는 점이다.

아미노산 한 개의 차이로 단백질의 형태가 달라지며, 그 결과 산소를 제대로 공급하지 못하는 빈혈증이라는 유전병이 생기는데 진영숙 박사가 놀라는 것은 이들과 유사한 유전자가 모사토사에서 세계에 자랑하며 한국에 공급하고 있는 '황금의 쌀'에 들어 있다는 점이다.

이 빈혈증은 두 가지 치명적인 장애를 갖고 있다. 첫째는 개체에 충분한 산소의 공급하지 못하므로 뇌와 신장에 손상을 준다. 둘째는 몸에 있는 악성의 적혈구를 제거하기 위해 많은 에너지를 소비한다. 골수(骨髓)는 파괴된 적혈구를 치환하기 위해 새로운 적혈구를 생산하려고 온 정력을 쏟고 심장은 혈액을 더욱 순환시켜 풍부한 산소를 공급하려고 필요 이상의 노동을 한다. 요컨대 불필요한 에너지를 추가로 소요한다는 것이다. 문제는 이 유전자를 가진 아이는 심한 빈혈을 일으키고 출생 초기에 100% 사망한다는 사실이다.

또 다시 두 개의 유전자 코드를 확인해본 진영숙은 머리를 갸우뚱거린다. 처음에 모사토사가 황금의 쌀을 개발했다고 발표했을 때에는 낫세포빈혈증 유전자가 발견되지 않았다. 그런데 갑자기 모든 황금의 쌀에서 낫세포빈혈증을 일으킨다고 알려진 유전자와 유사한 형태의 유전자가 발견된 것이다. 무슨 이유인지 이해할 수 없었다. 갑자기 변종이라도 생긴 것일까?

진영숙이 황금의 쌀에 관심을 갖는 것은 유전자에 인체에 유용한 효소를 삽입했다고 발표했기 때문이다. 그런데 과거에는 발견되지 못한 새로운 유전자가 황금의 쌀에서 발견되었는데 그것은 바로 낫세포빈혈증을 유발하는 유전자와 유사했다.

진영숙은 왜 이런 유전자가 발견되는지 확인하는 것도 중요하겠지만 실제로 이 유전자가 들어있는 쌀을 먹었을 때 어떤 영향이 있겠느냐 하는 데 주목했다.

사실 낫세포빈혈증을 유발하는 유전자와 유사하다고 했지 황금의 쌀을 먹었다고 낫세포빈혈증이 걸린다고 볼 수는 없다. 또한 원인도 모르는 상태에서 무턱대고 불량 유전자를 제거해야만 만사가 해결되는 것도 아니다. 불량 유전자라 해도 상황에 따라 오히려 인체에 유용하게 작용할 수도 있기 때문이다.

진영숙은 계속 여러 파일을 읽으면서 황금의 쌀에 대한 자료를 분석하다가 그야말로 눈이 뚱그래진다. 어느 파일에 들어갔더니 '특급 비밀'이란 말이 표지에 적혀 있는데, 누군가가 모사토의 회장에게 보내는 단 한 장의 서류다.

'황금의 쌀을 2~3년 이상 먹을 경우 모두 낫세포빈혈증과 유사한 병이 발병합니다. 이 병에 걸리면 약 6개월 내에 모두 사망하는데 저희

가 개발한 해독제를 계속 복용하면 환자가 사망하지 않습니다.'

그야말로 놀라운 사실이 아닐 수 없다.

그들이 리디아 쌀로 명명한 황금의 쌀이 인체에는 매우 유용하지만 낫세포빈혈증과 유사한 치명적인 병에 걸리는데 자신들이 개발한 해독제를 먹어야만 죽지 않는다는 뜻이다.

진영숙이 보기에 정말 놀라운 사실이었다. 더욱이 황금의 쌀을 개발한 모사토에서 이미 부작용을 알고 해독제까지 개발했다는 데 아연실색하지 않을 수 없었다. 그야말로 기업으로서는 부도덕하기 짝이 없지만 절호의 기회로 삼을 수도 있었다.

그렇다면 방법은 두 가지다.

'황금의 쌀', 모사토사의 리디아 쌀을 먹지 않거나 불량 유전자가 있더라도 부작용이 없는 치료제를 개발하는 것이다. 리디아 쌀의 효용도 자체는 나쁘지 않기 때문이다.

세계 농산물 종자업계와 식량기업의 최강자로 꼽히는 유대계 기업인 모사토사에서는 이미 리디아 쌀의 공급가를 절반으로 내리겠다고 발표했다. 리디아 쌀을 한국에서 수입할 경우 한국에서 생산하는 쌀 가격의 10분의 1로 줄일 수 있다는 설명이다.

겉으로만 봐서는 반대할 까닭이 없다. 그런데 바로 해독제에 함정이 있다는 사실을 진영숙 박사가 발견한 것이다. 정말 끔찍한 일이 아닌가? 그러다가 문득 이런 생각이 떠올랐다.

'낫세포빈혈증 유전자를 누군가가 고의로 삽입한 것은 아닐까?'

전혀 생각해보지 않았던 변수라 머릿속이 복잡해지기 시작했다. 충분히 가능한 일이었다.

그럴수록 어떻게 해야 할지 도무지 가늠이 되지 않았다.

놀라운 것은 황금의 쌀을 보급하고 있는 모사토사에서 2달 전부터 '미라클리'라는 건강보조제를 시판하고 있으며, 그것이 바로 모사토사가 개발한 해독제라는 사실이었다. 한 마디로 한국에서 낫세포빈혈증과 유사한 병이 발병할 때를 감안하여 사전에 출시한 것으로 볼 수 있다.

진영숙은 어제 저녁 따귀를 날린 권준혁에게 전화를 건다.

비록 따귀를 날리기는 했지만, 함께 X-프로젝트에 참여하고 있는 권준혁 팀장이라면 적어도 자신이 발견한 내용에 대해 적절한 조언을 해줄 수 있을 것 같았기 때문이다.

2.

취침 조명이 켜진 가운데 건장한 사내가 킹사이즈의 침대에서 알몸으로 잠들어 있다. 침실에 커튼이 쳐져 있어서 정확한 시간은 알 수 없지만, 아직 완전히 날이 밝은 것 같지는 않다.

요란한 신호음이 혼곤한 분위기를 뒤흔들며 몇 차례 울려대자 알몸의 사내는 침대에서 부스스 일어나며 전화기를 집어 든다.

"예, 권준혁입니다."

"저, 영숙이에요."

"아이고, 진 박사가 웬일이야?"

권준혁이 자세를 바로잡으며 화들짝 생기가 도는 목소리로 묻는다.

"지금 바로 우리 집에 잠시 들러주실 수 있겠어요?"

"그럼. 진 박사가 불러만 준다면 어딘들 마다하겠어? 그런데 새벽같이 무슨 일인데 그래?"

"날 샌 지가 언젠데 새벽이에요? 아주 이상한 사실을 발견해서 상의하려는 거니까 지금 바로 와주세요."

"이상한 사실이라니?"

"와 보시면 알아요."

권준혁은 '국가특수업무원'의 특수공작 팀장이다. 진영숙 박사와는 함께 X프로젝트에 참여하고 있으므로 업무 관계로 자주 만날 뿐 아니라 가끔 사석에서도 자리를 함께 하곤 했다. 한 마디로 서로 스스럼없는 사이인 셈인데, 가끔은 사적인 '밀당'의 감정이 게재되기도 한다.

권준혁은 침대에 걸터앉아 담배를 빼물고 어제 저녁 진영숙에게 얻어맞은 왼쪽 뺨을 어루만져 본다.

진영숙, 짙은 눈썹과 함께 이목구비의 얼굴 윤곽이 뚜렷한 데다 늘씬하게 크고 뺨과 턱의 곡선이 아름다워 어디서나 사람들의 눈길을 사로잡을 만한 미인이다.

그러나 업무 처리에 있어서는 맺고 끊는 게 너무 분명하고 지나칠 정도로 사리를 따지기 때문에 멋대가리가 없고 성격이 메마른 여자처럼 느껴지기 일쑤다. 그런 성깔이 가끔은 사생활로도 이어져 권준혁의 뺨을 때린 엊그제 같은 불상사까지 일으키곤 한다.

어쨌든 진영숙은 유전자 복제와 인공지능 분야에서 독보적인 과학자답게 자존심이 강한 데다 대화를 할 때 상대방을 긴장시키는 묘한 분위기만은 아무도 부정하지 못한다.

그것이 매력인지 성깔인지는 알 수 없지만…….

사실 진영숙은 조만간 노벨상을 수상할 대어라고 수군거리는가 하면 한국의 마리 퀴리라고 이야기하는 사람도 있다.

그동안 진영숙과 무척 가깝게 지내온 권준혁이지만 올라가지 못할 나무라도 되는 것처럼 그녀에게 거리감을 느낄 수밖에 없었던 것은 분야가 서로 다르기도 한 데다 그녀의 성정이 여간내기는 아니었기 때문이기도 하다.

이솝 우화에서 여우가 따먹을 수 없는 포도를 두고 너무 시게 느껴진다고 불평을 하듯이 그녀에게 매력을 느끼면서도 지레 고집스럽고 교만한 여자로 치부해 버렸는지 모른다.

그런데 그런 진영숙이 어제 저녁에는 함께 식사를 하면서 포도주를 한 잔 하더니 다른 날과는 달리 다소 말이 많아지면서 결혼에 대한 이야기를 꺼냈다. 누군가와 결혼해야겠다는 생각이 있지만 걸맞은 남자가 보이지 않는다면서…….

사실 노벨상 운운하는 과학자인 데다 미모도 남다른 진영숙이 평범한 남자들에게 관심을 보일 리 없고 또 도전하는 남자들도 쉽지 않을 터였다.

진영숙의 결혼 이야기에 평소에도 좀 넘치는 자신감을 보이는 권준혁이 "당장 호텔로 가서 미뤄뒀던 회포를 푸는 건 어떠냐?"고 대꾸를 했다.

자신의 말이 좀 실없다 싶기는 했지만, 진영숙의 손이 느닷없이 뺨으로 날아올 줄은 권준혁도 미처 생각하지 못한 일이었다.

권준혁이 따귀를 맞고 벙벙한 표정을 짓고 있는 사이에 진영숙은 홱 토라져서 한 마디 던지고는 핸드백을 챙겨 뒤도 돌아보지 않고 나가 버렸다.

"고 따위로 생각하면 다시는 안 만날 거예요."

택시를 타고 멀어져 가는 진영숙의 뒷모습을 권준혁은 닭 쫓던 개 지붕 쳐다보듯 지켜볼 수밖에 없었다. 그리고는 쓴 입맛을 다시며 혼자 아지트로 돌아와 술 몇 잔으로 심사를 달래고 잠자리에 들 수밖에 없었다.

그랬는데 잠에서 깨기도 전에 진영숙의 전화가 걸려온 것이다.

"무슨 일인데, 그래?"

"전화로 설명할 일이 아니에요. 관심 없으면 오지 않아도 되고…….."

"어제 일로 아직도 화났어?"

"화야 났죠. 하지만 그걸 따지자는 것은 아니라니까요."

"그래도 힌트는 줄 수 있잖아?"

"힌트라면 프로젝트와 관련된 일이라는 정도……, 그러니까 오기 싫으면 마음대로 하세요."

역시 찬바람이 쌩쌩 도는 말투였다.

권준혁이 살고 있는 일산과 진영숙이 살고 있는 분당은 서울을 사이에 두고 남과 북으로 거의 끝에서 끝이었다. 일요일 새벽이지만 전날 눈이 내린 데다 날씨가 추워 대부분의 도로가 얼어붙었다는 일기예보를 감안하면 자동차를 몰고 가는 것은 시간 낭비라고 생각하여 권준혁은 택시를 타고 전철역으로 갔다.

3.

'권 팀장이 도착하려면 아무리 빨라도 두 시간 정도는 걸릴 텐데, 그러고 보니 집에 음료수도 없잖아.'

진영숙은 새벽이지만 근처 24시간 편의점에서 과일과 음료수를 사와야겠다고 웃옷을 든든하게 챙긴다. 아파트 문을 열고 나가려다가 갑자기 생각나서 다시 서재로 들어와 어젯밤에 써둔 편지를 챙겼다.

편의점은 일요일 아침인데도 사람들이 많았다. 몇 가지 음료수와 과일만 샀는데도 계산대에서 한동안 시간을 지체했다. 간신히 계산을 마치고 나와서 편의점 앞에 있는 우체통에 편지를 집어넣었다. 그런 다음 습관적으로 시계를 들여다보니 권준혁에게 전화를 건 지 한 시간 정도 지나 있었다.

바쁠 것도 없건만 걸음을 재촉하여 아파트로 들어가 문을 닫자마자 초인종이 울린다. 권준혁이 벌써 도착했을 리는 없다고 생각하면서 보안경으로 밖을 내다보자 모자를 눌러쓴 두 남자가 서 있다. 두 사람 모두 콧수염을 기른 낯선 얼굴이다.

"누구시죠?"

"진영숙 박사님 댁이죠?"

"예, 그런데요?"

"저희들은 과학기술정보통신부에 근무하는 사람들입니다. 잠시 이야기할 것이 있는데 시간 좀 내주실 수 있겠습니까?"

"과학기술정보통신부요?"

"예. 진 박사님과 몇 가지 상의드릴 일이 있어서요."

"아, 그러세요? 들어오세요."

진영숙은 별 의심 없이 문을 열어준다. 두 사람이 안으로 들어온 다음 문을 닫자마자 그 중에서도 키가 큰 젊은 남자가 상의에서 소음권총을 꺼내더니 대뜸 그녀에게 겨눈다.

"무……무슨 일이죠?"

"우리는 진 박사님이 갖고 있는 자료를 받으러 왔습니다."

"자료라니요?"

"시간을 절약하기 위해 간단히 말하죠. 진 박사님은 이미 들어가서는 안 되는 비밀 프로그램 파일에 접속했더군요."

이번에는 키가 작은 나이든 사내였다.

"그 때문이에요? 아주 나쁜 짓을 하고 있더군요."

"우리는 바로 그 사실을 진 박사님의 머리에서 깨끗이 지우려고 찾아온 겁니다."

역시 나이든 사내였다.

진영숙은 잠시 후면 권준혁이 도착한다고 생각하며 이런 경우일수록 태연해야 한다고 스스로를 다독거린다. 혹시라도 총잡이와 권준혁이 마주쳐서 사고라도 생길지 모르니까 그들이 원하는 내용을 한두 개쯤 내줄 생각도 했다.

"제가 뭘 도와드리면 될까요?"

그때 키 작은 남자가 진영숙의 책상에 앉더니 장갑을 끼고 컴퓨터를 켜면서 말했다.

"진 박사님의 패스워드를 알려주시죠."

"패스워드?"

"예, 진 박사님의 연구 자료를 모두 지워야 하니까요. 우선 여기 앉으시죠."

키 작은 남자가 진영숙을 그녀의 컴퓨터 옆 보조의자에 앉으라고 한다. 키 큰 남자는 줄곧 권총을 들고 말없이 지켜본다.

진영숙은 순간적으로 상당한 전문가들이구나 하고 깨닫는다. 컴퓨터에 있는 연구 데이터들을 원천적으로 지워버리겠다는 것이다.

"진영숙 : 0117!"

영숙은 미소를 지으며 순순히 자신의 생년월일을 의미하는 패스워드를 알려준다. 그녀가 사용하는 과학기술연구원의 컴퓨터는 언어가 일반 컴퓨터와 다르기 때문에 파일 안에 어떤 내용이 들어 있는지 문외한이 알아내는 것은 불가능한 일이다.

'과학기술정보통신부' 직원이라고 하지만 그들이 정부 공무원이 아닌 것은 분명했다. 공무원이 자료를 원한다며 권총을 내밀 까닭은 없을 테니까. 진영숙은 속으로 그들을 비웃는다.

'바보 같은 녀석들! 나 같은 연구원은 자료가 중요한 게 아니라 바로 두뇌가 중요하다는 걸 모르는군. 더구나 나는 중요한 자료를 저장하지 않으니까 컴퓨터에 특이한 자료 따위는 없어.'

놀랍게도 키 작은 남자는 능숙하게 컴퓨터 자판을 두드리면서 그녀의 파일들을 찾아 삭제하기 시작했다. 그녀가 불가능하다고 생각한 바로 그 작업을 스스럼없이 진행한다. 그러는 사이 총잡이는 입을 굳게 다문 채 소음권총을 진영숙에게 겨눈 채 키 작은 남자가 작업하는 모습을 지켜보고 있다.

20분쯤 지나자 키 작은 남자가 만족한 미소를 짓고 일어서며 말한다.

"이제 다 된 것 같은데?"

"티끌만한 증거라도 남기면 안 됩니다."

"여부가 있나. 모두 삭제했네."

"어딘가에 개인적으로 저장해둔 것도 있지 않겠습니까?"

"아니야. 과학기술연구원에서는 개인적인 저장을 금지하고 있으므로 진 박사처럼 착실한 연구원이 그런 일을 했을 리 없어. 그렇지 않습니까, 진 박사님?"

"그건 그래요. 댁들은 아주 전문가로군요."

"그런 셈이죠. 진 박사님과 마찬가지로 유전자 분야에 종사하고 있죠. 특히 중합효소연쇄반응(PCR : 특정 DNA 부위를 원하는 대로 증폭시킬 수 있는 기법)을 다루는 전문가죠."

"대단하군요. 그렇다면 언젠가 만난 적이 있겠군요?"

"그렇지는 않아요. 그러니까 여길 올 수 있었죠."

"무슨 뜻이죠?"

진영숙이 깜짝 놀라 질문을 던지는 것과 동시에 총잡이의 소음권총이 발사된다. 단 한 발의 총알이 그녀의 머리 중앙을 관통하는 것으로 그녀의 생명은 끊어진다. 총을 맞고 쓰러진 진영숙의 숨이 끊어진 것을 확인한 두 남자는 태연하게 밖으로 빠져나간다.

그들이 엘리베이터를 타고 1층에 도착하여 밖으로 나오는 순간, 권준혁이 아파트 안으로 들어선다. 안으로 들어서던 권준혁은 콧수염을 기른 두 사람의 모습이 우스꽝스러워 한 번 더 돌아본다. 한국 사람으로 두 명 모두 콧수염을 길렀다는 것이 이례적인데 콧수염의 남자들은 아파트를 나서자마자 주위를 둘러보고 사람이 없다는 것을 확인한 다음 얼굴에 썼던 고무 마스크를 벗더니 검은 안경과 함께 쓰레기통에 버리고 유유히 사라져 간다.

제2장 고육지계

1.

　권준혁은 속이 부글부글 끓어오른다.

　진영숙이 살해된 것을 목격한 후 곧바로 신고했는데도 경찰 녀석들은 자신을 마치 범인처럼 다루는 것이다. 같은 이야기를 두 번이나 반복하게 한 후 조서를 모두 작성하더니 이번에는 수사계장이라는 녀석이 나타나 똑같은 이야기를 한다.

　"오민우 경감이라고 합니다. 처음부터 다시 이야기해 보세요."

　권준혁은 버럭 소리를 지르면서 물었다.

　"그러니까 처음부터 다시 이야기를 해 달라는 뜻이오?"

　"그래요, 권준혁 씨. 몇 가지 의문 나는 점이 있어서요."

　"몇 번이나 말해야 알겠소? 뭐가 이해가 안 되는지 먼저 이야기를 해보쇼."

　"처음부터 끝까지 의문투성이로군요."

　"그러니까 내가 진 박사를 살해했다는 뜻이오?"

　권준혁은 적어도 나이가 열 살은 많아 보이는 수사계장 오 경감에게 대놓고 고함을 지른다.

　오민우 경감은 그쯤의 반발은 예상했다는 듯 꿈쩍도 하지 않고 또박또박 경어를 쓰며 똑같은 말투로 되풀이한다.

　"그건 아닙니다. 단지 이해되지 않는 점이 많다는 뜻이죠."

　"그러면 이해되지 않는 점을 일일이 적어서 질문을 해 주시오. 나는 더 이상 할 말도 없고 당신 같은 경찰은 꼴도 보기가 싫소."

"꼴도 보기 싫은 경찰을 더 보느냐 안 보느냐 하는 것은 권준혁 씨가 우리에게 얼마나 협조하느냐에 달렸습니다."

"이젠 협박까지 하는군요. 이러고도 민중의 지팡이요? 나는 내가 목격한 것을 모두 설명했으니까 더 이상 할 말이 없소."

권준혁이 악을 박박 쓰는데도 오민우는 전혀 동요되지 않고 느물느물한 태도로 설명을 재촉한다.

"어쨌든 조서만 가지고는 이해가 되지 않으니까 목격한 상황을 자세히 이야기해 주시죠."

그러자 권준혁의 기세도 만만찮아서 팔짱을 낀 채 오민우를 노려보더니 아예 눈을 감아버린다. 얼마가 지났을까? 권준혁이 눈을 뜨자 오민우 역시 그 자리에 꼼짝 않고 앉아 있다.

"눈을 뜬 걸 보니 이제 이야기할 마음이 생겼나 보군요?"

"아뇨. 지금까지 내가 진술한 내용을 일일이 되새겨 보면서 어떻게 해야 좋을지 생각해봤소."

"그래서 어떤 결론을 내리셨나요?"

"오 경감을 포함한 관련자 모두를 고발해도 되겠다는 생각이 들었소. 당신은 같은 소리를 세 번씩이나 되풀이하라고 했는데 내 생각에는 조서를 한 번도 읽어본 것 같지가 않소."

"조서는 읽어보았습니다. 그런데도 이해가 되지 않는다는 뜻이죠."

"나는 분명히 이해되지 않는 부분을 지적해 달라고 했소. 그런데도 계속 증언만 강요하는 것은 마치 나를 피의자로 여긴다는 뜻이 아니겠소. 내가 피의자라고 생각하면 계속하시오."

"피의자라고 하지는 않았습니다."

"의문 나는 점을 공식적으로 통보해 주면 변호사를 통해 답변하겠소. 그렇지만 더 이상 설명을 강요한다면 모두 고발해 버릴 거요."

오민우는 자신을 피의자처럼 다룬다고 펄펄 뛰는 권준혁을 물끄러미 바라보다가 무심하게 한 마디 던진다.

"좋아요. 그럼 몇 가지만 묻죠. 정말로 진 박사가 먼저 전화를 해왔습니까?"

"그래요. 하지만 무슨 이유인지는 이야기하지 않았소."

"일요일에도 자주 통화를 합니까?"

"같은 일을 하니까 회의에서도 자주 만나고 식사를 함께 하기도 하지만 일요일에 전화를 걸어온 일은 처음이요. 그런데 이 정도의 질문이라면 더 이상 답변할 필요를 느끼지 않소. 자, 나를 내보내 주든가 변호사를 불러주든가 하시오."

권준혁과 오민우가 신경전을 벌이고 있을 때 자그마한 체구의 강미진 과장이 나타난다. 변호사 자격증도 갖고 있는 그녀는 20대 말에 곧바로 경찰청에 지원하여 과장급, 그러니까 경정에 오른 역전의 수사통이다. 그것도 경찰청의 특수수사팀 소속이었다. 강미진이 물었다.

"오 계장, 권준혁 씨에게 상황 설명은 잘 들었어요?"

"아뇨, 전혀 듣지 못했습니다."

"조서는 작성했습니까?"

"조서는 작성했지만, 몇 마디 더 질문하려고 하니까 전혀 협조를 하지 않는군요."

"그래요?"

강미진은 권준혁을 힐끗 쳐다보더니 나이가 훨씬 많은 오민우더러 밖으로 나가자고 하여 자신의 방으로 데려가 권준혁과의 신경전에 대해 자세히 듣는다.

"알았어요, 오 계장. 내가 보기에는 더 이상 협조해 달라고 할 명분이 없군요. 그는 사건 현장을 신고한 사람이잖아요."

"그렇기는 한데, 국가특수업무원 특별수사요원이라고 해서 확인해 보니 그런 부서조차 없습니다."

"거짓말할 사람으로는 보이지 않던데요?"

"원래 구린 놈들이 표정관리는 더 잘하죠. 뭔가 의심스러운 녀석이 틀림없습니다. 저하고 내기할까요?"

"무슨 내기죠?"

"그가 깨끗한 놈이라면 제가 5만 원을 드리겠습니다."

"좋아요. 하지만 24시간 이상 구금해 둘 수 없다는 건 잘 아시죠?"

"그렇기는 합니다만……."

"지금까지의 정황을 보면 적어도 권준혁이 살인자로는 보이지 않아요."

"살인자는 아닐지 모르지만 무언가 냄새가 납니다. 5만 원이나 준비해 두시죠."

오민우는 의기양양하게 강미진의 방을 나선다.

2.

국가특수업무원 차장실.

권준혁이 말끔한 옷차림으로 들어가자 모니터를 보며 일하던 비서실 미스 양이 발딱 일어서며 반갑게 맞이한다.

"권 팀장님, 오랜만에 뵙네요?"

"그렇게 됐나? 그럼 뽀뽀라도 해줘야지."

"아유, 시도 때도 없이 질퍽거리시기는……."

짓궂은 표정으로 내미는 권준혁의 얼굴을 미스 양이 손가락으로 퉁기듯 밀쳐내 버리자 그는 느물거리며 한 마디 더 보탠다.

"그 사이에 좋은 사람이라도 생겼나 보지?"

"실없는 말씀 마시고 들어가 보기나 하세요."

"차장이 왜 불러?"

"혼낼 일이 있나 보죠."

권준혁이 입술에다 손을 대고 '쪽' 소리를 내며 미스 양에게 눈을 찡

굿 하고는 차장실 문을 열고 들어가자 문소리를 듣고 신한수 차장이 의자를 돌리며 버럭 소리를 지른다.

"그렇게 경찰서에 들어가 동네방네 다 소문낼 거야?"

"무슨 소문입니까? 저는 경찰에서 아무 소리도 하지 않았습니다."

"그러면 국가특수업무원이라는 소리도 하지 말아야지. 경찰이 우리에게 특수부서가 있다는 것도 모르게 해야 한다는 걸 알아, 몰라?"

"머리 나쁜 오 경감이란 자가 한 건 하려다 실패했을 뿐입니다. 24시간 지나면 자동으로 풀려날 거 아닙니까?"

"바보 같은 소리 하지도 마. 자네는 오 경감에게 찍혀서 열흘도 더 유치장에 처박혀 있을 뻔했어. 나도 성질 같아서는 자네를 좀 더 데리고 있으라고 했을 텐데 자네가 꼭 영접할 사람이 있어서 빼내준 거야."

신한수가 잔뜩 부은 얼굴로 식식거리는데도 권준혁은 그런 표정에는 이골이 났다는 듯 미소를 지으며 묻는다.

"최창수가 옵니까?"

"그래, 사흘 후니까 준비해. 이번에는 아주 큰 선물을 갖고 오는 모양이야."

"알겠습니다. 더 하실 말씀 있습니까?"

"있지, 잠깐만 기다리라고……. 미스 양, 김 양 들여보내."

신한수는 인터폰을 눌러 미스 양에게 지시를 내린 다음, 자리에서 일어나 소파로 옮겨 앉더니 권준혁에게도 맞은편 자리에 앉으라고 권한다. 권준혁은 소파에 앉아서 방문을 열고 들어오는 여자를 보고 깜짝 놀란다.

"인사해, 김유라 양이야."

"김유라?"

"뭐가 이상한가? 진 박사의 동생이야."

"진 박사에게 동생이 있다는 말은 처음 듣습니다. 쌍둥이도 아니고……."

"쌍둥이는 아니야. 여하튼 오늘부터 유라 양이 진영숙 박사를 대행할 거야. 무슨 말인지 알겠지?"

"이해가 잘 안 되는군요."

"개인적으로는 나도 가슴이 아파. 그렇지만 죽은 사람이 다시 살아날 수는 없잖아?"

신한수는 권준혁의 대답이 신통찮은 까닭을 넘겨짚고 있었다. 진영숙 박사의 죽음 때문에 그가 심드렁하게 생각한다는 것도 당연하다.

"알고는 있습니다만……."

"너무 복잡하게 생각할 건 없어. 진 박사가 살해되는 바람에 유라 양이 미국에서 급히 귀국한 거야."

"그래도 그렇지."

"함께 일하던 진 박사가 살해되어 권 팀장이 어려운 줄은 알지만 이건 어디까지나 국가 대사야. 자네에게 부탁하는 것은 최창수 상좌도 진영숙 박사와 김유라 양이 바뀐 것을 알아보지 못하도록 하라는 거야."

"대단한 작전이군요."

"말하자면 고육지계지. 유라 양에게 권 팀장이 진영숙 박사에 대해 아는 대로 자세히 설명해 주게."

신한수가 일어서자 두 사람도 엉거주춤 일어난다.

두 사람이 사무실에서 나가려고 하자 신한수가 당부를 한다.

"유라 양과 다닐 때는 반드시 진영숙 박사와 함께 다니는 것으로 생각하게."

"알겠습니다. 더 하실 말씀 있습니까?"

"없네. 여하튼 차질이 없도록 하게. 이제 나가 봐."

권준혁과 김유라가 밖으로 나오자 미스 양이 묘한 표정을 지으며 한마디 던진다.

"권 팀장님, 오늘도 미인과 데이트를 하시나 봐요?"

"이건 어디까지나 공무라니까, 공무……."

"아주 신이 났군요."

"그런 소리는 하지도 마. 미인과 야근하는 일이 어디 쉬운 줄 알아?"

"정말 못 말려."

권준혁이 시위하듯 유라의 팔짱까지 끼자 미스 양의 목소리에 표가 나게 짜증이 섞인다.

3.

승용차가 한강변의 올림픽대로를 지날 무렵 운전하던 권준혁이 조수석의 김유라에게 묻는다.

"숙소는 어디지?"

"시청 앞의 프라자 호텔. 인천공항에 도착하자마자 곧바로 오는 바람에 체크인도 하지 못했어요. 거기까지 태워주실래요?"

"당연하지."

"저에 대해서는 어느 정도 알고 계세요?"

권준혁은 유라를 빤히 쳐다보다가 고개를 좌우로 저으며 대답한다.

"전혀 몰라. 아까 이야기했지만 진 박사에게 동생이 있다는 사실조차 오늘 처음 알았거든."

"그렇겠죠. 언니는 비밀이 많은 여자니까. 제가 영숙 언니의 동생이라는 것이 그렇게 이상해요?"

"사실 좀 헷갈려. 나는 진 박사에 대해 잘 안다고 생각했거든."

"잠자리도 함께 했겠군요?"

"그렇게 하질 못해서 망한 사람이야."

"왜요?"

"며칠 전 언니가 결혼 이야기를 꺼내기에 호텔에 함께 가자고 했다가 따귀를 얻어맞았거든."

"언니답네요."

속상한 표정을 짓는 권준혁을 바라보며 유라가 미소를 띠고 말했다.

"언니다운 건 좋은데, 나는 뭐냐고? 덜컥 살해당하고 말았는데 모습이 똑 같은 유라가 눈앞에 나타났으니 더욱 마음이 아프지."

"저라도 위로해 드려야겠군요?"

"괜히 동정할 필요는 없어. 진 박사는 서른한 살인데, 유라는 스물일곱 살이라고 했지?"

"그래요."

"진 박사의 왼쪽 눈썹 밑에 점이 두 개 있고 왼쪽 귓불이 약간 길게 나와 있는데, 유라도 똑같아. 두 사람이 닮은 것은 이해하지만 어떻게 감춰진 특징까지 똑 같을 수 있어?"

"제가 수술이라도 했단 말인가요?"

"바보 같은 소리, 누가 보이지 않는 점까지 일부러 수술하겠어? 더구나 목소리까지 똑 같은 걸."

"무슨 말을 하고 싶은 거예요?"

"내가 지금 SF영화를 보고 있고, 유라가 인조인간인 터미네이터가 아닐까 하는 생각이 든단 말이야."

"그건 아니에요. 제 손을 만져 보세요."

권준혁은 오른쪽 손을 뻗어 유라가 내미는 손을 잡아본다.

"온기가 느껴지고 살결이 부드러운 걸 보니 터미네이터가 아닌 것만은 틀림없군."

"제가 언니를 그렇게까지 닮았다는 사실은 저도 지금 처음 알았어요."

"그렇다면 다른 이유가 있겠지."

"다른 이유란 게 뭐죠?"

"복제인간."

권준혁의 말에 유라는 한 마디 대꾸도 없다.

김유라의 시선은 어느새 무심한 듯 올림픽대로 주변에 펼쳐진 한강변의 그림 같은 경관에 머물고 있다. 한동안 침묵이 흐르다가 권준혁이 불쑥 묻는다.

"지금까지 쭉 미국에서 살았나?"

"꼭 그런 건 아니에요. 필요할 때마다 잠깐씩 귀국하곤 했어요."

"미국에서는 뭘 했지?"

"저도 언니처럼 약간의 비밀이 있는 여자죠. 정확하게 말하자면 언니가 의뢰하는 연구를 캘리포니아 대학에서 수행하고 있다가 6개월 전부터 시카고에 혼자 있었어요."

"언니가 연구를 의뢰해?"

"예에, 저도 언니와 같은 유전자 분야의 연구를 하거든요."

"빼다 박은 자매가 하는 일도 똑 같단 말이지?"

"언니와 똑같이 생겼기 때문에 여러 면에서 이득도 있었어요. 언니와 상의하여 어떤 때는 진영숙 언니로, 어떤 때는 김유라로 행세했는데 모두들 감쪽같이 속아 넘어갔거든요."

자동차는 어느덧 시청 앞의 프라자 호텔로 접어들고 있었다.

"차가 밀리지만 않았으면 좀 더 빨리 도착했을 거야."

권준혁은 벨 보이에게 자동차 열쇠를 맡기고 트렁크에서 여행용 가방을 꺼내 들었다. 김유라의 짐은 핸드백과 여행용 가방이 전부였다. 권준혁은 유라와 함께 체크인을 위해 로비로 들어가면서 궁금증을 참지 못하고 물었다.

"언니와 성이 다른 이유는 뭐지?"

"저는 엄마 성을 따랐어요. 저를 임신하고 나서 아빠와 이혼했다는데, 엄마가 무척 속이 상했던가 봐요."

"하기야 그럴 수도 있겠군. 그럼 유라는 언니와 함께 자랐나?"

"웬걸요. 사실 저는 얼마 전까지만 해도 언니가 있다는 사실조차 몰랐어요."

"그건 또 무슨 소리야?"

"4년 전에 언니의 편지를 받는데, 제가 동생이라는 거예요. 곧 미국을 방문하니까 그때 만나자고 해서 만났죠."

"환상적인 해후였겠군."

"처음 만날 때 콧등이 찡하기는 하더군요. 어쨌든 그때부터 짝짜꿍이 잘 맞는 자매였죠. 같은 일을 하는 데다…… 사실 제 연구는 언니가 이끌어 주었던 셈이에요."

"자매는 용감했단 말이지. 하긴 결혼해서 남편을 바꿔치기한들 누가 알겠어?"

"멍청한 남편이라면 그럴 수도 있겠지만 언니가 죽었으니 그건 이제 불가능하죠."

그러면서 유라는 친근하게 권준혁의 팔짱을 낀다. 권준혁은 체크인의 순서를 기다리며 한동안 말이 없다가 불쑥 질문을 던진다.

"진 박사의 첫 남편은 누구였지?"

"결혼한 지 1년 만에 이혼했다는데, 아마 같은 분야를 연구하는 교수였나 봐요. 나이가 거의 곱절이나 되고 막상 결혼해보니 성격 차이도 있어서 헤어졌다고 하더군요."

"언니에 대해선 알 만큼 안다고 자부했는데, 점점 수수께끼의 주인공으로 다가오는군."

"미스터리의 여왕쯤 된다는 말씀?"

"사실이 그래. 유라도 나에게만은 좀 솔직했으면 좋겠어."

"저는 솔직하게 다 얘기했어요."

"우린 앞으로 한 팀으로 움직여야 돼. 그런데도 가장 중요한 사실을 숨겨서야 되겠어? 내가 특수업무 팀장이란 건 알고 있겠지?"

"예, 신 차장님한테 들었어요."

"X프로젝트를 수행하는 게 특수업무 팀의 임무라는 말도?"

"그래요."

"X가 깨어날 때 내가 현장에 있었어. 무슨 소리인지 알겠지?"

권준혁의 말에 유라는 잠시 생각하는 눈치더니 할 수 없다는 듯 대답한다.

"솔직하게 말하죠. 언니라기보다 어머니라고 해야 할까요?"

"그럴 수도 있겠지."

"저는 어머니의 스물세 살 때 혈액으로 4년 전에 복제했다고 하더군요. 어머니는 10년 전부터 인간 복제가 성공할 것으로 확신하고 매년 혈액을 채취해 두었다고 해요."

"그런데 왜 하필 스물세 살 때 혈액이지?"

"그때가 어머니는 가장 완벽한 상태였다고 하더군요. 앞으로도 제가 복제되었다는 건 비밀이겠죠?"

"당연하지."

"그런데 팀장님은 왜 저에 대해서 모르시죠?"

"유라가 태어난 건 4년 전이니까. 나는 X가 처음인 줄 알았고, 유라가 복제된 줄은 몰랐거든."

제3장 살해된 과학자

1.

인천공항의 한 쪽에서 경비행기의 문이 열리고 최창수 상좌와 소좌 계급의 건장한 여자 한 명이 내린다. 권준혁과 유라가 그들을 맞이한다.

"열렬히 환영합니다. 최 상좌."

권준혁이 최창수에게 손을 내밀며 인사를 건넸다.

"고맙수다, 권 팀장. 아니 이거 진영숙 동무 아니오?"

최창수가 권준혁과 악수를 하며 인사를 건네자 유라가 인사를 받는다.

"그래요, 반갑습니다."

"이거 다시 만나게 되어 반갑소. 내가 만날 과학자가 진 박사일 줄은 정말로 몰랐소."

최창수는 유라를 보고 깜짝 반기는 표정을 지우지 않는다. 유라는 최창수가 영숙을 알고 있다는 사실이 다소 이상하게 여겨졌지만 내색하지 않는다.

"나와 함께 일할 백도순 소좌요."

최창수가 초면인 여자 군관을 두 사람에게 소개하자 서로 악수를 나눈 다음 준비해간 승용차 편으로 공항을 빠져나온다.

2.

수많은 모니터들이 설치된 곳에 백인이 한 사람 서 있고, 그 앞에 흑인 한 명과 백인 한 명이 앉아 모니터를 조종하고 있다.

GPS(위성추적) 시스템과 연결된 모니터가 인천공항의 경비행기를 확대하고 있다. 비행기에서 두 사람이 내리는 모습은 물론 권준혁과 유라가 서 있는 것도 생생하게 보인다. 뒤에 서서 지휘하는 백인은 피터슨이고, 모니터를 조작하는 흑인은 토드다. 피터슨이 뭔가를 보았는지 갑자기 지시를 내린다.

"지금 지나친 여자의 얼굴을 확대해 봐."

유라의 얼굴이 확대되자 피터슨이 깜짝 놀란다.

"저 여자는 살해된 진 박사잖아?"

"글쎄요, 대역이 아닐까요?"

토드가 피터슨에 말에 수긍을 하며 한 마디 보탰다.

"대역? 진 박사의 얼굴과 그녀의 얼굴을 비교해 봐."

토드가 부지런히 자판을 두들기며 진 박사의 얼굴과 위성사진으로 포착한 유라의 얼굴을 회전시켜 가면서 겹치게 만든다. 그가 신음 소리를 내며 말한다.

"완전히 겹치는군요. 이 여자가 진 박사입니다."

피터슨도 놀란 목소리로 말한다.

"토드, 이게 말이 된다고 생각해? 죽은 사람이 어떻게 살아나나?"

"잘은 몰라도 여하튼 진 박사가 틀림없습니다. 혹시 살해된 사람이 대역일지도 모르죠."

피터슨은 휴대전화로 급하게 전화를 걸어 이야기한다.

"틀림없이 진 박사야. 그녀는 살아있어."

"무슨 소리입니까? 그녀는 제가 직접 머리에 명중시켰습니다."

전화기에서 말도 안 된다는 어투로 대답하는 소리가 들렸다.

"나도 이해할 수 없지만 조금 전에 인천공항에 나타난 여자는 분명히 진 박사야. 아마 대역이 살해된 모양이야."

"대역이라고요?"

"그래. 위성 촬영한 사진과 그녀의 영상자료가 일치한단 말이야."

"그렇다면 진 박사가 술수를 썼군요?"

"그런 모양이야. 빨리 조치를 해야 돼."

"알겠습니다. 이번에는 실수하지 않을 겁니다."

피터슨은 전화를 끊은 다음 분통을 터뜨린다.

"바보 같은 놈!"

혼잣말로 버럭 소리를 지르는 피터슨의 얼굴에는 낭패한 표정이 역력하다. 다시 휴대전화를 두드리며 어딘가로 전화를 거는 피터슨의 말투가 처음 전화와는 달리 매우 공손하다. 상대방의 이야기가 끝난 듯 잔뜩 주눅이 든 목소리로 대답한다.

"알겠습니다. 진 박사의 위치를 확인하여 조치하겠습니다."

3.

시내의 어느 팝 레스토랑에 최창수와 권준혁, 유라가 앉아 있다. 먼저 숙소로 가겠다는 백도순 소좌를 보내고 서로 안면이 있는 사람들끼리 조촐하게 마련한 자리였다. 손님이 많아서 권준혁이 여러 번 초인종을 누른 다음에야 종업원이 주문을 받으러 온다.

"뭘 드시겠어요?"

"우선 마른안주 하나랑 생맥주 500cc."

"나도 생맥주 주세요."

유라가 권준혁을 따라 생맥주를 시키자 최창수가 깜짝 놀라며 묻는다.

"어? 진영숙 동무는 항상 우유나 콜라를 시키더니 이제 식성도 바뀐 거요?"

"아뇨. 가끔 가다가 다른 것도 마시고 싶어서요."

"그럼 나도 같은 것으로 주시오."

종업원이 생맥주 세 잔과 마른안주를 갖고 오자 세 사람이 건배를
한다. 유라가 단숨에 반 컵을 쭉 들이키자 최창수는 매우 놀랍다는 표
정을 지으며 감탄한다.
　"진 박사가 맥주를 이렇게 잘 마시는 줄은 몰랐소. 미국에서 만날 때
마다 우유나 콜라만 찾기에 맥주는 못 마시는 줄 알았소."
　"그때는 그랬죠. 하지만 한국에 들어와 조금씩 배웠거든요."
　유라는 권준혁에게 한쪽 눈을 찡긋해 보이고는 자리에서 일어서며
말했다.
　"잠깐 실례하겠어요."
　유라가 자리를 뜨자 권준혁이 낌새를 알아채고 최창수에게 묻는다.
최창수도 유라가 진영숙이라고 믿게 해야 하는 것이다.
　"진 박사와는 미국 어디서 만났죠?"
　"뉴욕에 외화벌이 회사 직원으로 파견을 나갔을 때 만났소. 진 박사
가 얘기하지 않던가요?"
　"아뇨, 전혀……."
　"하기야 진 박사는 이야기할 기분도 아닐 거요."
　"왜요?"
　"내가 정말 몹쓸 짓을 했거든요. 벌써 5년이나 지난 일이지만……."
　"그건 또 무슨 말입니까?"
　"진 박사와 결혼하기로 했는데 그만 헤어질 수밖에 없었지요."
　권준혁이 놀란 표정으로 바라보자 곧이어 최창수의 다음 말이 이어
진다.
　"갑자기 귀국할 수밖에 없게 된 거요."
　"진 박사가 결혼을 승낙했단 말입니까?"
　"그렇소. 한 가지 조건이 있었지만……."
　"조건이라고요?"
　"결혼하면 어떤 일이 있더라도 북한으로 되돌아가지 않는다는 조건

이었소. 그런데 나는 귀국 명령을 받고 진 박사의 애원에도 불구하고 귀국해 버렸지요. 그게 결혼하기 한 달 전이었으니까 그녀가 쌀쌀맞게 구는 것도 이해가 됩니다."

"예에……."

권준혁은 뭐라고 할 말이 없어 애매한 반응을 보였다.

"내 그 후 얼마나 후회했는지 모르오. 하지만 우리는 어차피 결합될 수 없는 운명이었소."

"결합될 수 없는 운명이라뇨?"

"결혼 후에 미국에서 정착한다는 것 자체가 불가능한 일인 데다 북남이 분단된 상황에서 결혼인들 어디 가능한 일이겠소? 그래서 진 박사에게는 귀국한다는 사실조차 알리지 않은 채 눈물을 머금고 사라져 버린 거요."

"그야말로 눈물겨운 러브스토리군요?"

"내가 비겁했던 거지. 그러고도 오매불망 진 동무가 어른거렸는데 여기서 다시 만나게 되다니 인연은 인연인 모양이오."

"결혼은 했습니까?"

"하하하, 결혼만 하려고 하면 꼭 일이 터지더란 말이오."

권준혁은 최창수의 웃음을 이해할 수 있을 듯했다. 마침 유라가 자리로 돌아오는 바람에 두 사람의 대화는 허리가 잘린다. 권준혁이 옆자리에 앉는 유라에게 귓속말로 뭔가를 알려주자 그녀가 고개를 끄덕인다. 최창수가 두 사람의 모습을 보고 웃으며 입을 연다.

"이제 자주 만나게 되었으니 지난날은 잊고 다시 예전처럼 지냈으면 좋겠소."

"여전히 딱딱한 말투로군요."

유라가 한 마디 끼어들었다.

"군인이라 그렇소. 뭐, 내가 군인이 아니었다면 결혼도 마다하고 귀국했겠소?"

"대단한 충성심이군요. 지금도 마찬가지겠지만……."

유라의 말에 최창수가 맥없이 대답한다.

"물론이오."

"여자의 자존심 따위는 안중에도 없다는 말이군요."

"내 인생이지만 내 마음대로 살 수 없다는 것을 이해하게 되었을 뿐이오. 진 동무는 결혼했소?"

"불행하게도 아직 혼자예요."

혼자라는 유라의 말에 최창수의 표정이 묘하게 변하며 건배를 제의한다.

"한 잔 합시다. 아직 혼자라면 희망이 있다는 소리군."

"용기는 가상하네요. 하지만 자존심을 내팽개치면서 좋아할 사람이 있을지는 모르겠지만……."

최창수가 잔을 들고 기다리자 권준혁과 유라도 마지못해 잔을 치켜들고 서로 부딪친다.

제4장 대역

신라호텔 특실인 스위트룸은 일류 호텔답게 호화롭기 그지없다. 스위트룸의 장식과는 어울리지 않게 회의실에 모인 네 사람은 뭔가 심각한 이야기를 주고받고 있다.

"자세히 좀 얘기해 보시오, 원 박사. 그러니까 진 박사가 살아있단 말이오?"

"제가 직접 본 것은 아니지만 그녀가 살아있는 것만은 틀림없는 듯합니다."

"그걸 어떻게 알았소?"

김한룡 박사가 원두영 박사에게 다그치듯 되묻는다.

"브로코가 엉겁결에 이야기한 겁니다."

원두영이 말하는 브로코는 모사토전자회사의 한국법인 사장이다.

"으흠, 그렇더라도 진 박사가 살아있다는 말은 너무 과장되지 않았소?"

"물론 다른 증거도 있습니다, 김 박사님."

"다른 증거요?"

"예, 제가 진 박사에 대한 이상한 소문을 친구로부터 들었거든요."

원두영은 김한룡의 질문에 공손한 태도로 또박또박 대답한다. 60대 초반의 김한룡은 다소 마른 체구에 새까맣게 머리카락을 염색하고 있어서 원두영과는 누가 연배인지 구분하기 어려웠다. 다른 두 사람은 아무 말도 없이 그들의 말을 경청하고 있다.

"무슨 소문인가?"

"경찰청에 근무하는 제 친구 얘기로는 진 박사가 피살된 것이 아니라 동생이 피살되었다는 겁니다. 진 박사라면 충분히 그러고도 남을 여자지요."

"동생이라고?"

"예, 얼굴과 체격이 똑 같아 아무도 알아차리지 못했다고 합니다. 그녀의 꾀에 억울한 사람이 살해된 셈이죠."

"진 박사라고 살해된 여자가 동생이었다니 정말 놀라운 일이군."

"아주 약아빠진 여자죠."

김한룡은 원두영이 강조하는 말을 건성으로 들으며 난감한 표정을 짓는다. 동생이 있다는 말은 들은 적이 없었던 것이다.

"그렇다면 진 박사가 어디 있는지는 알고 있소?"

"아뇨. 하지만 알아낼 방법은 있습니다."

"어떤 방법?"

"적어도 권준혁이라면 그녀의 소재지를 알고 있을 겁니다."

"아, 권준혁. 그렇겠군. 수고했네, 원 박사. 이제 학회에 참석해야지?"

"예, 그럼 저는 일어서겠습니다."

원두영은 테이블 위에 놓아두었던 논문을 챙겨 곧바로 일어선다. 신라호텔은 바로 '세계나노테크놀러지학회'의 세미나 장소였다.

원두영이 나가자 김한룡은 문이 완전히 잠겼는지 거듭 확인한 다음 자신이 앉았던 자리로 돌아와 옆에 앉은 두 사람에게 유창한 중국말로 상황을 설명하기 시작한다.

"리, 약간 고약한 일이 생겼군요."

"고약한 일이라고요?"

김한룡이 '리'라고 부르는 젊은 중국인이 반문했다.

"예, 진 박사가 살아있다는 겁니다."

"진 박사가 살아있다니요?"

김한룡은 원두영에게 들은 대로 전달한다.

"한 마디로 진 박사의 꾀에 애꿎은 동생만 희생되었다는 겁니다."

"진 박사가 살아있다면 나쁜 소식만은 아니군요. 저희끼리 잠깐 이야기를 좀 하겠습니다."

젊은 중국인 리는 갑자기 입을 굳게 다물고 뭔가 고민하는 눈치를 보이더니 다른 중국인과 함께 일어나서 창문 쪽으로 가더니 조용히 귓속말로 뭔가 의논하는 듯했다. 원래 자리로 돌아온 젊은 중국인이 김한룡에게 묻는다.

"그녀를 또 다시 살해하려고 시도하지 않겠습니까?"

"그럴 가능성이야 높지만 보장할 수야 없겠죠."

"그럼 어떻게 하면 좋겠습니까?"

젊은 중국인의 질문에 김한룡이 대답한다.

"방법은 한 가지뿐입니다. 진 박사를 우리가 먼저 찾아서 우리 팀으로 만드는 거죠."

"진 박사가 우리에게 협조하겠습니까?"

"어떻게 포섭하느냐에 달렸겠죠. 한 가지 부연하자면……그녀는 제 전처(前妻)였습니다."

"전처요?"

"예, 이혼한 지가 거의 10년이 지났지만요. 어쨌든 그녀는 매우 유능한 학자니까 살려서 활용하는 게 최선입니다. 노파심에서 하는 말입니다만, 진 박사에게 어떤 위해도 가해서는 안 됩니다. 그녀는 여자 아인슈타인이라고 할 만한 인류의 재목으로 조만간 노벨상 수상도 가능할 것으로 생각합니다."

"너무 과장하시는군요?"

"결코 과장이 아닐 겁니다."

김한룡의 말에 두 중국인은 더 이상 대꾸를 하지 않는다.

제5장 민족통일준비위원회

1.

"아까 최 상좌에게 들통이 날 뻔했네요."

김유라의 말에 권준혁이 반문한다.

"어떤 일로?"

"어머니 진 박사가 담배는커녕 술도 전혀 안 하는 줄 몰랐어요. 내가 술을 마시려니까 최 상좌가 깜짝 놀라더군요."

"임기응변을 잘해 의심하지는 않았을 거야."

유라가 권준혁의 말에 동조하며 다시 묻는다.

"어머니와는 언제 어떻게 만나셨죠?"

"사실 내가 진 박사를 만난 것은 6개월밖에 안 돼."

2.

미국 워싱턴 조지타운대학교의 정치학 교수인 에스더 박(한국명 박민희)의 연구실. 권준혁이 박 교수와 얘기를 나누고 있다.

"각하께서는 '민족통일준비위원회' 설립 안이 국회에서 통과되면 교수님을 초대 위원장으로 임명하실 의향을 갖고 계십니다. 저는 교수님의 귀국 의사를 여쭤보려고 왔습니다."

"위원회가 통일 업무를 맡게 된다면 통일부와 다른 점은 뭐죠?"

"위원회에서는 통일부 등 정부부처가 할 수 없는 실무적인 업무를 통해 대통령을 보좌합니다. 장관급 각료의 자격으로 중요한 안보 관련 회의에도 참석하실 수 있습니다."

박민희는 아메리칸 드림의 성공 사례로 꼽히는 한국인으로 6.25가 일어났을 때 그녀의 부모가 미국에 건너온 후 미국에서 태어났다. 처음에는 무척 고생을 했지만 다행스럽게도 아버지와 어머니가 함께 주미 대사관에서 근무하게 되자 숨을 돌릴 수 있었다.

그러다가 대사관을 그만두고 시작한 가발 사업이 미국에서 크게 번창하자 순식간에 큰돈을 벌어들여 소위 해외에서 가장 성공한 한국인 열 명 중 한 사람이 된다.

그러나 박민희의 고속 성장은 부모의 재산에 의한 것이 아니었다. 어머니는 그녀가 고등학교를 들어가자마자 사망했고 대학교에 들어가서도 아버지의 도움을 전혀 받지 않고 자력으로 생활해 나갔다.

박민희의 학창 생활은 화려하기 그지없다. 워싱턴 주 토머스 제퍼슨 고교 졸업반일 때는 미국 고등학교 졸업 예정자 250여만 명 가운데 가장 모범이 되는 대통령 장학생(Presidential Scholars)으로 선정되어 백악관에서 장학 메달을 받기도 했다. 백악관에 초청되었을 때 대통령과의 대화가 화제에 오르기도 했다

"앞으로 무슨 일을 하겠소?"

백악관에 초청되었을 때 미국 대통령이 이렇게 물었다.

"저는 여자 대통령이 되겠어요."

박민희는 당돌한 대답으로 시선을 끌었고 정치계의 등용문이라는 조지타운대학교에 입학했다. 대학 시절에도 그녀는 학보사 기자로 활동하면서 동시에 연극부에도 참여하여 셰익스피어의 연극 <햄릿>의 주인공 오필리어 역을 맡을 정도로 매사에 적극적이고 활동적이었다. 주위의 많은 사람들은 꼼꼼하면서도 대범한 그녀가 장차 큰 인물이 될 것이라고 칭찬하기를 주저하지 않았다.

대학 졸업 후 그녀는 자신의 장담이나 주위의 기대와는 달리 조그마

한 컴퓨터 벤처회사에 입사하여 주위를 놀라게 했다. 그러나 그녀의 진가가 드러난 것은 입사 5년 만에 벤처회사를 중견기업으로 성장시켰을 때였다. 그 와중에도 매일 새벽 4시 30분이면 일어나 억척스럽게 공부해 6년 만에 국제정치학 박사 학위를 따냈다.

행운도 따랐다. 박민희의 학위 논문을 지도한 브레민스키 교수가 신임 대통령 벤슨의 안보 담당 보좌관이 되어 그녀를 아시아 담당 부보좌관에 임명했던 것이다. 미국 행정부에서 그녀가 발탁되자 한국에서는 통일을 앞두고 있는 중대한 시기에 가장 적절한 인사라고 반겼다.

"한반도 통일이 주변국들에게 절대로 해가 되지 않는다는 사실을 알리는 것이 바로 제 임무입니다."

박민희는 자신의 위치를 최대한으로 이용하여 어디서나 이렇게 공언하곤 했다. 불행하게도 벤슨 대통령이 재선에 실패하는 바람에 공직에서 물러났지만 그녀는 모교에서 교편을 잡을 수 있었다. 그녀의 활동 범위를 잘 알고 있었던 모교에서는 그녀를 대외정책 담당 교수로 임명했고 이 당시의 역량이 얼마나 탁월했던지 두 번씩이나 '올해의 교수'로 뽑혔다. 말하자면 동양인으로서 미국 정치계에 가장 영향력 있는 교수 가운데 한 명이 된 것이다.

박민희는 미국보다 한국을 포함한 아시아를 자신의 전공으로 채택한 데서 진면목을 나타냈다. 물론 그녀의 주 관심사는 한반도였다. 나아가 한반도 통일에 대한 메시지를 미국은 물론 베를린과 베이징 등 해외에도 전달하겠다고 하여 미국과 한국의 정책 입안자들로부터 절대적인 지지를 받았다.

박민희는 자신이 미국의 대학 교수지만 세계인들에게 한반도 통일의 중요성을 확신시켜 주는 설교단이라고 역설하였다. 바로 이런 점을 높이 샀기 때문에 대통령이 새로 신설되는 '민족통일준비위원회'의 초대 위원장으로 임용하겠다는 것이다.

권준혁의 말에 박민희는 표정이 다소 상기되며 숨을 고르더니 차분한 목소리로 말한다.

"대단한 자리군요. 하지만 내가 위원장이 되려면 미국 시민권을 비롯한 이곳에서의 모든 기득권을 포기해야겠죠?"

"그래서 직접 교수님의 의향을 들으려고 찾아뵌 것입니다."

"원칙적으로는 찬성해요. 조국을 위해 일한다는데 거절할 명분이 어디 있겠어요? 하지만 몇 가지 조건은 있어요."

"조건을 상세히 알려주시면 최대한 반영되도록 건의하겠습니다."

"좋아요. 그건 내일 알려드리죠. 대신 권 팀장이 여기까지 찾아왔으니 내가 저녁식사를 대접해도 되겠죠?"

"저는 특별한 경우가 아니라면 젊은 여자의 초청은 절대로 거절하지 않습니다."

권준혁의 말에 박민희가 크게 웃으며 되받는다.

"육십이 훨씬 넘은 여자에게 젊다고 하니 절묘한 정치적 발언이네요, 호호호."

"정치는 제가 아니라 교수님의 전공 아닙니까? 실제로 그렇게 보인다는 뜻입니다."

"어쨌든 칭찬으로 받아들이죠. 고마워요. 시간과 장소는 호텔로 알려 드리면 되겠죠?"

3.

워싱턴 D.C.의 어느 팝 레스토랑.

글래머 여자의 피아노 연주에 맞춰 조그마한 무대에서 편안하게 춤을 출 수도 있는 집이다.

권준혁은 세 명의 여자들에게 둘러싸여 식사를 했다.

세 사람은 초대를 한 박민희 교수, 학회에 참석하기 위해 미국을 방문한 과학기술연구원의 유전자 과학자 진영숙 박사, 육군 특전사 소속으로 버지니아 주 노포크 항 근처의 리틀크리그에 있는 미국 해군특수전연구개발단(DevGroup)에서 대테러 훈련을 받고 있는 김미은 대위다.

"서로 인사들 하세요."

박민희의 중재로 인사를 나누면서 나이를 확인해 보니 모두 30대인데, 권준혁이 진영숙보다 두 살이 많고, 미은은 진영숙보다 세 살이 적었다.

"모두들 만만찮은 나인데 결혼한 사람은 아무도 없네요."

"저는 이런 미인들을 한꺼번에 만나려고 그랬나 봅니다."

박민희의 말에 권준혁이 맞장구를 치자 모두들 웃음을 터뜨려 한결 분위기가 부드러워졌다.

"나는 원래부터 군인을 좋아했는데, 씰(SEAL)에서 대테러 훈련을 받고 있는 한국군 중에 여자도 끼어 있다는 말을 듣고 김 대위에게 연락을 했어요."

권준혁은 박민희의 설명을 듣고 씰에서 훈련을 받는 여자란 말에 새삼스러운 눈길로 김미은을 쳐다보았다. 씰이라면 델타포스와 쌍벽을 이루는 미국의 특수전 부대가 아닌가?

씰(SEAL: Sea, Air and Land Teams)은 부대 명칭이 '해군특수전연구개발단(DevGroup)'이라고 바뀌었지만, 프로 근성이 투철한 각 분야의 전문가들로 구성되어 그 어느 특수부대보다도 뛰어난 전투력과 임무 수행 능력을 갖춘 부대로 유명하다.

오로지 실전에서 승리하기 위해 존재하는 사람들. 하루 열여섯 시간씩 일주일 내내 훈련병들을 전투기계로 만드는 것이 교관들의 임무라고 할 정도로 씰의 훈련은 특히 악명이 높다.

40도를 웃도는 사막, 해충이 우글거리는 밀림은 물론 영하의 혹한지 등 최악의 환경을 상정하고 6개월간 집중적으로 받는 고공강하, 수중침투, 폭파, 통신술, 장거리 정찰술, 무성무기 사용법, 시가전 등 고난

도의 훈련은 혹독하기로 정평이 나 있다.

그러나 언제든지 중도에 훈련을 포기할 수 있다. 도저히 훈련에 자신이 없다고 생각할 때 연병장에 매달려 있는 종을 치기만 하면 된다고 한다. 미국의 정예병 출신들도 70%나 종을 친다고 하니 훈련이 얼마나 심한지 짐작하기는 어렵지 않다.

"모두 몇 명이나 훈련을 받고 있습니까?"

권준혁이 김미은에게 물었다.

"40명입니다."

"적은 인원은 아니군요?"

"많은 인원도 아니죠. 원래 계획된 인원은 150명인데, 사정상 거의 4분의 1로 줄인 거랍니다."

"훈련은 언제까지 받죠?"

"앞으로 5개월 남았어요. 미국에 온 지는 넉 달이 지났지만, 이제부터 본격적인 훈련에 들어가는 셈입니다."

미은은 군인답게 또박또박 대답한다. 박민희가 끼어들며 묻는다.

"언젠가 신문 기사를 보니까 지옥 훈련인가 뭔가 하는 것도 있다던데, 정말로 그런 훈련이 있어요?"

"외부 사람들은 그렇게 말하기도 합니다만 우리는 훈련에 이력이 나 있는 사람들이라 그다지 힘들지는 않습니다. 다른 사람들이 할 수 있다면 우리도 할 수 있는 거죠."

"각오가 대단하군요. 나도 젊었다면 자원이라도 하고 싶군요."

"어려운 일은 아닙니다. 특별히 허가를 받으면 자원하는 사람도 받아주니까요."

김미은이 전혀 군인이라는 느낌을 주지 않는 곱상한 인상으로 웃으며 말한다.

"여자 훈련생들은 몇 명이나 있어요?"

이번에도 박민희가 물었다.

"저를 포함하여 모두 5명인데, 자랑 같습니다만 남자들 못잖게 훈련을 잘 받고 있다고 자부합니다."

"남자들과 똑 같이 훈련을 받는단 말이에요?"

박민희가 놀랍다는 듯이 다시 물었다.

"그럼요. 여자라고 차별하려 들면 오히려 저희들이 화를 내죠. 사실 우리에게 뒤질세라 남자들이 더 노력하고 있습니다."

"그래요, 이제 여자라서 차별받는 시대는 지났죠. 대테러 훈련이라면 무장한 범인들과 대결해야 한다는 뜻인데 위험하지는 않아요?"

박민희는 김미은의 말에 한껏 고무된 표정으로 이것저것 꼬치꼬치 캐물으며 감탄을 연발한다.

"위험하죠. 하지만 위험하기 때문에 더욱 용기가 치솟아요."

"김 대위의 얘기를 들으니까 참으로 대견하고 나도 절로 흥이 나네요. 이제부터는 여자에 대해 달리 생각해 봐야겠어요."

여장부라고 할 박민희가 그렇게 말하는 걸 보면 김미은의 말이 무척 인상 깊은 모양이었다. 박민희와 김미은이 서로 주거니 받거니 하며 이야기를 끌고 가는 바람에 권준혁과 진영숙은 꾸어다 놓은 보릿자루처럼 얘기를 들을 수밖에 없었다. 다시 박민희의 질문이 이어졌다.

"여하튼 대단해요. 그렇게 훈련을 받고 나서 수행하는 임무는 뭐죠?"

"군인은 앞으로 일어날지도 모르는 돌발 사태에 대비하기 위해 훈련을 받습니다. 물론 특수부대에는 특별한 임무가 주어져 있습니다만⋯⋯."

김미은은 이렇게 서두를 꺼내 특수부대의 임무에 대해 간략하게 설명했다.

첫째, 교전 중이거나 잠재적으로 위협이 되는 적국의 배후에서 현지 주민들을 규합해 무장 게릴라전을 전개하는 비정규전. 둘째, 해군이나 공군 기지, 미사일 기지, 정유공장 등 전략적 가치가 높은 특정 목표물에 침투하여 이를 무력화시키거나 일정기간 동안 점령하는 '직접 작전'. 셋째, 적국이나 적진에 은밀히 침투하여 정보를 수집하는 특수 정찰 임무 등.

"반체제 세력이나 테러 세력의 동태를 사전에 파악한 후 무력화시키는 것도 주요 임무 가운데 하나입니다. 우리가 미국에서 훈련받는 것은 바로 대테러 임무를 수행하기 위해서죠."

"한국은 세계에서 테러가 일어나지 않는 나라로 알려져 있는데……?"

"예, 당장은 테러가 자주 일어나는 편이 아닙니다. 그러나 교수님의 평소 주장처럼 한반도가 통일이 되면 초기에 소요나 혼란이 일어날지도 모른다고 예상하고 있습니다. 그래서 육군 특전사에서 특수업무를 담당하는 707대대의 정예병을 대테러 분야의 최정예 부대인 씰(SEAL)에 파견하여 9개월 예정으로 미군과 합동훈련을 받게 하는 것입니다. 미국 사람들과 똑같이 훈련시켜 달라고 맡긴 셈이죠."

"한국 정부가 준비를 잘하네요. 통일을 찬성하는 사람들도 있지만 반대하는 사람들도 있을 테니까. 하지만 김 대위 같은 젊은 사람들이 나라를 지키겠다고 나선 것을 보니 마음이 든든하고, 정말 보기가 좋군요."

박민희는 그쯤에서 그동안 말 한 마디 없이 듣고만 있는 진영숙에게로 말머리를 돌린다.

"진 박사의 요즘 근황은 어때요?"

"나노칩을 이용한 기억 정보 저장을 연구하고 있습니다."

진영숙은 과학기술연구원의 독보적인 유전자 과학자답게 똑 부러지게 대답한다. 쓸데없이 전문분야를 설명하느라고 지루한 대화를 하지 않겠다는 의도가 엿보이는 태도다. 박민희도 그녀의 의도를 알아차린 듯 더 이상 캐묻지는 않는다.

"권 팀장님, 필요한 자료는 내일 전해 드리죠."

박민희가 이렇게 말하며 일어서자 마침내 3시간에 걸친 식사가 끝이 났다. 그녀가 먼저 나가고 나자 권준혁이 활개를 펴며 바람을 잡았다.

　"이제 젊은 사람들끼리 남았으니까 어디 가서 술이라도 한 잔 더 합시다."

　권준혁이 바람을 잡는 대로 찾아간 곳은 젊은 사람들로 엄청나게 붐비는 디스코텍이었다.

4.

　권준혁은 박민희의 식사 초대를 받았던 날 진영숙, 김미은과 함께 디스코텍에서 뒤풀이를 한 이후로 미국에 머무는 동안 벌써 세 번째 두 사람과 만나고 있다. 그 사이에 넉살좋은 특기를 발휘하여 진영숙과 김미은에게 오뉴월 하루 볕이 무섭다느니 어떻다느니 하며 기어이 오빠라고 부르도록 했다.

　소위 잘 나가는 디스코텍이라는 말을 듣고 몇 번 찾아온 터라 지배인이 덜 시끄러운 장소라고 안내하는 대로 자리를 잡자 몸매가 훤칠한 바니걸이 다가와 주문을 받는다.

　"무얼 드시겠습니까?"

　"맥주."

　권준혁이 당연하다는 듯이 맥주를 시킨다. 그러자 진영숙이 제동을 걸고 나선다.

　"아니에요, 저는 우유를 주세요."

　그러자 바니걸은 얼굴을 찡그리면서도 웃음을 띠고 고개를 내젓는다.

　"우유? 여기는 디스코텍이에요."

　"그럼, 콜라로 한 잔."

　권준혁이 주문 내역을 모아 바니걸에게 이야기한다.

"맥주 3병, 콜라 한 잔."

바니걸이 자랑하듯 커다란 유방을 마음껏 흔들며 떠나자 권준혁이 일어서며 말했다.

"춤이나 추러 나가지?"

"아니에요, 오빠나 나가세요. 나는 여기서 춤추는 사람들 구경이나 할래요."

진영숙이 권준혁의 제의를 대뜸 거절해 버리자 권준혁이 툴툴거린다.

"디스코텍에서도 자리에 죽치고 앉아 있겠단 말이야?"

"김 대위가 오빠랑 나가서 춤추지 그래?"

"저도 그냥 앉아 있을래요."

"허어, 참. 내가 비구니들을 모시고 왔나?"

권준혁은 툴툴거리다 못해 빈정거리기까지 한다.

"그러지 말고 김 대위가 오빠 좀 상대해 줘."

김미은이 마지못해 권준혁과 함께 무대로 나간다. 거울에는 무대보다 조금 높은 원형 박스 위에서 현란한 포르노 쇼를 하는 러시아 여자들의 모습이 반사되어 분위기를 돋웠다. 두 사람은 디스코 음악에 이어 브루스 음악이 나왔지만 계속 춤을 춘다.

"미은이는 브루스를 잘 추는데?"

"오빠는 더 잘 추는데, 뭘?"

"외국 출장을 효과적으로 하려면 춤은 좀 춰야지. 미은이는 춤을 어디서 배웠어?"

"춤도 군사교본에 있는 필수과목이란 거 모르죠? 춤 솜씨 보니까 오빠는 여자깨나 울렸을 것 같은데?"

"전혀."

"정말?"

"그렇다니까. 미은이는?"

"나는 특공대 중대장이라서 그런지 따라오는 남자가 없어서 울릴 시간도 없었어요."

브루스 음악이 끝나고 자리로 돌아가자 진영숙이 손뼉을 치며 맞이한다.

"두 사람 춤추는 모습이 환상적이야."

그러자 권준혁이 조금은 불만스럽다는 듯이 대꾸한다.

"진 박사는 눈으로 춤을 추나? 남이 춤추는 거 평가나 하게. 맥주 마신 뒤처리도 할 겸 잠시 자리 좀 비울 테니까 무대에나 나가 보라고."

권준혁이 화장실에 간 사이 덩치가 큰 백인과 흑인이 디스코텍으로 들어와 진영숙과 김미은의 자리에서 가까운 곳에 앉는다. 두 녀석은 동양 여자만 두 명이 앉아 있는 것을 보고 떠들기 시작했다.

"야, 마틴. 저 계집애 죽인다."

백인 녀석이 먼저 바람을 잡는다.

"카브랄, 누구 말이야?"

흑인 녀석도 맞장구를 친다.

"두 명 다."

"꿈도 꾸지 마라. 동양인들은 너를 싫어해."

"무슨 소리야? 나랑 자본 년들은 내가 올라오지 않는다고 안달이야. 내기할래?"

"무슨 내기?"

"내가 오늘 저 두 계집애 중 한 명과 호텔로 가지 못하면 내가 50달러를 주지."

백인 녀석이 허세를 부리자 흑인 녀석이 웃으며 말한다.

"우와, 오래간만에 돈 좀 만져보겠는데……!"

"그건 내가 할 소리야. 나중에 후회는 하지 말라고."

백인 녀석이 우쭐해서 제가 마시던 위스키 잔을 들고 진영숙과 김미은의 자리로 접근하여 말을 붙인다.

"내가 합석해서 분위기를 부드럽게 해 드리는 것이 어떻겠습니까,

매드모아젤?"

카브랄이라는 백인 녀석이 위스키 잔을 탁자에 내려놓으며 쳐다보는 두 사람에게 묻는다.

"아뇨, 우리는 일행이 있어요."

김미은이 카브랄을 무시하듯 대꾸한다. 진영숙도 전혀 겁먹지 않은 표정으로 두 사람의 입씨름을 바라보고만 있다.

"허허. 이 미남이 합석하자는데 싫어하는 사람이 있다니 놀라운데?"

백인 녀석이 무턱대고 자리에 앉으려고 하자 김미은이 목소리를 높인다.

"일행이 있다는 소리 못 들었어요?"

"듣기는 했지. 그러나 내가 자리에 앉아 주는 걸 대단한 영광으로 알아야 해."

"아직도 못 알아 들었나본데……우린 일행이 있어요."

"내 호의를 무시하겠다는 거야?"

카브랄이라는 백인 녀석이 다소 우악스러운 태도로 나오자 김미은이 벌떡 일어서며 녀석의 위스키 잔을 얼굴에 끼얹으며 한 마디 내뱉는다.

"뭐 이런 놈이 다 있어?"

얼굴에 위스키를 뒤집어쓴 백인 녀석이 질세라 테이블을 엎으며 김미은을 주먹으로 치려고 하자 어느새 전광석화 같은 그녀의 주먹이 먼저 녀석의 얼굴에 적중한다. 호기를 부리며 여자에게 접근했다가 느닷없이 주먹을 맞았다는 데 분노를 느낀 듯 녀석은 울근불근한 표정을 짓더니 사정을 두지 않고 주먹을 휘둘러대기 시작한다.

가냘프게만 보이는 동양 여자와 우락부락한 서양 남자의 격투는 그러나 도무지 상대가 되지 않는다. 제법 주먹질과 발길질을 단련시킨 듯했지만 애당초 특공무술과 태권도로 무장한 김미은의 적수는 아니었다. 백인 녀석이 휘두르는 주먹은 번번이 허공을 가르는데 김미은의 발길질은 정확하게 급소를 파고들었다.

히죽거리며 구경하던 일행인 마틴이라는 흑인 녀석과 다른 흑인 두 놈이 '이게 아닌데?' 하는 표정으로 싸움판에 끼어들자 김미은이 중과부적으로 수세에 몰린다.

마침 화장실에서 볼일을 보고 나오던 권준혁이 가세하자 백인 녀석이 칼까지 빼들었지만 뻔한 결과로 끝이 난다. 그때까지 자리에 앉은 채 싸움 구경을 하던 진영숙은 백인 녀석이 마지막으로 묵사발이 되어 바닥에 길게 뻗는 것을 보고 박수를 치며 자리에서 일어나 테이블에 지폐 몇 장을 올려놓으며 한 마디 한다.

"양아치 자식들, 드디어 임자 만났군."

"나가지. 부서진 테이블 값은 저 놈들이 내겠지."

권준혁의 말과 함께 밖으로 나가는 그들을 막는 사람은 아무도 없다.

5.

"이거 정말 아쉬운데……."

권준혁이 입맛을 다시며 말하자 진영숙이 묻는다.

"뭐가 그렇게 아쉽죠?"

"내가 술을 사겠다고 갔다가 술값은 진 박사가 내버렸고, 거기다가 나는 내일 귀국하는데 언제 다시 이런 미인들과 함께 술자리를 가질 수 있겠느냐 말이야?"

"나도 열흘 후면 귀국하는데, 서울 가면 못 본 척할 거예요?"

"그건 아니지만, 김 대위는 다섯 달이나 더 머물러야 되잖아?"

"오매불망 김 대위만 기다리다 보면 다섯 달도 금방 갈 걸요?"

"오매불망 기다리는 게 문제가 아니라 배가 아프다는 뜻이야."

"배가 아프다니요?"

"미인들을 이역만리 미국 땅에 남겨두고 귀국하는데 배가 안 아파?"

권준혁이 장난기 어린 표정으로 너스레를 떨자 진영숙이 샐쭉한 표정을 지으며 쏘아붙인다.

"그럼 아예 회사에 사표를 내고 김 대위 외조라도 하며 주저앉지 그래요?"

"언니는 왜 괜히 나를 걸고 넘어져?"

김미은은 두 사람의 입에 오르내리는 게 민망한지 한 마디 내뱉는다.

"이 오빠가 김 대위를 끔찍이 생각하는 눈치잖아?"

"아이, 언니도 참……오빠의 바람기란 걸 몰라서 그래? 언니 같은 미인을 옆에 두고도 알아보지 못하는 걸 보면 용기가 없거나 눈이 삔 거겠지."

"이거 두 숙녀분이 연합작전을 펴시겠단 말이지?"

"평소 소행으로 미뤄보면 왜 아직 결혼을 못했는지 알 만하다는 뜻이에요."

김미은의 말에 권준혁이 대꾸한다.

"알아맞힌 부분도 있긴 하네. 사실 진 박사처럼 똑똑하고 독보적인 일류 과학자에게 부담을 주기는 싫거든."

"김 대위 같은 사명감 투철한 군인에게는 괜찮고?"

말투에 뾰족하게 도드라진 감정이 묻어나는 진영숙을 은근히 다독거린 다음 권준혁이 화제를 박민희 쪽으로 돌린다.

"그나저나 박 교수님이 김 대위 훈련받는 걸 보고 싶다고 했다면서?"

"훈련받는 걸 참관하는 정도면 괜찮겠요?"

"참관하는 정도가 아니면?"

"아예 특별 허가를 받아서 우리와 함께 훈련을 하겠다고 해서 아주 죽을 지경이에요."

"직접 훈련을 받겠다고?"

"그래요. 우리와 똑같이 대우해 달라며 6박 7일 훈련을 신청하여 벌써 다음 달로 일정까지 잡혀 있는 걸요. 우리와 함께 생활하겠다는 거죠."

"정말 대단한 분이네. 어떻게 그런 생각까지 하게 됐을까?"

"자신의 체력은 훈련받는 데 조금도 문제가 없다나. 그러나 환갑이 거의 된 여자 분이 우리를 어떻게 따라와요?

"미은이도 여자잖아?"

"우리야 훈련을 위해 군에 들어온 사람들이지만, 박 교수님은 전투요원이 아닌 데다 나이도 문제죠."

"그래도 어느 정도 체력에 자신이 있으니까 신청했겠지."

"체력에는 자신이 있다고 하더군요. 하지만 아무리 그렇더라도 군사훈련은 다르죠. 그래서 박 교수님이 훈련받는 기간 동안은 다소 쉬운 스케줄로 변경하려고 하는 것 같아요."

"박 교수님이 쉬운 훈련만 받는다면 투덜거릴 텐데……?"

"좀 찝찝한 것은……박 교수님이 자신의 정치적 목적을 위해 훈련에 참석하려는 것 같다는 생각이 들어서."

"박 교수님이 정치적이라고? 내가 보기로 그런 것만은 아냐. 강의하는 분야가 정치학이기는 하지만 매사에 철두철미한 학자지 정치가는 아니라고 봐."

권준혁이 힘주어 말하자 김미은이 다소곳하게 수그러든다.

"오빠 말이 옳겠죠. 여하튼 그런 느낌을 받았다는 뜻이에요."

"박 교수님이 예전에 아시아 담당 부보좌관으로 임명된 것은 정치적으로 얻은 자리가 아니야. 미국에서는 능력이 없으면 그런 일을 맡을 수가 없다는 건 미은이도 알잖아."

"그렇겠죠. 하지만 내 느낌까지 아니라고 말릴 수는 없을 걸요?"

김미은은 다소곳하게 받아들이면서도 끝까지 소신을 굽히지는 않는다.

"정치적인 목적이라면 훈련생들을 격려한다고 생색이나 내지 누가 직접 참가하여 합숙을 하면서까지 훈련을 받는다고 하겠어?"

"그 점은 나도 인정해요. 박 교수님 같이 바쁜 사람이 6박 7일을 할 애하는 것이 어디 쉬운 일이겠어요? 하지만 우리가 그 때문에 고통을 받으니까 사실 짜증이 좀 나거든요."

"짜증이 나다니? 나이든 유명인사와 함께 훈련을 받으면 앞으로 큰 빽이 될 텐데, 오히려 감사해야지?"

"자꾸 농담할래요? 우리가 유명인사들 액세서리 노릇하려고 훈련받는 건 아니잖아요. 그런 고리타분하고 재미없는 이야기는 집어치우고 우리 어디 다른 디스코텍이라도 가서 기분이나 풀어요."

"나야 원하던 바지. 미은이가 가자니 거절할 수야 없지만 저녁에 귀대하지 않아도 돼?"

"토요일이라 특별히 외박 허가를 받았죠. 훈련단장인 천병삼 중령님이 오빠와 언니를 잘 보았는지 순순히 외박을 허가하던데요?"

세 번밖에 만나지 않은 사이였지만, 세 사람은 어느새 오누이들처럼 가까워져 있었다.

"대단하군. 특공대장이랑 유명한 여자 과학자와 함께 미국에서의 마지막 탱고를 출 수가 있어서 정말 영광인 걸."

"특공대장이 아니라 특전사 중대장이에요."

"알아, 알아. 유명한 여자 과학자가 아니라 과학기술연구원의 연구원이고. 어쨌든 오늘 저녁에는 내가 마구마구 쏜다."

권준혁이 디스코텍을 거쳐 호텔에 들어온 시간은 새벽 3시, 그러나 그는 한국 행 비행기를 타고 귀국하기 위해 6시에 일어났다.

6.

"워싱턴에서 호화판 생활을 했군요?"

권준혁의 얘기를 듣고 난 김유라가 이죽거린다.

"호화판이라기보다는 여건이 좋았던 거지."

"그 여건이란 게 바로 미녀들이에요?"

"질투하는 거야?"

"아이고, 질투도 나겠다. 내가 팀장님을 좋아하는 줄 아나 봐?"

"근데 왜 그렇게 관심이 많아? 여하튼 내가 귀국한 지 2주일 후에 진 박사가 귀국했다고 전화가 왔더라고."

"귀국해서도 계속 만났다는 얘기네요?"

"물론이지. 오빠동생하기로 했는데 연락조차 하지 않는대서야 말이 되나? 하지만 워낙 진 박사가 누구에게나 쌀쌀맞게 구는 성격이라 연애 감정 같은 건 없었어. 그런데 얼마 후 비밀리에 통일 업무를 수행하기 위한 국가특수업무원의 특수업무 팀에 합류하게 된 거야."

"그 이야기는 이미 들었고…… 그래서 어머니와 가까워졌단 말이에요?"

"그래, 그 뒤로는 자주 만났지. 사실 특수업무 팀은 진 박사의 연구 성과를 바탕으로 구성된 조직이었으니까."

"알아요. X도 어머니의 작품이고."

유라의 눈에 얼핏 감정의 소용돌이가 스치고 있었다.

"그래. 바로 그 때문에 어머니가 살해되었는지도 모르지."

이때 본부와 개발 현장을 오가며 연락을 담당하는 직원이 편지 한 통을 가져와 김유라에게 건네준다.

"어머니가 저에게 보낸 편지인데, 미국에서 반송이 되었네요."

진영숙의 집에 대해 보안 통제를 해놓았기 때문에 우체국에서 우편 물을 국가특수업무원으로 가져오도록 했는데, 그 중에 섞여 있던 편지를 고성 현장의 김유라에게로 보낸 모양이었다.

"언제 보낸 편지야?"

"우체국 소인은 살해되었던 날짜로 찍혔는데, 내가 귀국하는 바람에 반송됐나 봐요."

그러면서 유라는 봉투를 뜯고 알맹이를 꺼내 읽기 시작한다. 여러 장의 편지를 다 읽고 났을 때 권준혁이 묻는다.

"무슨 내용이야?"

"개인적인 내용이네요."

김유라가 편지를 핸드백에 집어넣으며 일어나 밖으로 나가려고 하자 권준혁이 그녀의 등에다 대고 지나가는 말로 묻는다.

"내일은 서울로 돌아가야 하는데 최 상좌와 백 소좌를 속초든 강릉이든 바닷가로 데리고 나가서 회에다 소주 파티라도 해줘야 하지 않을까?"

"그래요. 현장으로 내려오자마자 바쁘게 뛰어다니는 바람에 하루 종일 얼굴도 제대로 보지 못했네요."

두 사람이 그런 이야기를 나누고 있던 참에 마침 최창수와 백도순이 들어오자 김유라가 최창수에게 붙임성 있게 인사를 건넨다.

"여기까지 최 상좌를 수행해 왔지만 얼굴 보기도 힘드네요? 강원도까지 왔으니까 식사라도 대접하자고 권 팀장님과 의논하던 중입니다. 서울 올라가면 바로 헤어져야 하잖아요?"

"듣던 중 반가운 소리지만, 좀 어렵겠는데요?"

최창수가 볼멘소리를 한다.

"왜 아직도 바쁜 일이 끝나지 않았어요?"

"그게 아니라……내일 오전에 국가특수업무원에서 회의가 있다고 연락이 왔어요."

권준혁과 김유라도 모르고 있던 내용이다. 김유라가 되묻는다.

"국가특수업무원에서 회의가 있다고요?"

"그렇소. 조금 전에 연락을 받았소."

"그렇다면 시간이 많지 않겠군요. 몇 시라고 했죠?"

"11시요."

권준혁이 끼어들었다.

"길이 좋아져 몇 시간이면 갈 수 있지만 적어도 오전 7시 전에는 떠나야 할 거요. 하지만 아직 시간도 많으니 송별파티를 겸해 소주 한 잔 어때요?"

최창수가 고개를 좌우로 흔들며 대답한다.

"그건 다음에 합시다. 이제 자주 내려와야 할 테니까. 시간도 벌써 11시 30분이오."

그때 권준혁과 김유라에게도 최 상좌와 함께 회의에 참석하라는 연락이 와서 결국 송별파티는 취소할 수밖에 없었다.

제6장 추격전

1.

김유라가 운전을 하는 자동차의 조수석에는 권준혁, 뒷자리에는 최창수와 백도순이 앉아 있다. 그들은 아침 6시 30분경 고성 현장의 숙소를 출발했다. 길이 험하기로 악명이 높은 한계령을 넘기 전에 최창수가 입을 열었다.

"이번에는 일정이 빠듯하지만 앞으로는 좀 여유가 있을 거요."

송별파티를 하지 못한 사실을 두고 하는 말인 듯했다.

권준혁이 받았다.

"통일이 되면 번거롭게 올라갔다 내려왔다 할 필요도 없겠죠?"

"진 동무를 자주 보기 위해서라도 꼭 통일을 성사시키겠소."

김유라가 끼어들었다.

"자주 만나자는 거야 반대할 까닭이 없겠죠."

이때 김유라가 들여다보는 백미러에 두 대의 자동차가 포착된다. 앞에는 지프차, 뒤에는 승용차. 아까부터 계속 그들을 쫓아오고 있는 자동차들이다. 김유라가 권준혁에게 이야기한다.

"지프차와 승용차가 우리를 쫓아오는 것 같아요."

"우리를 쫓아올 이유가 없는데?"

권준혁이 뒤를 돌아보면서 말하는데 좁고 구불구불한 길이라 중간에 끼어 있는 트럭을 추월하지 못하는 것이 보인다.

"아니에요, 계속 쫓아오고 있어요."

"그럼 속력을 조금 줄여봐. 트럭이 추월하게 한 다음 정말로 쫓아오는지 확인해보자고."

　김유라가 자동차의 속력을 늦추자 뒤에서 바짝 따라오던 트럭이 추월한다. 트럭이 추월하자마자 지프차가 갑자기 맹렬한 속도로 쫓아와 옆으로 다가오더니 무턱대고 부딪치기 시작한다. 자동차를 언덕 아래 낭떠러지로 떨어뜨리려는 의도가 분명하다.

　"아니, 이것들이?"

　김유라의 목소리가 뾰족하게 날이 선다. 그녀의 운전 솜씨도 만만치 않아서 계속 속력을 내며 지프차의 부딪침을 비켜나간다. 이때 커브길이 되는 것을 알고 그녀가 갑자기 옆으로 방향을 틀자 지프차는 달리던 속도를 줄이지 못해 그대로 언덕 아래로 떨어져 구르다가 폭발한다. 뒤에 쫓아오던 승용차가 잠시 멈추는 것을 보자 권준혁이 나선다.

　"내가 운전할 테니 자리를 바꿔."

　"저도 운전에는 자신이 있어요."

　"이들은 프로야. 빨리 바꾸자니까."

　두 사람이 자리를 바꾸고 출발하자마자 뒤에 따라 오던 승용차가 멀리 보이더니 갑자기 기관단총을 그들에게 난사하기 시작한다. 미처 대응할 겨를도 없이 백도순은 총탄을 맞고 즉사해 버리자 최창수가 뒷문 차창 밖으로 몸을 내밀고 그들을 향해 권총으로 응사한다.

　승용차에는 운전사를 포함하여 고무 마스크를 쓴 세 명이 탔는데, 두 명이 좌우에서 총질을 해대고 있다. 쫓고 쫓기는 자동차 사이의 거리가 점점 좁혀지고 괴한 한 명이 총알을 다 쏘고 권총을 꺼내는 순간 최창수의 총에 맞고 푹 고꾸라진다. 최창수 역시 팔에 총상을 입는다.

　"이거, 한 방 맞고 말았군."

　"괜찮으세요, 최 상좌님?"

　김유라가 당황한 목소리로 묻는다.

　"죽을 정도는 아니오. 팔을 약간 스치고 지나간 것뿐이오."

　그러면서 최창수는 계속 밖으로 총을 쏘아댄다. 승용차의 추격도 집요해서 계속 달려오더니 권준혁이 운전하는 운전석 옆으로 바짝 붙인다. 운전석 옆자리의 괴한이 권준혁을 향해 권총을 쏘려고 하는 순간 권준혁의 권총이 한 발 앞서 운전사의 머리를 정통으로 맞춘다. 승용차는 곧바로 산등성이를 치며 전복되어 멈춰 선다. 차에서 내린 권준혁과 최창수가 다가가 보니 괴한들은 모두 죽어 있다.

세 사람이 괴한들을 끌어내 얼굴에 쓴 고무 마스크를 벗기자 한 사람은 백인, 한 사람은 흑인, 나머지 한 사람은 동양인이다. 권준혁은 곧바로 핸드폰으로 괴한들의 얼굴을 찍은 후 옷 속에서 지갑 등 소지품을 꺼내 챙기더니 다시 자동차를 몰고 한계령을 넘는다.

2.

국가특수업무원 회의실.

회의에 참석한 사람은 남성우 국가특수업무원장, 신한수 차장, 최창수 상좌, 그리고 권준혁과 김유라. 최창수는 어깨에 부목을 대고 있다. 남성우가 최창수를 향해 입을 연다.

"강원도 고성 현장에서 올라오다가 어려움을 겪었다는 얘기를 들었소. 더구나 백도순 소좌가 목숨을 잃었다니 안타깝기 그지없구려."

"통일을 위한 뜻깊은 희생이니까 백 소좌도 편하게 눈을 감을 수 있을 겁니다."

"그렇기는 해도……어쨌든 통일을 방해하는 세력이 만만치 않다는 것을 새삼 확인한 셈인데, 올라가시면 이런 사정을 잘 좀 말씀드려 주시구려."

남성우는 진정으로 애석하다는 표정을 지으며 당부한다.

"여부가 있겠습니까? 제가 현장에서 확인한 거니까 사실대로 보고해 올리겠습니다."

"어깨는 좀 어떻소?"

"별 것 아닙니다. 어깨 정도라면 100발을 맞아도 끄떡없습니다."

"총알이 꼭 어깨에만 맞으라는 법은 없지만 여하튼 최 상좌가 무사해서 다행이오."

"남반부 동무들이 운전을 잘해서 무사할 수 있었지요."

"어깨는 치료하고 올라가야 하지 않겠소?"

"아닙니다. 의사 말로는 뼈를 다치지 않아서 활동하는 데는 별 지장이 없다고 합니다."

"백도순 소좌의 시신은 어떻게 하겠소?"

"그 문제는 훈령을 받지 못했습니다. 곧 지시가 있을 겁니다."

"알겠소. 대통령께서는 국무위원장의 서신을 받고 크게 만족하시면서 국무위원장과 X의 만남을 주선하겠다고 하셨소."

"예, 잘 알겠습니다. 국무위원장께서 X가 계신다는 것을 확인한다면 남측이 제시하는 통일 방안에 전격적으로 서명하실 의향이 있다고 말씀하셨습니다."

"이번에 서울에서 열리는 남북 정상회담 때 만나실 수 있을 겁니다."

"감사합니다. 곧바로 돌아가서 보고를 드리겠습니다."

국가특수업무원장인 남성우와 최창수가 대화를 하고 다른 사람들은 듣기만 했다. 남성우가 커다란 봉투를 넘겨주자 최창수는 서류 가방에 넣고 잠금 장치를 채운다.

"그럼 잘 가시오. 조만간 또 만날 수 있을 거요. 대통령께서는 국무위원장의 큰 선물을 갖고 온 데 대해 귀관을 크게 치하하셨소."

"감사합니다."

"한 가지 명심해야 할 것이 있소. 남쪽에서도 X가 누구인지 아는 사람은 이곳에 참석한 사람들과 대통령, 총리뿐이라는 사실이오. 통일이 될 때까지 누구에게도 비밀이 누설되어서는 안 됩니다."

회의가 끝난 후 권준혁과 김유라는 최창수를 태우고 인천공항으로 향했다. 그곳에는 이미 최창수와 백도순을 태우고 왔던 경비행기가 대기하고 있었다. 도착 때와 달리 백도순의 모습은 어디에서도 찾을 수가 없었지만…….

"진 동무를 위해서라도 이번 프로젝트를 반드시 성공시킬 것이오."

최창수가 악수를 하려고 손을 내민 김유라를 와락 껴안으며 말했다. 너무 갑작스러운 상황이라 당황하면서도 김유라가 차분하게 맞받는다.

"알겠어요. 하지만 너무 무리하지는 마세요."

최창수는 김유라와 떨어지기 싫은 표정을 짓더니 권준혁과 악수를 하고 경비행기에 올랐다. 비행기가 이륙한 다음에도 그가 계속 손을 흔드는 것이 보인다.

3.

토드가 모니터를 보면서 재빠르게 자판을 두들기고 있다. 그러나 화면에는 '확인 불능'이라는 글자만 계속 나타난다. 화면 한쪽에는 인천공항의 경비행기 옆에 권준혁과 김유라, 최창수가 서 있는 사진이 띄워져 있다.

토드가 피터슨에게 보고를 한다.

"전혀 나타나지 않습니다."

"권준혁을 찾아 봐."

토드가 권준혁의 영상을 찾아서 두 개의 화면에 대별시키지만 역시 위치가 포착되지 않고 '확인 불능'이라는 글자만 나타난다. 최창수 상좌도 마찬가지다.

"위성사진에는 나타나지만 위치 추적 장치로는 나타나지 않는다는 게 아닐까?"

피터슨의 말에 토드가 의견을 밝힌다.

"그것보다는 전파방해 장치를 가동시키고 있는 모양입니다."

"약은 자식들, 전파방해 장치를 무력화시킬 수 있는 기술은 없나?"

"있다고 해도 곧바로 대안을 세우니까 실효성은 없습니다. 어쨌든 진 박사와 권준혁이 살아있다는 것은 확인된 셈입니다."

"아직도 죽지 않은 것을 보면 수명이 긴 셈인데 그들의 운명도 오래 가지는 못할 거야."

피터슨이 입맛을 다시듯 목소리를 낮춰 내뱉는다.

"예, 계속 감시하면 곧 걸려들 겁니다."

"알았어. 계속 감시해."

고개를 주억거리며 토드의 말에 대꾸한 피터슨이 옆에 서 있는 덩치 큰 흑인인 올슨을 바라보며 지시를 내린다.

"저들의 위치가 파악되면 곧 출동할 수 있도록 대원들을 항상 대기 시켜 두도록……."

"예, 알겠습니다. 위치만 파악되면 그들도 죽은 목숨이죠."

"바보 같은 소리……한계령에서도 실패하지 않았나?"

"대원들이 그곳 지리를 잘 몰라서 그랬습니다만 다시는 실수하지 않을 겁니다."

"경찰의 수사 상황은 어떤가?"

"별 것 없을 겁니다. 한국에 들어온 마피아 조직이 활극을 벌인 것쯤 으로 알겠죠."

거구의 올슨이 씩 웃으며 말하자 피터슨이 빈정대는 표정을 짓는다.

"바보 같은 소리……한국 경찰이 얼마나 우수한지 알아?"

"국내 문제에서나 그렇겠죠. 저는 그들이 아무 것도 건지지 못한다 는 데 걸겠습니다."

"자네 혼자 걸어. 좌우간 경찰 수사가 어떻게 진행되는지 파악해서 제때제때 보고하도록."

"예, 알겠습니다."

올슨에게 지시를 내린 피터슨은 사무실에서 나가면서 들릴 듯 말 듯 작은 목소리로 '바보 같은 놈'이라고 내뱉는다.

_4._

권준혁과 신한수가 신한수의 승용차 뒷좌석에 앉아 있다.

"한계령에서 습격했던 녀석들의 신원은 확인되었나?"

신한수가 묻자 권준혁이 대답한다.

"미국인은 모사토전자회사에서 초청한 스나입스라는 마피아 조직원입니다. 일본인은 사카무라라고 동경에 근거지를 두고 있는 야쿠자 조직에서 제명당한 녀석이고, 러시아 녀석은 러시아 마피아와 연결되어 있습니다."

"모사토전자회사라고?"

"예. 그런데 전자회사에서는 색다른 이야기를 하더군요."

"색다른 이야기라니?"

"사람이 바뀌었다는 거죠."

"무슨 소리야?"

"스나입스는 과학자인데 도착한 사람은 마피아 조직원이었다는 겁니다. 회사에서는 스나입스가 도착했다는 연락도 받지 못하고 스나입스에게 항의하는 이메일을 보냈더니 초청이 취소되었다는 연락이 왔다면서 오히려 화를 내더랍니다."

"아예 사람을 바꿔치기 했단 말이지?"

"그랬나 봅니다. 일본인과 러시아인도 구린 행적은 있지만 그들이 모두 죽어 버렸기 때문에 배후를 찾기가 어렵습니다. 물론 자동차도 도난 차량이고……."

"그렇다면 왜 자네들을 습격했다고 생각하나?"

"아직 결론을 내릴 단계는 아닙니다만……김유라를 진박사로 알고 제거하기 위해서겠죠."

권준혁이 평소와는 달리 한참 뜸을 들이다가 매우 조심스럽게 대답하자 신한수가 대뜸 반격을 한다.

"진 박사의 기술이 탐이 난다면 진 박사를 죽여서 무슨 소득이 있겠나?"

"그러니 골머리가 아픕니다. 혹시 X프로젝트 때문이 아닐까요?"

권준혁이 한껏 목소리를 낮춰서 묻는다.

"그건 아닐 거야. X에 대해 알고 있는 사람은 없어. 자네가 떠벌이고 다녔다면 모를까."

"제 자존심을 짓밟는 데 재미를 느끼시는 모양이죠?"

"그게 아니라 X에 대해 알 수 있는 사람은 없다는 거야. 실제로 나는 진 박사가 발설하지 않았을까 하고 생각했어."

"진 박사가요?"

"X에 대해 발설할 사람이라면 X에 대해 누구보다 잘 알 수 있는 사람이어야 하는데 진 박사야 당사자이니까 적격이지. 그런데 정말 진 박사가 발설했다면 진 박사를 납치하면 되는데 왜 살해하겠나? 정황상 아파트에서 납치하는 것이 어렵지는 않았어."

신한수의 지적에 권준혁은 '아얏' 소리도 하지 못한다. 신한수의 추론이 계속된다.

"내 말은 적어도 X 때문에 일어난 일은 아니라는 뜻이야. 그럼에도 불구하고 진 박사가 살해된 것은 범인이 살해하지 않으면 안 되는 절박함이 있었다고 볼 수밖에 없지 않겠어?"

권준혁은 새삼 신한수가 매우 예리하게 사건을 바라보고 있다는 것을 느낀다. 문제는 그 이유가 수사상 전혀 포착되지 않았다는 것이다. 신한수도 수사상 전혀 포착되지 않은 '그 이유'에 대해 입을 다무는 바람에 권준혁은 궁지에서 빠져나온다.

"권 팀장을 범인으로 몰았던 경찰의 조사는 어떻게 되었나?"

"진 박사가 복제에 대해 연구했다는 감을 잡은 것 같습니다."

"감만 잡은 것 가지고 뭐라고 할 수는 없겠지만 경찰이 진 박사의 살해범을 잡도록 하되 X프로젝트까지 알려지게 해서는 안 돼."

"당연하죠."

"근데 자네가 특수업무 팀의 존재를 다 까발려 놓았단 말이야. 이 참에 아예 이름을 바꿔야겠어."

"이름을 바꾸자고요?"

"그래. 경찰에서 이미 이름을 알고 있잖아?"

"염두에 두고 계시는 이름이라도 있습니까?"

"글쎄 '바보권준혁팀'이라는 이름은 생각해봤지만 그건 결사반대할 테니 접기로 하고……자네가 그럴 듯한 이름을 짓게."

"알겠습니다. 차장님이 깜짝 놀랄 거창한 이름을 만들어보죠."

"이름난 거창하면 뭐 해? 이름보다 실속이 있어야지. 여하튼 경찰의 수사 상황을 자세히 파악하면서 대책을 세우세."

"알겠습니다. 하여간 차장님과 만나서 본전을 찾은 적이 별로 없네요."

권준혁은 투덜거리면서도 자동차가 국가특수업무원 현관 앞에 정지하자 재빨리 내려서 신한수가 내리도록 문을 열어준다.

제7장 유전자의 마녀

1.

강미진 과장이 오민우 경감의 방으로 들어선다. 오민우는 컴퓨터 자판을 두들기다가 그녀를 보고 자리에서 일어난다.

"그냥 앉아 계세요. 진 박사 사건은 진전이 있나요?"

"예, 뭔가 걸려든 것 같습니다."

"뭐가요?"

"권준혁이 살해된 진 박사를 **빼닮은** 여자와 함께 다니고 있습니다. 뭔가 숨기는 구석이 있다는 뜻이죠."

그러면서 오민우는 강미진에게 권준혁이 김유라와 함께 다니는 사진을 여러 장 보여준다. 강미진은 진영숙과 김유라의 사진을 꼼꼼히 비교해보고 오민우에게 사진을 다시 돌려주면서 말한다.

"정말 뭔가 있는 것 같은데……철저히 한 번 조사해보세요."

"이번에는 내 손에서 **빠져나가지** 못할 겁니다."

"알았어요. 하지만 전번에 약속한 5만 원은 주셔야죠?"

오민우는 인상을 찌푸린 채 툴툴거리며 지갑에서 만 원짜리 5장을 꺼내 강미진에게 건네준다.

2.

오민우가 만면에 미소를 띠며 수사과장실로 강미진을 찾아가 서류를 건네며 운을 뗀다.

"피살된 진영숙 박사의 호적을 조사해 보았더니 황당무계한 사실이 발견되었어요."

"황당무계한 사실이라뇨?"

"권준혁과 함께 다니는 여자의 신원을 확인했거든요. 그녀의 이름은 김유라. 겨우 4년 전에 진 박사의 호적에 올렸더군요."

"그게 무슨 문제가 돼요?"

"진 박사가 김유라를 자신의 동생으로 입적시켰는데 그동안의 기록이 전혀 없습니다."

"그래서요?"

"참, 답답하기도 하시네. 김유라는 스물일곱 살입니다. 그런데 20년 이상 어떻게 무적으로 살아올 수 있습니까?"

"한국이 아니라 외국에서 살았다면 그럴 수 있죠?"

"물론 그럴 수 있겠죠. 그런데 그녀는 외국 국적도 없습니다. 한국인으로 20년 이상 무적이라는 것은 간단한 일이 아니죠."

"그렇다면 이상하기는 하군요."

"여하튼 진 박사가 근무했던 과학기술연구원 유전자연구센터부터 철저히 조사해볼 예정입니다."

"과학기술연구원은 정부의 특수국책연구기관이라 보안이 만만치 않아요. 함부로 덤비다가는 접근조차 어려울 거예요."

"그 정도야 베테랑 수사관에게는 기본 아닙니까?"

"알겠어요. 수고해 주세요."

강미진이 서류를 돌려주자 오민우가 눈을 찡긋하면서 덧붙인다.

"이번에는 10만 원입니다."

"좋아요. 이번에 대박을 터뜨려 보세요."

3.

오민우는 성북구 홍릉에 위치한 과학기술연구원의 유전자연구센터를 방문했다. 진영숙의 연구실은 수사상 필요하다는 공식 요청이 있어서인지 그녀가 사망할 당시 그대로였다. 오민우는 진영숙과 함께 연구했던 동료인 박문기 박사를 만났다.

갓 마흔을 넘긴 것 같은데도 박문기의 머리카락은 백발이었다. 그는 자신의 하얀 머리에 신경을 쓸지도 모른다는 뜻으로 이야기를 시작한다.

"전철을 타면 나와 나이가 비슷한 사람이 자리에서 일어나기도 합니다. 다소 창피하기도 하지만 내가 일부러 그렇게 하려고 한 것도 아니라서……."

"염색을 하면 되지 않습니까?"

"염색을 해도 관리가 만만찮더군요. 더구나 연구에 매달리다 보면 이발소 갈 짬도 내기가 어렵습니다. 뿌리만 하얗게 올라오면 더 웃음거리가 될 것 같기도 하고……. 이제 질문하시죠?"

박문기는 머리 이야기를 대강 끝내고서야 질문을 하라고 한다.

"두서없이 질문을 하더라도 이해하시기 바랍니다."

"어쨌든 제가 아는 대로는 대답해 드리죠."

"진영숙 박사의 연구 분야는 정확하게 무엇이죠?"

"한 마디로 말하면 유전자 연구라고 할 수 있습니다. 그러나 진 박사는 한 분야에만 신경을 쓰는 분이 아니었죠."

"무슨 뜻인지?"

"슈퍼우먼이라는 뜻입니다. 그녀는 유전자라면 모두 자신의 연구 분야인 것처럼 손을 대려고 했죠. 정말 연구에 대한 욕심은 알아주어야 합니다."

"그러니까 진영숙 박사가 손을 댄 분야는 모두 실적을 올렸다는 뜻이군요?"

"그런 셈이죠. 그래서 우리가 진 박사를 뭐라고 부르는지 아십니까?"

"별명 같은 것 말입니까?"

"예, '유전자의 마녀'라고 부르죠.

"외모와는 어울리지 않는 별명이군요."

"마녀가 꼭 추녀라야 할 이유는 없겠죠. 여하튼 그녀가 살해되는 바람에 요즈음은 집에도 갈 수 있게 되었습니다. 그녀가 살았을 때는 얼마나 악착같이 연구에 집착하던지 동료들도 한 달에 한 번 정도나 집에 갈 수 있었죠. 꼼꼼하기 이를 데 없고 모든 연구를 직접 수행하니까 미워할 수도 없었거든요."

그 점은 진영숙의 연구실에 들어가서도 확인할 수 있었다. 그녀의 연구실에서는 커다란 책상과 수많은 책들이 빼곡히 꽂힌 서가가 눈길을 사로잡았다.

실험 장치는 전혀 없고 단지 중앙전산망에 접속된 컴퓨터가 한 대 있을 뿐이었다. 진영숙 박사의 책장에 꽂혀 있는 책들을 둘러보던 오민우는 감탄하듯 입을 열었다.

"진영숙 박사는 그야말로 팔방미인이군요?"

"왜 그렇게 생각하시죠?"

"이것 보십시오. 온통 고구려와 쌀에 관한 책들입니다. 둘 다 유전자와는 전혀 다른 분야로 보이네요."

"얼핏 보기에는 그렇지만 꼭 그런 건 아니죠. 고대사도 유전자 분야가 많이 접목되어 한국인이 누구인가에 대해 많은 자료가 나오고 있지요. 벼는 5대 곡물 중 하나로 지구인에게 중요한 식량이므로 현재 세계에서 우수한 종자 개량을 위해 유전자 연구가 많이 진행되고 있으므로 진 박사가 관심을 갖고 있다는 것이 이상한 일도 아니고요."

"진영숙 박사가 쌀 개량 연구를 직접 했나요?"

"마녀는 자신이 모든 것을 할 필요가 없죠. 제 이야기는 마녀가 관심을 갖는 분야가 수없이 많은데 쌀 종자 개량에도 깊은 관심을 보였다는 겁니다."

박문기는 진영숙의 다방면 연구에 대해서는 한 마디로 입을 쩍 벌리며 도대체 인간이 아니라고 계속 강조한다.

"한 사람이 그렇게 많은 재주를 갖고 있으니 보통 사람은 정말 화를 낼만 하네요. 제 이야기는 진 박사가 군이 유전자가 아니더라도 고대사는 물론 다방면에 큰 관심을 갖고 있는 것 같다는 뜻이죠. 특히 고대사의 경우 아마추어 수준이 아니라 고고학자나 역사학자들이 보는 전문 서적들이 대부분이군요."

"그렇게 보셨다면 옳은 지적을 한 셈입니다. 사실 진 박사에게는 전공이 따로 없다고 할 수 있는데 팔방미인이라면 대체로 전문분야가 없이 여러 가지를 조금씩 잘한다는 뜻인데 진 박사는 손대는 분야마다 탁월했어요."

오민우도 그의 말에 이해가 간다며 고개를 끄떡이자 박문기가 말을 잇는다.

"한 마디로 진 박사의 연구 욕심에는 완전히 질렸는데 강력한 노벨상 후보라니 더욱 기가 질리죠."

박문기가 거듭 감탄하는 말을 들으며 오민우는 다시금 서가를 훑어본다. 고대사 서적 중에서도 광개토대왕에 대한 책이 특히 많았다. 광개토대왕이라면 고구려는 물론 한민족의 역사를 통 털어 최고의 제국을 건설했던 군주가 아닌가.

역사상 가장 강력한 국가를 건설했던 고구려는 원래 큰 산과 깊은 골짜기가 많고 평야가 적어 대체로 사람들이 살기 어려운 지역이었다고 들었다. 진수의 『삼국지』에도 고구려 지역은 좋은 토지가 없고 애써 농사를 지어도 식량이 부족하므로 고구려 사람들은 음식을 절약했다는 기록도 있다고 한다.

이런 기록은 고구려가 불리한 지리적 여건에서도 강력한 국가로 발돋움하기 위해 다른 지역 사람들보다 강인하게 자라났고 공격적이었다는 뜻이다. 특히 고구려는 수많은 민족들과 국경을 접하면서도 계속 확장 정책을 펴서 영토가 크게 확대되었다. 역대 왕들도 서진 정책을 계속하여 요동지방을 점령하고 근거지를 확보했다.

"오 경감님은 광개토대왕에 대해 관심이 많은 모양이군요?"

박문기가 진영숙의 서가를 살피는 오민우에게 물었다.

"그럼요. 대학교 다닐 때 대구의 <청소년문화센터>에서 자원봉사를 한 적이 있는데 그때 분임 업무가 문화유산이라 우리 고대사에 대해 꽤나 조사해 보았거든요."

"그럼 광개토대왕릉도 가 봤겠군요?"

"그게 약간 헷갈리더군요. 가이드의 설명으로는 장군총과 태왕릉 가운데 하나가 광개토대왕릉이라고 비정하지만 확실하게 답할 수 없다고 하는데 두 무덤 모두 보았으니까 광개토대왕릉을 보았다고 말할 수는 있겠죠?"

"나도 중국의 집안을 방문했는데 북한 학자들과 중국의 학자들은 태왕릉을 광개토대왕릉, 장군총을 장수왕의 능으로 추정하더군요."

박문기가 서가에서 책 한 권을 뽑아 여기저기 들추더니 장군총과 태왕릉의 사진을 찾아 보여주자 오민우가 말한다.

"저도 이 책을 읽었는데 학자들이 부지런히 연구하고 있으니까 언젠가 확인되겠죠. 여하튼 진 박사님이 고고학 분야에도 관심을 기울이고 있었다니 놀랍네요. 정말 아까운 일입니다."

"그래서 천재는 박명이라고 하는 걸까요? 더구나 진 박사는 천재에다 미인이니 생명이 더 짧을 수밖에요."

오민우는 유전자 과학이 생소한 분야라 박문기가 답답할 정도로 성실하고 자세하게, 또 조금은 장황하게 전문용어를 섞어서 설명하지만 내용을 완전하게 알아듣지는 못한다. 가끔씩 멀뚱멀뚱 쳐다보고 있으면 꼭 확인 질문을 하는 것도 연구원들의 전형적인 버릇인 듯했다.

"제 이야기를 이해하시겠어요?"

"대강은요. 박사님 설명이 크게 도움이 되었습니다. 이제 일어나 봐야겠군요."

신이 나서 설명을 하다가 중도에 끊어지는 것이 아쉬운 듯 박문기가 한 마디 덧붙였다.

"진 박사가 팔방미인이라는 것은 잘 아셨겠지만, 진짜 연구 분야는 복제입니다."

"복제라면?"

"잘 알려진 대로 동물 복제죠. 진 박사는 다른 연구원들과 달리 자신의 연구 업적을 공개하지 않은 것이 많습니다. 그런데 제가 알기로는 동물 복제에서 전대미문의 획기적인 진전을 얻은 것 같아요."

"그거 참 이상하군요. 그렇다면 그 연구비를 어디서 받았죠?"

"그건 잘 모르겠습니다. '마녀'라는 별명에 어울리게 제게도 비밀로 했으니까요."

"대단하군요. 그렇다면 어디서 연구를 했죠? 여긴 아무런 연구시설도 없는 것 같은데……."

"맞습니다. 진 박사는 중요한 연구는 대부분 여기서 하지 않았습니다. 어딘가 비밀 장소가 있겠죠. 더욱 아쉬운 것은 그녀가 복제 연구로 획기적인 성과를 얻었을 것 같은데 <Nature>나 <Science> 같은 유명 학술지에 논문조차 발표하지 않았다는 사실입니다. 나도 관심이 많은 분야라 그녀가 살해된 후 그녀의 자료를 샅샅이 조사해 봤습니다만, 복제에 대해서는 어디에도 전혀 자료를 남겨 놓지 않았더군요."

박문기가 입맛을 쩍 다셨다. 오민우는 더 이상 있다가는 시간만 빼앗길 것 같아서 곧바로 손을 내밀어 악수를 청하며 말했다.

"시간 내주셔서 고맙습니다. 이제 나가봐야겠네요."

제8장 나노 칩

1.

진영숙이 동물 복제에 획기적인 성과를 거뒀을 것이라는 박문기 박사의 설명은 오히려 오민우 경감을 혼란시키기에 충분했다.

'진 박사는 어디서 동물 복제를 연구했을까? 생명체 복제와 같은 첨단기술은 적어도 국가 차원의 지원 없이 일개 과학자나 소규모 집단이 연구한다는 것은 어림도 없는 일이 아닌가? 과연 그 성과는 어느 정도일까? 만약 동물 복제에 성공했다면 인간 복제도 성공했을 확률이 높지 않은가? 진 박사는 인간 복제가 기술적인 문제 외에도 사회윤리 등 여러 가지 문제점을 안고 있기 때문에 비밀로 한 것은 아닐까?'

상상력의 속도가 빨라질수록 오민우는 점점 미궁으로 빠져드는 기분이었다.

오민우는 경과보고를 위해 수사과장실로 강미진을 찾아가서 불쑥 한 마디 했다.

"과장님, 오랜만에 소주나 한 잔 사 주시죠?"

"왜 일이 잘 풀리지 않습니까?"

강미진은 자동차를 집에다 세워두고 집에서 가까운 잠실 석촌호수 앞의 포장마차로 오민우를 데려가서는 자리에 앉으면서 묻는다.

"과학자들은 믿을 수가 없다니까……그 사람들만 만나면 옛날에 총상으로 다친 다리가 또 다시 쑤시는 것 같습니다. 그런데 진 박사는 왜 동물 복제 연구를 비밀로 했을까요?"

오민우는 대뜸 불평부터 토로한다.

"글쎄, 이유가 있겠죠. 워낙 생소하고 중요한 연구라서 그랬을까요?"

"동물복제야 잘 알려진 것 아닙니까? 영국의 월마트 박사가 복제양을 탄생시켜 세계를 놀라게 한 후 자신이 기르던 개나 고양이를 복제하는 일은 이상할 것도 없죠."

"연구가 실패할 우려도 있으니까 완전히 성공할 때까지는 비밀로 한 게 아닐까요? 심지어는 <쥬라기공원>처럼 공룡도 복제할 수 있다고 말하는 사람까지 있지만 그건 불가능한 이야기겠죠?"

"과학이 발전하면 공룡을 동물원에서 볼 수 있다는 이야기도 있던데요?"

"그건 상당히 과장된 이야기죠. 내가 어릴 때부터 함께 살던 고양이가 죽어 복제에 대해 좀 알아봤더니 개나 고양이는 만만한데 공룡은 아예 불가능하더군요."

어린아이들이 좋아하는 동물을 꼽으라고 하면 대부분 공룡을 떠올릴 만큼 공룡은 어린아이들의 환상과 흥미를 자아내는 매력적인 동물이다. 그 때문에 '공룡의 복제'를 이슈로 영화까지 만들었을 거라고 짐작할 만하지만, 현실은 전혀 다른 차원이다.

공룡은 6,500만 년 전에 멸종된 동물인데 <쥬라기공원>의 가설처럼 정말로 공룡의 복제가 가능할까 하는 문제는 흥미롭지 않을 수 없다.

우선 호박 속 곤충의 피에서 생물의 DNA를 분리한다는 착상은 매우 현실적이다. 실제로 호박 안에 포착된 식물의 씨나 곤충으로부터 게놈 DNA를 분리한 예들이 많이 있다.

문제는 공룡의 DNA, 즉 공룡의 DNA 청사진이 있더라도 공룡을 복제할 수 있는 것은 아니라는 점이다. DNA가 파리나 병아리, 또는 사람을 직접 만드는 것이 아니기 때문이다. 이것은 송아지 요리를 하는데 요리 책에 있는 내용만으로는 만들어지지 않는 이치와 마찬가지다. 그것은 요리 책의 종이 속에 설명되어 있는 것처럼 DNA는 단지 그 자리에 가만히 있을 뿐이라는 뜻이다.

DNA는 스스로 발생을 시작할 수 없고, 발생을 시작하기 위해서는 'DNA를 판독하고 그에 따라 작동하는' 도구상자가 순조롭게 작동할 수 있어야 한다. 그런 도구들은 세포핵을 둘러싸고 있는 알의 다른 부분들에 의해 제공된다. 거의 모든 동물의 발생은 암컷의 난소 속에서 알세포가 만들어지면서 시작된다.

따라서 공룡의 DNA 테이프를 재생하기 위해서는 규격에 맞는 테이프 재생기, 즉 같은 종(種)의 공룡 알이 필요하다. DNA는 전체를 만들어내는 반쪽에 불과한 것이다. 테이프에 맞는 재생기가 없는 상태에서 비디오를 볼 수는 없는 일이다.

공룡의 복제에 문제가 되는 것은 공룡과 유사한 동물이 있어야 하는데 그와 같은 동물마저 멸종했다는 점이다. 결국 다행하게도 공룡의 DNA를 얻었다고 해도 그 DNA를 공룡으로 키워줄 수 있는 유사 공룡이 없는 한 공룡을 복제한다는 것은 불가능하다는 뜻이다.

"공룡 복제가 어렵다는 것은 이해가 갑니다. 그러나 진영숙 박사가 공룡과 같이 허무맹랑한 복제를 시도한 것이 아니라면 철저하게 비밀로 붙인다는 사실이 석연치 않다는 거죠."

"공룡과 같이 허무맹랑한 복제도 아닌데 철저하게 비밀로 붙여야 할 정도라면 뭐가 있을까요?"

"충격적인 복제일 수도 있다는 겁니다."

강미진은 소주잔을 입으로 가져가다 말고 눈이 휘둥그레져서 되묻는다.

"충격적인 복제라면…… 인간 복제?"

"그저 제 느낌이 그렇다는 겁니다. 공룡은 불가능하다고 하더라도 돼지나 매머드 복제라면 비밀로 할 필요가 없겠죠."

"아무리 그래도 인간 복제라니 좀 동떨어진 것 같네요. 동물 복제는 가능하지만 인간 복제는 불가능하다고 그동안 줄기차게 이야기되지 않았던가요?"

"사실 진 박사 사건 때문에 유전자 복제에 대해 책을 몇 권 사봤죠. 책에서 보니까 과학자들은 여러 가지 이유를 들어 인간 복제가 불가능하다고 하더군요. 인간에게는 더욱 결정적인 문제점이 있다는 거죠."

"그게 뭐죠?"

"바로 기억이랍니다. 인간을 동물처럼 복제할 수는 있더라도 그 사람이 갖고 있던 기억까지 되살릴 수 없다면 의미가 없다는 지적이죠."

오민우는 책에서 읽은 대로 복제에 대해 설명했다. 강미진은 그의 말에 귀를 기울이다가 대강 얘기가 마무리되자 질문을 던진다. 마치 전문가에게 자문을 구하듯이.

"기억 말고 다른 문제점은 없어요?"

"왜 없겠어요? 마음이라는 꽤 요상한 놈도 있죠."

"마음?"

"그래요. 사실 우리가 말하는 '마음'이라는 존재가 바로 인간 복제에서 또 다른 걸림돌인 셈입니다. 우리는 종종 어떤 일을 결정할 때 '내 마음이야', '내 마음대로 할 거야'라고 말하는, 바로 그 '마음'이야말로 인간 복제에 있어서 가장 종잡을 수 없는 존재라는 겁니다."

"진 박사가 인간 복제에 성공했다면 기억과 마음도 복제할 수 있어야 비로소 인정받을 수 있다는 뜻이겠네요?"

"그래서 헷갈린다는 겁니다. 인간 복제를 했는지 어쨌는지도 아직은 잘 모르겠고, 여하튼 비밀이 많은 사람이니까 뭔가 꼬투리가 나오겠죠."

"진 박사가 정말로 인간 복제에 성공했다면 노벨상도 받을 수 있겠네요?"

잘 나가다가 노벨상 이야기가 나오자 오경감은 고개를 가로젓는다.

"글쎄요.· 노벨상이란 아무리 연구 결과가 탁월하다고 해도 자신이 받겠다고 해서 받을 수 있는 것도 아닌 데다 수상자가 살아있어야 한다는 조건까지 갖춰야 한다면 진 박사는 이미 후보 자격도 없는 셈이죠."

"살아있어야 한다고요?"

"그렇대요. 아무리 훌륭한 연구 성과라도 죽고 나면 수상할 수 없다니 애석한 일이죠. 아인슈타인이 2005년까지 살았다면 적어도 노벨상 세 개는 더 받았을 거라고 합디다."

학자들은 아인슈타인(1879~1955)이 10년만 더 살아 있었다면 1961년 뫼스바우어(Rudolf Ludwig Mossbauer)와 함께 상대성이론(뫼스바우어는 아인슈타인의 상대성이론을 검증했음)으로, 1964에는 타운즈(Charles Hard Townes)와 함께 메이저(MASER; Microwave Amplification by the Stimulated Emission of Radiation)와 레이저(LASER; Light Amplification by the Stimulated Emission of Radiation)에 대한 기초 이론으로 노벨상 사상 처음으로 3개의 노벨상을 받았을 것으로 추정한다.

더불어 그가 2005년, 즉 126살까지 살았다면 또 한 개의 노벨 물리학상을 수상했을 것으로 추정한다. 2005년 노벨위원회는 「양자광학적 결맞음 이론으로 현대 양자광학의 토대 마련과 광 주파수 및 빗 기술로 정밀분광학 발전에 기여」한 공로로 하버드대 로이 글라우버 등 3명에게 노벨물리학상을 수여했다.

그들의 수상은 한 마디로 현재 자동차 장비 중 기본이라고도 할 수 있는 내비게이션(GPS)의 기본 원리로 이 역시 아인슈타인의 이론에 기반을 두고 있다.

아인슈타인이 위의 업적으로 노벨상을 받지 못한 것은 그의 이론이 워낙 앞서 있어서 그가 죽기 전까지 검증이 되지 않았기 때문이다.

"아쉽게 됐네요. 노벨상 얘기가 나왔으니 말인데 노벨상 수상자가 되면 얼마나 벌죠?"

오민우의 설명을 듣더니 강미진이 좀 엉뚱한 질문을 한다.

"상금 말인가요?"

"아뇨, 상금이야 알려져 있지만 노벨상을 수상한 연구 결과로 얼마를 벌어들일 수 있는가 하는 거죠."

"진 박사가 노벨상 감이라 하여 내가 좀 찾아보았더니 모두 부자가 된 것은 아니더군요. 만약 명예와 돈을 놓고 하나만 선택하라고 한다면 과장님은 어느 쪽이죠?"

오민우가 질문을 던지며 강미진을 보자 그녀는 미소를 지으며 대답한다.

"나는 둘 다!"

"나도 그래요. 하지만 진 박사가 정말로 인간 복제에 성공했다면 노벨상도 받을 뿐 아니라 아마도 전 세계의 자금을 모조리 긁어모을 수 있을 겁니다."

"전 세계의 자금을 모조리 긁어모아요?"

"당연하죠. 인간 복제를 역으로 생각하면 나이가 들어 죽어야 할 사람이 다시 태어난다는 이야기가 아닐까요? 다시 태어난다면 억만금을 주어도 아깝지 않을 테니까."

"그건 그렇겠네요. 하지만 자기 자신을 복제해서 새롭게 살아갈 수 있다면 정말 멋진 인생이 될 수 있겠지만 그건 불가능한 일 아니겠어요?"

"진 박사가 실제로 인간 복제에 성공했더라도 그녀가 살해되어 효용이 없다는 뜻인가요?"

"맞아요. 직접 확인했다면서요?"

"예, 그건 직접 내 눈으로 확인한 사실입니다. 아쉽지만 다시 처음 이야기로 돌아가죠. 어쨌건 이건 수사관로서의 감인데 박문기 박사가 말한 복제에 대해 좀 더 알아보는 것이 급선무일 듯합니다."

화제가 수사 이야기로 돌아가자 오민우는 눈을 반짝이며 다잡아 앉는다.

"왜 그렇게 생각하죠?"

"진 박사를 추적하다 보면 뭔가 대박이 걸릴 것 같은 생각이 든단 말이죠. 비밀이 많은 여자일수록 단서도 많다는 뜻입니다. 우선 진 박사 혼자 힘으로 동물 복제 기술을 연구할 수 있겠습니까?"

"자금, 기술, 장비, 인력 등이 갖춰져야 동물을 복제할 수 있겠네요."

"그렇다면 진 박사가 어디서 동물 복제 연구를 했을까요? 외국이 아니라면 적어도 국내 어딘가가 되겠죠."

오민우의 머리는 또 다시 고속으로 회전한다.

'김유라는 진영숙을 복제한 인물이 아닐까? 동물 복제가 가능하다면 인간 복제라고 불가능한 것만은 아닐 텐데…….'

그러나 오민우는 머리를 좌우로 흔든다.

'적어도 김유라는 복제 인간이 아니야.'

김유라는 나이가 스물일곱 살로 진 박사와는 네 살밖에 차이가 나지 않는데, 10년 전에 복제를 했더라도 10살이 고작일 거라고 생각되었기 때문이다.

"뭘 그렇게 골똘하게 생각해요? 자, 한 잔 더!"

강미진이 혼자만의 생각에 빠져 있는 오민우를 툭 치며 소주잔을 들고 건배를 청한다.

"아, 이제 생각이 났어요."

술잔을 들다 말고 오민우가 외치듯 입을 열었다.

"뭐가?"

"우리가 동물 복제에 대해 전혀 다른 각도에서 생각해왔던 거지요. 말하자면 양이나 소를 복제하는 원리로만……."

"당연한 얘기 아닌가요?"

"진 박사라면 단순한 동물 복제가 아니라 기억과 마음의 복제 또는 저장에 대해 연구했을 수도 있다는 거죠."

"기억과 마음?"

"그래요. 어떤 사람의 머리를 간단하게 천재로 만드는 연구 말이죠. 영화에 자주 나오는 장면처럼."

"무슨 칩 같은 것을 사람의 머리에 넣어서 완전히 다른 사람으로 만드는 영화요?"

"맞아요. 하나씩 풀어가죠. 사람을 복제하는 것이 아니라 기억을 복제한다고 생각하면 거창한 시설 따위는 필요하지 않겠죠?"

"하지만 그런 공상 과학영화 같은 일이 현실에서 일어날 수 있겠어요?"

"그래도 어느 정도 연구시설은 필요할 텐데 그녀의 연구실에서는 그런 걸 볼 수 없었어요. 만약에 그런 일이 가능하다면 어디서 만들 수 있을까요?

"칩과 같은 개념을 의미한다면 우리나라에는 몇 군데 안 될 거예요."

"그렇겠죠? 언젠가 신문에서 보니까 '나노테크연구원'에 있는 원두영 박사가 기억 칩에 대해 연구하고 있다는 기사가 났더군요. 한 번 연락해 볼까요?"

"연락처는 아세요?"

"연구원에 전화해 보면 찾을 수 있겠죠."

오민우는 말을 마치자마자 대뜸 휴대전화를 열고 114를 시작으로 계속 원두영 박사를 찾더니 풀이 죽어서 전화기를 내려놓는다.

"정말 맥 풀리네. 알 만한 데는 전부 수소문해 봐도 며칠 동안 소식이 없으므로 언제 연락이 될지는 잘 모르겠다고 하네요."

"첫 술에 배부를 수야 없죠. 힘내세요."

"그럼요. 자, 남은 술 마시고 일어섭시다."

이날도 먼저 일어나자고 한 쪽은 오민우였다.

강미진은 누구와 대작해도 결코 먼저 물러나지 않을 정도로 경찰 내에서는 술 잘하기로 소문이 난 편이라 꽁무니를 빼듯 일어나면서도 기분이 나쁘지는 않다. 비록 5만 원을 먼저 뺏기기는 해도 이제 10만 원이라는 판돈까지 걸려 있으니까.

2.

경기도 수원시 서둔동 나노테크연구소.

부소장인 원두영 박사가 나노테크 칩에 관한 연구 결과를 발표하고 있다. 키가 훤칠한 호남 형에다 체구가 단단해 보여 어느 정도 위압감마저 주는 인상이다. 발표대로라면 그야말로 한국이 개발한 세계적인 기술로 손색이 없었기 때문에 기자회견장의 열기도 대단하다.

원두영 박사가 개발했다는 나노 칩은 간단하게 말해 유전자 조작 바이러스를 이용하여 기존 컴퓨터 칩보다 크기를 1,000분의 1로 줄인 것이라고 했다. 그가 설명하는 기술의 요체는 원통 모양의 바이러스(박테리오파지)가 반도체 소자의 표면을 인식하게 한 뒤 특정 농도에서 나노 입자를 주입하면 이들 바이러스가 반도체 나노 입자를 인식하면서 특정 위치에 자발적으로 배열되어 박막 필름을 제작한다는 것이다.

원두영 박사가 설명을 했다.

"이번에 우리 연구소에서 개발한 나노 칩은 기존의 반도체 제작 기술이 가지고 있는 한계를 극복할 수 있을 뿐만 아니라 고집적으로 정보를 저장할 수 있기 때문에 대단히 중요한 연구 성과라고 하겠습니다."

한 마디로 인간의 머리에 좁쌀보다 작은 칩을 삽입하면 아무리 둔재라도 천재가 된다는 것이다. 다시 설명이 이어졌다.

"나는 이 나노 칩의 이름을 컴퓨터라는 개념을 처음 도출한 영국의 튜링(Alan Mathison Turing) 박사를 기려 '튜링 칩'이라고 명명하고자 합니다."

"튜링은 거의 알려지지 않은 과학자인데, 어떤 사람입니까?"

설명을 듣고 있던 한 기자가 불쑥 질문을 던졌다.

"영국 맨체스터 전산연구소에서 일하던 과학자로 1954년 마흔한 살의 나이로 유서 한 장 남기지 않고 자살한 비운의 과학자죠. 그가 현대인의 총아인 컴퓨터 아이디어를 낸 사람이므로 그를 기려 명명했습니다. 그러나 오늘은 이름보다는 나노 칩에만 집중했으면 좋겠습니다."

원두영의 설명에 이어 나노 칩에 대한 기자들의 질문이 빗발친다.

"튜링 칩이 개발될 수 있었던 원동력은 무엇입니까?"

"한 마디로 초소형 반도체 기술이 그만큼 발달했기 때문입니다. 나노 테크놀로지의 개가라고 할 수 있겠죠."

원두영이 나노 테크놀로지에 대해 보충서면도 덧붙인다.

나노란 10억 분의 1을 의미하는 접두어로 분자나 원자 하나하나의 현상을 이해하고 이를 직접 조작하는 기술이다. 1나노미터란 보통 0.2 나노미터 원자 다섯 개가 들어 있을 정도로 극미한 크기라는 것이다.

다시 한 기자가 손을 들더니 지명을 받고 이야기한다.

"나노 테크놀로지에 대해 좀 더 부연 설명을 해 주시죠."

"나노 기술은 현대과학에 혁신을 가져올 수 있습니다. 그 까닭은 나노 기술이야말로 인간에게 지대한 영향을 미칠 수 있기 때문입니다. 인간에게 직·간접으로 영향을 미치지 않는 연구란 무슨 의미가 있겠습니까? 과학이 아무리 발달하더라도 인간에게 유익하지 않으면 의미가 없고 인간을 가장 잘 이해할 수 있는 방법을 찾는 것이 중요하다는 뜻으로 받아들여 주십시오."

"그건 알겠습니다만, 나노 기술만의 특징이랄까 뭐 그런 게 있을 법한데요?"

"나노테크가 이해하기 쉬운 것은 아니지만 신의 영역도 아니기 때문에 보통의 과학 지식만 가지면 충분히 이해할 수 있을 겁니다. 나노 기술의 중요성은 나노 기술이 다루는 범주 안에 바이오 기술(Bio Technology)의 궁극적인 대상이 되는 DNA, RNA, 단백질 등도 들어 있기 때문이죠. 이들의 크기도 2~10나노 크기에 지나지 않으므로 나노 기술을 정복하면 인체를 정복할 수 있는 가능성이 생기는 겁니다."

"나노 기술이 의학적으로도 유용하게 활용될 수 있다는 말씀입니까?"

"의학뿐만이 아니겠지만, 나노 기술이 바이오 기술과 접합하면 질병의 진단과 치료에서 두드러진 효과를 나타낼 수 있는 건 사실입니다. 과학자들은 진작부터 나노 기술을 질병의 진단에 도입하면 극히 소량의 혈액이나 조직을 가지고 순식간에 환자의 이상 유무를 파악할 수 있다는 데 주목해 왔으니까요. 1나노리터의 혈액으로 암을 진단하고 백혈구와 세균을 파악할 수 있으며 영상 진단에서도 초소형·초고감도의 진단 기구가 개발될 수 있습니다."

원두영은 기자들의 질문에 신바람을 내고 있다. 왜 아니겠는가? 세계적인 기술이라는 '튜링 칩'을 개발함으로써 명예와 부를 한꺼번에 얻은 셈인 것이다. 원두영의 설명은 계속된다.

"과학자들이 왜 극미(極微) 기술에 집착하는지 아십니까? 극미 기술을 현실과 접합시키면 기상천외한 물건들을 많이 개발해낼 수 있기 때문입니다. 현재 논란이 되고 있는 온실 효과의 주범인 이산화탄소를 잡아먹는 극미형 대기정화장치는 물론 바이러스를 잡아먹고 스스로 분해해버리는 스프레이 감기약, 아주 작은 암세포를 검출할 수 있는 초고감도 생체 센서, 몸속을 마음대로 돌아다니며 고장 난 단백질을 수리하는 생명연장기계 등도 꿈만은 아닙니다."

참석자들은 원두영 박사의 바람 잡는 솜씨가 보통이 아니라고 생각한다. 과학자라기보다 노련한 장사꾼을 연상시키는 솜씨였다. 그는 좌중을 둘러보며 시선을 집중시킨 다음 득의의 미소를 지으며 드디어 튜링 칩에 대해 설명하기 시작한다.

"우리 과학자들은 21세기형 기억매체는 생명 현상을 모방하지 않고는 불가능하다고 생각합니다. 현재 인간의 두뇌가 정력적으로 활동할 때 드는 에너지는 대개 초당 1백w 수준이라 1시간 동안 골똘히 뇌를 쓰더라도 360kw면 충분합니다. 하지만 대형 컴퓨터는 주변기기 등을 포함하여 1시간 가동하는 데 5,000kw 정도의 에너지를 사용해야 합니다. 인간의 뇌보다 컴퓨터가 비효율적인 이유는 근본적으로 정보를 종합적으로 처리하는 속도에서 차이가 나기 때문인데, 이러한 차이를 극복할 수 있는 것이 바로 튜링 칩이라고 하겠습니다."

"튜링 칩을 인간의 두뇌에 삽입하여 활용할 수 있다는 뜻입니까?"

설명을 듣던 한 기자가 불쑥 질문을 던졌다.

"그렇습니다. 나노 칩에 들어있는 엄청난 정보를 인간이 필요할 때마다 빼내서 사용할 수 있습니다."

"말만 들어도 엄청나다고 생각되는데 튜링 칩이 두뇌에 삽입되었을 때 부작용은 없습니까?"

"사실 그 점이 가장 중요한 관건인데 그 문제에 관한 한 괄목할 만한 성과가 이루어졌습니다. 미국의 뉴욕주립대학 연구원들이 생쥐의 뇌에 자극용 전극을 이식한 뒤 휴대용 랩톱(lap-top) 컴퓨터를 이용한 원격 조종 기술로 명령을 내려 생쥐가 500미터 떨어진 곳의 장애물을 피하고 명령하는 대로 파이프, 암벽, 선반, 높은 통로로 정확하게 움직이도록 하는 데 성공했다는 사실을 잘 알고 계실 겁니다. 튜링 칩은 여기서 한 걸음 더 나아가 이런 기초적인 작동이 아니라 인간의 뇌에 삽입한 칩 속에 들어 있는 정보를 인간이 필요할 때마다 꺼내 쓸 수 있도록 했습니다."

"생쥐 실험처럼 외부에서 조종하지는 않는다는 말씀이군요?"

"당연하죠. 이건 SF에서처럼 인간을 로봇으로 만들어 조종하자는 것이 아닙니다. 외부에서 넣어주는 정보가 인간의 두뇌 기능을 통해 그대로 활용되는 겁니다."

"바보도 천재가 될 수 있다는 이야기입니까?"

"궁극적으로는 그렇게 될 수 있을 것으로 생각합니다만 현재로서는 그런 단계까지 미치지는 못했고……튜링 칩은 인간의 두뇌가 외부에서 주는 정보를 활용할 수 있는 길을 만들었다는 데 의의가 있습니다. 우리가 길을 만들었으니까 앞으로 수많은 학자들이 바보를 천재로 만들 수 있는 방법을 연구할 겁니다."

원두영은 자신에 찬 어조로 기자들의 질문에 거침없이 답변해나가고 있다. 또 다른 기자가 질문을 던진다.

"그러니까 튜링 칩으로는 아직 인간의 두뇌에 접목시키지 못했다는 뜻이군요?"

"인간의 두뇌에 접목시키기 위해서는 여러 가지 문제점들을 극복해야 합니다. 인간의 뇌를 인간이 외부에서 조종한다는 것이 과연 타당한가 하는 문제도 고려해야 할 사항인데 저희들은 이 문제에 관한 한 어려움이 없다고 생각합니다. 나노 칩은 외부에서 조종하는 것이 아니라 인간의 한계를 높이는 것이니까요. 여러분은 근간 저희가 개발하는 걸 작품을 기대하실 수 있을 겁니다."

"대단하군요. 만약 원 박사님의 발표대로 진행된다면 장차 튜링 칩의 파급효과는 어느 정도라고 생각하십니까?"

"모르긴 해도 세계 반도체 시장을 석권할 아이템 중의 하나가 아닐까요?"

"튜링 칩은 나노테크연구소에서 독자적으로 개발했습니까?"

"아닙니다. 이 연구는 워낙 고도의 작업이라 우리 연구소 힘만으로는 어림도 없습니다. 보안상 알려드리기는 곤란합니다만, 많은 분들이 여러 형태로 프로젝트에 참여했습니다."

"그렇다면 국가 안보나 국방과도 관계되는 프로젝트란 말입니까?"

"노코멘트!"

원두영은 여유가 있었다.

원두영의 설명이 끝나자 참석자들은 우레와 같은 환호를 보냈고, 그 날부터 이삼일 동안 언론은 '원두영 같은 과학자가 한국에 있기 때문에 한국의 미래가 희망이 있다.'는 식으로 칭찬을 늘어놓는 데 열을 올렸다.

노벨상을 수상할 수 있는 후보자로 강력하게 지목되었던 진영숙 박사가 사망했기 때문에 원두영 박사가 매우 유리한 고지를 점령하고 있다는 설명도 있었다.

제9장 불가능의 영역

1.

싱글벙글 미소를 지으며 자신의 사무실로 들어서는 오민우를 보고 서류를 뒤적거리고 있던 강미진이 묻는다.

"좋은 소식이라도 있어요?"

"나쁜 소식은 아닙니다. 전번에 우리가 추리했던 것이 정확하게 맞아떨어졌거든요."

"무슨 얘기죠?"

"칩 얘길 하지 않았습니까? 사람의 머리에 삽입하는 칩 말입니다."

"아하, 기억 칩이란 거!"

"국방과학기술연구원에서 바로 그런 용도로 칩을 만들었다고 하더군요."

"국방과학기술연구원이라고요?"

"거기 근무하는 고등학교 동창을 통해 들었는데, 다섯 개의 칩을 만들었답니다. 놀라운 것은 세계 각국의 언어를 구사할 수 있는 능력뿐만 아니라 대백과사전에 버금갈 정보까지 입력했다는 겁니다."

"그러니까 누군가의 머리에 대백과사전이 통째로 입력될 수도 있다는 뜻이군요."

"그 정도가 아닙니다. 유명하다는 과학 논문들도 죄다 입력되었다고 하더군요. 그런데 두 개의 칩은 더욱 특별하다는 겁니다."

"두 개의 칩이 특별하다면……어떤 면에서요?"

"군사 정보와 전략도 포함되었다는 겁니다. 과거부터 현재까지의 모든 전쟁에 대한 기록은 물론 세계의 무기 체계에 대한 정보도 총망라되었다고 했습니다."

"대단하군요. 살아있는 백과사전에다 군사 전문가, 거기다 최첨단 과학자라……원두영 박사가 비슷한 내용의 칩을 개발했다고 하던데 다른 건가요?"

"정확하지는 않지만 다소 다른 점이 있는 것 같습니다."

"어쨌든 그 칩을 누군가가 시술받았다면 대단하겠네요. 국방과학기술연구원에서 칩을 만들었다면 시술도 했을까요?"

"그걸 알아내는 것이 간단하겠습니까? 솔직히 말해서 진 박사 사건은 점점 골머리 아픈 미로로 들어가고 있는 것 같습니다."

"무슨 뜻이죠?"

"힘센 기관들이 얽혀 있는데 빽도 없고 끗발도 없는 일개 경찰이 무슨 수로……."

갑자기 맥이 빠진 모습의 오민우를 바라보면서 강미진이 다시 묻는다.

"그러니까 진 박사 사건이 정부기관과 관련이 있다는 뜻이에요?"

"국방과학기술연구원에서 기억 칩을 만든 데다 진 박사가 살해될 정도라면 이번 사건이 아주 막강한 조직과 관련되었을 가능성이 높다는 거죠."

"그럴수록 오 경감의 능력이 필요하다는 뜻으로 보이네요."

"맞습니다. 오민우가 손을 댄 사건인데 끝을 봐야죠. 5만 원도 벌충해야 하고요. 제가 맡겨둔 돈 보관은 잘하고 계시죠?"

"억지 쓸 생각은 마세요. 5만 원은 맡겨둔 게 아니라 정당하게 내기를 해서 내가 딴 겁니다."

"10만 원짜리가 걸려 있으니까 하는 말이죠. 친구 말은 어려워서 잘 이해가 되지 않아 직접 만나 이야기해 달라고 했더니 순순히 승낙하더군요. 그 친구를 함께 만나보시죠."

"어디서?"

"우리 회사 앞의 커피숍으로 오라고 했습니다."

"아쉬운 건 우리 쪽인데 오라 가라 해도 되는 친구예요?"

"친구 좋다는 게 뭡니까? 퇴근시간인 6시에 만나자고 했는데 말이 잘 되면 술이나 한 잔 사죠 뭐. 지금 오기로 한 시간인데 한 번 만나보시겠어요?"

"그래요, 오늘 업무 정리하고 내려갈 테니 기다리세요."

강미진이 서둘러 사무실을 나서는 오민우에게 말했다.

2.

"친구는 아직 안 왔나 보네요?"

"그 녀석은 시간을 칼 같이 지키는 놈이라 약속 시간에 3분만 늦어도 벌떡 일어나서 나가 버리는 악당입니다. 그래서 아까 좀 일찍 나왔는데 아직 안 왔지만 곧 올 겁니다. 아직 30초가 남았거든요."

"악당이 아니라 신사군요."

"신사랄 것까지는 없죠. 약혼까지 했다가 약혼자가 5분 늦게 나타나는 바람에 파혼을 해 버렸는데 그런 놈이 신사라니 말이 됩니까?"

"약속 시간에 5분 늦었다고 파혼을 해요?"

"그렇다니까요. 5분도 기다릴 수 없다고 가버렸거든요."

마침 커피숍으로 들어서는 허우대 멀쩡한 남자를 보더니 오민우가 입을 다물고 일어서며 손을 번쩍 치켜든다. 강미진도 엉거주춤 앉았던 자리에서 일어선다.

"장박, 인사 드려. 내가 모시는 강미진 과장님이야."

"안녕하세요, 장승연입니다."

장승연이 꾸벅 고개를 숙이며 인사를 한다. 국방과학기술연구원의 연구원이란 신분이 무색할 정도로 체구가 건장했다.

"어서 오십시오, 장 박사님. 오 경감님한테 말씀은 들었어요. 약속시간에 총알이라고요?"

"그건 사실이죠. 6시 정각 10초 전이니 약속시간을 정확히 지킨 것은 사실입니다. 개코가 또 무슨 얘길 했습니까?"

"개코요?"

"이 녀석 별명이 개코라는 거 모르세요?"

"호호호, 개코라고요?"

"야, 냄새 맡는 코로 따지자면 우리 과장님이 나보다 한 수 위야."

오민우의 엄살 섞인 말에 모두 웃음을 터뜨렸다.

"우리 과장님은 경찰사관학교라는 경찰대학 출신에다 사법고시까지 통과한 분이야."

"어쩐지 개코 너하고는 좀 달라 보이더라."

강미진은 좀 쑥스럽다는 표정을 짓더니 핸드백에서 조그만 수첩을 꺼내며 입을 열었다.

"이왕 오셨으니 몇 가지만 가르쳐 주십시오, 장 박사님."

"제가 수사를 받는 것은 아니겠죠, 과장님?"

"그럼요. 이렇게 만나게 된 것만 해도 천만다행이죠. 국방과학기술연구원에서 칩을 만들었다는 이야기를 오 경감님한테 들었습니다."

"들으신 대로입니다."

"5개를 만드셨다고요?"

"그렇습니다."

"그걸 모두 사용했나요?"

"저희들은 연구용으로 강력한 칩을 개발하긴 했지만 그것이 어떻게 사용되는지는 잘 모르겠군요."

"인체에 삽입하는 것이 아닌가요?"

"무언가 오해하시는데 저희들이 개발한 칩은 기본적으로 인체에 삽입하려는 용도는 아닙니다. 저희들은 나노테크를 이용하여 초소형에

가능한 한 많은 정보를 저장하는 용도로 칩을 만들고 있을 뿐이죠?"

"그러니까 연구원에서는 칩을 만들기만 했다는 뜻이군요?"

"그렇습니다. 이 칩은 효용도가 많은데 인체에 사용할 수 있다는 사실은 부정하지 않습니다. 그러나 원래 용도로만 보자면 나노 칩에 엄청난 정보를 저장할 수 있다는 겁니다."

"제가 예상한 바와는 다소 다르군요. 저는 그 칩만 머리에 삽입하면 슈퍼맨이 된다고 생각했거든요."

강미진이 솔직하게 나노 칩의 용도에 대해 설명하자 장승연은 외부 물질에 대한 인체의 거부반응에 대해 설명한다. 한 마디로 인체는 외부 물질이 몸 안에 들어오면 소위 적군으로 간주하여 이를 파괴하는 데 총력을 기울이므로 굳이 인체에 삽입할 필요가 없다는 것이다.

"무슨 뜻이죠?"

"굳이 나노 칩을 인체에 집어넣을 이유가 없다는 뜻이죠. 현재 소형으로 만들어 방대한 양을 축적하려는 목적은 4차 산업혁명 시대의 방대한 정보, 즉 빅 데이터의 처리가 관건이기 때문입니다.

강미진과 오민우는 본전도 못 뽑고 있는 형편이다. 오민우가 묻는다.

"장 박사 말이 맞는다고 치더라도 데이터를 저장하려면 소위 나노 칩처럼 작게 만드는 것이 최선이야?"

"당연하지. 작은 것이 아름답다는 말도 있지 않은가?"

"내 말은 나노 칩만 엄청난 정보를 저장할 수 있는가 하는 거야."

"이야. 대단한 발상의 전환이네. 사실 그 문제가 현 과학계의 큰 화두야. 그동안 나노 칩에 대량 정보를 저장할 수 있다고 총력을 기울였는데 놀랍게도 진영숙 박사가 새로운 분야를 개척했거든."

"진영숙 박사가…… 어떤 내용인데?"

"솔직하게 말해서 정확하게는 나도 잘 몰라. 진 박사는 인간의 DNA에 나노 칩과 마찬가지로 기억을 저장할 수 있다고 하는데 내가 궁금해서 직접 물어봤지만 가르쳐 주질 않더군."

"그러니까 나노 칩에 들어갈 만큼 방대한 정보를 인간의 DNA 속에 넣을 수 있다는 거야?"

"진영숙 박사가 그렇게 말한 적이 있는데 사실 너무 독창적인 아이디어라 진실인지는 아직 모르겠어. 하지만 인간 DNA에 정보를 저장할 수 있다면 오 경감도 순식간에 천재가 될 수 있다는데 그게 말이 되는 거야?"

장승연의 말에 강미진이 묻는다.

"그러니까 나노 칩과 DNA 저장은 다르다는 뜻이네요?

"저장 자체는 동일한 개념이지만 완전히 다른 거죠. 사실 저희들은 대량정보를 소형으로 만드는 물리적 칩에 집중하는데 진영숙 박사는 그걸 생체 즉 인간 DNA 안에 집어넣을 수 있다는 겁니다."

"영화에 나오는 것처럼 나노 칩에 정보를 넣어 인간의 두뇌와 접목시킬 수는 없나요?"

"사실 그렇게 이야기하는 학자들도 있지요. 저희 연구원의 일부 학자들도 그렇게 말하고는 있지만 저는 그게 가능하지 않다는 데 걸겠습니다."

"흥미롭군요. 절대로 불가능하다는 이야기는 아니라는 거죠?"

"불가능이란 말은 좀 어폐가 있죠. 하지만 나노 칩을 인간의 두뇌구조와 같은 논리 회로를 가진 신경망에 연결시켜 두뇌를 통해 작동시킬 수 있다고 말하는데. 그건 소설이나 SF물에서는 가능하겠지요."

장승언의 말인즉 나노 칩을 인체의 기억과 연계시킬 수는 없다는 뜻이다. 한 마디로 그 분야라면 이야기하고 싶지 않다는 표정이 역력하다.

"진영숙 박사와는 가깝게 지내던 사이인가요?"

"그런 말씀 마십시오. 누가 마녀라고 불리는 진 박사와 친하게 지낼 수 있겠습니까? 하지만 노벨상을 받을 것으로 예상되는 마녀와 함께 연구한다는 것은 나쁜 일이 아니죠."

"그러니까 국방과학기술연구원에서 칩을 만들 때 진 박사가 관여했다는 뜻인가요?"

"엄밀하게 말하면 진 박사는 저희 연구에 전혀 관여하지 않았습니다. 그러나 정부에서 구성한 정보저장 태스크포스 팀에 함께 속해 있으므로 서로간의 정보를 공유하고 있지요. 하지만 그녀는 DNA 저장에 대해서는 묵묵부답입니다."

"그러니까 장 박사님의 나노 칩에 대한 정보는 서로 나누지만 진 박사의 DNA 저장에 대해서는 비밀이라는 뜻이군요?"

"그렇다고 볼 수 있죠. 진 박사가 자신의 핵심을 누구에게 알려줄 사람은 아닙니다. 특히 그녀는 자신의 연구를 논문으로도 발표하지 않기 때문에 더더욱 미스터리로 포장하는 데 능한 셈이죠."

솔직하게 말해 진 박사의 아이디어를 자신들도 공유하고 싶었는데 그렇게 하지 못했다는 것이다. 더욱 아쉬운 것은 진 박사가 살해되어 그녀의 머릿속에 들어 있는 내용을 어느 누구도 알지 못하게 된 점이라고 덧붙인다.

"장박의 말을 정리하면 진 박사의 DNA 정보 저장이 정말로 가능하다면 대백과사전 정보를 칩이 아니라 인체에 곧바로 넣어줄 수도 있다는 뜻이네?"

"그래. 좀 배가 아프기도 하지만 인체의 거부반응도 없으니까 당연히 부작용도 없겠지. 가능하다면 정말 대단한 거야."

장승연은 솔직하게 말해 진 박사의 아이디어가 탁월하다고 말하면서 DNA 정보 저장에 대해 간략하게 설명한다. 오민우보다는 강미연을 상대로 하는 설명이다.

"우리가 진 박사의 DNA 정보 저장에 대해 알고 있는 것은 아주 단편적입니다. 진 박사가 논문이 아니라 사석에서 한 이야기인데 그녀는 컴퓨터운영시스템(OS)과 영화를 DNA에 저장하는 데 성공했다고 말했어요. 그녀가 DNA 분자의 저장능력을 극대화하여, 스마트폰이 아닌 DNA에 스트리밍 비디오나 게임을 코팅하는 새로운 알고리즘을 개발했다고 말했죠. 진 박사는 DNA를 이루는 아데닌(A), 시토신(C), 구아닌(G), 티민(T)이라는 4개의 염기에 분산 저장한다면 보다 많은 정보들을 코딩할 수 있다고 설명하더군요. 그녀는 자신이 나노 칩을 연구하지만 여기서 벗어나 하드드라이브나 마그네틱테이프에 저장하는 것보다 더욱 많은 데이터를 저장할 수 있다고 했습니다. 사실 DNA는 가장 최적의 정보저장 도구인 셈입니다. 진영숙 박사는 430,000년 전에 살았던 인간 조상의 뼈에서 냉동으로 건조하게 잘 보관된 DNA에 저장된 유전 정보들을 무난하게 확보할 수 있었다고 합니다. 특히 DNA는 시간이 지나도 카세트테이프나 CD처럼 퇴화하지 않는 장점이 있는데 그녀는 DNA에 장편 영화를 텍스트파일로 저장하는 데 성공했다는 이야기도 했습니다."

"장박, 진 박사의 말을 확인이라도 했나?"

오민우가 끼어들었다.

"무슨 소리야? 그녀가 자신의 연구 결과를 남에게 먼저 보여줄 사람이면 마녀라고 하겠나? 그런데 그녀의 말에 신빙성이 있는 것은 자신이 DNA에 입력시켰던 영화의 텍스트파일들을 100% 불러내는 데 성공했다고 했는데 진 박사는 헛소리를 하거나 과장하는 사람이 아니야."

"장점만 이야기했는데 단점은 없다는 거야?"

"학자들이 반신반의하는 것은 약점도 있기 때문이야. DNA는 4개의 문자(A-C-T-G)로 이루어져 있는데, 여기에 0과 1의 이진수를 코딩하는 것이 문제지. 다시 말해 아예 4진수의 알고리즘이 개발되지 않는 한 확장하는 데 한계가 있다는 지적이야."

"장박 이야기로는 진 박사가 그 한계를 극복했을 수 있다는 뜻으로도 들리네."

"정말로 진 박사가 그 한계를 극복했다면 대단한 거지. 솔직하게 말해 그녀가 금년에 논문을 발표하고 살해되지 않았다면 곧바로 노벨상을 받았을 거야."

장승연의 말에 정말로 아쉬움이 배어 있는 듯하다. 하지만 진 박사가 살해된 것은 기정사실이라 계속 이야기할 수 있는 주제는 아니었다. 오민우가 장승연에게 묻는다.

"내가 이해하기 힘든 것은 진영숙 박사가 노벨상을 받을 수 있다는데 대체 무슨 명목이지? 그녀는 연구 성과를 발표도 하지 않았다고 하는데 논문도 없이 어떻게 노벨상을 받지?"

"정말 예리한 질문이네. 사실 진 박사는 손대는 것마다 획기적인 성과를 얻었는데 그녀가 처음 얻은 성과는 DNA 추출기를 개발했다는 거야."

"DNA 추출기?"

"오늘날의 연구에서 DNA를 확보하는 것이 매우 중요한데 시간이 오래되면 DNA가 파괴되어 실제로 효용성 있는 DNA를 얻기가 매우 어려워. 그런데 그녀는 자신이 개발한 DNA 추출기로 어떤 표적의 DNA를 곧바로 추출할 수 있어."

"이를테면 오래된 뼈에서도 DNA를 얻을 수 있다는 거야?"

"바로 그거야. 현재 진 박사의 DNA 추출기는 유전자를 연구하는 사람에게는 마치 펜이나 연필을 사용하는 것처럼 기본적으로 보급되어 있어. 그녀의 DNA 추출기 덕분에 유전자 분야가 획기적으로 발전했다고 볼 수 있으므로 노벨상 감이라고 하는 거야. 실제로 그녀가 손 댄 모든 연구가 노벨상 감이라고 볼 수 있지만 아쉽게 되었지."

장승연이 진영숙의 죽음을 정말로 아쉬워하는 모습을 보이자 오민우가 화제를 돌린다.

"죽은 사람 이야기는 그만하세. 그나저나 자네 연구원에서 만든 칩을 복제 인간에게 시술했다는 소문도 있던데?"

"누가 그래?"

짐짓 떠보는 투로 물어본 말에 장승연은 깜짝 놀라는 표정을 지으며 되묻는다. 그런 태도에 한 건 잡았다고 생각한 오민우가 다소 다그치는 어투로 다가선다.

"이거 왜 이래? 복제인간이 우리 주위에 돌아다니고 있다는 것은 잘 알려져 있잖아?"

"개코의 성능도 신통치 않군. 복제인간은 소설 속의 이야기야."

"그동안 언론에서도 수많은 복제인간이 우리 주위에 있다고 해왔잖아?"

"거 참, 나를 떠보겠다는 거야, 뭐야?"

"떠보기는……친구 좋다는 게 뭐야? 장박이나 나나 나라의 녹을 먹는 처지에 아는 게 있으면 좀 도와달란 말이지."

오민우가 한 발 뒤로 물러나는 듯하자 장승연이 무의식중에 빨려 들어온다.

"아무리 과학이 발달했다고 해도 그렇지, 인간 복제는 결정적인 문제가 있어서 불가능의 영역이야."

"불가능의 영역이라고? 군사용으로 복제인간을 만든다는 소문도 있던데?"

"생각해 봐. SF영화에서처럼 인간을 복제하여 군인으로 사용한다는 게 말이 되느냐고?"

"왜 말이 안 된다고 생각해?"

"인간에게는 뇌가 있으므로 인간이 다른 동물과 다른 거야. 그런데 복제인간을 군인으로 만들기 위해서는 뇌에 지령을 내려야 하잖아. 위험한 일이라 할지라도 무조건 명령에 복종하게 만들자는 거지."

"명령에 복종하지 않는다면 필요가 없겠지."

"내 말이 그 말이야. 영화에서야 간단하지만 로봇이라도 버그가 나는 등 말썽을 부리는데 인간의 두뇌를 갖고 있다면 그게 가능하겠어? 실제로 자식들이 부모의 말도 잘 안 듣는데……영화 이야기는 그만두자고."

장승연이 기피한다고 오민우는 물러설 기세가 아니다.

"바로 그 불가능의 영역에 도전한다는 이유로 진 박사를 마녀라고 했다며?"

"진 박사는 복제인간 전문가가 아니라 DNA 정보 저장의 전문가야. 진 박사가 살해되어 뭐라고 말할 수는 없지만 그녀의 죽음에 누를 끼치면 안 되는 거야."

강미진이 서둘러 끼어들어 장승연의 태도를 누그러뜨리는 말을 한다.

"사건도 사건이지만 유전자 분야가 워낙 궁금한 사항이 많다 보니 본의 아니게 장 박사님께 불편한 질문을 던졌던 것 같아요. 죄송합니다."

젊은 여자가 다소곳이 사과를 하는 마당에 고집스럽게 우락부락할 수는 없는 모양이다.

"죄송할 것까지는 없고요, 진 박사의 명예도 있다는 거죠."

"고맙습니다. 복제 이야기는 그만하고 이왕 말이 나온 김에 나노 칩에 대한 설명이나 좀 더 해주시지요."

"그럽시다."

결국 장승연은 강미진의 제안에 순순히 넘어간 모양새지만 그다지 기분이 나쁜 표정은 아니다.

"나노 칩을 국방과학기술연구원에서 만들게 된 배경은 뭐죠?"

"한 마디로 그런 칩을 만들 수 있는 특수 소재를 연구원에서 개발해 냈던 거죠."

"특수 소재라면?"

"플러렌과 나노 튜브라는 건데⋯⋯플러렌과 나노 튜브가 실용화될 수 있었기 때문에 나노 단위 저장 칩을 만들 수 있게 된 거죠."

"말씀만 들어도 대단하네요."

"놀라긴 이르죠. 우리 연구원에서는 플러렌과 나노 튜브를 이용한 것이 아니라 그보다 더 우수한 소재를 만들어냈다는 데 의미가 있습니다."

"더 우수한 소재라고요?"

"예. 우리는 그것을 하이퍼렌이라고 하는데 이해를 돕기 위해 플러렌과 나노 튜브를 예로 들어 설명한 겁니다."

"물론 그런 대단한 성과를 올리고도 비밀 사항이라 아직 발표는 하지 못했을 테죠?"

"당연한 것 아닙니까? 역시 수사과장이라 대화가 잘 통하는군요. 우리 연구원에서 하이퍼렌을 사용한 특수 칩을 개발했다는 것이 핵심입니다."

장승연의 설명이 장황하게 이어졌다. 강미진은 알고 그러는지 모르고 그러는지 고개를 주억거리며 열심히 듣는다. 오민우는 다소 지루한 표정을 지으면서도 탓할 생각이 없는 듯 두 사람의 대화에 귀를 기울이다 한 마디 던진다.

"그러니까 하이퍼렌이 개발되었기 때문에 칩도 만들어졌지만 그걸 인체에 접목하는 것은 시도도 하지 않았다는 뜻이네?"

"그래. 우리는 나노 칩을 만드는 데만 주력했어."

"그런데 진 박사는 나노 칩과는 달리 DNA 안에 그 정보를 넣을 수 있다고 주장했다는 뜻이고?"

"그렇게 알려졌지만 실체는 없어. 단지 진 박사가 그렇게 말했다면 그걸 인정해줄 수도 있다는 견해지."

"대단한 카리스마네."

"왜 아니겠나? 사실 나는 진 박사의 말이 맞기를 바라고 있었어. 우리는 대량 정보를 담을 수 있는 칩을 만들었지만 인간이 직접 활용한다는 것은 생각도 하지 못했거든."

"장박 같은 천재가 갑자기 겸손해지네?"

오민우가 그렇게 말하며 강미진을 쳐다보고 눈빛을 교환한다. '도대체 진영숙의 역할이 어디까지란 말입니까?' 하는 뜻으로.

"혹시 원두영 박사님을 아십니까?"

강미진이 한동안 볼펜을 가지고 토닥거리며 탁자를 두들기다가 메모가 되어 있는 수첩을 들여다보며 묻는다.

"나노테크연구소의 원두영 박사 말입니까?"

"예, '튜링 칩'인가를 개발했다고 들었습니다만……."

"아주 잘 알죠. 원 박사와 나는 진 박사와 붙어살다시피 했으니까요. 원 박사가 개발한 '튜링 칩'도 사실 나노 칩과 유사하여 우린 동지이자 경쟁자죠."

"튜링 칩은 어떤 겁니까?"

"그것도 나노 칩이라 생각하면 틀림없습니다. 그런데 원 박사가 기자회견까지 하면서 자신의 성과나 되는 것처럼 발표한 튜링 칩이란 것도 사실은 진 박사의 작품이라고 해도 과언이 아니죠. 한 가지 원 박사는 진 박사나 나처럼 음지에서 일하는 체질은 아니라는 점이 다르다면 다른 거죠."

장승연의 말투에서는 원두영에 대해 유쾌하지 않은 감정이 느껴진다.

"음지에서 일한다는 게 무슨 뜻이죠?"

"원 박사처럼 연구 성과를 떠들썩하게 공개하거나 외부에 발표할 줄 모른다는 겁니다."

"때로는 성과를 발표하고 싶을 때도 있지 않겠어요?"

"인간이니까 그럴 수는 있겠죠. 하지만 유명해지고 싶어 안달이 난 사람은 근본이 다르다고 할 수 있죠. 진 박사는 외부에 노출되는 걸 몹시 꺼렸어요. 나도 약간은 그런 면이 있다고 하지만 진 박사는 차원이 달라요."

"장박이 약간 그런 면이 있다는 것은?"

오민우가 다시 끼어든다.

"나는 충실하게 논문을 작성한다는 거지. 물론 나도 아주 중요한 것은 논문에 발표하지 않는데 진 박사는 아예 논문조차 작성하지 않거든.

그래도 그녀의 말 한 마디 한 마디에 세계의 학자들이 촉각을 곤두세우는 거야."

장승연의 말에 강미진과 오민우는 머리를 끄떡인다. 한 마디로 진영숙을 마녀로 부르는 것이 결코 과장이 아니라는 뜻이기도 하다.

"마녀라고 부르는 것은 약간 배가 아픈 점도 있어요. 조금 전에 이야기했지만 큰 틀에서 나노 칩의 기본 아이디어는 진 박사로부터 온 것이 분명하거든요."

"그러니까 나노 칩과 DNA 정보 저장이 모두 진 박사의 아이디어라는 뜻이네요."

"솔직하게 말하자면 그렇다고 볼 수 있죠. 우리가 나노 칩에 도전할 수 있었던 것은 진 박사가 핵심을 다소 공개했기 때문입니다. 그래서 국방과학기술연구원과 나토테크연구소가 나노 칩 개발에 본격적으로 뛰어들었고 어느 정도 성공한 것은 사실입니다. 그런데 그녀는 DNA 정보 저장에 관한 한 우리에게도 전혀 공개하지 않았어요."

"이유가 있겠죠?"

"이유야 있겠지만 좀 지나쳤죠. 죽은 사람에게 이런 말 한다는 것이 다소 안타깝지만 좀 더 DNA 저장에 대해 공개했으면 좋았을 것이라는 생각이 계속 드네요."

"노벨상 감이라는 말은 어떻게 나온 거야?"

"그런 말이 있는 것은 사실이고 노벨상위원회에 추천되었다는 말도 있더군. 여하튼 그녀가 그런 아이디어를 발표했다는 사실 자체만 가지고도 노벨상 후보자로 거론될 정도인데 살해되었으니 아쉽지요. 미녀박명이 아니라 마녀박명이라고 할까요."

"모사토전자회사라는 곳이 어떤 회사인지 아십니까?"

"기억 칩에 대한 원천 기술을 상당히 가지고 있는 회사지만 원래는 농산물회사죠. 한국에서 수입하는 쌀의 대부분을 모사토사에서 수입하고 있으므로 한국인에게 큰 영향력을 미치고 있다고 볼 수 있죠."

"모사토사와 공동연구도 했겠군요?"

"원 박사는 모사토로부터 연구비를 받았지만 저희는 국방과학기술연구원이므로 함께 엮이지는 않았습니다. 솔직하게 말하면 원 박사는 모사토나노테크연구소 부소장으로 진 박사의 아이디어를 확보하기 위해 혈안이 되었지요. 하지만 진 박사가 살해되어 아마 공황장애가 있었을 겁니다."

장승연은 진영숙에게 목을 매는 것이 당연한 일이라고 덧붙인다. 나노 칩 자체의 아이디어를 진영숙이 제시했고 그것을 근거로 장승연과 원두영이 나노 칩을 만들었게 되었는데, 진영숙은 DNA 정보 저장으로 또 한 발 앞서나갔다는 것이다.

"원 박사에게는 미안한 이야기지만 튜링 칩 정도로는 진 박사의 마음에 차지 않았던 거라고 볼 수 있어요. 사실 족탈불급(足脫不及)이죠."

"장 박사님이 개발한 나노 칩도 그렇다는 뜻인가요?"

"큰 틀에서는 저희들 것도 대단한 거죠. 하지만 진 박사의 아이디어는 저희 차원이 아닙니다. 그러나 그것이 진짜 실현이 가능한지는 저도 모르기 때문에 비교하기는 어렵군요.

"그렇다면 족탈불급이라고 말하는 것이 우습군요."

족탈불급이라면 발을 벗고 쫓아가도 따라잡지 못한다는 말이 아닌가.

"저나 원 박사에게는 김유라라는 슈퍼 천재가 없으니까요."

"그런데 김유라가 누구인지 아세요?"

강미진이 넌지시 묻자 장승연이 깜짝 놀라는 표정을 짓는다.

"김유라?"

"왜 그래, 장박?"

"그럼 지금까지 김유라도 모르고 있었단 말이야. 참. 어이가 없네."

눈치 빠른 오민우는 장승연이 막걸리를 잘 마신다는 것을 알고 있으므로 바람을 잡는다.

"장박, 자리를 옮기는 것이 어때? 김유라 이야기도 나왔는데 막걸리가 필요할 테니 강 과장님이 기꺼이 쏘실 거야."

강미진이 '아얏' 소리도 하지 않자 장승연은 활짝 반기는 표정이다.

"그렇지 않아도 좀 떠들었더니 목이 칼칼하네요. 자리를 옮깁시다."

3.

그들이 자리를 옮긴 곳은 테이블이 5개에 불과한 근처의 조그마한 식당이다.

"이래 뵈도 여기가 이 근처에서는 가장 유명한 식당 중 하나야."

오민우는 주인인 김 할머니가 서른 살에 과부가 되자 경찰서 앞에서 식당을 차렸는데, 1년에 딱 이틀 설날과 추석만 빼고는 내내 문을 연다는 설명을 덧붙인다. 또한 40년 동안 오로지 혼자서만 식당을 운영하면서 아이 셋을 모두 대학교에 보냈다는 이야기까지.

"또 보네요, 할머니."

오민우가 식당으로 들어서면서 아는 체를 한다.

"또 할머니라고 하네."

"할머니니까 할머니라고 하죠. 평소처럼 주시죠. 오늘은 우리 과장님이 쏠 겁니다."

오민우의 '평소처럼'이란 말은 동태찌개와 두부김치, 그리고 일단 막걸리 2병을 말한다. 김 할머니가 막걸리 2병과 반찬을 갖고 오자 오경감이 막걸리를 따른 후 셋이 건배를 한다. 그러자 잔을 내려놓기도 전에 장승연이 김유라 이야기를 꺼낸다.

"김유라는 진 박사의 연구를 뒷바라지하는 사람인데 살아있는 초대형 컴퓨터나 다름없어요."

"그게 어쨌다는 거야? 슈퍼천재가 얼마나 많은데?"

"김유라도 모르는 사람들한테 하이퍼렌에 대한 설명을 늘어놓다니……한 마디로 진 박사가 피살된 지금으로선 진 박사에 대한 연구를 알고 있는 유일한 사람이 바로 그녀일지도 모른다는 말이야."

"우와, 그럼 김유라가 영화에나 나오는 슈퍼천재라는 얘기네?"

"그렇다니까. 나는 김유라를 직접 보지는 못했지만 김유라는 얼굴도 진 박사를 빼닮았다고 하더군. 아마 일부러 그런 여자를 선정했는지도 모르지. 아까 하다 만 이야기지만 그녀의 머리에 우리 연구소가 말한 칩이 들어있을지 모른다는 생각도 했어."

"불가능한 일이라며?"

"그래서 적어도 김유라의 머리에 나노 칩이 들어있다고는 생각지 않아. 하지만 김유라의 능력은 상상을 초월하여 그녀를 통해 어떤 문제든 곧바로 해결할 수 있었다는 뜻도 되네. 내가 강조하고 싶은 것은 진 박사, 김유라는 인간이 아니라니까."

오민우와 강미진은 벌어졌던 입을 다물 줄 모른다.

"그럼 김유라의 머리에 그런 칩이 들어 있을 가능성도 있겠군요?"

"좀 성급한 예단이지만 칩이 아니라 진 박사의 DNA 정보저장이 성공했을지 모른다는 생각이 있었던 것은 사실입니다."

"그렇다면 진 박사의 연구를 실질적으로 수행해온 사람은 바로 김유라일 가능성이 높다는 뜻이고요?"

"SF 소설이라면 충분히 가능하지만 현실은 소설이 아니죠. 저는 21세기에 살고 있는 사람이라 그런 SF 이야기를 믿지는 않습니다."

강미진이 그의 움츠림을 보고 조용히 묻는다.

"김유라가 진 박사와 쌍둥이처럼 닮았다는 것은 알고 있나요?"

"그래요. 나는 한 번도 본 적이 없지만 체구는 물론 얼굴까지 똑 닮아 일란성 쌍둥이나 마찬가지라고 하더군요. 제 생각에는……."

"무어죠?"

"진 박사가 워낙 비밀이 많으니까 성형수술이라도 해서 김유라의 모

습을 진 박사와 똑같이 만들면 언제든지 두 사람의 알리바이를 만들 수
도 있을 테죠."

"얼굴 모습이 닮으면 그럴 수도 있겠네요. 하지만 어딘가 다른 점도
있을 텐데요?"

"웬만큼 다른 점이 있다고 한들 두 사람의 남편이나 가족이 아니라
면 굳이 다른 점을 찾아내려고 하겠어요?"

오민우와 강미진은 그제야 진영숙과 김유라가 닮은 까닭을 이해할
수 있겠다는 듯 머리를 주억거렸다.

"한 가지만 더 질문해도 괜찮겠어요?"

"이왕에 버린 몸인데, 미인의 부탁을 거절할 수야 없죠. 막걸리까지
있는 판에……."

막걸리를 스스로 따라 한 잔 쭉 마신 후 칭찬에 약한 여자의 마음을
알기라도 하듯 장승연이 허우대에 어울리지 않게 내뱉는 감질난 말에
강미진은 살짝 얼굴을 붉히며 묻는다.

"국방과학기술연구원에도 진 박사의 사무실이 있겠죠?"

"물론입니다."

"그렇다면 진 박사가 거기서도 자신이 연구하던 내용을 저장하지 않
았을까요?"

"아니오. 우리가 직접 수사반의 의뢰로 확인해 봤는데 아무 것도 없
었습니다."

"그런데도 이상하지 않아? 장박의 말로는 진 박사가 방대한 프로젝
트에 관여해 왔다고 하는데, 어디 한 군데서도 그녀의 작업 파일을 찾
을 수가 없다니 말이 되는 거야?"

"가능할 수 있어."

"무슨 소리야?"

"김유라가 바로 살아있는 컴퓨터란 말이야."

"아무리 살아있는 컴퓨터라고 해도 인간이라면 한계가 있잖아?"

"맞아. 하지만 아이큐가 250 정도 되는 사람도 있어. 김유라가 특별한 능력을 갖고 있을 가능성이 많다는 거야. 그렇다면 다른 곳에 저장할 필요가 있을까? 보안을 위해서도 그게 더 좋을 테고……."

강미진이 두 사람의 이야기를 듣다가 끼어든다.

"그래도 일반 작업용 파일은 더러 컴퓨터에 저장하기도 했을 것 아닌가요?"

"아뇨. 두 사람은 특별해요. 적어도 그녀의 DNA 정보저장이 성공했다면 진 박사는 결코 연구원 컴퓨터에 저장하지 않았을 것으로 보죠."

"무슨 소리야? 김유라가 항상 붙어 있었던 것도 아닌데 뭔가 정리하기는 했을 테지."

"그야 그렇겠지만……."

"그런데도 아무 것도 찾아내지 못했다면 누군가가 침입하여 파일을 삭제한 게 아닐까?"

"그건 불가능한 일이야."

"불가능하다고? 능력 있는 해커가 침입하여 진 박사의 파일을 지울 수도 있잖아?"

"지금이 어느 때인데 과학기술연구원과 국방과학기술연구원의 메인 컴퓨터에 들어와 진 박사의 프로그램만 삭제할 수 있겠나? 만일 해커가 침입했다면 프로그램이 모두 엉망이 되었을 거야."

"두 연구원의 메인 컴퓨터가 서로 연결되어 있다는 뜻이야?"

"연결되었다기보다는 같은 맥락에서 움직인다는 뜻이야. 특별한 코드를 가진 사람만 사용할 수 있는데 해커들이 침입하여 장난칠 수 있는 컴퓨터가 아니거든."

장승연은 과학기술연구원과 국방과학기술연구원 메인 컴퓨터는 언어도 다르다고 설명한다. 일반적으로 컴퓨터 언어는 베이직을 사용하는데 이들은 포트론을 사용한다는 것이다.

"과거에는 포트론을 많이 사용했는데 현재는 편리성 때문에 컴퓨터 언어가 베이직으로 통일되었다고 해도 과언이 아니야. 그런데 계산 전용일 경우 포트론이 보다 빠르기 때문에 과학기술연구원과 국방과학기술연구원 등의 메인 컴퓨터는 연산 언어로 포트론을 아직도 사용해. 프로그램 언어가 다르기 때문에 해커가 진입할 수 없다는 뜻이야."

장승연의 말에 강미진은 이해가 된다는 표정을 보이며 묻는다.

"그래도 도무지 이해할 수가 없네요. 나는 누군가가 진 박사의 프로그램을 완전히 지우지 않았을까 하는 생각이 들어요. 평소에 컴퓨터를 끼고 살다시피 하는 과학자가 단 한 군데도 작업 내용을 저장하지 않고 사용할 수 있겠어요?"

강미진의 지적에 장승연이 고개를 끄덕이며 자신이 했던 말을 바꾼다.

"그렇겠네요. 그렇다면 무슨 이유인지는 몰라도……진 박사가 스스로 모든 자료를 지웠다고 하는 편이 보다 합리적이겠군요."

"진 박사가 스스로 지웠다……아, 그래 그거야! 그게 정답인 것 같네요, 박사님. 정말 장시간 좋은 이야기를 해주셔서 감사해요."

강미진이 갑자기 좋은 이야기를 들었다며 일어나자 오민우와 장승연도 엉겁결에 일어난다. 전철역 앞에서 헤어질 때 강미진이 오민우에게 잠시 이야기할 것이 있다고 말한다.

4.

장승연이 전철역 안으로 사라지자 두 사람은 다시 할머니 식당으로 되돌아 들어갔다. 강미진이 밝은 표정으로 말한다.

"장 박사님 덕분에 하나 건진 것 같은데……이제 희망이 보이는 것 같네요."

"희망이 보여요?"

"진 박사가 고의로 삭제하지 않았다면 누군가가 진 박사를 핍박해서 강압적으로 삭제하게 했을 가능성도 있다는 뜻이죠."

"도대체 누가?"

"그건 아직 모르죠. 권준혁 팀장은 자신과 마주친 두 명이 분명 범인일 거라고 말했어요."

권준혁은 자신이 진 박사의 아파트로 올라가려고 엘리베이터를 탈 때 엘리베이터에서 나오던 두 사람이 범인임에 틀림없다고 여러 번 강조했고 진술서에도 그렇게 썼다.

그러나 진 박사 사건에 권준혁이 관련되어 있다고 굳게 믿는 오민우로서는 강미진의 그런 결론을 못마땅하게 여긴다. 수사진을 혼란시키기 위해 위장 범인을 지목했거나 범인들과 짜고 일부러 목격자로서 사건을 신고했다는 것이 그의 한결같은 결론이었다.

"과장님도 그렇게 생각하시죠? 내 머리에도 칩만 하나 집어넣으면 천재가 된다니까요."

"누가 오 경감님에게 칩을 집어넣겠어요. 징계장만 잔뜩 쌓아 놓을 텐데……."

"계속 나를 약 올리시겠다 이 말씀이죠? 그렇다면 10만 원이 아니라 15만 원을 걸기로 합시다."

"권준혁 팀장이 범인일 때만 그렇죠."

"당연하죠. 여하튼 그놈은 이제 덫에 걸린 거나 마찬가지입니다."

"어쨌든 감시나 철저히 하세요."

오민우는 강미진에게 떼를 쓰다시피 하여 이미 몇 군데 권준혁의 동선에 도청 장치를 설치할 수 있도록 허락을 받는 등 권준혁에 대한 수사망을 펴고 있었다.

5.

권준혁이 차장실로 들어가자 미스 양의 태도가 전 같지 않다.

"볼에 키스 안 해 줄 거야?"

"제가 권 팀장님 얼굴에 키스나 할 만큼 한가로운 줄 아세요?"

"무슨 일이야? 갑자기 찬바람이 쌩쌩 부는데?"

"쓸데없는 소리 마시고 빨리 들어가기나 하세요."

분명 김유라 때문일 것이다. 권준혁은 미스 양이 토라진 태도를 보이는 이유를 헤아려보며 입맛을 쩍 다시고 차장실을 노크한 다음 안으로 들어간다.

"부르셨습니까?"

"그래, 이걸 봐."

신한수가 얼굴이 잔뜩 부은 채 권준혁에게 파일을 넘겨준다. 무언가 단단히 틀어진 일이 있는 모양인데 짐작 가는 데가 없다. 권준혁이 얼른 파일을 펼쳐보지 않자 예의 카랑카랑한 목소리로 내뱉는다.

"뭐 해? 파일을 보라니까."

"무슨 일이 있습니까?"

"파일이나 보고 질문 해."

권준혁이 할 수 없다는 듯이 파일을 펼치자 밉살스러운 오민우 경감의 큼직한 사진이 나오고 뒤이어 여러 장의 사진과 서류가 들어 있다. 권준혁이 재빨리 서류를 읽어보고 파일을 덮자 신한수가 입을 연다.

"무슨 뜻인지 알겠어?"

"저를 아직도 범인으로 생각하는 모양이죠?"

"그래. 검찰에서 넘겨준 서륜데……자네 주위를 도청해야겠다고 경찰에서 신청이 들어왔다는 거야. 대체 무슨 일을 그렇게 해?

"바보 같은 오 경감이란 자가 잘못 짚고 있는데 제가 어떻게 합니까?"

"애초부터 자네가 입을 잘못 놀려서 이렇게 된 거잖아? 검찰에서는 도청 허가를 내주지 않을 수도 없다는 거야."

"참, 미치고 팔짝 뛸 노릇이네. 가뜩이나 일이 많은데 전화도 제대로 못 쓴다는 말 아닙니까?"

"바보권준혁 팀이니 그럴 수밖에. 더 이상 잡음나지 않게 하란 말이야."

"알겠습니다. 휴대전화도 반납하고 꼼짝하지 않겠습니다."

"일을 하지 말라는 게 아니라 X-프로젝트가 성사될 때까지 비밀 유지에 각별히 신경을 쓰라는 거야. 성질 같아서는 자네를 아프리카로 쫓아버리고 싶지만 그럴 수도 없고……."

'고양이 쥐 생각하네.' 하는 심정으로 잠자코 있자 신한수가 갑자기 표정을 부드럽게 하여 묻는다.

"진 박사 건은 어떻게 되었나?"

"경찰의 수사가 어디까지 진전되었느냐는 뜻입니까?"

"바보 같은 소리 하지 마. 경찰 수사는 수사고 우리는 어느 정도 알아냈냐는 거야. 보고도 한 번 없고……."

"솔직하게 말씀드리면 건진 게 없어서 보고를 드리지 못했습니다."

"그렇게 놀면서 공금만 축내니까 국민들로부터 욕먹는 거야. 뭔가 실마리가 있을 테니 찾아보라고."

"알겠습니다. 제가 놀고 있는 게 아니라는 점은 차장님이 더 잘 아실 겁니다."

"말만 하지 말고 결과를 내놓으란 말이야, 결과를. 나가 봐."

신한수는 또 다시 냉랭해지며 의자를 홱 돌려 등을 보인 채 돌아앉는다. 일그러진 표정으로 차장실에서 나가자 미스 양이 입을 삐죽거리며 비아냥거린다.

"차장님과 잘 되시나 보죠?"

"그런 소리 하지 마. 미스 양과 잘 지내보라고 하던데?"

"그것 참 다행이네요."

"그동안 바빠서 그랬는데, 언제 시간 내서 데이트 신청하지."

"아서요. 권준혁 팀장과는 별 볼일 없으니까 한 우물이나 파시죠."

미스 양은 찬바람이 도는 표정을 지으며 한 마디로 잘라 말한다.

'하나도 되는 일이 없네.'

두 사람의 냉대에 권준혁은 볼멘소리를 하며 사무실로 들어간다. 화가 절로 치밀지만 뾰족한 수도 없다.

진영숙 박사의 살해범에 대해서는 단서도 찾지 못했는데 무식한 오경감은 자신을 범인으로 단정했는지 악착같기만 하다. 거머리가 따로 없을 정도다. 그를 떼어내 버리자면 범인을 잡는 수밖에 없는데 묘안이 떠오르지 않는다.

신한수 차장이 준 서류는 자신의 이상한 행적에 대해서 세세히도 적혀 있었다. 김유라와 함께 찍은 사진도 여러 장이 되었고, 자신이 뭔가 구린 일을 벌이고 있다며 심지어는 은행계좌까지 추적해야 한다고 적혀 있었다.

진영숙 박사만 생각하면 짜증이 나면서도 한편으로 김유라를 생각하면 슬며시 화가 풀어진다. 유라는 복제된 후의 4년을 제외하고는 진영숙 자체라고 해도 과언이 아니다. 더구나 유라는 진영숙과는 달리 개방적이고 활달했다. 진영숙과 사귀면서 가끔 벽창호가 아닐까 하고 답답하게 느끼기도 했지만 유라는 너무나 다르다.

제10장 글래머 해결사

1.

"원 박사, 정말 이렇게 비협조적으로 나올 거요?"

정체불명의 사나이가 권총을 겨누며 원두영을 협박하고 있다.

"내가 비협조적인 것이 아니라 자네들이 그렇게 만들고 있는 거지. 몇 번 이야기했지만 나는 내 머리를 믿기 때문에 자네들이 원하는 자료를 만들어두지 않았어."

"장난하지 맙시다. 이게 어린애 장난감으로 보이는 모양인데 한 번 보겠소?"

키 큰 남자가 말쑥하게 차려 입고 권총을 다잡아 쥐며 윽박지르듯 다그친다. 원두영은 권총에는 흥미가 없다는 듯 아예 무시해 버린다. 총잡이는 약이 오르는지 문 옆의 장식장 위에 있는 도자기를 겨냥하여 권총을 쏘자 '슉' 하는 소리와 함께 와장창 도자기가 박살이 난다.

"원 박사의 머리에 총알이 박히면 어떻게 되는지 이제 봤겠죠?"

"꽤 총 연습을 했다는 건 알겠네. 하지만 나는 자네처럼 머리 나쁜 사람과 실랑이할 만큼 여유 있는 사람은 아니야. 내가 한 마디 충고할까?"

"충고?"

"자네들이 정 그 내용을 알고 싶으면 직접 해결해 보라는 뜻이야. 그 다음에 내게 갖고 오면 맞는지 틀리는지는 가르쳐 주겠네."

"뭐가 어째?"

"자네들이 필요로 하는 것은 이 머릿속에 있어. 그런데 내가 곧바로 알려줄 것 같아? 알려주자마자 내 머리도 저 도자기처럼 되고 말 텐데…….

원두영은 손가락으로 자기 머리를 툭툭 치며 느릿하게 말을 이어간다.

모니터들이 잔뜩 설치된 상황실. 폐쇄회로를 통해 원두영의 모습을 바라보고 있던 브로코는 주먹을 쥐락펴락하며 초조한 표정을 감추지 못한다. 탁원식이 입을 연다.

"원 박사가 저렇게 버틸 줄은 정말 예상하지 못했습니다. 샌님 같은 학자들은 권총만 봐도 찔끔하는데 원 박사는 아예 상대도 하지 않으려고 하는 걸 보니 뭔가 믿는 구석이 있긴 있는 모양이군요."

"사실 우리가 약간 성급했던 점은 있지."

브로코가 대꾸했다. 어머니가 한국인이라고 하는 브로코의 한국말은 제법 유창하다.

"무슨 뜻이죠?"

"원 박사의 아이디어를 확보하고 나서 진 박사를 제거해야 하는 건데 그만 선후가 바뀌었단 말이야."

"아이쿠, 그걸 말씀이라고 하십니까?"

키가 작달막한 탁원식은 브로코의 말을 듣고 깜짝 놀란다. 자신이 저지른 일을 두고 책임을 미루려는 의도가 엿보였기 때문이다.

"원 박사가 속을 썩일 줄은 생각지도 못했는데 진 박사가 살해되고 나서 저렇게 버티기 시작하잖아."

"그러네요. 자신이 용도폐기가 되면 바로 죽음이라는 것을 아는 모양이죠?"

"사실이 그렇기도 하잖아?"

"원 박사가 계속 비협조적으로 나오면 어떻게 할까요?"

"원 박사의 약점을 잡아야지. 내가 듣기로는 뒤늦게 얻은 아들이 둘이라고 하던데…….

"그럴 듯한 생각이군요. 그들을 쉽게 데려올 수 있습니까?"

"그건 걱정하지 말게. 이미 이곳으로 오고 있으니까."

"정말 빈틈이 없으시군요."

탁원식은 브로코를 추켜세우며 유심히 모니터를 쳐다본다. 모니터 속의 원두영은 아예 총잡이를 본 척도 하지 않고 눈을 감더니 코까지 골아댄다.

"그래도 말을 듣지 않으면 어떻게 되는 거죠?"

"달리 묘안이 없는 거지 뭐. 원 박사의 노하우를 모르면 지금까지의 우리 노력도 모두 허사가 되고 말 테고."

"난감한 일이군요. 원 박사 대신 다른 연구원이 직접 개발할 수는 없습니까?"

"그럴 수만 있다면 얼마나 좋겠나? 탁 박사도 잘 알겠지만 배열이 단 하나만 달라져도 어떤 결과가 될지 모르는 일일세.

"그럼 실패할 경우도 생각해 봐야겠군요?"

"아직 실패한 것은 아니니까 두고 봐야지. 권준혁은 어떻게 되었나?"

"오리무중입니다. 집에도 들어오지 않고……."

"혹시 눈치라도 챈 것은 아닐까?"

"그럴 리가 있겠습니까?"

"녀석은 '국가특수업무원' 팀장이야. 얕봤다간 큰 코 다친다고.

브로코가 노골적으로 불만을 드러내자 탁원식은 잠시 눈치를 살피다가 조심스럽게 묻는다.

"진 박사에 대한 수사 상황은 어떻답니까?"

"경찰청에 심어 놓은 정보원에게 알아보았더니 수사가 지지부진하다고 하더군."

"그렇겠죠. 누가 그걸 알겠습니까?"

"하지만 계속 조심해."

모니터에는 상황이 종료되다시피 한 모습이 비쳐진다. 원두영의 강

공에 밀린 총잡이가 맥을 놓고 그의 앞에 놓인 의자에 걸터앉아 있는 것이다.

"원 박사를 당분간 그대로 두라고 해. 어쨌든 지금으로선 우리에게 꼭 필요한 사람이니까 너무 닦달하지 말고."

"원 박사의 도박이 성공한 셈이군요."

"아직은 모르지. 나는 원 박사 같은 사람을 좋아하지 않아."

"너무 정치적이긴 하죠. 하지만 미운 녀석 떡 하나 더 준다고 생각해야겠군요."

그러면서 탁원식은 무전기로 총잡이에게 지시를 내린다.

"원 박사를 그대로 두고 나와."

귓속에 있는 무선기로 지시를 받은 총잡이가 쩍쩍 입맛을 다시면서 밖으로 나오는 모습이 잠시 모니터에 잡혔다가 사라진다.

2.

브로코로서는 미치고 팔짝 뛸 노릇이다. 모사토전자회사 한국지사 총책임자로서 회사의 운명을 좌우할 임무를 눈앞에 빤히 보면서도 어떻게 할 수가 없는 것이다. 꽁생원처럼 보였던 원두영이 저렇게 뻗대며 속을 썩일 줄 누가 알았으랴. 어린 두 아들을 데려다 놓고 나노 칩에 대한 설계도를 내놓지 않으면 살해하겠다고 엄포를 놓아도 꿈쩍을 하지 않는다.

"진 박사가 사라졌으니까 나노 칩에 대해서는 내가 최고 권위자란 걸 잊지 마시오. 내가 개발한 나노 칩이 필요하다는 것은 내 머리가 필요하다는 얘긴데, 그렇게 되면 내가 주연이고 모사토가 조연이란 걸 알아야 할 거요."

이렇게 강조하며 큰 소리를 쳐대는 원두영의 태도로 봐서 그가 그들의 계획을 꿰뚫고 있다는 것은 두말할 나위도 없는 셈이다.

브로코는 몹시 후회스러웠다.

브로코는 진영숙의 아파트를 몰래 도청하고 있었는데 그녀가 권준혁에게 전화를 걸어 뭔가 중요한 이야기를 하겠다고 했다. 브로코가 놀란 것은 진영숙이 모사토 본사의 극비 파일에 들어와 모사토가 추진하고 있는 비밀을 보고 있었다는 점이다.

모사토의 운명을 가를 수 있는 중대한 비밀이 노출되었다는 것을 직감하고 그는 곧바로 자신의 상사인 피터슨에게 보고하자 그는 곧바로 진영숙을 제거하라고 명령했다. 토드는 그의 명령을 받고 진영숙을 살해하도록 총잡이와 탁원식을 보냈다.

피터슨이 진영숙을 곧바로 살해하라고 명령한 것은 사실 그로서도 고민의 산물이다. 모사토의 나노 칩 프로젝트와 한국을 상대로 한 '황금의 쌀' 프로젝트를 총괄하는 모사토그룹 부회장이 마침 한국에 있었다.

그가 진영숙 박사를 살해하라고 명령을 내렸지만 그것은 그야말로 고육지계였다. 우선 진영숙은 나노 칩의 기본 아이디어를 낸 장본인이므로 모사토사로서도 매우 중요한 인물이다. 언젠가 그녀를 포섭해야 한다는 생각을 하고 있었는데 여기에 변수가 생겼다.

진영숙과 함께 나노 칩에 관한 태스크포스 팀에 합류하고 있는 원두영이 진영숙 박사가 아니라도 자신이 제조법을 알고 있다고 공언했던 것이다.

진영숙을 제거하더라도 나노 칩을 개발할 수 있다는 원두영의 장담을 철석같이 믿었는데 피터슨이 한국 등을 상대로 극비로 추진하고 있는 '황금의 쌀'에 대한 극비 프로젝트에 진영숙이 접근했던 것이다.

보안에 보안을 기했지만 놀랍게도 그들의 연구 파일이 해킹된 셈인데 그녀가 해킹한 것은 모사토사의 미래 그 자체였다. 그녀가 유전자 연구에 대한 마녀로 불릴 정도로 다방면에 손을 대고 있는 것은 잘 알려져 있는데 놀랍게도 모사토의 극비 프로젝트 파일에 접속했던 것이다.

진영숙 박사를 포섭하느냐 제거하느냐 결단을 내려야만 하는데 피터슨은 진영숙의 제거가 보다 중요하다고 생각한 후 브로코에게 그녀의 제거를 지시했다.

다행하게도 곧바로 진영숙을 제거한 데다 그녀의 살해 즈음 통화기록을 조회한 결과 진영숙이 권준혁에게 단 한 번 전화를 걸었고 내용은 무언가 발견했으니 급히 자신의 집으로 와달라는 것이었다.

통화 내역을 보면 진영숙이 발견한 모사토에 관련된 내용이 권준혁을 비롯하여 어느 누구에게도 말하지 않은 것이 분명하다. 한 마디로 모사토가 비밀로 챙겨야하는 '황금의 쌀'에 대한 부작용을 알고 있는 사람은 없었다.

그런데 그야말로 충격적인 변수, 즉 살해되었다는 진영숙이 살아있다는 것이다. 모사토로 보아 악몽이 현실로 나타난 셈이다. 더구나 만만하게 봤던 원두영이 안면을 싹 바꾸는 바람에 뭔가 획기적인 조치를 취하지 않는 한 나노 칩 개발도 차질이 생기고 있었다.

탁원식이 그의 잠잠함을 깨운다.

"브로코 박사님, 원 박사를 계속 이대로 붙잡아둘 수는 없지 않겠습니까?"

"그래서 고민이야."

"원 박사의 실종 기간이 길어지면 본격적인 조사가 시작될 겁니다. 그는 나노 칩을 개발한 장본인으로 알려진 유명 과학자인데 수사진이 가만있겠습니까?"

"맞아. 하지만 진 박사가 죽은 이상 원 박사가 설계도를 내놓지 않으면 십 년 공부 도로아미타불이 된단 말일세."

"그를 회유할 수는 없을까요?"

"그게……."

"무슨 문제가 있습니까?"

"원 박사는 보통내기가 아니야. 그는 오히려 우리에게 공세를 취하고 있잖나? 자신을 풀어주면 우리에게 제시할 조건을 이야기하겠다는 거야."

"고약하게 됐군요. 그의 말대로 하실 겁니까?"

"내가 결정하기는 어려운 문제라서 미국으로 구원을 청했더니 오늘 도착한다고 하더군. 해답을 갖고 오겠지."

브로코는 의기소침해 있는 표정이 역력하다. 예상치도 못한 원두영의 역공에 말려 여러 가지가 엉망이 될 수 있었다. 탁원식이 브로코의 심기를 살피며 원두영을 비난한다.

"겉으로는 그렇게 보이지 않는데 욕심이 하늘을 찌르는군요."

"그래, 골치 아파. 자신을 납치한 사람을 처벌하지 않으면 절대로 타협도 않겠다니……."

"어떻게 하실 거죠?"

"자네들이 내게는 원 박사보다 더 중요한 사람들 아닌가. 원 박사가 자기 무덤을 파고 있는 거지."

"원 박사가 제시하는 조건은 뭐죠?"

"아직은 정확하게 몰라. 어렴풋이 짐작하기로는 새로 만들 회사의 주식을 요구할 것 같아."

그러면서 브로코는 머리를 절레절레 흔든다. 원두영의 말대로 칼자루는 그가 쥔 셈이 아닌가. 결국 설계도를 사전에 확보하지 않고 일을 벌인 것이 정말 주워 담을 수 없는 잘못이지만, 이제 와서 후회한들 무슨 소용이 있으랴.

3.

"데스테 씨가 도착하셨습니다."

비서가 인터폰으로 본사에서 온 사람이 도착했다고 전해준다.

"미국에서 사람이 도착한 모양일세. 만나보고 나서 원 박사 처리 지침을 알려 주겠네."

탁원식이 브로코의 방에서 나가는 것과 엇갈려 데스테가 들어온다. 놀랍게도 팔등신의 젊은 미녀라는 사실에 브로코의 눈이 크게 떠진다.

"기대했던 인물이 아닌가 보군요. 나는 아버지 때 미국으로 이주한 이탈리아계죠."

"기대 이상의 미인이라서……."

데스테가 자신을 소개하자 브로코는 말끝을 얼버무리며 자신의 책상 위에 있는 모니터로 혼자 침대 위에 앉아서 책을 읽고 있는 원두영의 모습을 보여준다.

"이 사람이 속을 썩인다는 원 박사로군요?"

"그렇소. 보통 내기가 아니오."

"그가 요구하는 건 뭐죠?"

"우선 자신을 무조건 내보내주고, 자신이 개발한 제품을 생산할 회사의 지분도 경영권을 좌우할 수 있을 정도로 달라고 합니다. 한 마디로 자신의 뜻대로 움직여 달라는 말이오."

브로코는 원두영의 조건을 간략하게 설명한다. 탁원식에게는 밝히지 않았던 내용이다.

"내보내주면 배반은 하지 않을까요?"

"조건에 따라 다르겠지만……아마도 배반하지는 못하겠죠."

"왜 그렇게 생각하세요?"

"우리에게도 카드가 있으니까요. 나노 칩은 아무 데서나 팔 수 있는 물건이 아닙니다. 따라서 우리가 나노 칩의 생산을 중단하겠다면 나노 칩 자체가 무의미하거든요."

"진영숙 박사의 아이디어로 국방과학기술연구원에서도 개발에 성공했다고 하던데 원 박사가 없다면 그들이 석권하겠군요."

"맞아요. 골머리 아픈 것은 원 박사의 개발품이 국방과학기술연구원에서 만든 것보다 월등하다는 사실이죠."

"원 박사가 큰소리칠 만하군요. 원 박사는 진 박사가 살해된 것을 알고 있나요?"

"그래요. 그래서 더욱 공격적으로 나오는 거죠. 진 박사가 사라졌으니까 자신만이 세계에서 가장 업그레이드 된 나노 칩을 만들 수 있다는 건데 사실 그의 말이 맞아요."

"우리가 커다란 실수를 한 거로군요."

"그건 본사의 명령이었소. 진 박사가 비밀 프로그램에 접속했다는 사실을 발견하자마자 곧바로 그녀를 제거하는 것이 좋다고 판단한 것이요."

브로코는 진영숙이 모사토의 극비밀을 포착한 이상 제거하는 방법밖에 없었는데 마침 피터슨이 한국에 있었으므로 곧바로 제거명령이 내려졌다고 설명한다. 물론 누가 그에게 제거 명령을 내렸는지는 말하지 않는다.

"그녀를 죽이지 않고 잠잠하게 할 수는 없었나요?"

"세계적으로도 유명한 과학자인 그녀는 만만하게 설득당할 사람이 아니죠. 더구나 우리 연구가 한국인들에게 치명적이라는 것을 포착했는데 설득이 가능하겠소?"

브로코는 진영숙이 모사토사의 비밀 연구를 폭로하면 미국 대통령이라도 수습할 수 없었을 것이라고 덧붙인다. 권준혁에게 사실을 설명하기 전에 그녀를 제거했기 때문에 그나마 사건이 확대되지 않아 모사토가 안심할 수 있다고도 했다.

데스테는 브로코의 설명에 고개를 주억거려 동조하면서도 뼈 있는 말을 한 마디 덧붙인다.

"알아요. 하지만 다시 한 번 말하지만 그녀를 살해하는 것만이 최선의 방법이었을까요?"

"원 박사가 고집을 부리는 지금 상황에서는 최선이 아닐 수도 있었다 싶어요. 그래서 사람을 보내달라고 한 거요."

"브로코 박사께서 상황을 정확히 꿰뚫어보고 있을 텐데, 이 경우 어떻게 하면 좋겠어요?"

"그것보다 본사의 방침은 무엇입니까?"

"간단해요. 말썽내지 않고 회사에 유리한 방향으로 움직이면 되는 거죠."

"그렇다면 괘씸하더라도 원 박사의 말을 들어주고 모사토의 비밀 연구는 계속하는 게 유리하겠죠. 당초 계획대로 한국이 자지러질 겁니다."

"어차피 장사니까 실속이라도 차리자는 뜻이군요?"

"그렇소, 데스테 부인."

"부인이라뇨? 아직 결혼도 하지 않았는데……."

데스테는 브로코의 말에 살짝 눈을 흘기며 부인하더니 다소 작은 목소리로 말한다.

"나는 본사로부터 회사에 문제가 될 것은 철저하게 소멸시키라는 지시를 받았어요. 그런데 가장 중요한 인물이 진 박사라고 하는데 대체 무슨 뜻이죠?"

"진 박사?"

"내가 잘못 듣지 않았다면 제거 명령을 내리자마자 제거했다는 진 박사가 아직도 살아있다고 하더군요. 특히 국가특수업무원의 권준혁과 함께 다니는 것을 포착하여 공격했는데도 실패했다는 얘기도 들었어요."

데스테가 모든 것을 알고 파견되었을 테니 변명의 여지가 없다. 브로코는 고개를 끄떡이며 입을 연다.

"사실 본사에 연락한 것도 그 때문이오. 분명 명령이 내려지자마자 진 박사 아파트로 사람을 보냈고 이마에 정확하게 명중시켜 죽였소. 이 사진을 보지 않았소?"

브로코가 보여주는 사진에는 진영숙의 이마에 정통으로 총구멍이 나 있었다. 한 마디로 완벽하게 제거된 모습이다.

"그런데도 진 박사가 살아있다는 뜻이군요?"

"진 박사가 영악하여 대역을 활용했는데 한 마디로 엉뚱한 사람을 죽인 것 같소."

"골머리 아픈 문제로군요."

"그래요. 진 박사가 동네방네 떠들고 다니면 정말로 골치 아픈 문제죠. 회사의 운명이 걸려있다고 해도 과언이 아닌데…… 진 박사가 이 녀석과 함께 다니는 모양입니다."

"이 사람이 진 박사와 함께 다닌다는 국가특수업무원의 권준혁이군요?"

"그래요. 여간 골칫거리가 아니오."

"명색이 국가 정보기관 소속에다 진 박사와 함께 일하던 사람인데 왜 아니겠어요? 그렇다면 권준혁부터 먼저 손을 봐야겠군요."

"둘 다 손을 봐야 하는데 녀석이 낌새를 챘는지 행방이 묘연한 게 좀 꺼림칙해요."

"현명하게 처리하면 되겠죠. 회사의 이익이라는 측면이 매우 중요한데 권준혁을 회유할 수는 있겠어요?"

"그건 불가능합니다. 그는 어떠한 회유에도 응하지 않을 겁니다."

"그렇다면 결론은 빤하네요."

"그래요. 우리도 이미 준비하고 있소."

그러자 데스테는 야릇한 미소를 띠며 은근한 말투로 브로코에게 되묻는다.

"내 생각에는 권준혁과 진 박사보다 먼저 처리해야 할 사람이 있을 것 같은데요?"

"그게 누구요?"

"탁원식과 총잡이. 자료를 보니까 그들은 너무 많은 것을 알고 있어요. 사건 현장에도 있었고."

"그렇지만 탁원식 박사는 앞으로도 긴히 이용해야 할 사람이오. 탁 박사는 과학기술연구원에서 프로그램을 다룬 전문가로 전문 프로그램을 삭제할 만한 실력을 가진 사람도 탁 박사밖에 없고……."

"그들이 너무 많은 걸 알고 있어서 자칫 회사 이익에 치명상을 입힐 수도 있지 않겠어요? 어쨌든 그 문제는 나에게 맡겨 주세요."

"노파심에서 하는 말입니다만, 실수하면 모두 헛수고가 됩니다."

"제 실력을 모르시는 모양이군요?"

"본사에서 보낸 사람인데, 그럴 리가요? 그건 그렇고 데스테 양은 언제 돌아갈 예정입니까?"

"이들을 말끔하게 처리하고 나서 출발해야죠."

"그럼, 꽤 오랜 일정이 되겠지만 한국에서 멋진 체류가 되도록 준비하겠소."

"좋아요. 박사님 솜씨를 기대하죠."

데스테의 얼굴에 활짝 웃음꽃이 핀다.

"데스테 양, 숙소는?"

"하얏트에 정했어요."

데스테가 사무실 밖으로 나가면서 뒤를 돌아보고 눈을 찡긋하자 브로코는 어색하게 손을 흔들어주며 한 마디 덧붙인다.

"숙소에 머물고 있으면 바로 연락드리겠소."

브로코가 데스테를 배웅하는 사이 누군가가 그들의 대화를 엿듣다가 황급히 몸을 숨긴다.

4.

데스테는 잔뜩 기대를 걸고 전화를 받았다가 브로코의 맥 빠진 소리에 김이 새 버렸다.

"데스테 양, 정말 미안하게 됐소. 오늘 하루만 혼자 보내시면 어떻겠어요? 데스테 양과 딱 어울리는 신사 분에게 연락을 했더니 마침 홍콩에 머물고 있어서 내일 도착한다고 하네요. 나도 취소하기 어려운 약속이 있어서……."

"도대체 그 남자가 어떤 사람인데요?"

데스테의 입에서 좀 짜증이 섞인 목소리가 튀어나온다.

"홍콩에서 잘 나가는 배우입니다."

"동양인이에요?"

"아버지는 미국인이고 어머니는 중국인인데, 외모로 봐선 혼혈인 줄 모를 정도입니다."

'이런 재수 없는 일이……?'

데스테는 맥이 탁 풀린다. 외국에 나가면 외국인과 함께 지내야 한다는 것이 그녀의 신조인데 혼혈 같지도 않은 혼혈이라면 원하는 바도 아니었다.

"알겠어요. 박사님이 바쁘시다면 할 수 없죠."

데스테는 인심 쓰는 척하며 한 발 물러선다. 그래도 한국지사의 총책임자인데 마구 해댈 수도 없는 노릇이고, 설명하는 걸로 봐서는 그녀의 취향도 아니었기 때문이다.

애당초 갑작스러운 한국 출장이 마음에 들지 않았다. 어쩌면 한국이나 한국인에 대해 좋지 않은 감정이 있었기 때문이다. 데스테는 5년 전한 한국 남자와 3개월 동안 동거한 적이 있었는데 그 자식이 어느 날자기에게 먼저 헤어지자고 했던 뼈아픈 기억을 잊을 수가 없다. 그동안많은 남자와 지냈지만 먼저 헤어지자고 말한 남자는 그가 처음이었던것이다.

'한국에 가서 손 봐야 할 사람이 있는데 같이 갈래?'

한국인과 헤어진 후 할리우드의 스턴트맨과 동거 중인데 그에게 한국에 함께 가자고 묻자 그는 자신이 왜 한국까지 따라가느냐고 일언지하에 거절하여 또 한 번 자존심이 상했다. 더욱이 그가 핑계를 대는 것도 속이 터질 노릇이었다. 분명 다른 여자가 생겼다는 느낌을 지울 수가 없었기 때문이다. 어쨌건 한국에 잘 도착했다는 말을 전하려고 전화를 걸었더니 아예 받지도 않는다. 다른 여자와 놀러 다니려고 핸드폰마저 꺼놨음이 분명하다.

'빌어먹을! 그 사이를 못 참아서 바람을 피워? 돌아가는 대로 쫓아내 버리지 않으면 내가 사람이 아니야.'

데스테는 잔뜩 독이 올라서 중얼거린다.

5.

한국에서의 임무는 데스테가 생각했던 것 이상이다. 원래는 원두영 박사와의 일을 해결하는 것이 첫 번째 목표였지만, 탁원식 박사와 총잡이, 그리고 권준혁도 임무에 포함되어 있는 인물들이었다.

원두영의 경우 회사의 이익을 고려하여 제거하든 회유하든 스스로 처리 방법을 결정할 권한도 부여받고 있다. 그러나 탁원식과 총잡이는 진영숙 박사 살해 사건 현장에 있었을 뿐만 아니라 비밀을 너무 많이 알고 있다는 이유로 제거하는 방향으로 가닥을 잡은 셈이다. 자료를 살펴본 바로는 진영숙과 함께 일했다는 권준혁도 마음에 걸리는 인물이지만, 그의 경우는 상황을 임의로 장악하기가 쉽지 않다는 이유로 '가능한 경우'라는 단서가 붙어 있다.

'어쨌든 원 박사의 경우는 브로코의 제안대로 타협을 하게 되면 굳이 손에 피를 묻힐 필요가 없을 테고, 권준혁은 오리무중이라고 하니 탁원식과 총잡이라도 제대로 처리하고 돌아갈 수밖에 없겠군.'

일이 생각보다 싱겁게 끝나겠다고 생각한다.

책상물림인 탁원식은 그렇다 치고, 꽤나 경력이 있다고 하는 총잡이도 젖비린내 나는 실력이라 격하한다. 며칠 동안 동태를 살피다가 쥐도 새도 모르게 제거해 버리면 그만이라고 혼자 판단을 내린다.

데스테는 괜히 심드렁한 기분이었다.

더구나 시간은 이제 겨우 7시가 아닌가?

호텔에서 비치한 안내 책자를 훑어보았지만 별로 흥미로운 것은 없다. TV를 틀고 영어 채널을 돌렸지만 역시 마찬가지다. 유료 포르노 채널을 혼자 바라보고 있는 것도 궁상맞은 노릇이고, 방법은 오직 밖으로 나가서 길을 찾아보는 수밖에 없다.

'역시 나는 잘 생겼어.'

데스테는 샤워를 한 다음 얼굴 화장을 하면서 거울을 보고 이런 생각을 해본다. 나이 서른을 넘겼다는 사실이 믿어지지 않을 만큼 그녀의 미모와 몸매는 나무랄 데가 없다. 하긴 성형외과에서 구석구석 손질을 했으니 일급 모델이나 배우 뺨칠 수준이라고 할 만하다.

'고자가 아니라면 내 금발 머리만 보고도 침을 질질 흘릴 걸.'

데스테는 자신만만하게 엉덩이를 흔들어대며 방에서 나와 호텔의 지하층으로 내려간다. 안내 책자에 영국식 팝 레스토랑이 있다고 적혀 있었던 것이다.

데스테가 제법 왁자하게 붐비는 레스토랑 안으로 들어서자 손님들의 시선이 한꺼번에 그녀에게로 쏠린다. 그녀가 눈웃음으로 그들의 시선을 맞받아내며 자리를 찾고 있을 때 잘 생긴 웨이터가 다가와 제법 유창한 영어로 묻는다.

"일행이 있으세요?"

"혼자 왔어요."

"그럼 조용한 자리로 안내하죠. 음식은 어떤 걸로 하시겠어요?"

웨이터가 의미심장한 미소를 띠며 한갓진 자리에 안내한 다음 주문을 받아간다. 식사를 기다리는 동안 피아노를 치는 남자에게 시선을 보내고 있을 때 한 남자가 다가와 말을 걸었다. 데스테는 녀석이 미끼를 제대로 물었다는 생각을 하며 다음 수작을 기다린다. 체격도 그만하면 되었고, 얼굴도 잘 생긴 데다 출장 때의 취지에 어울리는 동양인이었다. 남자가 말을 건다.

"혼자 계시면……합석을 해도 괜찮을까요?"

"한국인이세요?"

데스테는 턱짓으로 건너편 자리를 가리키며 물었다.

"반만 한국인입니다. 아버지는 한국인, 어머니는 일본인. 태어난 곳도 한국이 아니라 일본이고 일본에서 조그만 사업을 하고 있는데 비즈니스를 위해 한국에 건너와 혼자 지내고 있죠." 데스테는 남자가 마음에 든다. 신분도 그렇고 매너도 그렇고……. 자연스럽게 합석하여 저녁을 먹고 나이트클럽까지 동행한 것은 당연한 코스였던 셈이다.

"데스테 양, 내가 묵는 호텔로 함께 가면 어떻겠소?"

나이트클럽에서 나왔을 때 남자가 당연한 듯이 묻는다.

"그보다 내 방으로 가시죠. 이 호텔에 있으니까……."

남자가 순순히 따라오자 데스테는 은근히 미소를 짓는다. 함부로 남의 방에 들어가지 않는다는 킬러의 신조를 지킬 수 있었다는 데 대한 만족감까지 더해진 미소랄까.

남자는 방으로 들어가자마자 미등만 켠 채 곧바로 전투로 들어간다. 남자의 기교와 정력은 그야말로 환상적이었다. 야생마처럼 거친가 하면 순한 양처럼 부드럽기도 하고, 태풍처럼 몰아치는가 하면 봄바람처럼 휘감기도 하는 변화무쌍한 솜씨에 데스테는 자지러질 지경이었다. 다만 키스를 해주지 않고 또 얼굴도 만지지 못하게 하는 것이 흠이라면 흠이었지만 동양계의 일반적인 관습이려니 생각하면 크게 문제 삼을 건 못 되었다.

"정말 대단하네요. 아무래도 직업이 비즈니스맨은 아닌 것 같군요?"

데스테는 한 사나흘쯤 그와 함께 지내야겠다고 생각하며 남자를 치켜세운다.

"그럼 뭐하는 사람 같지?"

"글쎄, 마치 포르노 배우 같은데?"

"허허, 포르노 배우라……기분이 나쁘진 않군. 당신도 내가 만난 여자 중에서는 최고야. 특수 직업을 가진 여성이라는 생각이 들 정도로."

"특수 직업?"

"우선 몸매나 얼굴이 남다르고 또 섹스 능력도 우수한 걸 보면……모델을 했나?"

"틀린 말은 아니군요. 대학교 다닐 때 잠시 모델도 했죠."

"거기다 근육이 탄탄한 것을 보니 운동선수 같기도 하고, 군대나 경찰 같은 곳에서 전문 교육을 받은 것 같기도 하고."

데스테는 남자의 눈썰미가 남다르다고 생각한다. 자신이 특수한 전문 교육을 받은 킬러 중의 킬러라는 사실을 안다면 어떤 얼굴을 할지 궁금하기도 하고…….

"전문 교육을 받기는 했죠. 그러나 경찰이나 군대는 아니에요."

"그럼 포르노 교육을 받았나 보지?"

"유머도 대단하군요. 여하튼 당신과 며칠 동안 함께 지내면 좋을 것 같은데……?"

"당연하지. 우선 섹스에는 챔피언 급이니까 우리 합작해서 작품을 찍어두는 건 어때?"

"그것도 좋은 생각인데, 잘하면 세계적인 히트작이 될 것 같네요. 그런 의미에서 다시 한 번 연습을 하면 어떨까요?"

데스테가 은근히 남자를 잡아끈다. 그녀는 동양인 중에 이런 남자가 있다는 사실이 믿어지지 않을 정도로 나무랄 데 없는 파트너라고 만족하며 쾌락에 탐닉한다.

"앞으로 한국이나 홍콩으로 자주 출장을 와야겠어요."

"좋을 대로. 나는 언제나 환영이니까."

남자는 데스테의 금발 머리채를 잡아 제치며 이렇게 맞장구를 치고는 한 바탕 격렬한 전투를 벌인다. 이번에는 강약을 조절하는 배려조차 없이 마구 밀어붙이는 몸싸움에 들어가 데스테의 몸이 뻣뻣하게 경직될 때까지 숨 쉴 틈조차 주지 않는다. 이윽고 그녀가 탈진하다시피 침대에 널브러져 금방 코까지 골아대며 곯아떨어지자 남자가 슬며시 침대에서 일어나며 한 마디 한다.

"힘든 전투였어."

데스테가 완전히 곯아떨어진 것을 확인한 남자는 침대에서 일어나더니 미리 준비한 끈을 그녀의 목에 걸고 당겼다. 한 순간 버르적거리며 몸부림치다가 그녀가 축 늘어지자 남자는 천천히 옷을 입은 후 머리에 쓴 고무 마스크를 벗어 던지며 내뱉는다.

"킬러로 살아남으려면 몸을 아무에게나 맡기면 안 되지. 내가 죽지 않아야 남을 죽일 수 있는 것 아니겠어?"

제11장 지옥훈련

1.

해군특수전연구개발단(DevGroup)에서의 지옥 훈련이 드디어 끝났다. 체력과 훈련에는 자신이 있다는 특전사 장병들 중에서 차출된 정예병들이었지만 훈련의 강도에 혀를 내두를 정도였다. 한국에서 받는 훈련과는 비교조차 할 수 없을 정도로.

5명의 여자 707대대 요원이 SEAL의 훈련에 참가했으나 마크8SDV 훈련에 뽑힌 사람은 두 명뿐이었다. 두 여성 장교의 얼굴은 고된 훈련과 햇볕으로 검게 그을어 겉으로만 봐서는 남자인지 여자인지 구별이 안 될 지경이다.

김미은이 배현희에게 감정을 실어 말을 붙인다.

"드디어 끝났어."

"이렇게 고될 줄은 몰랐어요. 영화에서나 볼 수 있을 정도로 정말 대단하군요."

"하지만 나는 배 중위가 끝까지 포기하지 않을 줄 알았어."

"사실 저 연병장의 종을 치고 싶은 마음이 굴뚝같았지만 지금까지 받은 훈련을 생각하면 너무나 억울해서 종을 칠 수가 없었어요."

"나도 그래. 이제야 실토하지만 2주일 전에 종을 치러 몰래 나왔다가 막상 종 앞에 서려니 망설여지는 거야. 종을 치지 못하고 돌아서면서 다시 훈련받을 생각을 하니 눈앞이 캄캄해지더라고……. 어쨌든 이렇게 무사히 훈련을 마치니 날아갈 것 같군."

"저도 실은 두 번이나 종을 치러 나왔던 적이 있어요. 하지만 낙오자가 되기는 싫더라고요."

위탁 교육을 받는 한국군 가운데 16명은 버지니아 주의 리틀크리그에서 장소를 옮겨 유명한 캘리포니아의 코로나도에 있는 기초수중폭파학교(BUDS)에서 대테러 훈련을 받고 있다.

오늘은 유명한 마크8SDV(Seal Delivery Vehicles)를 타고 수중 훈련을 무사히 마쳤다. 어뢰와 같은 형태로 22피트의 길이를 갖고 있는 SDV는 특수전 요원을 수중 침투시킬 때 사용된다. 하늘을 나는 비행기처럼 바다 속을 항해하는데 모든 수중 항로가 컴퓨터로 계산되며 인터콤 시스템이 수중에서 승무원들 사이의 통화를 돕는다. 사실 그동안의 고달픈 훈련들은 SDV 운항을 비롯한 막바지 훈련을 위한 준비에 지나지 않는다는 것이다.

마크8SDV는 미국의 씰에서도 단 두 팀만 가동되고 있다. 한 팀당 팀원은 16명인데, 의료원 1명, 씰 요원 11명, 정비반원 4명 등이다. SEAL에 참가하고 있는 한국군 40여 명 중에서 선발된 16명 가운데 김미은과 배현희도 포함되어 있다.

그 훈련을 바로 오늘에서야 마친 것이다. 그러나 그들을 기다리는 또 하나의 지옥 훈련에 오금이 저린다.

'훈련 중에서 가장 편했던 날은 바로 어제다.'

이런 모토를 가진 BUDS가 바로 그것이다. 5명의 707대대 여자 요원이 SEAL의 훈련에 참가했으나 SDV 훈련에 뽑힌 사람은 단 두 명뿐. 닮은꼴의 김미은과 배현희가 그들이다. 둘 다 육군사관학교를 깜짝 놀라게 했던 재원이라는 자부심이 표정에 가득하다.

김미은은 육사 전체에서 5등으로 졸업했고 배현희는 3등으로 졸업했다. 사관학교 졸업 성적에 따른 혜택과 여자에 대한 배려가 있었음에도 모든 특혜를 거절하고 특전사에 지원한 것도 닮은꼴이다. 두 사람이 특전사의 훈련에서도 발군이었음은 말할 것도 없다.

"낙오자가 되기 싫은 건 당연하지. 우리는 남녀를 떠나 먼저 대한민국의 군인이니까."

"아무튼 저는 중대장님과 함께 훈련받게 된 것이 얼마나 좋은지 모르겠어요."

김미은은 이미 고등학교 때 전국체전에 참가하여 태권도로 준우승을 차지할 정도의 실력을 발휘한다. 무술 실력으로 김미은을 이길 수 있는 남자가 드물 정도로 탁월한 자질을 갖췄다는 것은 그녀가 많은 경쟁자를 물리치고 707대대의 중대장을 맡고 있다는 사실로도 충분히 입증된다. 그런 김미은도 배현희의 악착같은 태도에는 혀를 내두른다.

"무슨 소리……배 중위를 보면 훈련이든 전투든 남자와 여자라는 선입견이 얼마나 어리석은가를 알겠어. 오히려 내가 배 중위와 훈련을 함께 받게 되어 얼마나 기쁜지 몰라."

"중대장님을 본받기 위해서라도 악착같이 버티고 있는 거죠."

"하긴 우리 같은 군인을 여자라고 깔보는 녀석들은 이제 없을 거야."

"이번만은 남자들 콧대가 수그러들 걸요. 더구나 박 교수님이 끝까지 훈련받는 것을 보고 질렸을 거예요."

"그래. 나이도 많은 박 교수님이 함께 훈련을 받는다기에 얼마나 걱정했어? 그런데 보기 좋게 예상을 깨버렸지. 그런 분이 통일 대열에 발탁된 것도 정말 대단한 쾌거지."

조지타운대학교의 정치학 교수인 박민희가 '민족통일준비위원회' 위원장으로 발탁된 것은 그야말로 대통령의 회심작이나 마찬가지였다. 그녀가 민족통일준비위원회 위원장으로 임명되었을 때 각 언론사에서는 '남성 독점 신화를 깨고 통일 전선에 여성이 임명된다', '여성이 한반도 통일 진두지휘', '그녀의 견해는 한반도 통일 정책의 주류다' 등의 표제로 다루었다. 미국 행정부에서 아세아 담당 부보좌관을 역임한 데다 한반도 통일문제 전문가이기 때문에 가장 적임자라는 평을 받았던 것이다.

화제를 모으며 임명된 박민희 위원장이 유명세를 타자 항간의 대중 언론에서 사생활에 대해 가만히 놔두지 않는다. 아예 취재는 뒷전이고 소설을 써대는 데 대해 처음에는 법적 대응까지 고려하기도 했지만 워낙 풍토가 그렇다는 말에 이제는 무반응으로 일관하는 편이다.

어디서 주워들었는지 몰라도 그녀의 결혼 사실에 대한 기사는 근거가 전혀 없다고 하기도 어려웠다. 박민희는 박사학위를 준비하는 동안 한국 유학생인 태광호와 결혼을 한 적이 있다. 결국 그녀가 여러 가지 이유로 아이를 원하지 않는 바람에 결혼한 지 2년 만에 이혼을 하고 말았지만.

"한국에 계시는 부모님을 위해서라도 대를 이을 아이가 있어야 하는데, 당신이 죽어도 아이를 가질 수 없다니까 차라리 이혼이라도 해야겠어."

태광호의 말에 박민희는 충격을 받았지만 결국 이혼장에 도장을 찍는다. 그 후로 진지하게 사귄 남성은 없다. 아니 일부러 남자들을 피했다고 하는 것이 옳다. 그녀는 이혼 후 정치와 정책에 몰두하며 훌륭한 자기 의사 전달자로서의 기량을 연마하는 데 몰두한다.

모교인 조지타운대학교 교수로서 한반도의 통일에 대해 계속 기고를 하거나 국내 정치에 관심을 기울였고 대통령과 만나게 된 것도 그 무렵이다. 당시 야당 총재였던 대통령 후보가 조지타운대학교에서 명예박사 학위를 받을 수 있도록 적극적으로 뛰어다닌 것도 그녀다. 통일에 대한 그녀의 해박한 지식과 경륜은 대통령 후보에게 깊은 인상을 심어주었고 드디어 소위 통일 내각 구성에 있어서 핵심 직책인 민족통일준비위원회 위원장으로 발탁된 것이다.

"한반도의 통일을 위해 직접 조국에서 일하는 것은 저의 의무이자 영광입니다."

이런 생각을 가진 그녀가 입각하는 데 딱 한 가지 걸림돌은 바로 미국 시민권자라는 사실. 그러나 그녀는 입각하려면 시민권을 포기해야 한다고 하자 곧바로 시민권을 포기해 버린다. 미국 시민권을 포기하면 미국에서 다시는 관직을 맡을 수 없다는 지적에도 불구하고 그녀는 조금도 미련을 두지 않았다.

"사실 박 교수님이야 아주 특별한 사람이죠. 예순이 넘은 나이에도 우리만큼이나 달리기를 잘했어요."

배현희의 말에 김미은이 맞장구를 친다.

"매일 조깅을 하고 규칙적으로 운동을 해서 그래. 나 역시 박 교수님을 본 후 편견을 모두 던져버렸어."

"편견이라뇨? 중대장님한테도 그런 게 있었어요?"

"없었다고는 못 하지. 그런데 박 교수님이 씰의 지옥훈련을 거뜬히 받아내는 걸 보고 여자도 육군 참모총장이 되지 말라는 법이 없다는 걸 깨달았어."

"여자 초대 참모총장 김미은 대장이라……야아, 그거 신나는데요?"

"그런 말이 아니지. 나나 배 중위 같은 여자 군인들이 많이 나오면 결국 여자 참모총장도 나올 수 있다는 뜻이야."

"대단히 희망적인 말씀이네요."

"그래, 대단한 발상의 전환이지. 하지만 못 할 것도 없잖아?"

"그럼요. 그런데 중대장님은 박 교수님을 잘 아시죠?"

"몇 번 개인적으로 만나기는 했지. 놀라운 것은 박 위원장님이 사람을 관리하는 방법인데……지금도 1달에 두 번씩 이메일로 꼭 편지를 보내온다니까."

"대위님을 잘 보신 모양이군요?"

"그런 것이 아니라 박 위원장님은 한 번 만난 사람을 적과 아군으로 분류하여 아군과는 철저하게 교류를 한다는 거야."

"정말 대단한 분이군요."

"그래. 사실 처음에는 좀 오해하기도 했어. 훈련을 받겠다는 것도 정치적으로 이용할 목적이라고 생각했는데 나중에 그렇지 않다는 것을 알았지. 어쨌거나 그분 덕분에 남북통일이 정말로 순조롭게 진행될 수 있어서 다행이야. 맥주 한 잔 더 마실까?"

"좋아요. 훈련이 끝난 후 맥주 한 잔 하는 여유도 없었다면 정말로 지옥이 따로 없었을 거예요."

김미은이 자동판매기에서 캔맥주 2개를 꺼내오면서 지나가는 말인 듯 가볍게 묻는다.

"배 중위는 귀국해서 계속 707부대에 근무할 거야?"

"당연하죠. 그건 왜 물으시죠?"

"귀국하면 부대 개편이 있을 모양인데 배 중위를 더 좋은 부대로 추천할까 해서."

"더 좋은 부대라면 전출이란 말인가요?"

"그렇긴 해도 전투부대에서만 근무하는 것이 장래를 위해서 꼭 좋은 일도 아니야. 지휘관이 되려면 여러 보직을 거쳐야 하거든."

"말씀은 고맙지만 일단 중대장까지는 특전사에서 마치겠어요. 적어도 중대장님과 같은 경력을 따라야죠."

"알았어. 우리 부대는 항상 위험이 따른다는 걸 명심해."

"중대장님도 마찬가지죠. 여하튼 지옥훈련을 무사히 마쳐서 기뻐요."

이때 전투 훈련복을 입은 사병 한 명이 그들을 보자 빠른 걸음으로 다가와 거수경례를 하며 보고한다.

"두 분은 곧바로 귀국하시라는 명령이 내려왔습니다."

2.

권준혁은 그동안 소식이 없던 김미은으로부터 만나자는 연락을 받고 약속 장소로 나갔다.

"오랜만이야."

"정확하게 말하면 6개월만이죠. 신수가 훤해 보이는군요?"

"미은이 만나려고 방금 목욕탕에서 나왔거든. 언제 귀국했지?"

"귀국한 지는 한 달이 조금 지났지만 부대 개편이 있어서 꼼짝도 하지 못하다가 오늘 처음 외출이 허가된 거예요."

"이야, 영광이네. 첫 외출 나와서 나를 만나자고 연락하다니.

"오빠가 제게 두 번씩이나 편지를 보냈다는 것을 얼마 전에 알았거든요. 미국으로 보낸 편지를 훈련받던 부대에서 다시 보내주었더군요."

"나는 편지를 받고도 일부러 답장을 보내지 않은 줄 알았지."

"그럴 리가요? 여하튼 편지 보내주어서 고마워요."

"공치사할 필요는 없고……자, 일어서지?"

"아니, 오자마자 일어서요? 어디로 가려고요?"

"깜짝 놀랄 만한 사람을 소개해 주려고……."

"누군데요?"

"가 보면 알아."

권준혁은 재빨리 계산을 하더니 밖으로 나가 택시를 잡고는 재촉한다.

"먼저 타!"

김미은은 떠밀리듯 택시에 타고는 못마땅하다는 듯이 묻는다.

"평소에도 여자한테 이런 식으로 해요?"

"그렇지는 않아. 사실 약속이 있었는데 갑자기 미은이 연락을 받고 나온 거야."

"시간 없다고 바람맞히지 않아서 다행이군요?"

"그랬다가는 태권도 잘하는 특전사 중대장에게 언제 일격을 당할지 모르잖아?"

이렇게 둘러대고 권준혁은 택시 기사에게 잠실 롯데호텔로 가자고 한다. 바깥 풍경에 눈길을 보내고 있던 김미은이 택시가 올림픽대로로 들어서자 불쑥 입을 연다.

"떠난 지 1년도 안 되는데 서울도 무척 변한 것 같네요. 진영숙 언니에게는 전화를 걸었더니 휴직 중이라던데 무슨 일이라도 있는 거예요?"

"휴직이라고?"

"왜, 그동안 연락이 없었어요?"

"연락이야 있었지. 귀국해서 여러 번 만났는데 얼마 전에 중요한 일이 있다고 나올 수 없다는 거야."

"바람맞았다는 뜻이군요."

"그런 것이 아니라 정말로 중요한 일을 하는 모양이야. 워낙 야무진 여자니까 맺고 끊는 것이 칼 같다는 걸 미은이도 잘 알잖아?"

김미은이 진영숙의 일을 모르는 것은 당연한 일이었다. 김유라가 대역 노릇을 하게 되었기 때문에 신원을 위장하기 위해 과학기술연구원에는 공식적으로 휴직계를 내고 국가특수업무원의 안가에서 살고 있었다.

처음에는 진영숙이 살해되었다고 알려졌으나 곧바로 그녀의 대역이 살해되었다고 정정되었기 때문에 말끔하게 행정 처리를 한 셈이다. 갑자기 잠실야구장 쪽에서 환성이 터져 나온다.

"미은이도 야구 좋아해?"

"그럼요. 중학교 때는 소프트볼 피처를 했거든요."

"미은이는 안 해본 게 없네?"

"뛰어가는 사람 뒤통수도 정확하게 맞힐 수 있죠. 도둑놈이 나한테 걸리면 그야말로 재수 옴 붙은 날일 걸요?"

"대단하네. 요즈음 여기도 대단한 신인이 혜성같이 나타나서 모두들 야구 이야기뿐이야. 왕대훈이란 선수인데 홈런을 펑펑 쏟아내 아시아 신기록은 물론 미국 메이저리그 기록도 갈아 치울 기세라니까."

마침 택시가 목적지인 롯데호텔 앞에 선다.

"아이쿠, 벌써 도착했네. 야구 이야기는 나중에 해야겠어."

"그래요. 사람들이 많군요."

"미은이가 모처럼 서울에 온다니까 환영하러 모인 모양일세."

권준혁의 말에 김미은이 그의 팔을 꼬집자 권준혁은 아프다는 시늉을 하면서 걸음을 재촉한다. 권준혁이 앞장서서 들어간 곳은 커피숍이었다. 권준혁을 따라 들어간 김미은은 권준혁이 반갑게 만나는 사람을 보고 놀란다. 김미은이 김유라와 반갑게 인사를 나눈다.

"영숙 언니?"

"오래간만이네."

"연구원에 전화를 걸었더니 휴직 중이라고 하더군요."

"그럴 일이 있었어. 사실 나와 연계되는 주변 사람이 살해되는 사건이 일어나 매사에 조심하고 있거든. 그래서 연구원에도 휴직계를 냈고……."

김유라의 말에 김미은이 권준혁을 흘겨보며 한 마디 한다.

"영숙 언니와는 서로 연락이 되지 않는다고 하더니 한 방 먹이는군요?"

"그것도 보안상 필요한 거지."

세 사람은 미국에서의 이야기를 하다가 자연스럽게 민족통일준비위원회의 박민희 위원장에게로 화제를 돌린다.

"참, 박 위원장님은 자주 만나세요?"

"아냐. 얼마나 바쁜 사람인데 한가하게 우리를 자주 만날 수 있겠어? 위원장에 임명된 후 딱 한 번 만났어."

"얼마 전에 안부 전화를 했더니 꼭 들리라고 하시던데 함께 가보는 게 어때요?"

"위원장실로?"

"예. 사실 어제 전화가 왔어요. 그래서 오빠하고 함께 방문하면 어떠냐고 했더니 사흘 전에만 이야기해 주면 시간을 내겠다고 했어요."

"미은이는 모래 귀대한다고 했잖아?"

"이번에는 곤란하지만 다음에 약속 시간을 만들면 되겠죠. 언니도 그때 함께 가요."

"나는 당분간 외부 사람들은 만나지 않는 것이 좋겠어."

김유라는 딱 잘라 말한다. 커피숍에서 나온 세 사람은 미국에서 처음 만났을 때처럼 식사를 하고 디스코텍으로 가서 시간을 보냈다. 물론 희롱하는 미국인들이 없었기 때문에 김미은과 권준혁이 태권도 실력을 발휘할 수는 없었지만.

3.

"무슨 일이야?"

권준혁이 차장실로 들어서자 신한수는 눈길도 돌리지 않은 채 보고 있던 서류를 계속 훑으면서 물었다.

"보고 드릴 것이 몇 가지 있습니다."

"빨리 말해."

권준혁은 갑자기 어안이 벙벙해진다. 도대체 이해할 수 없는 태도였기 때문이다. 신한수는 부하들에게 쌀쌀맞고 밥맛없게 대하기로 유명하지만 '국가특수업무원'에서는 가장 유능한 인물이라고 알려져 있다. 유능한 상사라면 여유와 아량이 있어야 할 텐데 차장은 한 마디로 '아니올시다!'였다. 권준혁이 가만히 있자 다시금 닦달하는 소리가 들린다.

"서 있으려고 날 만나자고 했나?"

"차장님이 보고 계시는 것이 있어서……."

"그런 소리 하지 마. 나는 자네가 어떤 생각하는지 알고 있어. 부하가 보고하러 왔는데도 얼굴도 들지 않는다고 욕하고 있었지?"

족집게가 따로 없다고 생각하면서 그런 날카로움 덕분에 차장 자리까지 올라갔을지 모른다고 짐작한다. 여하튼 차장과 오래 붙어 있어서 본전을 뽑은 적은 거의 없으므로 권준혁은 서둘러 용건을 이야기한다. 묵묵히 권준혁의 이야기를 듣고 나더니 신한수는 그제야 권준혁을 똑바로 쳐다보고 묻는다.

"그러니까 진 박사의 주변이 복잡하다는 건가?"

"그런 뜻이 아니라 진 박사가 팔방미인 격으로 수많은 연구에 손을 댔는데 모든 분야에서 탁월한 결과를 얻었다는 겁니다. 워낙 진 박사의 업적이 외부에 알려지지 않았지만 그녀의 연구 결과를 탐내는 사람이 수없이 많을 수 있다는 거죠."

"요점을 말해. 그러니까 범인의 윤곽을 잡았다는 거야, 뭐야?"

"딱히 범인의 윤곽이 잡힌 것은 아니지만 진 박사의 주변을 보다 철저히 조사해보면 뭔가 실마리를 찾을 수 있겠다는 거죠."

"그 따위로 보고하겠다고 나를 만나자고 한 거야?"

신한수가 벌컥 짜증을 쏟아내고는 권준혁을 뚫어지게 쏘아본다. 매서운 눈초리인지 고약한 눈초리인지 그가 째려보는 한 마주치기가 싫어 권준혁이 시선을 피하며 대답한다.

"그게 아니라 진 박사에 대한 파일이 있을 테니까 저에게도 보여 달라는 겁니다."

"진 박사의 파일?"

"예. 파일을 보면 뭔가 감을 잡을 수 있겠다는 거죠."

"알았어. 내가 갖고 있으니까 여기서 보고 나가."

금방 태도가 달라진다. 자신이 이해하는 순간 금방 수용하는 것이 신한수의 장점 중의 하나다. 권준혁의 이야기에 공감한다는 뜻이다. 신한수는 자신의 캐비닛에서 두툼한 파일을 꺼내 권준혁에게 건네준 다음 회의 테이블을 가리키며 말한다.

"저기서 봐."

권준혁이 서류를 꼼꼼하게 읽어본 후 신한수에게 다시 돌려주자 대뜸 묻는다.

"도움이 되었나?"

"예. 이 파일을 보면…… 김유라에게도 김한룡 박사에 대한 기억이 남아 있지 않을까요?"

"그렇겠지. 김유라는 진 박사의 23살 때 혈액으로 복제했으니까 결혼에 대해서 알겠지. 자네에게는 이야기하지 않던가?"

"아뇨. 진 박사가 결혼한 적이 있다고만 이야기하더군요."

"김한룡 박사가 아주 유능한 사람이었던 모양인데……내가 왜 헤어졌느냐고 물으니까 김 박사가 워낙 천재라 마음이 맞지 않았다고 하더군."

"진 박사도 천재니까 서로 잡음이 생겼나 보군요?"

"쓸데없는 소리 하지 말고 나가. 진 박사 파일을 보고도 범인을 잡지 못하면 자네를 직무유기로 처넣을 줄 알아?"

재빨리 차장실을 나오자 미스 양은 보이지 않는다.

화장실이라도 간 모양이라고 문을 열고 나가려는데 미스 양이 들어오며 쏘아붙인다.

"인사도 없이 가시려고요?"

"차장이 덜덜 볶아대거든."

"미인을 만나서 데이트하란 명령인 모양이죠. 여하튼 팀장님은 밥맛이라는 걸 아세요?"

"아서. 내가 부드러운 남자라는 것은 우리 직원들이 다 알아."

"제발 꿈 깨세요."

미스 양이 입을 삐쭉거리는 것을 느끼며 자신의 사무실로 들어간 권준혁은 의자에 앉아 다리를 쭉 펴고 기지개를 켠다. 적어도 진영숙과 김유라의 과거에 대해서 절반 이상은 파악한 셈이다. 진영숙이 남자들에게 쌀쌀맞게 대하는 것도 너무나 어린 나이에 결혼한 과거 때문이라고 생각하니 이해가 간다.

반면에 김유라도 결혼한 기억을 갖고 있을 수 있다는 것이 충격이었다. 그녀에게도 아직 김한룡 박사, 즉 남자에 대한 쓰라린 기억이 살아 있을 테니까.

김유라에 대해 알면 알수록 모르는 것이 더 많아지는 것 같다. 범인을 찾으려면 적어도 김한룡을 만나야겠다고 생각하며 그의 소재지를 추적하기로 한다.

그러나 반나절이나 걸려 김한룡을 추적해 봐도 그의 확실한 소재지는 알 길이 없었다.

제12장 통일 가이드라인

1.

국가안보위원회 회의.

이맹도 총리가 프로젝트에 대한 설명을 듣고 나서 결론을 짓듯 한마디 한다. 이번의 남북 교류 협력에 대한 프로젝트는 총리실에서 마련한 것이다.

"이 프로젝트는 북한 주민을 구할 절호의 기회입니다."

심각하게 듣고 있던 강승우 외교통상부 장관이 다른 의견을 제시한다.

"잘 알고 있습니다만……먼저 우리가 한반도의 통일을 급히 서둘러야 할 필요충분조건이 있는지 진지하게 검토해야 합니다. 통일 방안 전반에 대한 재검토가 필요하다는 말입니다."

"필요충분조건이라면……?"

총리는 뜨악한 표정으로 강승우의 다음 말을 재촉한다.

강승우는 물 한 잔을 머금고 입을 축인 다음 천천히 뜸을 들이며 외교 전문가답게 설명을 늘어놓기 시작한다.

"우선 통일비용을 고려해야 합니다. 규모는 어느 정도 되고, 어떻게 조달할 것인지 대안이 있어야 한다는 것입니다. 호기심 차원이 아니라 국민의 전체 의견을 수렴하여 적어도 대한민국이 감당할 수 있는 모든 변수를 고려하고 통일에 따른 장단점을 분석해야 합니다."

"통일에 따른 장단점이라고요? 통일이 되면 당연히 좋은 거지 장단점을 분석한다는 건 또 뭡니까?"

총리가 시큰둥하게 의견을 달고 나온다.

"그렇지 않습니다. 서독과 동독의 통일 이후에 벌어지는 부작용이 좋은 사례가 되겠죠. 서독은 경제적으로 한국과는 비교도 안 될 정도로 발전한 나라지만 아직도 동독을 성급하게 흡수 통일한 후유증을 앓고 있습니다. 이산가족 재회도 좋고 한민족의 단합 과시도 좋지만 통일이 국민들에게 감당할 수 없는 부담을 주는 것이라면 달리 생각할 필요도 있지 않겠습니까?"

총리가 입을 다물고 있자 다른 각료들은 별로 말이 없다. 강승우의 말이 이어진다.

"실무적인 문제도 몇 가지 있습니다. 통일한국의 수도는 어디로 정해야 하는가? 통일한국의 군대는 어떻게 하는가? 통일한국의 교육 제도는 어떻게 해야 하는가? 또 북한의 토지와 주택 등 6.25 때 남한으로 피난 왔던 사람들이 북한에 갖고 있었던 재산의 소유권을 인정해주어야 하는가, 말아야 하는가 하는 골치 아픈 문제도 있습니다. 이런 갖가지 문제를 신중히 검토한 다음 통일에 접근해야지 그렇지 않으면 통일은 환상이며 국민들에게 좌절감을 안겨줄 수도 있을 겁니다."

"그럼 통일을 위해 우리가 해야 할 일이 뭐란 말입니까?"

통일부장관이 통일 문제인데 그냥 있을 수는 없다는 듯 질문을 던진다.

"통일을 '어서 하자'고만 할 것이 아니라 준비를 구체적으로 철저히 한 다음에 모든 문제점이 해결되었다고 생각할 때 통일 시기를 결정해야 한다는 것입니다. 북한의 위기를 이용한 흡수통일보다는 점진적인 통일이 우리 국민과 한민족의 장래를 위하여 더욱 바람직하다고 봅니다."

이쯤에서 총리가 다시 이야기를 꺼낸다.

"강 장관의 이야기를 잘 들었습니다. 통일을 낙관적이고 희망적으로만 볼 수 없다는 것은 누구나 잘 알죠. 반세기 이상 이념과 체제가 다른 환경에서 헤어져 살았던 동포들이 갑작스럽게 한 지붕 아래 산다는 것이 쉽지는 않겠죠."

"그렇습니다. 그러니 신중하게 대처해야 합니다."

"그러나 한민족은 1945년 분단될 때까지 1300년 동안 통일을 이루고 언어, 정치, 문화, 경제를 공유하면서 살았다는 것을 잊으면 안 됩니다. 1945년에 예기치 않은 사태로 한반도가 남북으로 분단되었지만 그 기간은 겨우 70년밖에 되지 않아요."

"그렇긴 합니다."

"강 장관 말씀은 결국 조급한 통일보다는 모든 사람이 만족하는 통일의 완성에 더 큰 의미를 두고 북한 사회가 쉽게 남한 사회에 동화될 수 있도록 유도하자는 것 아니겠습니까?"

"그렇습니다. 저의 견해로는 한국이 아직 통일에 대한 준비도 안 되어 있고 또 국민들의 의견도 수렴되어 있지 않다고 봅니다. 갑작스러운 변화는 오히려 혼란만 초래하게 됩니다."

"강 장관의 의견에 나도 동조하는 부분이 많아요. 그러나 항상 적절한 시기가 있게 마련이오. 현재 한국과 북한이 극비리에 통일을 추진하는 것은 민족적 염원을 이대로 둘 수는 없다고 공감하기 때문이지요."

"그 점은 저도 잘 알고 있습니다."

"다행히 북측에서도 우리의 제안에 전적으로 호응하여 완전한 통일에 합의했습니다. 이제 우리가 그들과 힘을 합하면 한국은 평화 통일이 가능한 절호의 기회를 맞게 되는 겁니다."

"이번이 평화 통일의 좋은 기회라는 것은 저도 인정합니다. 문제는 그 대가입니다. 통일비용이야 우리의 경제 수준이 높아진다면 부차적인 문제로 치부할 수 있습니다. 그러나 한반도의 통일 때문에 미국, 일본, 중국, 러시아 등 강대국과 싸울 수는 없지 않겠습니까?"

"강 장관이 뭔가 오해를 하고 있는데 우리가 왜 그들과 싸웁니까?"

"제 이야기는 진짜 전투가 아니라 통일 후의 국제 정세와 한국의 위상도 고려해야 한다는 뜻입니다. 과거 역사에서 강대국들 때문에 한국이 많은 피해를 보기도 했지만 통일을 위한 명분으로 그들 전체를 적으로 삼으면 통일한국은 앞으로 국제사회에서 고아가 되고 맙니다."

새로 통일준비위원장을 맡은 박민희가 강승우의 말을 가로막고 나선다.

"그렇다고 그들의 비위만 맞추다가 언제 통일이 가능하죠? 우리는 과거처럼 강대국들 임의대로 한반도 문제를 결정하거나 한민족의 큰 뜻을 방해하지 못하도록 하자는 것이지요."

"저도 통일을 반대하는 것이 아니라 만약의 사태를 우려하고 있는 것입니다. 통일의 후유증 말입니다."

강승우가 다시 통일의 부작용을 거론하려고 하자 듣고만 있던 남성우 국가특수업무원장이 나서서 부드럽지만 단호한 목소리로 주장한다.

"통일에 대한 두 가지 방향에 대한 옳고 그름은 아직 결론을 내릴 수가 없지만……이미 북측과 통일에 대한 실무 작업에 착수한 상태에서 원점으로 돌릴 수는 없습니다."

"그러나 문제가 있다면 지금이라도 고쳐야죠. 자칫 국민들에게 두고두고 고통을 줄 수 있는 민족적 사업에 한 치라도 오차가 나서는 안 된다는 말입니다."

강승우가 뜻을 굽히지 않자 이번 안보회의에 처음으로 참석하는 박민희가 다시 나선다.

"다시 말하지만 이미 주사위는 던져졌다고 생각해요. 일단 통일 후에 일어나는 작은 문제는 얼마든지 고칠 수 있어요. 서독과 동독의 통일을 보면 좋은 사례가 될 수 있어요."

박민희는 서독과 동독이 통일하기 전 무려 20,000가지에 이르는 법령의 내용에서 서로 달랐다고 말한다. 이를 하루에 한 개씩 조정한다고 해도 20,000일이 걸리는데 양 독일은 일단 통일한 후 차이나는 규정 등을 고치자고 통 크게 타협했다고 설명한다.

"구더기 무서워 장 못 담근다는 속담이 있듯이……작은 부작용 때문에 통일이 무산된다면 그것보다 더 후손에 누가 되는 일은 없겠죠."

"저도 반대만 하자는 것이 아닙니다. 이미 완전 통일에 합의했지만 좀 더 완전한 방법을 강구해서 통일하자는 겁니다."

"강 장관님은 그 시기를 언제로 잡고 있죠?"

박민희가 강승우에게 묻는다.

"적어도 10년 정도는 필요하다고 생각합니다. 통일에 대해 충분히 계몽을 해서 통일이 되더라도 아무 문제가 없다는 것을 양측 국민들에게 이해시켜야 합니다."

"그럴 수 없다는 것은 강 장관님도 잘 아실 텐데요?"

"사실 정확한 통일 계획은 저도 모릅니다. 대통령 각하와 국무위원장만 알고 있을 뿐이죠."

"근간은 누구보다 잘 알고 계실 텐데……그런데도 이미 정해진 일정까지 수정해야 한다고 생각하세요?"

"그렇습니다. 저는 10년도 짧다고 생각합니다. 완전한 통일을 하려면 완벽한 준비를 갖추어서 추진하는 것이 최상의 방법이라는 것입니다. 더구나……."

강승우가 이제야 본론을 말하겠다는 듯 심호흡을 하며 뜸을 들이자 모두들 주목을 한다.

"더구나 가장 중요한 문제는 설사 통일이 되더라도 누가 수장이 되느냐 하는 것입니다."

"수장이요?"

"예, 통일한국의 지도자를 말하는 거죠. 쉽게 말해서 누가 대통령이 되느냐가 관건인데 아직 그 문제에 대한 검토가 없었습니다."

"그건 우리가 결정할 일이 아니오, 강 장관."

강승우가 제기한 문제에 대해 총리가 대답을 대신하여 매듭을 지으려고 한다.

"그렇다면 그 중요한 것을 누가 결정한단 말입니까?"

"그건 두 정상이 합의할 사항이죠. 두 분은 양측 국민들의 기대를 충족시킬 만큼 역량 있는 분을 수장으로 모실 거요."

"그분이 누구입니까? 적어도 국민들은 그런 사실을 알아야 하지 않겠습니까?"

"당연합니다. 그러나 그건 사정상 당장 발표할 성질은 아니죠. 특히 두 분이 합의하더라도 마지막 순간까지 보안이 유지되어야 할 사항이기도 하고요."

"그건 안 됩니다. 누가 수장이 될지도 모르는 상황에서 어떻게 국민들을 설득하여 통일을 성사시킬 수 있단 말입니까?"

강승우의 강력한 문제 제기에도 총리는 단호한 어조로 회의의 종결을 선언한다. 그러자 강승우는 앙앙불락하여 시뻘게진 얼굴로 먼저 일어나 차를 타고 가 버린다. 총리가 걱정스럽다는 듯이 남성우 국가특수업무원장에게 묻는다.

"강 장관의 부정적인 의견이 걸림돌이 되지는 않겠소?"

"걸림돌까지는 아니고……사실 통일 방안에 대해 다소간 반대 여론을 조성할 필요도 있죠."

"그렇기는 하지만……."

"강 장관이 반대 여론에 앞장서면 꿩 먹고 알 먹는 안성맞춤의 상황일 수도 있습니다."

"어째서 그렇소?"

"외교통상부 장관이 반대 여론을 조성하는 데 앞장서면 주변 강국들의 견제에 대한 백신이 될 수도 있지 않겠습니까?"

"백신……? 그럴 듯한 말이오. 하지만 현직의 각료까지 나서서 반대할 경우 국내의 여론이 어떻게 돌아가겠소?"

"국내의 반대 여론이야 자신들의 입지를 잃지 않으려는 기득권 세력들의 입김이 작용하고 있다는 식으로 조목조목 반박하면 얼마든지 통일에 유리한 쪽으로 끌고 갈 수 있지 않겠습니까?"

그제야 총리는 남성우가 말하는 뜻이 무엇인지 알겠다는 듯 웃으며 덧붙인다.

"특히 수장이 누구냐고 공박할 때는 진땀이 나기까지 했어요."

"그것도 언론에 흘리는 것은 어떻겠습니까?"

"언론에……?"

"그렇습니다. 정말로 통일이 되면 누가 통일한국의 초대 수장이 될 것인가에 대해 국민들이 관심을 갖게 만드는 것도 나쁠 게 없지 않겠습니까?"

"나쁠 거야 없겠지만, 여론 조사로 수장을 확정할 수는 없지 않겠소?"

"예전에 누가 우리나라를 가장 잘 이끌어 갈 것인가 하는 여론조사를 했던 적이 있는데 역시 예상대로였습니다."

"그 당시에 누가 가장 많이 거론되었소?"

"많은 사람들 중에서 광개토대왕과 세종대왕이 가장 많은 표를 얻었지요."

"당연히 그럴 테지."

"그래서 언론을 통해 누가 통일한국의 수장으로 좋겠는지 붐을 조성해 보자는 겁니다."

다소 모호하고 동화 같은 이야기를 나누는 두 사람의 표정은 매우 즐거워 보인다. 총리가 매듭을 짓듯 이야기한다.

"어쨌든 잘해 봐요. 강 장관이 외곽을 때려주면 통일에 보약이 된다니까 두고 보겠소."

"알겠습니다, 총리 각하."

"각하라는 말은 사라진 지 오래되었어요. 더구나 통일이 되면 총리 자리도 없어질지 모르는 판에……."

"한 번 총리는 영원한 총리 아닙니까. 적어도 통일을 주도하는 총리에게는 각하라는 호칭이 어울리지 않겠습니까, 총리 각하?"

남성우는 거침없이 목소리를 높이고는 웃음을 터뜨린다.

2.

청와대 회의실 새벽 2시.

극비리에 비밀회의가 열리고 있다. 참석자는 대통령, 총리, 통일부장관, 국방부장관, 국가특수업무원장, 박민희 위원장 등 남측 인사들과 북측의 노동당 군수공업담당비서 겸 당정치국위원 한장석과 인민군의 지도일 중장이다.

동시에 대형 모니터가 설치된 청와대의 다른 방에서는 한복을 입은 거구의 남자가 회의 장면을 모니터로 시청하고 있다.

대통령이 입을 열었다.

"분단 이후 한국이 지금처럼 확고한 위치에서 통일을 주도할 수 있었던 때는 없었어요. 북한에서는 지금 공산체제에 대한 불안정성이 커지고 있기 때문에 대북 접근을 서두를 필요는 없지만 도외시해서도 안됩니다. 평화 통일의 호기를 맞이한 셈이지요."

평소 입버릇처럼 이렇게 말해 왔듯이 대통령은 강한 자신감과 함께 친밀감을 내보이며 한장석과 지도일에게 인사를 건넨다.

"두 분, 여기까지 오시느라 수고 많았어요. 국무위원장께서는 편안하시지요?"

"예, 대통령 각하께 안부를 전해 달라고 하셨습니다."

한장석은 대통령의 호의를 성의껏 받아들이는 태도를 보이며 대답한다.

이미 한두 차례 만난 것도 아닌 데다 대통령의 진심에 대해 추호도 의심하지 않는 단계에 접어들었기 때문에 적대시하는 쌍방 간의 회의라기보다 한솥밥을 먹는 사람들끼리 만나는 분위기라고 해도 좋을 듯하다.

대통령이 평소 자신이 안팎으로 주장해온 대로 구체적인 대북 정책을 준비하는 단계에 접어들었다는 것은 회의에 참석한 사람들뿐만 아니라 한반도의 통일에 관심이 있는 사람이라면 누구나 알고 있는 사실이다. 이번 회의만 해도 대북 정책의 차원이 아니라 새로 마련한 통일방안에 대한 전략을 논의하는 자리라고 할 수 있다.

국무위원장의 밀사 격인 한장석과 지도일의 대통령에 대한 신뢰는 북한의 경제지원에 대한 의견일치 이후로 변함이 없다. 드러내놓고 경제지원을 반대하는 일부 국민들을 상대로 대통령은 직접 호소하며 설득하기까지 했던 것이다. 그때의 일이 한장석과 지도일의 뇌리에는 아직도 생생하게 각인되어 있다.

'만성적인 경제난에 빠진 북한을 돕기 위해 원조하는 것은 결국 국무위원장이 주도하는 북한 정권의 권력만 연장해줄 따름이다.'

'국무위원장이 주도하는 북한 정권에 대한 지지와 상관없이 북한의 2,500만 동포를 지원하는 일은 당연히 우리가 해야 할 몫입니다. 실질적으로 북한을 도울 수 있는 나라는 우리 한국뿐입니다. 피는 물보다 진하다고 하지 않습니까?'

대통령은 남·북한을 잇는 철도의 복구에 반대하는 일부 군사 전문가들을 설득하는 데도 누구보다 적극적이었다.

'북한이 탱크를 앞세우고 남한을 공격할 때 서부전선의 평지는 공격로로 가장 유망한데 휴전선의 철도를 개통하면 그곳이 바로 북한의 침투로가 되지 않겠는가? 경의선과 동해선 철도를 잇기 위해 주변의 지뢰들을 제거하는 것도 북한의 공격을 수월하게 해줄 뿐이다.'

'남·북한이 평화 통일로 가기 위해서는 신뢰가 절대적으로 필요합니다. 남북 철도 복구는 단순히 철로를 잇는 것이 아니라 신뢰의 끈을 잇는 민족사의 대역사라고 할 수 있습니다. 물론 대북지원과 각종 교류협력을 위해서는 북한도 변해야 하겠지만 말입니다.'

대통령의 대북정책을 못마땅하게 여기는 사람들은 많은 부분에서 북측의 양보를 얻어내고 있는데도 남한이 일방적으로 북한의 주장에 끌려가고 있다는 비난을 멈추지 않았다. 사실 한반도 통일은 남북한 간의 일만은 아니다. 1945년 일본의 패망으로 해방이 된 한국이지만 곧바로 남북이 갈라졌고 이어서 한국전쟁이 일어나 같은 한민족이지만 북과 남의 골은 깊어졌다. 한국전쟁에 수많은 한국인들이 희생되었기 때문이다.

더구나 남북한의 치열한 전투 끝에 전쟁이 종식되었지만 이때 북한, 중국, 유엔군(미국) 사이에 체결된 문서는 종전이 아니라 휴전협정이었다. 전쟁이 완전히 끝난 것이 아니라 잠정적으로 정지되었다는 것이다.

여기서 추후에 매우 껄끄러운 문제가 생긴다. 남한의 이승만 대통령이 휴전협정 당사자로서 서명을 거부한 것이다. 북측이 참여한 상태에서 공식적인 문서에 서명한다는 것은 북한을 실체로 인정하는 것과 다름없다는 뜻이었다. 여하튼 휴전협정은 한국이 빠진 상태에서 서명되었는데 바로 이 서명이 두고두고 한국의 아킬레스 건으로 작용한다.

미국과 북한의 평화협상이 진전되어도 한국은 당사자가 아니기 때문에 협상 테이블에 앉을 자격도 없다는 주장이다. 이 문제는 매우 첨예한 논쟁을 불러일으켰는데 여하튼 한국전쟁으로 벌어진 휴전협정이 종전협정으로 이루어지고 결국 북한 핵과 미국을 공격할 수 있는 ICBM의 폐지로 이어졌으며 평화협정으로 마무리되었다. 통일한국이라는 큰 틀의 작전이 이루어질 수 있는 계기였다.

물론 남북한의 통일 계획이 순조로운 것은 아니다. 남측과 북측이 70년 이상 떨어져 수많은 간극이 자동으로 생겼고 한반도 통일을 보는 시각은 미국, 중국, 일본, 러시아 등 관련국에 따라 큰 차이가 있기 때문이다.

그런 와중에서 남측의 대통령과 북측의 국무위원장이 긴밀히 협조하면서 통일의 그날을 위해 착착 발을 맞추어 가고 있다는 사실을 아는 사람은 거의 없었다.

남성우 국가특수업무원장으로부터 새로 마련한 통일 방안의 전략에 대해 듣고 나서 대통령이 입을 연다.

"잘 들었소. 지금까지 모든 일이 차질 없이 진행되고 있다는 사실에 대해 매우 흡족하게 생각하오. 그러나 이번 작전은 끝까지 단 한 곳에서도 허점이 생겨서는 안 되오. 마무리 작업이 중요하다는 뜻이오."

이어서 한장석이 북측의 사정을 설명한다.

"우리 측 진행 상황도 걱정하실 것 없습니다, 대통령 각하. 국무위원장께서도 직접 진두지휘를 하시다시피 독려하고 계십니다."

남북 당국자 사이에 긴밀히 추진되고 있는 새로운 평화통일 작전의 북측 실무 책임자로 청와대 비밀회의에 참석한 한장석은 거침없는 태도로 북측 진행 상황을 전달한다. 그만큼 논의가 진전되어 왔다는 것을 뜻이다.

한장석에 이어 남성우가 발언을 한다.

"각하, 사실상 한 치의 오차도 없이 추진할 준비는 모두 끝난 셈입니다."

"알겠소. 우리 남측에서 모든 준비가 마무리되었다는 것을 한장석 위원과 지도일 중장도 직접 들었을 거요. 이번 회의는 국무위원장께서 서울을 방문하기 전에 귀측이 우리 측의 진행 사항을 직접 듣고 확인하도록 하려는 것입니다. 국무위원장께 잘 설명해 주시오."

"여부가 있겠습니까, 각하. 여기서 보고 듣고 확인한 사실을 국무위원장께 그대로 보고를 드리겠습니다. 각하께서 직접 회의를 주재하셨다는 사실도 전해 올리겠습니다."

"나는 두 분을 믿습니다. 국무위원장께서 서울을 방문하시면 두 분의 노고에 대해 다시 한 번 말씀드리도록 하겠소."

"감사합니다, 각하."

대통령이 일어나서 한장석과 지도일이게 악수를 건네는 것으로 회의는 끝이 난다.

3.

대통령은 회의실에서 나와 한 방으로 들어간다. 모니터가 설치된 방이다. 한복을 입은 거구의 남자가 방으로 들어오는 대통령에게 한 마디 건넨다.

"수고 많았습니다."

"이번 회의에 대해 어떻게 생각하셨습니까?"

"준비가 순조롭게 진행되는 것 같아 참으로 다행입니다."

"그럼 이대로 진행시켜도 문제가 없겠다는 말씀입니까?"

"그렇소. 지금처럼 대통령이 모든 일을 주재하여 진행시키면 될 거요. 다만……."

"말씀하십시오."

"나도 남북 양측이 함께 노력하고 있는 이번 계획 자체는 성공할 수 있다고 봅니다. 하지만 전격적으로 통일이 이루어지더라도 통일 이후가 더욱 중요하오. 현재 실무적으로 논의가 이뤄지고 있겠지만, 이번 통일 목표는 '1민족, 1국가, 1체제, 1정부'의 완전한 통일을 지향하기 때문에 더 큰 어려움이 따를 것이라는 점을 명심해야 합니다."

"잘 알겠습니다."

대통령은 거구의 남자에게 허리를 깊이 숙이며 인사를 한다.

4.

대통령은 다음 날 한장석을 청와대로 불러 언론에 발표할 '한반도의 통일에 대한 가이드라인'의 내용을 살펴보게 한다. 한장석은 대통령이 제시한 방안을 꼼꼼하게 검토한다.

첫째, 한반도 내에서 주권을 가진 국가는 오직 하나만 존재해야 한다. 외부 세력에 대해 한반도를 대표하는 정부도 하나여야 하고 국내에서 최고 통치권을 행사하는 정부도 하나여야 한다. 통일국가에서 이념과 체제를 달리하는 두 정부를 갖는 통일이라는 것은 허구에 지나지 않는다.

둘째, 한반도 내에 거주하는 사람은 모두 하나의 국민을 형성하고 주권 행사에 있어서도 거주 지역에 관계없이 동일한 권리를 향유하여야 한다. 북한의 '공민'과 한국의 '국민'이 서로 다른 지위와 권한, 의무를 가진다면 진정한 통일이라고 볼 수 없기 때문이다.

셋째, 모든 국민은 영토 내에서 거주 이전, 통행 및 여행의 자유를 가져야 한다. 어떤 경우에도 국경선이나 분단선, 또는 국민에 대한 이동 제한이 있어서는 안 된다.

넷째, 통일된 국가는 단일 법체계와 단일 군대를 보유해야 한다. 법제도와 군대의 통일이 없이 완전한 통일이라고 할 수는 없기 때문이다.

"어떻게 생각하오?"

한장석이 검토를 마칠 즈음 대통령이 물었다.

"전적으로 동감입니다. 다만 제가 좀 더 명확한 지침을 받을 수 있도록 우리 측에 통보를 해주실 수는 없겠는지요?"

"당연히 그렇게 해야죠. 바로 귀측에 전송하도록 하겠소."

"감사합니다, 대통령 각하."

"한반도의 평화통일은 바로 이것을 기조로 이루어져야 할 것이오. 한 위원이 돌아가시면 이러한 내 마음을 국무위원장께 다시 한 번 정확히 전달해 주시오."

"잘 알겠습니다, 대통령 각하."

"만약 나의 이 주장에 대해 귀측에서 납득하지 못하고 이의를 제기한다면 결국 한반도에서의 통일은 의미가 없고 성사되기도 힘들다고 봐요. 예를 들어 사유재산 제도를 인정하는 우리 측의 시장경제 체제와 이를 인정하지 않는 귀측의 사회주의경제 체제가 서로 납득할 수 있는 합의점을 찾는 데는 시간이 필요할 수 있겠지만 지향하는 방향만은 똑같아야 한다는 거지요." "물론입니다. 북한의 당 정치국원인 제가 대통령 각하를 만나고 있는 것은 바로 각하의 평화통일 방안에 전적으로 동조하고 있다는 사실을 표명하는 것이 아니겠습니까? 국무위원장께서도 각하의 제안을 즉각 수락하실 것입니다."

남북협상 실무 대표로 잔뼈가 굵은 한장석은 자그마하고 다부지게 생긴 모습처럼 깐깐하기로 소문이 난 인물이지만, 이 순간만큼은 봄바람을 만난 처녀처럼 마음을 열고 있다.

회의가 조금이라도 불리해지면 버럭 소리를 질러 의사진행을 방해하기 일쑤고, 자신이 이야기할 때 상대방 대표 중 한 명이 눈을 감고 있었다고 대표단을 이끌고 퇴장해 버리던 그가 남측이 주도하고 북측이 동조하는 통일의 핵심인물로 나선 것은 충분히 묘한 인연인 셈이다.

"고맙소. 한 위원의 결연한 의지만 봐도 흡족하기 이를 데 없어요. 구체적인 방안은 국무위원장께서 서울을 방문하실 때 정상회담을 열어 심도 있게 논의하겠소."

대통령은 한장석과 굳게 악수를 하고 문 밖까지 배웅을 한다. 평화통일 작전이 마침내 카운트다운에 돌입했다고 생각해서인지 대통령의 표정이 한껏 상기되어 있다.

5.

"원장님, 점심 좀 사주시겠어요?"

박민희는 남성우 국가특수업무원장에게 전화를 건다.

사적으로 전혀 일면식도 없는 남성우 원장에게 전화를 걸어 대뜸 점심을 사라고 한 것은 당돌하게 보일 수도 있지만, 국가특수업무원장이 그녀의 요구를 쉽사리 거절하기 어렵다는 점도 알고 있었기 때문이다. 권력에 대한 그녀의 천부적인 감각에 비춰볼 때 남성우와 가까워지는 것은 자신이 맡은 일로 보나 현재 논의되고 있는 통일 문제에 대한 필요로 보나 일거양득의 효과가 있는 셈이었다.

"아이쿠, 박 위원장님이 전화를 다 주시고……이거 정말 영광입니다."

"그럼 허락하신 건가요?"

"당연하죠. 미인의 부탁인데, 불감청 고소원이지요."

남성우는 제법 문자까지 써가며 박민희의 요청을 흔쾌히 받아들인다.

두 사람이 만난 것은 시청 앞의 프라자 호텔 중식당. 남의 시선이나 방해를 받지 않고 얘기를 나눌 수 있는 장소로 남성우가 자주 이용하는 곳이었다.

"원장님, 저 좀 도와주셔야겠어요."

자리에 앉자마자 박민희가 이야기를 꺼낸다.

"제가 뭐 도울 일이 있겠습니까?"

"조국통일에 관한 일이라고 하여 앞뒤 재보지도 않고 귀국하다 보니 너무나 막막해요. 원장님이 많아 도와주셔야 미력이나마 각하께 보탬을 드릴 수 있을 것 같아 실례를 무릅쓰고 전화를 드렸던 겁니다."

"박 위원장님 같은 미인의 전화를 받고 싫어할 남자가 어디 있겠습니까?"

"칭찬으로 받아들이겠습니다. 대뜸 점심을 사달라고 해서 당돌하게 생각지는 않으셨는지요?"

"당돌하긴요? 박 위원장님 같은 유명인사에게 전화를 받는 것만 해도 영광인 걸요."

"그렇게 생각해 주시니 정말 감사합니다."

마침 음식이 나오기 시작하자 잠시 대화가 끊겼다. 접시에 음식을

나눠준 다음 접객하는 아가씨가 밖으로 나가자 박민희가 먼저 말문을
연다.

"요즘 신문을 보니까 통일국가의 수장 문제로 의견이 분분하데요?"

"왜 아니겠어요? 통일 문제 중에서도 가장 흥미로운 대목일 테니
까."

"국가특수업무원에서도 관심을 기울이는 부분이겠죠?"

"당연합니다. 박 위원장님도 아시듯이 X께서 통일 후 초대 수장이
되신다는 자체가 한국인으로는 영광이죠."

"X가 실존인물인가요?"

"언론에서 실존인물로 설명한다는 사실 자체가 중요하죠. 여하튼
두 정상이 양 국민 모두 수긍할 분을 모신다는 데 이론이 없습니다."

"그렇다면 굳이 X를 비밀로 할 필요가 있을까요?"

"아직 발표할 단계는 아니라는 뜻이지요. 그분을 알리는 것이 좋다
고 판단될 때는 당연히 알려야겠지만……."

"그런데 X는 누구죠? 갑자기 하늘에서 떨어진 분도 아니고……."

"글쎄요, 제가 대답해 드리기는 어려운 질문인데요?"

그것으로 속을 털어놓는 대화는 끝이 나고 일상적인 잡담으로 이어
진다. 박민희는 아쉬움이 남지만 첫술에 배부르랴 하는 심정으로 느긋
했고, 남성우는 남성우대로 미주알고주알 털어놓지 않고 마무리한 것
을 다행으로 여긴다. 남성우는 두 정상이 추대할 수장 X를 언론에서 수
없이 각색하여 X가 실존인물인지 아닌지 모호하게 만들고 있다는 데
대해 미소를 짓는다.

제13장 X, 그리고 남북 정상

1.

청와대 근처의 한 안가에서 대통령이 X에게 북조선인민공화국 국무위원장을 소개하고 있다.

X가 내미는 손을 마주 잡으며 거구의 위원장은 예의 카랑카랑한 목소리로 인사를 한다.

"이렇게 뵐 수 있다니 믿어지지 않습니다."

국무위원장은 평소의 커다란 제스처와는 달리 X의 위엄에 다소 눌린 듯 포옹을 하는 대신 두 손으로 X의 손만 굳게 잡고 있다.

"이제 서로 믿어도 될 거요, 국무위원장."

"직접 뵙고 나니 모든 의구심이 싹 사라졌습니다. 지금까지 진행되어온 통일 논의는 제가 대통령과 상의하여 반드시 성사시키도록 하겠습니다."

국무위원장의 말투는 마치 선생님 앞에 서 있는 학생처럼 조심스럽다.

"당연히 그래야죠."

"X께서 지내오신 일들을 모두 듣고 싶지만 이번에는 시간이 없어서 그대로 돌아가겠습니다. 다음에 뵐 때 꼭 지도하여 주십시오."

"통일이 되면 함께 이야기할 시간도 많을 거요. 그때까지 대통령과 힘을 합해 꼭 통일이 되도록 힘써 주시오."

"여부가 있겠습니까. 통일에 대해서는 걱정하지 마십시오."

국무위원장은 만면에 미소를 지으며 대답한다.

X가 신호를 하자 대통령이 주머니에서 포장된 상자를 꺼내 X에게

건네준다. X가 상자의 포장을 풀고 시계를 꺼내 국무위원장의 손목에 채워주며 당부한다.

"이 시계는 특별한 거니까 항상 차고 다니세요."

"영광스럽게도 선물까지 주시니 잠잘 때도 차고 있겠습니다."

"통일의 그날까지 임무가 막중하다는 것을 잊지 말라는 뜻이오."

"알겠습니다, X."

옆에서 지켜보던 대통령도 한 마디 거든다.

"X께서 주시는 특별한 선물이니 통일을 생각하며 항상 지니고 계십시오."

2.

청와대 춘추관.

내외신 보도진이 잔뜩 대기하고 있는 가운데 대통령과 국무위원장이 함께 걸어 나온다. 대통령이 먼저 연단에 서고 국무위원장이 옆에 선다. 대통령의 발표는 평소와 달리 매우 짧았다.

"나는 방금 북조선인민공화국의 국무위원장과 함께 빠른 시일 내에 평화로운 남북통일을 실현하기로 전격 합의했습니다. 그 시기와 방법은 양측에 의해 구체적으로 논의될 것입니다."

대통령이 옆으로 물러나고 이번에는 국무위원장이 연단에 선다.

"나는 방금 대한민국의 대통령과 함께 빠른 시일 내에 평화로운 북남 통일을 실현하기로 전격 합의했습니다. 그 시기와 방법은 양측에 의해 구체적으로 논의될 것입니다."

그것이 전부였다. 두 사람은 기자들의 질문도 받지 않고 곧바로 청와대 앞에 있는 헬기장으로 간다.

이미 이륙 준비를 하고 있던 헬리콥터 앞에서 대통령과 국무위원장이 포옹을 한 후 국무위원장이 헬리콥터를 탄다.

헬리콥터가 이륙한 다음 2박 3일 동안의 짧은 일정이었지만 대통령은 자신이 태어난 이래 가장 극적이고도 중요한 일을 무사히 마쳤다고 생각하며 청와대로 들어간다.

3.

북경의 한 안가.

일본 대장성에서 파견한 쓰쓰무 특사가 중국 주석의 국방보좌관 왕을 만나고 있다. 왕이 먼저 입을 연다.

"도저히 이해가 안 됩니다. 그게 일본의 진심입니까?"

왕은 쓰쓰무의 제안이 믿기지 않는 모양이다.

"일본의 진심이라기보다는 일본이 바라는 바죠."

1997년 일본은 미국과 새로운 미일 방위 협력 지침에 서명했다. 이 지침의 핵심 골자는 한 마디로 유사 개념의 변경이다. 기존 지침은 일본 단독 유사, 즉 일본이 무력 공격을 받을 경우에 대비한 미일 협력 방안이었는데 새 지침은 일본 주변의 유사시 상황을 주요 대상으로 변경한 것이다.

이것은 유사시 미군과 일본 자위대가 공동작전을 펼치는 중심 무대가 일본 본토에서 한반도 등 주변 지역으로 옮겨졌음을 뜻한다. 물론 양측은 최종 합의서에서 일본 주변의 유사시가 지리적 개념이 아니라 상황적 개념이라고 밝히고 있다.

이것은 중국이 대만 해협을 일본 주변 유사시에 포함시키는 것을 두고 강력히 반발했기 때문이다.

그러나 냉전 종식으로 소련이 사라진 이상 일본이 직접 공격을 받을 가능성이 희박해진 반면 한반도와 중국·대만 간 분쟁 가능성은 높아진다는 것이 미·일의 근본 시각이므로 중국에서 미·일이 중국을 가상의 적으로 간주하고 있다는 시각조차 불식시킬 수는 없는 일이었다.

더구나 북한이 개발에 성공한 장거리 미사일 발사 위협에 대비하여 일본이 미국과 미사일 방위(MD) 구상에 적극적이라는 것은 결국 미·일에 의해 동북아의 상태가 주도적으로 움직인다는 것을 뜻하는 것이다.

중국으로서는 불쾌하지 않을 수 없다. 자신을 적으로 상정하여 기본 전략을 수립하고 있는 일본이 이와는 다른 제안을 한다는 것이 우선 이해가 되지 않는 일이었다.

더구나 미국은 하나의 중국 정책에 반하여 대만을 독립국가로 인정하려는 조짐마저 보여 사실상 매우 껄끄러운 상태다. 그러나 한반도에서의 정황이 긴급하게 돌아가기 때문에 일본은 중국의 핵심 실세인 왕과 비밀회동을 하는 것이다.

"그러니까 중국의 가상 적은 일본이나 미국이 아니라 북한이라는 뜻 아니오?"

왕이 쓰쓰무에게 확인하듯 묻는다.

"북한이 아니라 통일한국이라는 뜻입니다."

"통일한국? 북과 남으로 분단된 한반도의 통일이 정황상 그리 쉽게 성사되기 어렵겠지만 왜 통일한국이 적이 됩니까?"

"우리도 통일이 쉽지 않다고 생각하면서 모든 가능성을 검토하고 있는데, 남북통일이 되면 중국에 상당히 걸림돌이 될 수 있다는 뜻이지요."

쓰쓰무는 왕의 지적에 조용한 목소리로 자신이 갖고 온 보따리를 계속 푼다.

"한국은 현재 남·북한 합하여 221,000 제곱미터의 육지 면적을 갖고 있는 소규모 국가입니다. 그동안 수많은 외침이 있었음에도 한민족이라는 단일민족을 유지해 왔고 아직도 단일 언어를 쓰고 있습니다. 세계에서 극히 유례가 없는 경우라는 것은 잘 아실 테지요?"

"물론입니다."

"그런데 역사적으로 한국을 공격한 세력은 많았지만 한 번도 점령에 성공한 적은 없었다는 사실도 아실 테지요?"

"무슨 소리요? 역사적으로 한국은 중국에 조공을 바치던 나라였고 여러 번 점령하기도 했소."

"그러나 중국이 한국을 침공하더라도 복속은 시키되 흡수 합병하는 등의 정책을 사용하지는 않았습니다. 한반도를 점령하였지만 곧 철수하고 조공으로 만족하였다는 말입니다."

"그것은 변방에 대해 아량을 베푼 대륙적 기질이라고 할 수 있소. 중국에 큰 해를 끼치거나 위협이 되지 않는 한 자치권을 주어 복속시키는 것이 통치에 도움이 되었기 때문입니다."

"그러나 그것을 거꾸로 생각하면 매우 다른 결론에 도달할 수도 있습니다."

쓰쓰무는 은근슬쩍 왕의 자존심을 긁는 발언을 한다.

"다른 결론이라고요?"

"중국이 왜 복속은 시키되 흡수 합병은 하지 않았을까요? 그 이유는 중국이 한국의 지형과 국민성을 잘 알았기 때문이라고 생각합니다. 한국을 점령한 후 한국인이라는 것을 말살하고 중국인으로 만들려고 했다면 한국은 죽기를 각오하고 싸웠을 것이라는 뜻입니다. 중국과 등을 대고 있는 한국의 중요성을 중국이 모를 리 없었으므로 조공을 내거나 적어도 중국에 대해 적대적인 태도를 취하지 않는 한 한반도에서 일어나는 일에 관여하지 않는 정책을 썼던 거죠."

"크게 틀린 평가는 아니라고 생각합니다. 그 정도야 상식 아닙니까?"

"그렇습니다. 제 이야기를 조금 더 하겠습니다. 세계 역사상 가장 광

대한 영토를 가졌던 몽골의 경우를 보겠습니다. 몽골이 세계 전사(戰史)에서 가장 용맹하고 전투적이었다고 하지만 몽골과 버금가는 용맹한 민족은 많았습니다."

"그야 그렇겠지요."

"그러나 몽골은 전 세계에 용맹성과 함께 잔인성을 떨쳤기 때문에 많은 지역을 무혈로 점령할 수 있었다는 것도 잘 아실 겁니다."

"그래요. 잠시 중국 대륙을 몽골 인들이 지배한 적도 있지요.

"제 말씀은 몽골 인들이 중국을 잠시 동안 통치한 적이 있다는 사실을 지적하자는 것은 아닙니다. 그들의 습성을 말씀드리려는 겁니다."

"이야기해 보시지요."

"몽골 인들은 자신들에게 대항하면 철저하게 보복하지만 항복을 하면 관대하게 살려 주었지요. 한 가지 예로 칭기즈칸의 손자인 무아투칸이 바미얀에서 전사하자 그는 그곳의 전 주민을 한 사람도 남기지 않고 모두 살해해 버렸고 모든 거주 시설을 파괴해 버렸습니다. 당시 몇 십만 명이라면 어마어마한 숫자인데 단 한 명도 살려두지 않았다는 것은 몽골 인에게 대항하면 어떤 결과를 가져오는지 잘 보여준 사례였죠. 그 후 몽골 인들에게 대적하다가 패배하면 전 민족이 말살될 수도 있다는 것을 잘 알았기 때문에 거의 모든 민족들이 앞을 다투어 항복했고, 그 바람에 몽골 인들은 상당히 광대한 지역을 무혈로 점령할 수 있었습니다."

"그럴 수도 있겠군요."

"그럼에도 불구하고 한국은 몽골과 거의 100년에 걸쳐 전투를 하였습니다. 몽골과 대적하여 100년 동안이나 버틴 것만 보더라도 한국이 얼마나 끈질긴 민족인지 아실 겁니다."

"그러나 결국은 몽골에게 항복하지 않았소? 또 그들이 연합해서 일본까지 침략을 했고."

"그렇기는 합니다만 결국 가미가제(神風) 때문에 실패했지요. 여하튼 놀라운 것은 한국이 몽골과 무려 100년이나 싸우면서 무던히 속을 썩였는데도 불구하고 막상 고려의 왕이 항복하자 그를 관례대로 처단하지 않고 몽골에 충성을 하는 조건으로 살려준 후 곧바로 한반도에서 철수하였습니다. 몽골의 전투 습성을 보면 대단히 특이한 일이었습니다. 만주인이 통치했던 청나라도 마찬가지였습니다. 그들은 조선의 왕이 머물고 있는 남한산성을 포위하고서도 항복하도록 인내심을 갖고 기다렸습니다. 물론 결국은 한국의 왕이 항복했습니다. 여기서도 같은 결론을 알 수 있습니다."

"왕을 죽이지 않았다는 뜻이로군요?"

"그렇습니다. 만주인들도 그렇게나 대들던 한반도의 조그마한 나라 왕을 죽이지 않고 신하의 예를 갖추어 앞으로 조공을 바치도록 한 다음 철수하였습니다. 한국의 장구한 역사 동안에 오늘날의 중국인 북방으로부터 수없이 많은 외침이 있었고 또한 점령 또는 항복으로 전쟁이 끝났지만 한국의 왕을 죽인 적은 없습니다.

"그거야 앞으로 경거망동하지 않으면 목숨을 살려준다는 점령자로서의 아량 아니겠소?"

"예, 물론 정복자로 보아서는 당연히 아량입니다. 그러나 한국을 침략한 모든 나라들이 한국의 왕으로부터 항복을 받은 후에 점령 통치하려고 하지 않고 즉각 철수한 이유는 그들이 한국의 특수성을 잘 알고 있었기 때문입니다."

쓰쓰무는 자신의 말이 너무 길어지는 걸 의식했는지 잠시 말을 멈추고 물을 한 잔 마신다.

"계속하시지요."

왕의 말에 쓰쓰무가 알겠다고 한 다음 이야기를 이어간다.

"그 이유는 간단합니다. 한국은 지형적으로 산악 지대가 많아 만약에 점령군이 머무는 동안 게릴라전으로 돌아서면 치명적인 손실을 입을 수밖에 없습니다. 아무리 강력한 군대라 하더라도 후방에서 지원을 제대로 받지 못하면 궤멸되는 것은 상식입니다."

"나에게 전술을 이야기하려는 겁니까?"

"아닙니다. 한국의 지형이 중국으로서는 항상 골칫거리였다는 말씀을 드리려는 겁니다. 중국 땅의 머리 부분에 딱 차고 앉아 언제든지 힘이 있으면 중원으로 공격해 들어간 민족이 바로 한국입니다. 과거에 광개토대왕과 장수왕의 영토는 한국인들이 최초로 건국한 나라인 고조선의 강역과 맞먹는 수준입니다. 고조선의 강역이 좀 넓었습니까? 서쪽으로는 하북성 동북부에 있는 지금의 요하로부터, 북쪽과 동북쪽은 어르구나하와 흑룡강에 이르렀고 남부는 한반도 전역을 포함하여 만주 전 지역까지 고조선이 차지하고 있었지요."

쓰쓰무는 손가락으로 지도까지 그려가며 열을 올린다.

"그렇다 치고……그것이 무슨 문제가 된다는 뜻입니까?"

"제 말의 요지는 한국인의 힘이 결집되면 중국에게 두고두고 골칫거리가 된다는 뜻입니다. 역사가 그것을 증명하고 있지 않습니까?"

역사적 사실까지 들어가며 열변을 토한 쓰쓰무가 얘기한 골자는 한마디로 중국의 적은 일본이 아니라 통일한국이라는 것이다.

"우린 일본을 적으로 본다고 하지 않았소. 단지 과거에 일본이 중국에 진출하여 많은 중국인들을 살해한 것을 잊지 않을 뿐이요. 남경에서 수많은 중국인들을 학살한 것도 부정할 수는 없는 일 아니겠소?"

일본이 가장 껄끄럽게 생각하는 남경대학살 사건을 거론하는 데 대해 쓰쓰무는 불만스럽지만 제대로 대꾸하지 못한다. 말을 잘못하다간 엉뚱한 곳으로 불똥이 튈 수 있기 때문이다. 왕의 말에 쓰쓰무는 못들은 척하면서 말한다.

"제 말은 한국인들의 힘이 한 곳에 모이지 않도록 견제해야 한다는 뜻입니다. 왕 장군님."

쓰쓰무는 중국 주석의 국방보좌관인 왕이 과거에 중국군의 장성이었음을 알고 있다는 뜻으로 장군이라는 호칭에 힘을 준다.

'역사적으로 보면 쓰쓰무의 지적이 틀린 것은 아닐지 모르지만 과학 시대로 접어든 현재 조그마한 한국이 중국의 머리 부분에 있다고 해서 중국에 위협이 되고 속을 썩일 것이라는 그의 추측은 아무래도 과장이 심하다고 생각한다. 더구나 한반도는 남과 북으로 갈라져 있는데 통일의 조짐이 있다고 정말로 통일이 된다는 뜻은 아니지 않은가?'

왕은 내색하지 않고 신중하게 질문을 던진다.

"좋아요. 그렇지만 정말로 남북한이 통일된다고 해서 우리에게 위협이 된다는 것은 이해가 되지 않습니다. 통일한국이 왜 우리에게 부정적인 영향을 끼친다고 생각하십니까?"

"그들이 당장 중국을 공격한다는 뜻으로 말씀드리는 것은 아닙니다. 원론적으로 볼 때 중국에게 가장 골머리 아픈 국가로 성장할 수 있다는 뜻이지요."

"구체적으로 지적해 보세요. 심증만 갖고 아직 생기지도 않은 국가를 평할 순 없지 않습니까?"

"간단합니다. 남과 북이 각각 나름대로 장점을 갖고 있지 않습니까? 우선 북측은 세계적인 자원부국이고 남측은 이들에게 힘을 실어줄 수 있는 경제력이 있습니다. 그들이 합하면 주변국에 큰 영향을 미칠 수 있습니다."

"한반도가 통일된다는 사실 자체가 우리에게 위협이 된다는 소리 아니요? 그들이 중국과 사이를 나쁘게 만들어 좋을 일이 뭐가 있겠소? 솔직하게 말해봅시다."

"예."

"한국이 통일되면 일본이 경제적으로 타격을 받을지 모른다고 생각하는 것 아니오? 자원이 없는 남한이 일본에 버금가는 경제를 이룩했는데 자원이 많은 북한과 합쳐지면 일본을 앞설지 모른다는 걱정 말이오."

"꼭 그런 것은 아닙니다."

"중국으로 보아 통일한국이 안정되면 일본보다 더 유리한 점이 많다는 사실을 부정할 이유가 있겠소?"

쓰쓰무는 등에서 식은땀이 흐르는 것을 느끼며 잠시 눈을 감았다 뜬 다음 입을 연다. 여기서 밀리면 '아얏' 소리도 못 하고 되돌아가야 하기 때문이다.

"북한이 개발한 미사일에 핵폭탄을 장착하여 러시아와 미국을 공격하지는 않겠지만 중국과 일본에게 위협이 된다는 것은 당연하지 않습니까?"

쓰쓰무가 중국을 위협의 대상에 넣은 뜻을 모르지 않는 왕은 그를 똑바로 쳐다본다.

한 마디로 통일한국이 일본을 견제한다는 데 방점을 찍었지만 중국도 끌고 들어가겠다는 의도가 아닌가. 과거 중국과 한국이 혈투를 벌였다는 것을 강조하는 이유다.

중국이라는 거대 국가의 정치권에서 활약하는 왕이 자신의 직격탄에 쓰쓰무가 어쩔 줄 모르자 속으로 미소를 지으며 부드러운 목소리로 그에게 묻는다.

"그러니까 일본 측의 의견은 남한과 북한의 통일을 적극적으로 막는 것이 앞으로 생길지도 모르는 우환을 막고 중국 측에 경제적인 부담도 생기지 않을 것이라는 얘기죠?"

"그렇습니다. 여러 가지 변수를 고려해야겠습니다만 북한과 남한이 현재와 같이 갈라져 있다면 큰 문제가 없습니다. 나름대로 서로의 실속을 차리면 되겠죠."

"통일이 되지 않으면 문제가 없다는 뜻인데 정말 통일이 된다면 어떻게 하겠소? 과거는 모르지만 현금 우리 중국은 물론 일본, 미국이 반대한다고 당사자인 남한과 북한이 통일하는 것을 막을 수는 없소."

"너무 낙관적이신데 정말로 통일이 된다면 그야말로 골치 아파집니다."

"솔직하게 이야기해 봅시다. 쓰쓰무 특사의 말을 들으면 남북한이 근간에 통일될 수도 있다고 생각하는 모양인데 도대체 그 근거가 무엇인지 의아하군요?"

"현재 한반도 주변 상황을 면밀히 검토해 왔습니다만……우리가 잠정적으로 내린 결론은 지난번 남북 정상이 공동으로 발표한 통일 의지가 선언으로만 끝날 것 같지 않다는 뜻입니다."

"증거가 있습니까?"

"구체적인 증거를 갖고 있는 것은 아닙니다. 다만 남북한이 평화 통일을 위해 몇 년간 그야말로 서로 긴밀하게 협조해 왔으니까 언제라도 전격적인 통일이 가능할지 모른다는 겁니다."

"그러니까 남·북한 간에 벌어지고 있는 판을 깨는 고도의 전술이 필요하다는 겁니까?"

쓰쓰무는 왕의 단도직입적인 말에 다소 놀란 표정을 슬쩍 감추면서 부드럽게 대답한다.

"그렇게 직접적으로 말씀하시니 부인하지는 않겠습니다. 제가 말씀드리는 요지는 한반도 통일이 우리에게 결코 바람직한 사태는 아니라는 겁니다. 더구나 남·북한의 과거·현재 상황과 미래의 여건 등을 감안할 경우 의견 일치가 어려운데도 양측 정부에서 일방적으로 밀어붙이는 분위기 아닙니까? 반 백 년 이상이나 떨어져 살았기 때문에 매사가 쉽게 풀어질 수 없는데도 말입니다."

왕이 다시 묻는다.

"그래 복안은 있습니까?"

"이미 말씀드렸지만 남북한 내에도 통일을 반대하는 세력이 있습니다. 그들로 하여금 통일 의지를 꺾도록 만드는 겁니다."

"남북한 내부에?"

"에, 우리 정보에 의하면 그들이 치하는 모종이 조치가 조만간 일어날 모양입니다. 우리는 그들을 무언으로 지지할 자세가 되어 있습니다."

"알겠소. 구체적인 대책은 무엇입니까?"

왕의 질문에 쓰쓰무는 왕에게 다가가 귓속말로 한참동안 이야기를 한다. 왕이 놀라듯 반문한다.

"그게 정말이오?"

"예. 이건 남측으로부터 제가 직접 받은 정보니까 틀림없습니다."

"정말 남측 인사로부터 직접 들었단 말입니까?"

쓰쓰무의 말이 너무 놀라운 일이므로 왕이 다시 확인한다. 적어도 특사로 온 쓰쓰무가 헛소리할 일은 아니다.

"예. 남측의 인사가 북측에서 꾀하는 일에 자신이 적극 돕고 있다는 것을 여러 번 확인시켜 주었습니다. 그래서 제가 한국인인데 왜 통일을 반대하느냐고 묻자 선조가 일제 강점기 시대의 친일파였기 때문에 통일이 되면 자신에게 불리해진다고 아주 솔직하게 토로하더군요."

그러면서 쓰쓰무가 한국에 있는 인사의 신원까지 슬쩍 덧붙이자 왕이 더욱 놀라면서 맞장구를 친다.

"통일이 되면 친일파가 제거되기 때문이라……그거 말이 되는군."

"예. 북한에서도 통일에 반대하는 사람들이 많습니다. 그들은 결정적인 순간에 일어설 준비가 되어 있는데 자신들의 계획이 중국이나 일본, 미국에 해가 되지 않는다는 것을 여러 번 강조했습니다."

"이제야 이야기하신 내용을 잘 알 것 같습니다. 그렇게만 된다면 남·북한의 통일은 물 건너 갈 것이 틀림없겠죠?"

사실 중국으로 볼 때 시대가 바뀌어 한국의 통일을 주무를 수 있는 위치가 아니므로 대놓고 반대할 처지는 아니다.

그러나 통일한국이 말 그대로 통일만 된다면 일본을 제칠 수 있고, 그것이 결코 나쁜 일은 아니다.

그러나 현재 통일 협상이 무르익는다 해도 한 가지 의구심은 남한에 있는 미군이 철수하느냐 하는 것이다. 미군이 철수한다면 통일한국이 중국에 해가 될 리 없지만 미군이 어떤 빌미로든 철수하지 않는다면 중국과 미국이 대치할 상황도 된다.

불확실성으로 따질 수는 없지만 한반도가 통일되지 않고 현 상태로 유지된다면 일단 북한이라는 완충지역이 있으므로 중국으로서는 나쁠 것이 없다.

쓰쓰무가 그의 머릿속을 들여다보았는지 현실적인 이야기를 한다.

"우리가 가만히 있더라도 걱정할 필요가 없습니다. 단지 그들의 동태를 예의 주시하고 필요할 때 지지해 주시면 됩니다."

"알겠소. 그것이 중국의 국익을 위한 일이라면 당연히 그래야지요."

왕은 쓰쓰무에게 활짝 웃어주며 대답한다.

제14장 위기일발

1.

권준혁은 퇴근 시간에 맞춰 강명구를 다시 만났다.

어제 저녁에 만나서 꼭지가 돌도록 술을 마시고 워낙 늦은 데다 집까지의 거리가 멀어서 그의 집에서 잠까지 잤는데 하루도 지나지 않아서 다시 만나는 것이다.

"죽을 뻔했다니 그게 무슨 말이야?"

강명구는 자리에 앉자마자 권준혁이 만나자고 하면서 전화로 했던 말을 물고 늘어진다.

"내가 술 마시고 네 집에서 자지 않고 들어갔다면 분명히 진 박사 꼴이 되었을 거란 말이야. 그걸 생각하면 지금도 아찔하고 몸서리가 쳐진다고."

권준혁은 집개 손가락으로 이마를 콕콕 찔러대며 혀를 내두른다.

"자세하게 좀 얘기해 봐."

"아침 일찍 네 집에서 일어나 옷을 갈아입으려고 집에 들렀더니 아파트 문에 걸어둔 실이 끊어져 있더라니까. 누군가가 침입한 것 같아서 경비와 함께 문을 열었더니 들어와서 한동안 기다린 흔적이 있더군."

"이야, 그러니까 매번 아파트를 나설 때마다 실을 걸어둔단 말이야?"

"그래. 요즈음 내 주변에서 일어나는 일이 심상치 않아 간단한 자위 조치를 취한 거지. 진 박사가 피살된 후로 뭔가 일이 꼬이고 있거든."

"그래서 영화 속의 007처럼 항상 실을 걸어 놓는다는 거야?"

"그럼, 밖으로 나올 때는 항상 걸어 놓지."

"뭐 없어진 것은 없고?"

"없어진 건 없었어. 도둑질하러 들어온 건 아니라는 뜻이지. 누군가가 오랫동안 내 방에서 나를 기다렸다는 것은 알 수 있었지만……."

"그건 또 어떻게 알았어?"

"뭐 간단해. 침대와 응접실에도 실을 걸어 놓았거든. 모두 끊어져 있더군."

"이야, 실 값 많이 들겠는데?"

"그래, 실 값 좀 대줄래?"

"실 값이야 줄께, 이제 어떡할 참이냐?"

"이리저리 호텔로 옮겨다니는 거지, 뭐."

"그러지 말고 우리 집에서 당분간 머물지 그래? 실 값도 절약하고."

권준혁은 그날로 집을 나와 강명구가 혼자 사는 아파트로 숙소를 옮긴다. 원래 경찰에서 도청한다는 것을 알고 있으므로 집을 옮길까 생각했지만 그대로 두기로 했다. 그가 집을 옮긴다면 옮긴 장소를 찾아내어 그곳에도 도청 시설을 할 테니까.

그러나 간밤에 자신의 아파트로 찾아왔던 사람은 경찰 등 수사기관 요원이 아니고 결코 좋은 상대도 아님이 분명했다. 그들이 다시 찾아와 봐야 문제만 생길 것 같아 강명구의 아파트로 처소를 옮겼다.

오민우 경감이 새로운 숙소를 찾느라고 고생하겠지만 그건 스스로 자초한 일이었다.

경찰이 도청한다는 사실을 알고 나서 보안을 위해 휴대전화를 없애고 회사에는 특별한 경우 공중전화로만 연락하기로 했다.

김유라에게도 특별한 경우에만 전화를 하고 방문을 억제하는 등 보안에 신경을 썼다.

2.

권준혁은 특별한 경우가 아닌 한 회사에는 출근도 하지 않고 전화로만 업무를 확인하기 때문에 시간은 많은 편이다. 큰 기대를 걸지 않고 원두영 박사에게 연락하니 놀랍게도 그가 전화를 받는다.

"며칠 동안 소식도 없이 어디로 잠적하셨어요?"

"잠시 머리를 식히려고 혼자 지리산에 갔다 왔소."

"좀 뵈었으면 하는데, 시간 있으세요?"

"권 팀장이야 항상 환영이지."

약속한 시간에 권준혁이 사무실로 찾아가자 원두영은 책상에서 일어나 원형 테이블을 가리킨다.

"어서 오시오, 권 팀장. 이쪽으로 앉읍시다."

"산에 갔다 오셨다면서 얼굴은 전혀 타지 않았군요?"

"사실 등산을 한 건 아니고 지리산에 있는 천은사에서 쉬다가 왔지요. 권 팀장도 등산 좋아하는 모양이죠?"

"대학 시절에는 산악부였는데 그 후로 등산은 엄두도 못 내고 있습니다."

"그럼 언제 산에 한 번 같이 갑시다. 골머리 아플 땐 산이 좋아요. 그래, 오늘은 뭘 도와드릴까?"

원두영이 친근한 미소를 지으며 묻는다.

"혹시 경찰청에서 연락이 없었습니까?"

"아니오, 무슨 일이라도 있소?"

"일전에 사망한 진 박사님 때문에 그렇습니다."

"정말 아까운 사람이오. 유전자 분야는 사실 나보다 진 박사가 고수라 문제가 생길 때마다 항상 자문을 구하곤 했지."

"그래서 말씀인데요, 진영숙 박사의 살해에 거대한 조직이 관련되어 있는 것 같아 걱정스럽습니다."

"그녀가 연구하고 있던 '기적의 쌀' 때문이 아닐까?"

원두영은 대뜸 '기적의 쌀'을 입에 올린다. 그동안 전혀 거론되지 않았던 내용이다.

"기적의 쌀이라고요?"

"그래요. '황금의 쌀'이라고도 말하는데 진 박사는 모든 외떡잎식물 유전자 연구의 기초가 되는 벼의 전체 게놈 염기서열을 분석하고 있었지요. 미래의 식량 부족에 대비하고 쌀 수확량과 영양가를 높이기 위한 필수적인 연구였소. 전체 벼 염기서열 430메가베이스(Mb)를 모두 분석하는 것으로 원래는 1년에 7Mb를 분석할 계획이었는데 진 박사가 개발한 DNA 염기서열결정법과 중합효소연쇄반응(PCR)을 보다 촉진시킬 수 있는 방법을 사용하여 세계 유전자 분야 과학자들도 놀랄 정도로 빠르게 전체 벼 염기서열을 분석했어요. 진 박사는 벼 게놈이 해득되자마자 그 연구의 결과를 가지고 '기적의 쌀'을 개발해냈고……. 마녀라는 별명에 어울리는 대단한 성과죠."

원두영이 침을 튀기며 기적의 쌀에 대해서 이야기하지만 진영숙이 그 내용을 단 한 번도 그에게 이야기한 적이 없고 또 주변 사람들도 이야기한 적이 없다.

"일반인들에게는 전혀 알려지지 않은 일인가 봅니다."

"당연하죠. 진 박사는 외부 사람들에게 자신의 업적을 자랑하는 것을 싫어했고 더구나 언론을 좋아하지 않았거든요."

"기적의 쌀은 대체로 어떤 것이죠?"

"전 세계 수십 억 인구가 주식으로 삼고 있는 쌀은 많은 장점에도 불구하고 철분이나 비타민A 같은 중요 영양소가 부족하기 때문에 건강 문제로 고통을 받아요. 쌀을 주식으로 하는 사람 중에서 약 10%가 비타민A의 결핍으로 고생하는 거죠. 그 숫자는 세계적으로 무려 3~4억 명이나 됩니다. 기적의 쌀은 라이코핀사이클레이즈라는 유전자를 적용하여 베타카로틴을 많이 함유하도록 만들었는데 베타카로틴의 중요성은 몸속에서 비타민A로 바뀐다는 겁니다. 원래 쌀 알갱이는 베타카로틴을 전혀 갖고 있지 않지만 제라닐 피로인산염이라는 분자를 만들 수 있고 이것이 4가지 효소와 작용하여 베타카로틴으로 바뀌며 인체에 유용한 비타민A가 되는 거죠."

"그러니까 비타민A가 들어 있는 쌀이군요?"

"그래요. 원래 곡물이 특정 비타민을 많이 함유하도록 만드는 것은 매우 어려운 기술인데 진 박사는 벼의 염기서열을 해독하여 이들 중요 영양소가 포함되도록 유전자를 조작하는 데 성공했다고 알려졌지요."

"지금까지 제가 조사한 바로는 진 박사가 직접 황금의 쌀에 관여한 것 같지는 않은데요?"

"그건 진 박사가 그런 정도는 성에 차지 않는 주제라 이야기하지 않았을 수도 있겠지만, 나는 그걸 알고 있죠."

원두영은 일반에게 발표하지 않았다고 진영숙이 벼에 대해 연구한 것이 사라지는 것은 아니라며 원리에 대해 다시 설명한다.

"나팔수선화의 4종의 효소 유전자 중 2종의 유전자 소스를 에르위니아 우레도보라라는 박테리아로 바꾸고 이 유전자들을 운반하는 운반체로 아그로박테룸 투메파시엔스라는 식물전염미생물을 사용하는 것이 시작입니다. 아그로박테룸이 식물을 감염하면 이것을 플래즈미드라는 DNA의 원형 조각에 주입합니다. 2종의 나팔수선화 유전자를 튜메파시엔스 종의 플래즈미드에, 에르위니아 유전자는 다른 플래즈미드에 각각 넣은 뒤 박테리아에게 유전자를 식물세포에 도입시켰더니 베타카로틴이 삽입된 기적의 쌀이 되었습니다.

"설명을 들어도 저는 뭐가 뭔지 잘 모르겠습니다. 진 박사와 함께 연구했습니까?"

"아니오. 사실 내가 이런 것을 아는 것도 기적이기는 하죠. 진 박사가 지금처럼 거물 과학자가 되기 전 자신의 연구에 대해 내게 이야기한 적이 있어요. 그런데 갑자기 저명인사가 되더니 논문조차 발표하지 않더군요."

"전문적인 내용은 빼고 벼에 대해 좀 더 이야기해 주시죠. 모사토사에서 '황금의 쌀'을 개발했다고도 발표했잖습니까?"

"아, 모사토사를 알고 있다면 이야기하기 쉽겠군요."

모사토사는 원래 세계 최대의 미국 종자 기업인데 유전자 분야 연구에 투입하여 남보다 빨리 GMO(유전자변형작물) 콩을 개발하여 기선을 잡은 뒤 전 세계 밥상에 오르는 농산물 10개 중 4개 이상의 종자를 보급한다. 특히 GMO 종자시장에서는 국가별로 최대 90%까지 점유하고 있으며 한국의 경우 파프리카·청양고추 등 70개 품목에 대해 종자 판매권을 갖고 있다.

특히 모사토사는 GMO 개발을 통해 세계기업 중 가장 많은 1만 종 이상의 작물 유전 정보를 보유하고 있다. 권준혁이 언론에 나온 모사토사에 대해 어느 정도 알고 있다고 하자 원두영은 보다 힘을 낸다. 진영숙 박사의 황금의 쌀에 대한 연구를 자신이 얼핏 들었지만 그녀의 성격상 상당한 진전을 가져왔을 가능성이 있다는 것이다.

"사실 황금의 쌀 연구는 쌀에서의 철분 결핍이 큰 요인입니다. 철분 영양실조는 약 20억 명의 건강에 영향을 미치고 수백만 명의 산모와 어린이들의 출산 관련 사망을 몰고 온다고 알려져 있습니다. 또한 육체 및 지능 발육, 면역 조직을 해칩니다. 진 박사는 쌀을 많이 먹는 사람들이 철분 결핍에 걸리기 쉽다는 사실에 착안하여 쌀에서 결핍 유도 분자를 제거했다고 발표했습니다. 파이테이트라고 불리는 사탕 같은 분자는 식물 철분의 95%까지 단단하게 묶기 때문에 인체가 철분을 흡수하지 못하게 만듭니다. 진 박사는 파이테이트를 분해하는 파이타제라는 효소를 삽입했을 뿐만 아니라 철분 저장 단백질 페리틴과 인간의 소화기 계통에서 철분을 흡수하는 것을 돕는 아미노산의 일종인 시스테인을 함께 주입했다고 하더군요. 기적의 쌀은 쌀 알갱이의 철분 수준을 적어도 두 배 이상으로 올린 것입니다."

"이해하기는 힘들지만 정말 대단하군요?"

"그뿐이 아닙니다. 기적의 쌀은 '제초제 저항성' 유전자를 이식받았습니다. 이 경우 제초제를 뿌리면 주변 잡초는 죽지만 벼는 아무런 영향도 받지 않습니다. 또한 매년 벼농사에 있어 막대한 피해를 주는 벼멸구 저항성 유전자도 갖고 있습니다. 더욱 놀라운 점은 토양 미생물의 광합성 관련 유전자를 벼에 도입하여 과발현(over-expression)시키는 방법으로 일반 벼보다 최소한 70~80% 이상의 증산을 기대할 수도 있다는 것입니다."

"정말 기적의 쌀이라고 할 만하군요? 그런데 그건 모사토사에서 발표한 것 아닌가요?"

"그래요. 그게 중요한 겁니다. 사실 진 박사에게 아쉬운 점은 진 박사가 쌀보다는 여러 연구에 손을 대면서 쌀 연구와는 다소 멀어졌을지 모른다는 거죠. 그런데 모사토사의 획기적 개발은 진 박사의 아이디어에서 도출되었다고 볼 수 있어요. 모사토사에서는 토양 미생물인 '바실러스 서브틸리스'의 광합성 관련 유전자 '프로톡스(식물체가 엽록소를 생산하는 데 결정적인 역할을 하는 유전자)'를 벼에 삽입했어요. 일반적으로 유전자 구조가 유사한 식물의 프로톡스를 벼에 넣으면 역작용으로 엽록소 생산을 저해하는 단점이 있는데 모사토사에서 토양 미생물의 유전자를 '아그로박테리움'이라는 미생물을 매개로 벼에 삽입하여 오히려 수확량을 획기적으로 늘릴 수 있다고 알려집니다."

권준혁은 뭔가 대단하다는 느낌은 들지만 내용은 도무지 알아듣기가 어려워 멀뚱멀뚱 쳐다만 보는데, 원두영의 말이 이어진다.

"세계적인 대기업 모사토사의 간판 연구라고도 알려진 기적의 쌀이 모사토사의 간판이지만 모사토사만 연구하라고 할 이유가 있나요? 저는 워낙 경제성이 높은 주제이므로 진 박사의 아이디어를 훼방 놓기 위한 것이 아닌가 생각됩니다."

"모사토사가 손을 댔는데 다른 기업이 손을 댄다는 뜻인가요?"

"당연하죠. 아무리 거대한 모사토사라도 세계시장 100%를 장악할 수는 없죠. 그러므로 진 박사의 아이디어에 여러 회사가 다투어 접근했을 테고, 확보가 불가능하니까 제거할 수도 있다는 말입니다."

"진 박사를 살해하면 모사토사만 좋은 일 만드는 것 아닙니까?"

"원리상 그렇다는 거죠."

기적의 쌀은 한국에도 여러 번 소개되었지만 진영숙이 연구의 원천 아이디어를 제시했다는 것은 전혀 들은 적이 없다.

그런데 원두영이 대뜸 진영숙의 살해 동기와 연관시켜 기적의 쌀을 거론하는 까닭이 뭘까?

진영숙은 원두영이 모사토사에서 개발했다는 나노 칩의 실질적인 아이디어 제공자나 마찬가지이며 원두영을 현재의 자리까지 올려준 장본인이다.

그런데 원두영이 권준혁을 보자마자 잘 알려지지 않은 이야기로 화제를 돌리려는 의도가 다소 석연치 않아 질문을 던져본다.

"그런데 왜 기적의 쌀 때문에 진 박사를 살해합니까?"

"정말로 무슨 뜻인지 모르겠소?"

"이해하기가 어렵습니다. 그런 걸 개발했다면 진 박사를 어떻게 해서든지 포섭해야지, 죽여서야 무슨 이득이 되죠?"

"그게 상식적이겠지만……이런 경우 진 박사를 포섭한 곳은 세계를 석권할 수 있지만 나머지 회사들은 파산하고 말죠."

"못 먹는 감 찔러나 보자는 의도다, 이런 말씀이군요?"

"그럴지도 모른다는 거요. 진 박사가 여러 방면에서 돋보이지만, 그렇다고 그녀가 벼 연구에서 깨끗이 손을 씻었다고 나는 믿지 않아요."

"진 박사가 계속 연구했다면 더욱 그녀에게 주목해야죠?"

"맞아요. 하지만 진 박사의 가장 큰 문제는 '황금의 쌀'이란 엄청난 보물을 휴지조각처럼 생각했을 수 있다는 거죠."

"무슨 말씀이죠?"

"진영숙 박사가 황금의 쌀에 대한 노하우를 공개할 수도 있다는 거죠. 한 마디로 거대기업이 엄청난 돈을 벌 수 있는데 진 박사가 비밀을 공개하면 누구나 특허료 없이 사용할 수 있으니까 악몽이 아니겠소?"

"제조 비밀을 공개하기 전에 살해하는 것이 최선이라는 뜻이군요. 진 박사가 그렇게 할 낌새는 있었나요?"

"그걸 확인할 수는 없지만 진 박사라면 충분히 그럴 수 있는 사람이죠. 그녀가 손 댄 아이디어마다 실적을 얻는데 그녀는 특허를 휴지처럼 보았어요. 혹시 DNA 추출기라고 아나요?"

"그럼요. 그걸 직접 사용해본 적도 있거든요."

"그걸 진 박사가 개발하여 유전자 분야에서 획기적인 진전을 이룰 수 있도록 만들었죠. 그런데 진 박사는 그 황금알을 초개와 같이 보아 특허를 신청하지도 않았어요. 황금의 쌀에 엄청난 진전을 이루었다 하더라도 그녀로 봐서는 큰 아이템이 아닐 수도 있어요."

"이해가 안 되네요."

"여하튼 진 박사가 노벨상 후보자로 추천되었는데 그건 황금의 쌀이 아니에요. 알려지기는 DNA 추출기로 노벨상 후보자가 되었다고 하는데 여하튼 그녀가 자신의 연구를 모두 공개한다면 모두 노벨상을 받을 수 있을 걸요. 그런데 그녀가 특허 등으로 이득을 얻는 것을 거부하므로 노벨상위원회는 반길 일이지만 독점이 절실한 회사로서는 악몽이 겠죠."

이때 전화가 걸려오자 원두영이 일어나 자리로 가서 전화를 받는다.

"이거 권 팀장이 여기 있는 줄 어떻게 알고 여기로 전화가 왔네. 권 팀장 전화 받아요."

권준혁이 원두영의 책상으로 가서 전화를 받는다.

"권준혁입니다."

"오빠, 저예요."

"누구……?"

"오빠, 정말 내 목소리도 모른단 말이야? 다정이……."

"아, 그런데 다정이가 웬일이야?"

"집으로 연락해도 안 되던데, 집을 옮겼어?"

"그래. 강명구와 함께 있어."

"그럼 더욱 잘 되었네. 나, 자리 옮겼어. 그래서 알려주려고……."

"알았어. 그런데 여길 어떻게 알고 전화했지?"

"조금 전에 강명구 오빠에게 전화했더니 원두영 박사 사무실로 간다고 해서 전화한 거야."

자신의 행선지를 유일하게 강명구에게는 이야기하는데 그가 권준혁과 자주 들리던 마담 다정에게 행선지를 이야기했다니 찝찝하지 않을 수 없다. 그러나 그는 자신의 불평을 내색하지 않고 강명구를 혼내주겠다고 생각하며 말한다.

"나, 지금 회의 중이니까 조금 후에 다시 전화 걸게."

권준혁이 전화를 끊고 다시 원형 테이블로 와서 앉는다.

"진 박사가 살해되기 전에 이상한 말을 한 적은 없습니까?"

"이상한 말? 아니, 없었어요."

"사실은 진 박사가 그날 갑자기 나에게 집으로 오라고 하더군요. 일요일엔 한 번도 그런 일이 없었거든요. 내가 무슨 일이냐고 물었더니 뭔가를 발견했다기에 총알같이 달려갔는데 살해되었지 뭡니까?"

"뭐를 발견했는지 모르겠소?"

"진 박사가 여러 번 나노 칩에 대해서는 이야기했지만 내가 나노 칩에 대해서 무지한 데다 자신의 연구에 대해서는 이야기하지 않으므로 그냥 흘려들었지요."

"나노 칩?"

"예. 내용은 잘 모르지만 원 박사님이 개발한 튜링 칩도 진 박사의 이론에 도움을 받았다고 하더군요."

"그건 맞소. 나노 칩은 진 박사가 기초이론은 제시했지만 내가 개발한 것은 진 박사와는 상관이 없는 거요."

"그렇군요. 진 박사가 나한테 직접 이야기해준 사실이라 원 박사님과 상의하여 개발한 줄 알았습니다."

권준혁이 원두영을 똑바로 쳐다보자 그가 다소 당황하는 눈치를 보이며 말한다.

"이해할 수 없군요. 그건 그녀가 뭔가를 잘못 봐서 그랬을 거요. 그녀와 나는 개인적으로도 매우 친했는데 만약에 어떤 특별한 것을 발견했다면 틀림없이 나에게 그런 말을 했을 거요."

조금은 투덜거리는 인상도 풍기지만, 원두영의 어조가 단호하다.

"개인적으로 친하다면?"

"내가 독신이었다면 청혼했을 정도로……. 둘이서 스키장도 다녔고 여러 번 여행도 같이 했소. 이제 개인적으로 친했다는 뜻을 이해하겠소?"

"예, 이해하겠습니다. 한 가지 부탁드리고 싶은 말씀은……경찰에서 찾아오면 칩에 대해 자세하게 이야기해 주셨으면 하는 것입니다.

"알겠소. 하지만 과학자인 내가 무슨 도움이 되겠소. 나는 아직도 기적의 쌀 때문에 문제가 생겼을 것 같소. 그런 엄청난 것을 공개한다면 그동안 엄청난 자금을 투입한 기업으로 보면 황당하지 않겠소?"

원두영은 다소 짜증 섞인 표정을 내비치면서도 나노 칩에 대해서만 거론하고 싶지 않다는 것을 느낄 수 있다.

권준혁은 모르는 척 얘기를 계속한다.

"기적의 쌀도 가능성이 있는지 알아보죠. 하여튼 진 박사가 천재 과학자라 많은 사실들을 헷갈리게 만드는군요."

"그런가요?"

"제가 박사님에게 이런 부탁을 드리는 까닭은……제가 경찰과는 별로 친하지가 않거든요. 여하튼 지금까지 알려진 것으로는 진 박사가 연구하고 있는 여러 가지 항목마다 범인이 살해할 의도가 있다고 볼 수 있는데 기억의 쌀로도 범위를 넓혀보겠습니다."

권준혁이 또다시 기적의 쌀도 수사 대상에 포함하겠다며 일어서자 원두영이 반색을 한다. 빨리 일어서지 않아서 괴로웠다는 표정이다.

"알았소. 경찰이 찾아오면 이야기하죠. 하지만 권 팀장도 조심해야 할 거요."

"당연하죠."

권준혁이 휘파람을 불며 나가는 것을 바라보던 원두영은 그가 나간 것을 확인한 다음 어디론가 전화를 걸더니 곧바로 사무실을 빠져나간다.

3.

권준혁은 원두영이 요주의 인물이라는 확신을 얻었다. 그가 산에 갔다 왔다는 것도 석연찮은 데다 진박사의 살해에 대해 뭔가 알고 있다는 느낌을 지울 수 없다. 특히 나노 칩을 거론하면 뭔가 숨기려는 행동이 역력하다. '기적의 쌀'에 대한 얘기만 해도 주의를 흩트리기 위해 고의로 꺼낸 화제 같은 생각이 든다.

권준혁은 원두영을 계속 추적하면 무언가 실마리가 나올 거라고 생각하며 강명구를 포장마차로 불러냈다.

11시까지 술을 마시고 일어서며 강명구가 운을 뗀다.

"오늘은 비교적 일찍 집으로 들어가는 셈이군."

급하게 마셔대는 통에 잔뜩 술기운이 오르기도 해서 팔짱을 끼고 강명구의 아파트 문을 열었는데, 뭔가 낌새가 이상하다. 두 사람이 실내 등을 켜자마자 거실에는 꺽다리 사내가 오른손에 권총을 들고 그들을 똑바로 바라보고 있다.

강명구가 혀 꼬부라진 소리로 묻는다.

"당신 누구야, 여기는 내 집인데?"

"나는 술 취한 놈들을 좋아하지 않아."

껄다리의 말이 떨어지자마자 '슉' 하는 소리와 함께 강명구가 이마의 중앙에 정통으로 총알을 맞고 쓰러진다. 살인자는 강명구가 쓰러진 것은 아랑곳하지 않고 권준혁에게 중얼거린다.

"소파에 앉아. 나는 프로 중의 프로야. 조금이라도 허튼 수작을 하면 곧바로 저 놈 신세가 된다는 것을 명심해."

권준혁이 몸을 가누며 말없이 소파에 앉자 사내가 목소리를 깔며 묻는다.

"어제 원 박사는 왜 찾아갔소?"

"원 박사?"

놀라운 일이다. 원두영을 찾아갔다는 것을 알고 있을 정도면 자신의 일거수일투족을 꿰뚫고 있다는 얘기가 아닌가.

호랑이에게 업혀 가도 정신을 똑바로 차려야 한다는 생각이 들어 가슴을 앞으로 쭉 내밀며 대답한다.

"원 박사와는 업무상 자주 만나는 사이니까……."

"말장난하지 말고 똑바로 얘기하라니까."

"젊은 사람이 성미가 고약하군. 내 말을 믿기 싫으면 자네 마음대로 하지 그래."

"내 성질을 긁어서 좋을 일 없을 텐데?"

"나는 자네를 화내게 만든 적이 없어."

권준혁이 뻣뻣하게 나오자 화장실에서 작달막한 사내가 나오더니 총잡이를 제지한다.

"그만 해."

탁현식이다.

"이 자식이 건방지게 성질을 긁잖아."

작달막한 사내가 총잡이의 말을 듣는 둥 마는 둥 하며 권준혁에게 묻는다.

"진영숙 박사는 어디 있나?"

"그건 왜 묻지?"

"진영숙 박사가 뭔가 우리에게 불리한 것을 발견한 모양이더군. 그래서 주의를 주려고 하는 거야."

"그렇다면 헛수골세. 진 박사가 죽은 줄 모르나?"

권준혁의 뻣뻣한 말에 탁원식이 미소를 짓는다.

"알고 있어. 그런데 죽은 여자는 대역인 모양이더군."

"대역?"

"시치미 떼지 마. 우린 자네와 함께 다니던 여자의 거처만 알면 돼."

"그걸 알려주면 살려주겠다고?"

"물론이지. 자, 서로 에너지를 절약하자고."

"그러지. 진 박사는 지금 영명사라는 절의 유골함 속에 있네."

기가 죽지 않은 채 빈정대고는 있지만 권준혁으로서는 도무지 묘수가 없다. 전파방지장치가 있는 시계를 차고 있지만 그것으로 자신의 위급 사태를 알려줄 방법도 없고, 휴대전화도 당분간 취소시켰기 때문에 외부와의 어떤 연락도 불가능한 것이다. 그의 속셈을 꿰뚫고 있는 듯 탁원식이 최후통첩을 한다.

"나한테 장난칠 생각은 하지 마. 국가특수업무원 특수업무 팀장이라 말장난을 하며 기회를 엿볼 참인가 본데 열까지 세는 동안 대답하지 않으면 끝장인 줄 알라고."

"나는 더 이상 할 말 없어. 다만 원 박사가 자네들 같은 총잡이 따위를 고용한다는 게 이상하군."

"원 박사와 우린 관련이 없어."

"그렇다면 이상하잖아? 원 박사와 내가 만난 것이 무슨 문제가 있다고 꼬치꼬치 캐물어?"

"원 박사의 전화를 도청하다가 쥐새끼처럼 잘도 빠져나가던 당신이 걸려들었거든. 원 박사 방에서 다정인가 뭔가 하는 마담과 통화를 했을 텐데?"

다정이라면 권준혁의 단골 술집 마담이고 원 박사를 만나고 있을 때 살롱을 옮겼다는 내용의 통화를 한 적이 있다. 그때 무심코 강명구 집에 있다고 한 것이 바로 화근이었던 셈이다.

"도대체 당신들은 어느 선까지 도청을 하고 있는 거야?"

"필요하다면 누구나."

"대단하군."

권준혁은 계속 빈정거리면서도 등골이 서늘해지는 기분이다. 결국 방심한 채 내뱉은 말 한 마디가 강명구의 죽음을 불러왔던 것이다. 탁원식이 다시 재촉한다.

"자. 이제 털어놓으시지. 열 셀 때까지 털어놓지 않으면 이 신사 분의 손가락 힘을 빌릴 수밖에 없어. 하나, 둘, 셋, 넷, 다섯, 여섯……."

권준혁은 이제 꼼짝없이 죽었구나 하는 생각으로 눈을 꽉 감는다. 그런데 그때 갑자기 발코니 쪽의 창문이 깨지면서 몇 발의 총성이 들린다. 깜짝 놀라 퍼뜩 눈을 뜨고 바라보니 아파트 발코니로 세 명, 아파트 현관으로 오민우를 비롯한 다섯 명이 동시에 들이닥친다.

무장한 특공대가 들어오자 여유를 부리던 총잡이는 방바닥에 쓰러져 절명하고 탁원식도 두 다리에 총상을 입는다.

"아이쿠, 오 경감님이 천사로 등장할 줄이야. 정말 영화의 한 장면 같군요."

"이 분들은 천사가 아니라 경찰청 대테러 특공대요."

"정말 대단해요. 그런데 어떻게 이런 절대 절명의 순간에 나타날 수 있었죠?"

"원래 계획은 이게 아니었소. 권 팀장이 뭔가 냄새가 나서 조사 중이었는데 감쪽같이 사라지는 바람에 계속 추적을 하다 보니……."

오민우가 말끝을 흐린다.

"그런데 내가 있는 곳을 어떻게 찾았소?"

"우리도 권 팀장이 원 박사와 연락할 것 같아서 그의 사무실에 도청
장치를 했는데……마침 다정이라는 아가씨가 전화를 걸어 주어서 숙
소를 알게 된 거요."

"그야말로 부처님 손바닥이로군요."

"감쪽같이 사라진 권 팀장을 잡으려고 잠복하고 있었던 거요."

"그런데 내가 위험에 처한 것은 어떻게 알았소?"

"이곳에도 도청장치를 설치했으니까."

"완전히 헛다리짚으셨네요. 나를 잡으려다 오히려 구해 주었으
니……."

"약 올리지 마시오. 권 팀장에게 혐의를 두고 강 과장과 10만 원 내
기를 했는데 정말 쫄딱 망했소."

권준혁이 지갑을 꺼내 10만 원을 세어 오민우에게 건네며 말한다.

"그럼 10만 원은 제가 드리죠. 제 목숨 값이니까."

제15장 러브스토리

1.

권준혁이 초인종을 누르자 잠옷 바람의 김유라가 문을 열어주고 현관으로 들어서기가 무섭게 키스를 한다. 진영숙의 유전자 속에는 권준혁에게 끌리는 인자가 포함되어 있는 것일까?

복제품이 훨씬 유연하고 적극적인 것이 다르다면 다른 점이지만.

"잠자고 있었어요."

권준혁이 거실의 응접 테이블에 앉자 유라가 맥주 캔 2개를 갖고 와서 하나를 건네준 후 자신도 곧바로 마개를 따고 쭉 들이키며 말했다.

"지나는 길에 잠시 들른 거야."

"어머니와 미국에서 만났던 이야기를 해주세요."

"전에 이야기했잖아? 박민희 위원장을 만날 때 처음 만났다고."

"그건 들었지요. 근데 어머니가 권준혁 씨에게 왜 최 상좌 이야기를 하지 않았을까요?"

"최 상좌가 갑자기 떠난 데 충격을 받았겠지?"

"나한테도 아무런 이야기가 없었어요."

"그건 유라가 태어나기 전이었어. 쓰라린 과거니까 일부러 이야기하지 않았던 거겠지."

"최 상좌 이야기로는 미국에서 함께 자기도 했대요. 어머니가 그를 사랑했고 결혼까지 생각했던 것은 틀림없나 봐요."

김유라의 말에 권준혁이 씁쓸한 표정을 짓는다.

"어머니가 먼저 사랑하던 사람이 최 상좌라니……내 주변이 너무 복잡한 것 같아요."

"엄연히 다른 인생인데 굳이 동일시하여 유라가 진 박사의 짐을 떠안을 필요는 없어."

"그래도 남의 일 같지가 않거든요."

권준혁이 대답 대신 맥주 깡통을 찌그러뜨리며 고개를 끄덕인다. 김유라가 냉장고에서 꺼낸 맥주 깡통 하나를 더 건네주자 권준혁이 조심스럽게 입을 연다.

"내 생각에는……진 박사가 개발한 나노 칩의 설계도를 누군가가 훔치려고 했는데 그걸 눈치 채자 살해한 모양이야."

"그건 모르지만 어머니가 위험하다고 생각한 것은 사실이에요. 어머니가 사건 당일에 보내주신 편지에도 그렇게 씌어 있었어요."

"그럼 범인이 누구라는 것도 얘기했겠네?"

"아뇨. 그런 소리는 적혀 있지 않았고 무언가 중요한 일을 확인하고 있다는 얘긴 했어요."

"그렇다면 진 박사가 범인이 누구라는 걸 눈치 채고 있었겠는데? 진 박사가 만든 프로그램을 조사해보면 뭔가 실마리가 나올 텐데."

"그건 아니에요."

권준혁의 말에 유라는 대뜸 아니라고 고개를 가로젓는다.

"왜?"

"어머니의 프로그램은 모두 제 머리 속에 있는데 그런 내용은 없거든요.

"프로그램이 유라의 머릿속에 있다고?"

"물론이죠. 보안 상 중요한 연구 내용은 컴퓨터 대신 제 머릿속에 저장하거든요."

"이메일 등으로도 보냈어?"

"아뇨. 이메일은 보안에 더 문제가 있죠. 어머니가 연락하면 제가 귀국하여 머리에 입력시켰어요. 사실 어머니의 마지막 편지에도 곧바로 귀국하라는 내용이 들어 있었어요."

"전화를 하지 않고?"

"전화는 거의 하지 않았어요. 어머니는 편지와 같은 구태의연한 방법을 좋아했죠. 어머니의 어렸을 때 꿈이 작가였대요."

"그러면 유라도 마찬가지겠네?"

"그럼요. 저도 언젠가 글을 쓸 거예요."

"그렇다고 대백과사전을 다시 쓸 생각은 아니겠지?"

권준혁이 가볍게 되받으며 자리에서 일어나자 김유라가 엉거주춤 따라 일어서며 묻는다.

"가시게요? 좀 더 계시다 가면 안 돼요?"

"아냐. 밖에 직원이 기다리고 있어."

권준혁이 김유라의 볼에 키스를 해주고 현관 쪽으로 걸어가다가 갑자기 돌아본다. 권준혁은 김유라에게 '김한룡 박사가 어떤 사람이냐?'고 여러 번 질문하려다 그만두었다. 아직도 김한룡의 소재지가 파악되지 않고 있었다.

2.

김유라가 은거하던 숙소에서 나온 것은 오랜만이었다. 차장의 호출을 받고 국가특수업무원에 들렀다가 차장이 갑자기 외출했다는 말에 권준혁의 방으로 찾아온 것이다.

"어, 유라가 웬일이야?"

"웬일이라니? 바람피우다 들킨 사람처럼."

권준혁은 화난 사람처럼 뽀로통한 표정을 지어 보이는 김유라에게 다가가 볼에 뽀뽀를 해주며 너스레를 떤다.

"우리 예쁜이 도망가지 말라고 꼭꼭 감춰 놨는데, 제 발로 나왔으니 궁금할 수밖에."

"차장이 들르라고 했어요."

"무슨 일이지, 나한테는 얘기가 없었는데?"

"모르겠어요. 그런데 사람을 불러 놓고는 갑자기 회의가 있다면서 오후에 보자는 말만 남기고 나가 버렸네요."

"급한 일인가 보지 뭐. 그나저나 유라는 오랜만의 바깥 구경이겠는 걸?"

"잠자는 숲 속의 공주도 아니면서 갇혀 지내자니 죽을 맛이었는데, 잘 됐죠."

"유라가 오랜만에 외출했으니까 내가 근사한 데 가서 점심 사줄게."

"뭘 사주실 건데요?"

"롯데백화점 식당가로 가자."

"백화점 세일 기간이라 사람이 너무 많을 텐데, 다른 데로 가요."

"식사를 한 다음에 백화점에서 옷이라도 한 벌 사주려고 하는 거야."

권준혁은 신한수 차장의 비서실에 있는 미스 양에게 차장이 들어오는 대로 연락해 달라는 부탁을 하고는 김유라를 데리고 밖으로 나온다. 쭈뼛거리며 따라 나오는 김유라에게 권준혁이 묻는다.

"유라에게도 결혼에 대한 기억은 남아 있을 것 아냐?"

권준혁은 드디어 김한룡에 대해 얘기를 끌어낼 물꼬가 틔었다고 생각한다. 그러나 김유라는 권준혁의 기대와는 달리 간단하게 넘어간다.

"약간은 있지만 결코 좋은 기억이 아니라서 더 이상 이야기하고 싶지 않아요."

딱 부러지게 이야기하고 싶지 않다는 걸 더 이상 강요할 수도 없는 일이라 생각을 접는데 김유라가 불쑥 한 마디 던진다.

"내 기억 속에는 친척을 만난 경험이 전혀 없어요."

"할아버지와 할머니는 일찍 돌아가셨나 보지?"

권준혁의 입에서도 자연스럽게 할아버지 할머니란 말이 나온다.

"두 분 모두 어머니가 열여섯 살 때 교통사고로 돌아가셨어요. 다행히 공부를 잘해서 학비 없이 고등학교를 졸업했고 대학교도 장학금으로 다녔죠."

"그래도 친구들은 있을 거 아냐?"

"하지만 어머니 친구들이죠. 나는 태어난 지 4년밖에 안 되었으니까 그동안 사귄 친구도 없어요."

"스물세 살 이전의 친구들은 있겠지?"

"그야 그렇죠."

어느새 권준혁의 승용차는 롯데호텔로 접어들고 있었다. 세일 기간이라 백화점은 사람이 많았지만 김유라는 권준혁이 잡아끄는 대로 여성복 매장으로 따라가 권준혁이 권하는 외출복과 실내복을 살펴본다. 하나같이 가격이 만만찮아서 김유라가 꽁무니를 빼자 권준혁이 괜히 심통이 난 듯 으르렁댄다.

"내가 유라에게 주는 첫 번째 선물인데 생색을 내기 위해서라도 좋은 옷을 사주어야겠어. 유라는 그저 마음에 든다, 안 든다만 얘기하라고."

이 때 권준혁의 휴대전화가 울린다. 신한수 차장이 들어왔다는 것이다.

3.

국가특수업무원으로 들어오자마자 신한수 차장을 만나러 갔던 김유라는 얼굴이 잔뜩 부어서 권준혁의 사무실로 들어온다.

"차장이 뭐래?"

"최 상좌가 내려온대요."

"그래, 다음 주에 내려오기로 되어 있지. 아마 이번에 내려오면 통일이 될 때까지 우리 회사에서 머무를 걸. 차장이 뭐래?"

"신 차장은 나보고 최 상좌를 보살피라는 거예요."

"유라가 최 상좌를 보살펴?"

"그러게 말이에요. 최 상좌가 어머니와 한때 연인 사이였다고 털어놓기에 그럼 국가특수업무원에 파견되어 있는 동안 함께 일하도록 해 주겠다고 했대요."

"최 상좌는 유라가 진 박사인 줄 알고 있을 텐데, 그럼 신 차장은 그의 환심을 사기 위해 유라를 옛날의 연인으로 위장시켜 가까이 있게 하겠다는 건가?"

"그런 속셈이죠 뭐. 어쨌든 최 상좌가 중요한 인물이니까 예우를 하는 거야 당연하지만, 나에게 어머니를 대신하여 그를 수발하라는 건 좀 심하잖아요?"

권준혁은 잠시 생각에 잠긴다.

일이 난처하게 꼬인 셈이다.

그렇다고 이제 와서 최창수에게 김유라는 진영숙이 아니라고 털어놓을 수도 없고.

"그래서 어떻게 하기로 했어?"

"어떻게 하기로 하긴……권준혁 씨는 내가 최 상좌의 수발이라도 들라는 거예요?"

"그게 아니라……신 차장이 가만히 있더냐고?"

"신 차장이 의향을 묻기에 권준혁 씨에게 관심이 있다고 솔직하게 말해 버렸죠."

"그랬더니?"

"벌레 씹은 표정이었죠. 권준혁 팀장이 또 사고를 쳤구나 하는 눈치던데요?"

김유라는 권준혁의 심각한 표정에는 아랑곳하지 않고 싱글거리며 장난기 어린 대꾸를 하더니 그에게 다가가 키스를 한다.

"신 차장이 상당히 신중하게 고려하여 그런 제안을 했을 텐데⋯⋯?"

권준혁은 걱정스럽다는 듯이 말끝을 흐린다.

"그렇겠죠. 하지만 내가 싫다고 거절했는데 더 이상 어떻게 하겠어요?"

"신 차장이 그런 정도로 물러설 것 같아? 신 차장은 통일을 위해 꼭 필요한 일이라고 나름대로 연막을 피울 거야."

"아까도 그런 말은 하더군요."

"서울에 있는 동안 최 상좌의 심기를 건드려서 좋을 게 없다는 거지. 최 상좌는 아직도 유라를 진 박사로 알고 있으니까 그가 신 차장에게 직접 부탁했을지도 몰라."

"하지만 나는 어머니가 아니라 김유라라고요."

김유라의 말이 틀린 것은 아니다. 권준혁도 그런 말을 한 적이 있다. 그러나 문제는 신 차장의 판단이다.

신한수 차장이 최 상좌를 중요한 인물로 여기는 한 권준혁이나 김유라의 감정 따위는 고려할 사람이 아닌 것이다.

권준혁이 이런 생각에 잠겨 있을 때 신한수 차장이 찾는다는 미스 양의 전화가 걸려온다.

"신 차장이 부른다는데 어디 있을 거야?"

"권준혁 씨가 올 때까지 여기 있죠."

"알았어. 신 차장에게 따지고 오지."

4.

기세 좋게 사무실 문을 나섰던 권준혁이 한참 만에 그야말로 벌레 씹은 얼굴이 되어 돌아오자 김유라가 놀라서 묻는다.

"신 차장님이 뭐라고 했어요?"

"유라의 숙소에 최 상좌를 묵게 하라는 거야."

"내 숙소에?"

"그래. 거기만큼 안전한 곳이 없다나."

사실 김유라의 숙소는 각종 감청을 비롯한 전파방지장치 등 최첨단 장비는 물론 편의시설들이 골고루 갖추어져 있다.

위성추적장치가 그녀의 소재지를 추적하지 못하는 것도 바로 그런 이유 때문이다.

"그래서 뭐라고 했어요?"

"대답할 짬이나 있었나? 그냥 통보만 하더니 나를 쫓아내더라고."

"어떻게 하실 거예요?"

"내가 어떻게 하느냐의 문제가 아니라 유라의 문제야. 유라는 어떻게 하겠어?"

권준혁이 깜짝 놀라 반문한다.

"시간이 필요하군요."

김유라도 권준혁이 심각하다는 것을 알고 조심스럽게 덧붙인다.

"최 상좌는 나를 옛날에 사랑하던 어머니로 알고 있어요. 권준혁 씨는 진실을 알고 있지만 최 상좌가 어머니와 결혼하려고 했던 점도 있기 때문에 나를 사랑하고 있는 셈이고요."

"그래서?"

"두 분 모두 어머니와 연관을 지을 수밖에 없는데……이럴 경우 나는 어떻게 해야죠?"

"판단은 유라가 하는 거야."

"그래요. 내가 정리할 시간이 필요하단 말이죠. 최 상좌가 더 어울린다고 생각하면 최 상좌한테 갈 거예요. 통일에 대해서는 어떻게 판단해야 할지 아직 잘 모르겠지만……."

5.

권준혁이 뒷좌석에 최창수와 김유라를 태운 승용차를 운전하고 있다. 방금 서울공항에 도착한 최창수를 마중하여 숙소까지 태워다주는 길이다. 김유라와 함께 나오게 된 것도 강요하다시피 하는 신한수의 등쌀에 못 이겨서다.

"직접 운전해주는 걸 보니 내가 정말로 호강하는 모양이오."

"워낙 중요한 디데이(D-day)를 앞두고 있어서 에스코트하는 것뿐이오."

김유라가 숙소로 사용하는 안가의 위치는 강남구 청담동. 보통 한적한 교외에 안가를 만들지만 시내 중심부가 오히려 자연스럽다는 지적이 있어 시내에 마련했던 것이다.

"커피 한 잔 하고 가요."

숙소로 들어가기 전에 김유라가 누구에게랄 것도 없이 이렇게 제안하자 두 사람도 군말 없이 뒤따른다.

커피숍에 들어가서도 권준혁은 꿀 먹은 벙어리처럼 말이 없다.

무척이나 활달한 권준혁의 평소 성격을 잘 아는 최창수 역시 전염이라도 된 듯이 입을 다문다. 분위기가 서먹하고 답답한지 최창수가 먼저 일어서며 한 마디 한다.

"커피도 다 마셨으니 일어섭시다."

권준혁이 커피 값을 계산하고 운전석으로 오르자 최창수가 뜬금없이 한 마디 던진다.

"오늘도 진 박사가 예전과 다른 점이 몇 가지 있다는 걸 느꼈소."

"그게 뭐죠?"

김유라가 눈을 크게 뜨고 묻는다.

"진 박사는 예전에 담배도 안 피우고 커피도 안 마셨거든. 커피 알레르기가 있다고 했던가?"

"사람은 변하게 마련이죠. 커피 알레르기라는 말은 맞아요. 사실 그것 때문에 고생도 좀 했고요."

"예전에는 커피 알레르기 때문에 커피를 마시면 두드러기가 생긴다고 하더니 지금은 괜찮소?"

"그래요. 의사와 상의했더니 마시지 못한다고 생각하는 것이 바로 알레르기라고 하더군요. 그래서 커피를 마셔도 된다고 생각하며 조금씩 마셔 보라고 해서 마셔 봤더니 정말로 괜찮더군요."

최창수는 김유라의 말이 꼬투리 잡을 게 없지만 뭔가 이상한 느낌이 드는지 고개를 갸웃거린다.

"그건 그렇다 치고……예전의 진 박사는 담배도 입에 대지 않았는데 지금은 아주 골초처럼 보이네. 갑자기 줄담배를 피워대는 것도 이해가 되지 않아요."

"담배를 새로 배우는 사람이 없다는 뜻이에요?"

"그건 아니오. 여자가 갑자기 180도로 변하는 것이 이상하다는 말이오."

"예리하게도 보시는군요. 그것뿐이에요?"

"커피, 담배, 맥주 벌써 세 가지나 이야기했소. 거기다가 아까도 얘기했듯이 가장 큰 변화는 태도인데……전에 만났을 때 진 박사는 매사에 절도가 있었소."

"지금은 절도가 없다는 뜻이에요?"

"그게 아니라 전보다는 자유롭게 이야기하고 행동한다는 뜻이오. 그것도 갑작스러운 변화라면 할 수 없지만, 여하튼 너무나 많이 변했소."

"미국이 아니라 한국 생활에 적응하느라고 그렇겠죠. 이해가 돼요?"

"글쎄요. 함께 있을 시간이 많으니까 다음에 한 번 더 얘기해 봅시다."

최창수의 말이 떨어지자마자 권준혁이 급브레이크를 밟는다. 정황으로 보아 급브레이크를 밟을 계제는 아니다.

"슈퍼마켓이 보이는데 필요한 물건 없나?"

권준혁의 말투에 심통이 묻어난다. 김유라가 대답한다.

"아니에요. 벌써 준비해 두었어요."

"알았어."

권준혁은 대답과 동시에 급발진을 하여 차를 출발시킨다.

6.

김유라가 살고 있는 안가의 거실. 그녀와 최창수가 함께 앉아 있다. 최창수가 포도주 병을 잡고 코르크 마개를 뽑더니 먼저 김유라의 잔에 따른다. 그녀가 포도주 향기를 맡고 잔을 부딪치며 묻는다.

"잘 오셨어요. 북쪽에서의 일은 잘 되고 있어요?"

"모든 것이 계획대로 진행되어 이제 카운트다운만 기다리고 있소."

"일이 생각보다 순조로워 이상하게 느껴질 정도예요."

"통일의 염원을 누가 막을 수 있겠소. 더구나 남측에서 이렇게 영숙 동무와 함께 살도록 해줬는데 보상을 하기 위해서라도 통일은 꼭 완수해야죠."

최창수는 다시 잔을 부딪치며 자신감을 보인다. 마치 자신의 힘으로 통일을 완수할 수 있다는 듯이.

"솔직하게 말해도 되겠소?"

"예, 그러세요."

"나는 진 박사가 진짜 살해되었다는 생각이 들어요."

"말도 안 되는 소리를 하고 있군요. 자, 여기 봐요. 눈썹 위의 이 점도 거짓말인가요?"

김유라가 최창수에게 다가앉으며 눈썹 위의 점을 가리킨다.

"그래서 더욱 진 박사가 살해되었다고 생각하는 거요. X를 태어나게 했는데 자신인들 복제하지 못하란 법이 있겠소?"

최창수의 말을 듣고 한동안 침묵을 지키던 김유라가 결심한 듯 입을 연다.

"맞아요. 내가 내 혈액으로 한 명을 복제했어요."

"언제?"

"당신이 떠난 다음해죠. 벌써 4년이 넘었어요."

"그렇다면 지금 내 옆에 앉은 에미나이는 진 박사야, 복제 인간이야?"

"내가 진영숙이에요."

"그럼 복제 인간은?"

"살해되었던 사람이 바로 그 애예요. 나는 필요할 때마다 그 애를 대역으로 삼았고, 아파트에서도 나인 것처럼 처신했어요."

"그러면 그때 영숙은 어디 있었고?"

"나는 할 일이 많아서 주로 여기서 지냈는데 범인들이 그 애가 난 줄 알고 살해했던 거죠."

설명이 명쾌하여 최창수도 더는 할 말이 없는지 딴전을 피우며 슬며시 김유라의 볼에 키스를 한다.

"그러나 내가 알아보지 못할 정도로 변했어. 내 눈에는 당신이 대역으로 보이는데?"

"바보 같은 생각 말아요. 미국에서 어이없이 바람맞은 다음 진짜 내 생활을 찾겠다고 스스로 변신을 꾀했던 거라니까."

"바람을 맞았다고?"

"그렇지 않아요? 결혼하면 죽어도 북으로 돌아가지 않겠다고 하더니 온다 간다 말도 없이 어느 날 갑자기 사라져 버렸잖아요."

"그래, 그때는 어쩔 수 없었어."

"그런 남자에게 정을 준 것이 얼마나 후회스러웠는지 몰라요. 그래서 술도 마셔보고 담배도 피워보고 커피도 마셔본 거죠. 이제 이해하겠어요?"

"이해하는 건 이해하는 거고⋯⋯그럼 이제 나에 대한 감정은 모두 잊은 거야?"

"모두 잊을 수야 없죠. 그러나 당신의 처지도 이해하기 때문에 여기서 함께 살지 않겠느냐고 했을 때 거절하지 않았죠."

"고맙소. 그 기대에 어긋나지 않게 잘하도록 노력하겠소."

최창수가 김유라를 번쩍 안자 그녀가 두 팔로 그의 목을 감는다. 최창수는 김유라가 새로 준비했다는 침대가 있는 방으로 그녀를 안고 들어간다.

제16장 핵폭탄

1.

북한 군부의 실력자인 이강렬 차수의 방.

이강렬이 사위이자 심복인 윤동주와 은밀하게 밀담을 나누고 있다.

"드디어 알아냈습니다."

"무슨 내용인가?"

"국무위원장과 대통령의 합의 사항인데, 우선 읽어 보십시오."

"합의 사항?"

이강렬은 눈을 똥그랗게 뜨며 빼앗듯이 서류를 채간다. 윤동주가 내용을 요약한 결재 서류철을 열고 눈으로 훑어가던 이강렬이 갑자기 목소리를 높인다.

"이놈들 미쳤구먼. 광복절에 전격적인 통일을 한다니 말이나 돼?"

"그렇습니다, 차수 동무."

"거 둘이 있을 때는 차수라고 하지 말라우."

"알겠습니다, 장인어른."

"그러니까 8.15를 기해 전격적으로 통일을 한다는 건데 어떻게 하겠다는 거야?"

"시나리오는 간단합니다. 남에서 판문점에 100만 명을 동원하고 북에서 50만 명을 동원하여 양측 정상이 통일을 선언하는 동시에 휴전선을 개봉한다는 내용입니다."

"뭐, 휴전선을 개봉해?"

"전번에 양측에서 합의대로 휴전선에 있는 지뢰들을 모두 제거했으니까 휴전선만 개봉한다면 통일은 되는 셈이죠."

"그럼 실무 작업은 어떻게 되는 거야? 남북통일이 되더라도 해결해야 할 작업이 수없이 있는데 그것들은 어떻게 하겠다는 거야?"

일리가 있는 지적이다.

남북이 일본으로부터 해방된 후 서로 다른 체제로 살아왔으므로 서로 다른 제도나 규제만 해도 2만 개 이상이나 된다. 그것을 하나로 봉합하려면 한두 가지 문제가 생기는 것이 아니다. 그런데 이강렬이 알기로 그런 실무적인 작업이 진행된 것은 거의 없는 것이다.

"바로 그 점이 8.15 선언의 핵심입니다. 무조건 통일을 한 다음에 부작용은 차례로 처리해 나가자는 거죠."

"말도 안 되는 소리……그렇다면 우두머리는 누가 되는 거지?"

"저도 그게 이상하다고 생각하는 점입니다."

"뭐가?"

"두 정상의 합의문에는 8.15를 기하여 1국 1체제임을 분명히 하겠다고 했습니다. 그런데도 통일 후에 누가 1국가의 수장이 된다는 말은 없습니다. 국무위원장인지, 남측의 대통령인지 도무지 알 길이 없습니다. 국무위원장이 합의문을 받아들였다면 적어도 수장이 누구인가에 대해 서로 묵계했을 텐데, 그것이 오리무중이란 말입니다."

윤동주는 합의문의 문제를 정확하게 지적해낸다.

"자네는 누가 수장이 될 것으로 생각하나?"

"저는 국무위원장이 틀림없다고 생각합니다."

"왜?"

"사실 국무위원장이 통일 수장을 남쪽에 양보하려면 무엇 하러 통일을 하겠습니까?"

"그건 그래. 그렇다면 남쪽에서는 왜 그런 무모한 작업을 하는 거지?"

"대통령이야 통일 광 아닙니까. 통일에 중추적인 역할을 한 사람으로 자신의 이름을 영원히 남기고 싶겠죠."

"하지만 통일이 되면 이제껏 누려온 기득권을 모두 잃어버릴 수도 있잖은가?"

"글쎄 말입니다."

이강렬은 갑자기 생각에 잠긴다. 뭔가 풀리지 않는 대목이 있는 것이다.

"기득권을 포기하겠다고?"

바로 기득권이 문제라는 것을 잘 알고 있는데 기득권을 포기하면서까지 통일을 위해 안달을 한다는 것이 이해가 되지 않는다.

사실 통일 협상을 할 때 많은 반대를 무릅쓰고 박차를 가했던 것도 북한의 체제가 오래 견딜 수 없을지도 모른다고 우려했기 때문이다. 경제력의 차이가 너무 큰 것이다. 단적인 경우가 바로 월남 사태가 아닌가. 1970년대 초만 해도 북한이 남한보다 잘 살았기 때문에 월북은 있어도 월남은 없었다. 북에서 남쪽보다 잘 산다고 선전한 것이 잘 먹혀들어간 이유다.

그러나 그 후 남한이 북한보다 더 잘 살게 되자 대규모 탈북 사태가 일어나기 시작한다. 북에서야 어떻게든 남으로 탈출하는 것을 막기 위해 모든 정보를 통제했지만 남이 북보다 훨씬 잘 산다는 것을 모르는 사람이 없다. 죽더라도 남쪽에 가서 죽자는 말이 유행처럼 돌아다니고 노골적으로 정부를 비판하는 벽보들이 수없이 나붙는 지경에 이른다.

설상가상으로 가뭄과 홍수로 만성적인 식량 부족이 이어지고. 국무위원장의 절묘한 외교로 외국으로부터 원조 식량을 받기는 하나 주민들이 배불리 먹을 수 있는 분량은 아니다. 더구나 원조를 주는 측에서는 자신들이 지원한 곡식이 주민들에게 정말로 전달되는지 일일이 확인하겠다고 하여 이를 양보하기도 했다.

그럼에도 불구하고 국무위원장은 북한 체제를 공고히 하면서 외세에 굴복하지 않겠다고 입이 닳도록 선전하고, 외세에 굴복하여 설사 쌀 몇 그릇은 더 먹는다 해도 국가적인 자존심을 훼손시키는 한 행복한 삶을 갖는 것은 아니라고 역설한 사람이다. 그것은 북한 집권층의 구미에 맞는 말이고, 그것이 바로 기득권이 아닌가.

'아무리 경제력이 좋다는 남한과 통일을 한다고 해봤자 북에서 누리던 기존의 권리를 계속 차지할 수 없다면 소꼬리가 되느니 차라리 닭대가리가 되는 것이 유리하다.'

이런 논리는 국무위원장의 체제를 더욱 공고히 하는 원동력이기도 하다. 그런데도 불구하고 국무위원장이 대통령과 통일에 전격 합의했다는 것은 무언가 있다는 뜻이다. 전격적인 통일, 바로 그 방법이 이해가 되지 않는 것이다.

"제 생각으로는 남이 북보다 인구가 많으니까 당분간 국무위원장에게 수장을 주더라도 결국은 남쪽 차지가 될 것으로 본 모양입니다. 아마 총리는 남쪽의 대통령이 맡게 되겠죠."

윤동주가 이강렬의 가려운 곳을 긁어주듯 조심스럽게 말을 꺼낸다.

"수장은 국무위원장, 총리는 대통령이 맡는단 말이지?"

"그렇습니다. 그게 현실적인 답변입니다."

그렇다면 다소 이해는 되는 일이다. 체제가 붕괴되는 것을 지켜보면서 스스로 붕괴되기보다 차선책으로 대통령과 협상했다는 뜻이다. 이강렬은 미소를 지으며 선언한다.

"그렇지만 나는 그것을 막을 자신이 있어."

"그렇습니다, 국무위원장 동지."

"국무위원장? 하하하하."

윤동주가 국무위원장이라고 불러주자 이강렬은 호방하게 웃어젖힌다.

"이제 드디어 때가 된 것 같습니다."

"암, 때가 되었지. 비록 경제적으로 어렵더라도 나는 김일성 수령처럼 자주적인 체제를 유지할 수 있어. 내가 집권하면 어떠한 일이 있더라도 남과 협상 따위는 하지 않을 거야. 우리가 핵폭탄을 가지고 있는한 굽히고 들어와야 할 쪽은 결국 남쪽 아새끼들이야."

"그런데 이상한 소문도 있습니다."

윤동주가 무척 조심스럽게 입을 뗀다.

"이상한 소문이라니?"

"믿을 수 없는 이야기지만……두 사람이 이번에 통일을 선언한 후 X라는 예상 밖의 인물을 수장으로 모신다는 소문입니다."

"X? X가 누구야?"

"그건 아직 파악되지 않았습니다만……곧 알려질 겁니다."

"그래. 하지만 무슨 꿍꿍이 속인지 우리가 모르는 게 너무나 많아. 철저히 파헤쳐 보라고."

"그럼요. 자신들의 실수를 후회할 날도 얼마 남지 않았습니다."

"당연하지. 그러나 항상 명심해야 할 사실이 있어."

"말씀을 내려 주십시오."

장인에 대한 윤동주의 태도가 한껏 정중해진다.

"나는 이번에 남쪽 아새끼들에게 손을 벌리지 않고 우리끼리 잘 살자는 뜻으로 결단을 내렸어. 바로 이 점을 잘 선전해야 할 거야."

"잘 알고 있습니다, 장인어른."

2.

"민성태 동지. 나 흑왕성이오."

"아, 흑왕성 동지. 민성태입니다."

"민 동지가 개발한 백두산 프로그램이 성공리에 작동하여 축하하기요. 그동안 민 동지의 노고를 알고 있었지만 연락 한 번 제대로 못 하였소."

"천병욱 동지로부터 흑왕성 동지의 뜻을 전해 들어 잘 알고 있었습니다."

"민 동지 덕분에 우리 북반부를 미제국주의자는 물론 세계 어느 나라도 얕보지 못하게 되었소. 이제 내가 약속한 대로 한반도가 통일되면 민 동지가 가장 큰 공훈을 세웠다는 사실이 모두에게 알려질 것이오."

"과찬입니다. 제가 할 일을 했을 뿐입니다."

"역시 민동지는 소문에 듣던 대로 겸손하구먼."

민성태 박사는 흑왕성으로부터 직접 전화를 받고 얼떨떨해진다. 북한에 아내와 함께 도착한 이래 말로만 듣던 흑왕성의 실체를 처음 확인하는 순간이었기 때문이다. 물론 목소리는 음성변조기를 사용한 듯 보통 사람과 달랐지만 그가 이야기하는 요지는 충분히 이해할 수 있다.

'우리가 자주적인 국가로 다른 나라의 간섭을 받지 않으려면 반드시 핵폭탄과 ICBM을 만들어야 해.'

민성태가 북한에 도착하자 중앙당 간부였던 아버지 민기홍이 강조하던 말이다. 그러면서 한 마디 덧붙였다.

"남한에서 핵폭탄을 만드는 것은 원천적으로 불가능해. 미국이나 IAEA의 감시 때문에 비밀이 없는 남한에서는 아무리 좋은 여건을 가졌더라도 핵폭탄을 개발하는 일이 불가능한 이상 북에서라도 만들어 통일한국의 전략 무기로 갖고 있어야 한다는 것이 흑왕성의 숨은 뜻이지."

"필요한 장비는 어떻게 확보하죠? 핵 강국들이 북한에서 핵폭탄을 만들지 못하도록 견제할 텐데요."

"당연하지. 그러나 우리에게는 대안이 있어. 국제 정세를 잘 이용하면 얼마든지 핵폭탄 개발에 필요한 장비를 확보할 수 있다니까. 거의 모든 나라에 내부 반란 세력이 있게 마련이지만 이들 반란 세력을 억제하는 데는 핵폭탄보다는 실전에 사용할 수 있는 장거리 미사일 등이 보다 효과적이거든. 그런데 우리 미사일 기술만은 미국, 러시아, 프랑스 등 강대국에 비견하여 떨어지지 않으니까 미사일 기술과 핵폭탄 제조 장비를 맞바꿀 수 있다는 거지."

민기홍은 거품을 물고 민성태에게 설명을 해나간다.

"그게 간단할까요?"

"간단하지야 않겠지만 그렇게 되도록 만들어야지."

"어떤 방법으로든 우라늄 추출 장비만 확보된다면 핵폭탄 만드는 것은 문제없습니다."

"그걸 알기 때문에 너를 부른 거야. 네가 앞장서서 우리 북조선이 핵폭탄을 가질 수 있도록 모든 힘을 쏟으란 말이야."

"말씀하신 대로 해보지요."

아버지는 아들의 손을 잡으며 눈물까지 글썽해서 말을 잇는다.

"우리가 핵폭탄을 개발하는 것만이 독자적으로 살 수 있는 길이야. 특히 핵폭탄이 완성되기까지는 외부 세력의 간섭을 따돌리기 위해 위장을 잘해야 해. 우리는 1994년 10월 21일에 미국과 '제네바 합의'에 서명했는데 북조선에 건설되는 원자력발전소와 원자력 관련 연구를 잘 이용하면 핵폭탄 제작에 필요한 장비와 원료를 확보할 수 있을 거야."

아버지의 장담은 사실이었다. 국제 관계를 절묘하게 이용하면서 줄다리기를 계속한 북한은 핵폭탄 개발에 필수 장비를 확보하여 민성태에게 주었다. 아버지 민기홍은 그러면서 북한 핵 개발의 총 책임자가 흑왕성이라고 말했던 것이다.

그러나 민성태는 아직도 흑왕성이 누구인지 모르고 있다. 아버지와 원자력공업부장 천병욱이 상부의 최고위급 인사라고만 알려주었지 단 한 번도 만나거나 통화한 적이 없었다.

처음에는 북한에서 어떻게 비밀리에 핵폭탄을 만들 수 있을까 하고 의아했지만 자신이 요청하는 연구 기자재들이 차질 없이 제때에 공급되는 걸 보고 생각을 바꾸게 된다.

"흑왕성은 북조선에서 비밀리에 핵폭탄 개발을 추진할 수 있는 최고 위층의 상당한 실력자라고만 알고 계십시오."

천병욱의 말을 듣고 민성태는 흑왕성이 누구인지 굳이 알려고 하지 않았다. 결국 자신의 임무에만 충실하면 되었기 때문이다.

흑왕성의 목소리가 계속된다.

"민 동지. 내가 콱콱 밀어줄 테니 날래날래 계획대로 밀어붙이기 요."

"알겠습니다, 흑왕성 동지."

"그 점은 걱정 말기요. 곧바로 보내주겠어. 준비만 잘하기요."

"예, 흑왕성 동지."

"그럼, 끊겠소. 그리고 이건 민 동지에 대한 조그마한 선물인데 곧 있을 정무원 인사 때 민 동지가 원자력총국장으로 임명될 거요. 그동안 묵묵히 일에만 전념해준 공로요."

민성태는 너무 갑작스러운 일이라 대답을 하지 못한다.

"민 동지래 얼떨떨한 모양이구려. 그 다음에는 인민최고훈장을 받을 거요. 잘 알기요."

"예, 흑왕성 동지."

"화끈하게 한 번 밀어붙이기요, 민 동지. 다만 내가 전화했다는 건 절대 비밀로 하기요."

"알겠습니다."

민성태는 전화를 끊고 소파에 몸을 기대며 감회에 잠긴다. 자신이 태어난 이래 가장 행복한 전화를 받은 것이다. 그가 인터폰을 누르자 곧바로 목소리가 들린다.

"주태인입니다."

"주 박사, 방금 전화를 받았는데 계획대로 추진하라고 명령하셨어."

"무슨 말씀이신가요?"

"우리가 개발한 수소폭탄 ICBM을 이동식 발사대인 무수단으로 쏠 수 있다는 것을 미국 놈들에게 보여주라는 거야."

"그거라면 준비 완료되었습니다. 그동안 미국 놈과 일본 놈들에게 보여주지 못해 근질근질했는데 이제야 한이 풀어집니다."

"당연하지. 주 박사가 없었으면 우리 작업이 성공하기 어려웠을 거야."

"저희들이야 뭐, 민 박사님이 지도해주신 대로 따랐을 따름입니다. 애당초 의욕만 앞세워 원자폭탄을 개발하겠다고 덤비던 시절을 생각하면 너무 편하게 만든 셈이지요."

"그렇다고 아무나 만들 수 있는 것은 아니지."

"물론 그렇죠."

원자력이 탄생되자마자 가장 먼저 가공할 파괴력을 지닌 무기로 개발되었다는 것은 인류에게는 비극인 셈이다. 제3의 불로서 에너지 혁명을 일으킬 수 있는 원자력이 2차 대전 때문에 대량 살상용 전쟁 무기로 전락하였기 때문이다.

일부 과학자들은 자신들의 힘으로 탄생시킨 원자력이 전쟁에 사용된다는 것을 강력히 반대하였다. 그러나 이미 전쟁은 진행 중이었고 상대국에서 핵무기를 개발하고 있는 이상 최선의 방법은 먼저 핵무기를 만드는 방법밖에 없다는 것을 많은 과학자들이 이해했고 그래서 핵폭탄 개발에 이의를 제기하지 않았다.

민성태가 주태인과 통화를 계속한다.

"이제 우리 북조선을 깔볼 수 있는 나라는 없을 거야. 중요한 것은 미국 놈들에게 보여줄 수 있는 ICBM이야."

"여부가 있겠습니까? 무수단으로 몇 개 발사하면 그것이 무슨 뜻을 갖고 있는지 미국 놈들이 곧바로 파악할 겁니다."

"그래. 이제 북조선은 세계 어느 나라의 간섭도 받지 않고 홀로 설 수 있어."

"그렇겠지요. 원자력총국장으로 영전하신다는 소문이 있던데……
여하튼 축하드립니다."

주태인은 민성태와 함께 북한에 와서 핵폭탄 개발을 주도하고 있는
인물이다. 그가 갑자기 들뜬 목소리로 자신의 영전 소식을 거론하자 민
성태는 쑥스러운 표정을 지으면서도 싫은 기색은 아니다.

"도대체 누가 그런 소리를 하던가?"

"그거야 당연한 일 아닌가요?"

"글쎄……그런 내용이 공공연히 떠돌아다닐 줄은 몰랐는데?"

"축하드립니다, 민 박사님. 그런데 전화했다는 사람이 혹시 흑왕성
이 아닐까요?"

"그건……잘 모르겠어.

민성태는 방금 흑왕성으로부터 전화를 받았다는 사실은 감추고 여
하튼 북한에서 ICBM 발사에 총력을 기울이라는 통보를 받았다고만 말
한다.

3.

원자폭탄과 수소폭탄을 완성하자 민성태의 주도로 관계자들이 모여
북조선이 핵폭탄을 보유하고 있다는 사실을 전 세계에 알리는 것이 좋
은가, 계속 감추는 것이 좋은가 하는 문제로 토론을 벌였다.

결국 핵폭탄을 개발할 수 있는 기술 정도는 알려주는 것도 나쁘지
않다는 쪽으로 결론이 난다. 핵폭탄 제조기술을 갖고 있다는 것이 핵폭
탄을 갖고 있다는 뜻은 아니지만 그 정보를 흘릴 무렵이면 이미 핵폭탄
을 개발해서 보유하고 있을 때임을 전제로 한 결론이다.

타산지석(他山之石)의 대표적인 사례가 바로 인도다. 인도는 1998
년 5월 지하 핵실험을 강행한 후 핵보유국임을 선언하고 국제사회에서

이를 인정할 것을 요구하였다. 인도의 핵실험 강행 이유는 간단하다. 인접 국가들의 군사 위협이 해소되지 않는 한 국가안보를 위한 자위 수단으로 핵 개발은 어쩔 수 없다는 논리다. 중국과 1960년대에 국경 분쟁으로 한 바탕 열전을 치른 적이 있고 파키스탄과는 종교 분쟁으로 항상 국경이 시끄럽다.

인도의 핵실험은 냉전 이후의 국제적 평화 체제 구축 흐름에 역행하고 있다는 것이 문제가 된다. 세계가 포괄적 핵실험 금지조약(CTBT)과 핵확산금지조약(NPT)을 바탕으로 핵 개발을 금지하고 축소해 가는 과정에 있었기 때문이다. 물론 인도는 CTBT에 가입하지 않았기 때문에 핵실험 금지에 대한 어떤 협약도 위반한 것이 아니다. 인도는 5대 핵 보유국들이 자신들의 기득권은 인정하면서 여타 국가들의 핵 보유를 금지하는 것은 말도 안 된다면서 CTBT 가입을 거부하였다. 결국 미국을 비롯하여 유럽연합, 일본 등이 어떤 형태로든 인도에 대해 국제적인 제재를 가하여야 한다고 했지만 결국 흐지부지되고 만다. 인도가 핵폭탄을 갖고 있는 것이 증명된 이상 핵보유국으로 인정하지 않을 수 없었기 때문이다.

"핵폭탄을 갖기까지가 문제지 그 이후에는 핵폭탄 보유 사실 자체를 아예 부정할 수는 없습니다."

민성태가 주장하는 논리의 요지다. 어려서부터 당신의 모든 것을 희생하면서 아들의 뒷바라지에 힘을 써준 어머니가 이 순간을 보지 못하는 것이 아쉬울 뿐이었다.

북한은 2002년 9월 초 방북한 미국의 제임스 켈리 특사에게 "우라늄을 핵무기로 농축할 수 있는 농축 장비를 확보했고 농축 우라늄 제조 실험을 했다."고 밝혔다. 켈리 특사 일행은 방북 첫날 북한의 핵과 미사일을 비롯한 대량 살상무기와 재래식 군사력 등 미국의 안보상 우려사항을 거론하면서 "북측이 핵무기 제조를 위한 우라늄 농축 계획을 갖고 있다는 것을 파악했다."고 밝혔지만 이를 시인하지 않았다.

그러나 다음날 켈리 특사가 강석주 제1부상을 만난 자리에서 다시 북한의 우라늄 농축 계획에 대해 구체적인 증거를 제시하자 강석주는 그런 계획을 갖고 있다고 이를 시인했다. 강석주가 핵개발 계획을 순순히 시인하자 켈리 특사가 오히려 충격을 받았다고 실토할 정도다. 외교 관례상 핵폭탄을 개발할 계획이 있다는 것은 이미 핵폭탄을 개발했다는 뜻과 다름없으므로 켈리가 충격을 받은 것은 당연하다고 볼 수 있다.

북한의 핵개발 계획 발표로 비핵국가의 핵개발을 동결시키겠다는 미국과 북한이 체결했던 제네바 합의를 위배했다고 아우성쳤으나 북한은 꿈쩍도 하지 않았다. 갈수록 첨예화하는 국제 정세와 붕괴된 공산주의 체제를 확고히 다지기 위해서는 핵폭탄 개발이 유일한 방안이라고 천명하면서 오히려 생존권 차원에서도 핵폭탄을 개발하는 것은 당연하다는 논리였다. 생존권 차원이란 물론 미국이 '악의 축'으로 규정했던 사실을 두고 하는 말이다.

북한의 핵폭탄 개발에 주역을 담당했던 민성태의 뇌리에 지나온 파란만장한 인생이 또 다시 주마등처럼 스쳐 지나간다. 독학으로 자수성가한 전형적인 과학자로 손꼽히는 그의 인생행로는 그야말로 가시밭길이었던 셈이다.

민성태는 1960년대 말 서울대학교 3학년에 재학 중일 때 당시 정부에서 시행한 해외유학 자격시험에 합격하여 청운의 꿈을 품고 미국 땅을 밟는다. 그때 그의 나이는 스물두 살. 어려서부터 소아마비로 왼쪽 다리를 조금 저는 바람에 군대를 가지 않아도 되어 일찍 해외로 나갈 수 있었던 것이다. 미국 샤롯스빌대학교 원자력공학과에 입학한 그는 그 대학에서 전설적인 학점 기록을 세우며 박사학위를 받는다. 그리고 주임교수의 추천으로 로스알라모스연구소에 취직한 그가 처음 맡은 일은 핵폭탄의 기폭제 설계에 관한 연구. 외국인에게는 거의 주어지지 않는 그 프로젝트를 받을 수 있었던 것은 기폭제 설계 프로젝트에 참여하고 있던 주임교수가 추천했기 때문이다.

주임교수의 추천에도 불구하고 연구소에서는 처음에 부모가 없어서 외골수로 빠질 수 있다는 이유로 난색을 표한다. 아버지는 한국전쟁 당시 사망하였고 어머니는 민성태 박사가 미국에 유학하는 동안 사망하였다는 것이다. 그러나 결국 그의 입지전적인 경력을 살펴본 연구소장의 배려로 기폭제 설계 업무를 맡게 된다.

어머니는 동네 골목길에서 콩나물 행상을 하며 가사를 꾸려나갔다. 그러면서도 소아마비를 앓은 외아들을 초등학교 때부터 고등학교 때까지 하루도 거르는 적 없이 등교시키고 하교시켜 '장한 어머니상'을 받은 적도 있다. 그는 그런 홀어머니의 정성에 보답이라도 하듯 서울대학교에 수석으로 입학한다. 당시는 소아마비라는 신체적인 결함만 가지고도 일부 대학에서는 입학조차 허가되지 않던 때라 그의 입지전적인 일화는 자주 언론에 보도되었다.

콩나물 행상을 하는 홀어머니의 다리 저는 아들이라는 조건을 뛰어넘을 수 있는 방법은 딱 하나뿐이라는 것을 민성태는 너무나 잘 알고 있었다. 공부를 잘해서 더 이상 누구도 그를 놀림감으로 볼 수 없게 만드는 것이다.

"미국 가서도 꿋꿋하게 공부하여 꼭 훌륭한 사람이 되어 돌아와."

민성태가 유학시험에 합격하여 미국으로 떠날 때 어머니는 눈물 한 방울 흘리지 않고 이렇게 당부한다. 그것이 마지막이었다. 어머니는 지병인 폐결핵을 이겨가면서 콩나물 행상을 하다가 아들이 미국으로 떠난 지 1년 만에 돌아가셨던 것이다. 어머니의 장례식에도 참석하지 못한 그가 어머니의 묘소를 찾은 것은 동료 과학자 이진숙과 결혼하여 처음으로 귀국했을 때다. 그리고 그것이 마지막 한국 방문이 되리라고는 꿈에도 생각하지 못했다.

아내 이진숙은 샤롯스빌대학교의 같은 과 후배였다. 세 살 아래인 이진숙도 민성태와 마찬가지로 어렵게 미국으로 건너와 공부로 성공한 사람 중의 하나다. 그녀는 박사학위를 받자마자 대학교에서 강의를 얻을 수 있었고 자주 민성태와 연락을 하다가 결혼까지 하게 된다.

그러다가 그들의 경력이 박문수 박사의 눈에 띄어 유치 과학자 케이스로 한국에 추천된다. 처음에는 무엇 하나 걸림돌 없이 일사천리로 일이 진행되는 것 같았다. 민성태는 다른 유치과학자들과는 달리 실제로 핵폭탄 개발에 참여하고 있었으므로 1977년 당시 핵폭탄을 개발하려고 암중모색하던 한국으로 볼 때 가장 중요한 인사였다.

박문수가 귀국하기 전에 단합대회를 갖자고 한 것도 민성태의 합류 여부가 관건이라고 판단했기 때문이다. 민성태가 미국에서 가장 빠져나오기 힘들고 또 숱한 회유와 견제를 받을 사람이었던 것이다.

그런데도 민성태 본인은 한국에 들어가는 데 적극적이었다. 그는 불행한 여건을 딛고 공부할 수 있게 해주신 어머니의 정성에 보답하기 위해서라도 뭔가 조국에 기여해야 한다고 수없이 다짐하곤 했다.

박정희 정권이 독재를 하니까 민주화가 우선이라는 일부 식자들의 주장은 사치라는 것이 그의 시각이었다. 힘이 없으면 민주화는커녕 강자에게 잡아먹히기 십상이라고 생각했다.

그러나 현실은 그의 뜻대로 되지 않았다. 그가 귀국 준비를 모두 끝냈을 때 유치 과학자 선정 취소라는 얼토당토않은 통보를 받았던 것이다. 처음에는 까닭을 몰랐지만 알고 보니 그의 아버지가 북에 살아 있고 그것도 북한 노동당 간부라는 것이 취소 이유였다. 동족상잔의 비극은 민성태도 비켜가지 않았던 셈이다. 청천벽력 같은 통보에 망연자실하면서도 그는 인생을 순리로 바라보고 원망하거나 한탄하지 않았다.

민성태는 부친의 생존 사실을 숨기고 로스알라모스연구소에 계속 근무할 수도 있었으나 미련 없이 사표를 던지고 아내가 근무하는 샤롯스빌로 옮겨 조그마한 프로그램 회사를 차린다. 당시 컴퓨터가 막 보급되기 시작할 때라 그의 회사는 주임교수의 지원을 받아 그런 대로 꾸려나갈 수 있었다. 불행한 기억을 빨리 잊어버리는 것이 가장 큰 장점 중의 하나였던 그는 유치 과학자 선정 취소라는 아픔도 쉽게 지워버린다.

소아마비라는 약점을 딛고 우뚝 일어선 그에게 아버지의 존재가 걸림 돌이 된다고 시비를 거는 멍청한 작자들과 더 이상 상대할 시간도 없고 그럴 필요도 없었기 때문이다.

그리고 10여 년의 세월이 흐른다.

그동안 행복하게 살고 있다는 자부심을 느끼면서도 마음 한 구석으로 아내와의 사이에 아이가 없다는 것이 섭섭하다면 섭섭한 일이었다. 한 번도 만난 적이 없는 아버지 때문에 귀국이 좌절되기는 했지만 당시 귀국을 앞두었던 유치 과학자 여러 명이 교통사고를 당한 후 사망했다는 사실을 나중에 알고는 인간만사 새옹지마(塞翁之馬)라는 옛말이 하나도 틀리지 않아서 걸림돌이라고 생각했던 아버지가 오히려 자신을 도왔다는 생각까지 하게 된다.

그러다가 1990년대 초반의 어느 날 민성태는 북한 노동당 간부로 있는 아버지 민기홍의 편지를 받는다. 인편으로 은밀하게 보낸 편지였다.

"나는 너에 대해 잘 알고 있다. 이제 또 다른 조국인 북에서 너의 힘을 필요로 한다."

대강 이렇게 시작하는 편지 내용이 처음에는 무슨 뜻인지 잘 몰랐지만, 편지를 다 읽고 나서는 아버지의 의도를 충분히 깨달을 수 있었다.

"남조선의 박정희 대통령이 핵폭탄을 개발하려고 시도했던 것처럼 이제 북에서도 그런 인재들이 필요하다. 북미 간의 협약에 의해 영변의 핵시설을 영구히 포기하고 신포에 한국형 원전을 받기로 하였지만 궁극적으로 북조선이 자립하기 위해서는 전문가들이 필요한데 네가 와서 북조선의 원자력 분야를 이끌어 주었으면 한다."

민성태의 나이도 이미 환갑을 바라볼 무렵이었다. 아내와 상의했더니 놀랍게도 아내는 북행에 선뜻 찬성하였다. 과학자로서 이념을 따질 필요가 없다는 것이다.

"결국 남과 북은 통일이 될 테고, 통일이 되고 나면 인재들이 북에 있든 남에 있든 모두 조국을 위해 일하는 셈이잖아요? 본 적도 없는 아버지 때문에 남한의 유치 과학자 초청에서 배제된 후 유능한 과학자였던 당신이 한 일이 무엇이에요? 북으로 갑시다."

어디 내놓아도 부끄럽지 않을 자신의 특기를 살리지 못하고 늙어 죽는다면 결국 인생의 낙오자가 된다는 뜻이었다. 아내의 말에 힘을 얻은 민성태는 비밀리에 준비를 했고, 아내도 학교에 사표를 내고 함께 북행하여 오늘에 이른 것이다.

물론 북한에서 핵폭탄을 개발하는 것이 쉬운 일은 아니었지만 어쨌거나 핵폭탄 개발에 마침내 성공한다. 그의 성공을 가장 기뻐한 사람은 아버지 민기홍이었다. 기력이 완전히 소진한 민기홍은 아들의 손을 잡으면서 조그마한 소리로 말했다.

"네가 핵폭탄을 완성하는 것을 보고 죽으니 여한이 없다."

아버지는 민성태가 핵폭탄 개발에 성공했다는 소식을 전해 듣고 자신의 할 일은 다했다는 듯 유명을 달리한다.

물론 민성태가 핵폭탄 개발에 성공하기까지는 여러 가지 우여곡절이 있었다. 가장 중요한 것은 핵폭탄 재료의 확보였다. 그도 처음에는 플루토늄 재처리를 통해 핵무기 개발을 시도했다. 그러나 플루토늄을 이용하려면 대형 핵재처리 시설이 필요하다는 점이 걸림돌이었다. 기존 재처리 시설은 제네바 합의 등에 따라 상시적으로 감시를 당하고 있었다. 또 미국 정찰위성 등의 감시에 따라 핵재처리 시설을 별도로 만드는 것도 불가능했다.

결국 다소 불편하기는 하지만 고농축 우라늄을 이용하는 방식으로 선회했다. 고농축 우라늄은 플루토늄 제조법과는 달리 원자로가 없이도 구할 수 있었기 때문이다. 더구나 황해도에 상당량의 우라늄 광산이 있어 천연 우라늄을 확보하는 데도 문제가 없었다.

문제는 농축 기술과 장비의 확보였다. 농축 기술은 기체확산법, 레이저 농축법, 원심분리법 등 여러 방법이 있지만 자세한 제조법은 미국, 러시아 등 주요 핵보유국에서 철저히 비밀에 부치고 있고 정상적인 무역으로 확보할 수 있는 것도 아니었다.

다행히도 북한은 농축에 필요한 핵심장비를 파키스탄, 러시아 등으로부터 확보할 수 있었다. 우선 핵심 농축장비로 길이 50~317센티미터, 직경 27센티미터에 지나지 않는 가스 원심분리법 장비를 확보했다. 이 방법을 사용하려면 핵폭탄 1개를 만들기 위해 최소한 1,200여 기의 가스 원심분리기가 필요하지만 워낙 규모가 작아 북한의 핵폭탄 개발을 반대하는 강대국들의 눈을 속이기에 적격이었다.

또한 고농축 우라늄을 확보할 수 있는 레이저 농축법도 배제하지 않았다. 레이저를 활용하는 동위원소 분리법(AVLIS)은 기체화된 우라늄(UF6)에 강력한 레이저를 쏘여 우라늄 원자를 이온화한 후 자석으로 둘러싸인 공간을 통과시켜 우라늄235와 238을 분리해내는 방법이다. 강한 자기장 속에서는 우라늄 동위원소가 무게에 따라 휘는 정도가 달라져서 우라늄235와 238이 분리된다.

농축장비가 확보된 상태에서 핵폭탄은 확보된 것이나 마찬가지였고 민성태는 자신의 장담대로 핵폭탄 개발에 성공한다. 그러나 그는 자신이 핵폭탄을 개발하도록 만들어준 흑왕성이 누구인지 아직도 모르고 있었다. 주태인의 말처럼 흑왕성이 국무위원장일 가능성도 있지만 핵폭탄 개발 책임자인 자신에게까지 비밀로 부쳐야 하는지 알 수 없었다.

어쨌든 흑왕성이 전화에서 장담한 대로 민성태는 원자력총국장으로 승진했고 인민최고훈장도 받았다. 흑왕성이 국무위원장이든 아니든 민성태는 주어진 임무에 충실했고 그에 대한 보상을 충분히 받았다고 생각한다. 역시 미국을 떠나 북한에 오기를 잘했다고나 할까.

제17장 풍산개 생환

1.

그야말로 세계를 놀라게 한 미국 대통령과 북한 국무위원장의 정상회담이 싱가포르의 한 호텔에서 열렸다. 두 사람은 만나서 그동안의 적대 관계를 끝내고 평화체제를 구축하는 데 노력하자며 4개항에 합의했다.

①미국과 북한은 평화와 번영을 바라는 양국 국민의 염원에 따라 새로운 미·북 관계를 수립하기로 약속한다.
②미국과 북한은 한반도의 지속적이고 안정적인 평화 체제를 만들기 위해 공동으로 노력한다.
③북한은 4·27 판문점 선언을 재확인하고, 한반노의 완선한 비핵화를 위해 노력하기로 약속한다.
④미국과 북한은 미 전쟁포로와 실종자 유해를 수습하고 이미 확인된 유해는 조속히 송환하기로 약속한다.

미국 대통령과 북한 국무위원장은 수십 년의 양국 간 긴장과 적대를 극복하고 새로운 미래를 여는 세기적 사건이라는 점을 인정하며 공동합의문의 항목들을 완전하고 신속하게 이행하기로 약속한다고 밝혔다. 특히 미국 대통령과 북한 국무위원장은 그동안 북한이 계속 요청한 북한에 대한 체제 보장에 합의했는데 이는 예상했던 종전선언 대신 들어간 내용이다.
종전선언은 전쟁이 끝났다는 정치적 선언으로 국제법적 구속력은 없지만 상징적 의미가 큰 것은 사실이다.

한국전쟁의 공식적이고 국제법적 종결을 뜻하는 '평화협정'도 거론되면서 미국 대통령은 한미 연합훈련 중단 방침도 밝혔다. 미국 대통령은 협상을 하는 상황에서 군사훈련을 하는 것은 부적절하고 도발적(provocative)이라고 말하기도 했다.

그러나 이 공동성명은 일부에서 미국 대통령을 공격하는 빌미가 되었다. 그동안 미국은 북한의 국무위원장을 완전히 굴복시키는 'CVID(완전하고 검증 가능하며 되돌릴 수 없는 비핵화)'가 아니면 정상회담은 의미가 없다고 강조했는데 CVID와 비핵화를 위한 구체적 조치와 시간표가 포함되지 않았다는 것이다.

그러나 일단 북한과 미국이 그 어렵다는 만남, 즉 한 자리에 앉았다는 자체만 해도 큰 성과라는 설명도 많았다. 그야말로 어렵고 어려운 일을 한 술에 배부르게 할 수는 없다는 지적이다.

북한과 미국의 화해는 한국에도 큰 영향을 끼쳐 한국 대통령은 두 정상의 회담을 '지구상 마지막 냉전을 해체한 세계사적 사건으로 기록될 것이며 미국과 남북이 함께 거둔 위대한 승리이고, 평화를 염원하는 세계인들의 진보'라고 말했다. 특히 한국 대통령은 미국과 북한의 합의를 바탕으로 전쟁과 갈등의 어두운 시간을 뒤로하고 평화와 협력의 새 역사를 써나갈 것이라고 말했다.

2.

지구상 초강대국인 미국과 북한의 공동선언은 예상외의 사건 같지만 사실 예견된 것이나 마찬가지다. 북한이 미국, 영국, 프랑스 등 핵보유 강대국의 지속적인 방해와 압박에도 불구하고 결국 핵폭탄 개발에 성공했고 미국 본토까지 공격할 수 있는 ICBM도 개발했기 때문이다.

재선을 목표로 하고 있는 미국 대통령은 북한의 미국 본토 공격 야욕을 단념시키는 것이 급선무였다. 그러므로 미국을 공격할 수 있는 ICBM의 폐기가 관건인데 북한의 국무위원장은 미국의 이런 요청을 들어주면서 대신 미국이 북한을 공격하지 않겠다는 체제보장을 요구했다.

　미국이 이를 어느 정도 수용하자 국무위원장은 보다 확실한 조처를 단행했다. 북한은 평안북도 철산군 동창리 미사일 발사장에서 강력한 '백두산 엔진' 시험에 성공한 후 화성-12형 중거리 미사일과 화성-14·15형 대륙간탄도미사일(ICBM) 발사에 잇따라 성공했다.

　그런데 북한은 바로 이 발사장을 폭파시켜 버렸다. 미국을 공격할 수 있는 북한의 ICBM 개발에 위협을 느껴온 미국에게 가장 바람직한 선물을 준 것이다.

3.

　"민성태입니다."

　"민성태 동지. 나 흑왕성이오."

　원자력총국장 민성태에게 흑왕성의 전화가 걸려온다.

　"아, 흑왕성 동지."

　"민 동지가 개발한 백두산 프로그램이 성공리에 작동하여 이제 북조선에서 전쟁의 위협은 사라졌소."

　"그렇습니다. 우리가 핵폭탄을 갖고 있는 한 미국도 우리를 함부로 하지 못합니다."

　"하지만 우리가 굳이 멀리 떨어져 있는 미국을 공격하겠다는 것은 사실 비현실적이오. 그래서 미국이 우릴 공격하지 않으면 우리도 미국을 공격하지 않겠다는 뜻에서 미국을 공격할 수 있는 미사일 발사장을 폐기했다는 사실을 잘 알 거요."

"그렇습니다. 우리의 적은 미국보다 우리와 인접해 있는 국가들이죠. 제 생각입니다만 북조선을 공격하는 외적들에게 치명타를 줄 수 있는 핵폭탄만 갖고 있어도 함부로 북조선을 공격할 수 없습니다."

"내가 전화를 건 것은 새로운 과업 때문이오. 북조선은 미국을 공격할 수 있는 ICBM을 미국이 폐기하라고 하여 폐기했소. 그러나 우리는 미국을 공격할 용도가 아니라 우주 탐사를 위해 강력한 발사장치가 필요하오."

"그렇습니다. 우주 개발은 앞으로 북조선이 세계 강국이 되기 위해서는 반드시 필요한 분야입니다."

민성태의 말에 흑왕성은 잠시 숨을 고르더니 말한다.

"ICBM 기술과 우주로 사람을 보낸다는 것은 기술적인 면에서 서로 상통한다고 하던데 무엇이 같고 무엇이 다른 것이요?"

"ICBM이나 유인 우주선을 발사하는 것은 크기나 용도만 다를 뿐 발사 원리 자체는 같습니다. 그러나 유인 우주선은 우주에 나갔던 사람이 지구로 무사히 돌아와야 하므로 우주선이 대기권을 통과할 때 생기는 엄청난 고열을 견뎌야 합니다. ICBM도 대기권으로 들어오는 것은 마찬가지지만 생명체가 없으므로 우주선보다 단순하게 만들 수 있습니다.

"내가 민 박사에게 질문하는 것은 우리가 원할 때 언제든지 우주로 유인 우주선을 발사할 수 있는가 하는 거요."

"핵폭탄 개발을 완료한 후 현재 저희들이 준비하는 것이 바로 그것입니다. 저희들은 생명체가 대기권을 통과할 수 있도록 만반의 준비를 갖추고 있습니다."

"사람을 보내는 것도 가능하단 말이오?"

"원칙적으로 저희는 모든 기술을 갖고 있으며 명령만 내리시면 곧바로 발사할 수 있습니다. 하지만 사전에 점검해볼 필요는 있습니다. 미국이나 러시아 등에서두 먼저 개를 태워 우주에 보냈다가 생환시킨 후 유인 우주선을 발사했습니다."

"그럼 북조선의 자랑인 풍산개를 보내면 좋겠군."

"풍산개? 정말 좋은 아이디어입니다, 흑왕성 동지."

"그럼 곧바로 풍산개를 우주에 보냈다가 살려올 수 있는 구체적인 계획을 세워주기 바라오. 민 동지의 수고를 부탁하오."

흑왕성은 민성태가 대답하기도 전에 전화를 끊는다.

4.

"풍산개를 태워 우주에 보냈다가 생환시키라는 흑왕성의 명령을 받았다는 건가요?"

"그래요, 주태인 박사. 생명체를 태워 보냈다가 생환시켜야 한다고 했더니 대뜸 풍산개를 이야기를 하는 거야. 풍산개야 북조선의 자랑이지만 그렇게 빨리 이야기할 줄은 몰랐어."

전에 흑왕성으로부터 전화를 받았을 때에는 주태인 박사에게도 이를 숨겼지만 이번에는 솔직하게 흑왕성으로부터 직접 전화를 받았다고 말한다.

"이상합니다. 북에서 지도자의 명령 없이 우주선을 발사할 수 없는데 혹시……."

"혹시……라니?"

"혹시 국무위원장 동지가 아닐까요?"

"국무위원장?"

"예, 국무위원장 말고 그런 막강한 힘을 가진 사람이 누가 있겠습니까?"

"잘 모르겠어, 흑왕성 동지가 누구인지는 곧 알려지겠지. 오늘 저녁 때 나하고 우리 집에서 저녁이나 함께 하세."

"알겠습니다. 하지만 오늘은 안사람이 몸이 아파서 저 혼자 가야겠습니다."

"어디가 아픈가?"

"큰 병은 아닌 것 같습니다만……갑자기 긴장이 풀리니까 그런 모양입니다."

"부인을 잘 챙기게. 이제부터 앞날이 훤히 열려 있는데 몸이 말을 안 들으면 되겠나?"

"사실 아내가 더 열심이었죠. 지난번 ICBM 발사도 아내가 없었으면 어려웠을 겁니다."

"요즈음은 여성 동무들이 더 열성이라니까……나부터도 아내가 아니었으면 아무 것도 못 했을 거야."

"사모님이야 여장부 아닙니까?"

"여장부가 아니라 능력 있는 과학자지."

"제가 실수했군요. 그럼, 저녁에 뵙겠습니다."

"그러세."

민성태는 흑왕성으로부터 다시 전화를 받은 정황을 곰곰이 생각해 본다. 북한에서 풍산개를 생환시키면 더 이상 북한의 과학기술을 폄하하지 못할 것이라는 자부심을 느끼며 아내 이진숙에게 저녁 식사에 주태인 박사를 초대했다고 전화를 건다.

제18장 쿠데타

1.

호위사령부 부사령관 김영국 대장은 책상에 앉아 전화기만 뚫어지게 바라보고 있다. 초조한 기색이 역력하다. 계속 타들어가는 입술을 핥으면서 손가락으로 책상을 토닥거리는 김영국은 연신 벽에 걸려 있는 시계를 바라본다. 이때 전화가 울리자 후다닥 전화기를 든다.

"나, 김영국 대장이오."

조급하게 전화를 받았지만 기다리던 전화가 아닌지 맥 빠진 말투로 천천히 대답한다.

"그래, 알겠소. 철저히 준비하고, 조금이라도 책 잡힐 일을 하지 마시오. 알겠소?"

김영국은 원망스럽다는 듯이 전화기를 바라본 다음 자신의 군화를 내려다본다. 얼굴이라도 비칠 듯 반질반질하게 닦여진 군화를 보자 지나온 군대생활이 자연스럽게 떠오른다.

김영국은 군대 경력이 오래 되었지만 야전에서 전투에 참가하여 전공을 세운 것도 아니고 남들처럼 족보가 좋은 것도 아니다. 그저 호감이 가는 체구와 용모에다 상관의 어떤 명령이든 묵묵히 수행하는 평범한 군인으로 여겨졌기 때문에 오히려 지금의 자리까지 오를 수 있었다.

물론 운이 없었던 것은 아니다. 바로 이강렬 차수의 사위인 윤동주 상장과 군관학교 동기생이었기 때문이다. 김영국은 윤동주가 진급할 때 어김없이 함께 진급했고 대장은 오히려 윤동주보다 먼저 달았다. 이제 마지막 기회가 다시 찾아온 것이다. 가슴을 쭉 펴고 기지개를 켜는

데 전화기가 호들갑스럽게 울린다.

"나, 김영국 대장이오."

"윤동주 상장이오. 방금 '붉은 봉화대'가 올랐소."

"알았소."

김영국은 전화를 끊자마자 부관을 불러들여 명령을 내린다.

"방금 '붉은 봉화대'가 올랐다. 계획대로 작전을 개시하도록!"

"알겠습니다, 부사령관 동지."

부관이 지시를 받자마자 나가는 것을 보고 김영국은 하늘에라도 오를 것 같은 기분이다. 몇 년에 걸친 지루한 작전이 드디어 종착역에 다다른 것이다. 국무위원장이 자신의 부대에 도착하여 브리핑을 받으려는 순간 체포해 버리면 모든 상황은 끝난다.

방금 들어온 암호는 국무위원장이 예정대로 평양의 주석궁을 출발하여 호위사령부로 오고 있다는 신호인 동시에 모든 작전이 순조롭게 진행되고 있다는 전갈인 것이다.

"부관, 부관!"

부관이 다시 들어오자 김영국은 추가로 명령을 내린다.

"지금 당장 부대에 비상명령을 내려. 이건 사령관 동지의 지시야."

"알겠습니다, 부사령관 동지."

부관이 명령을 받고 나가자 김영국은 군모를 쓰고 옷매무새를 바로 잡는다.

한국군이 1984년 수도경비사령부의 명칭을 수도방위사령부로 바꾸고 군단 급으로 확대하자 북한은 1960년대에 호위사령부 소속이었던 수도방어사령부를 1990년대 이후 독립된 호위사령부로 개칭하며 독립 사령부로 만들었다. 북조선 수도권 방위를 책임지는 주력부대 중 하나로 병력은 군단 급이나 된다. 현재 사령관은 이강렬 차수, 부사령관은 김영국 대장이다.

국무위원장은 군부에 꽤나 신경을 쓴다. 인민들은 남보다 잘 먹이거나 입히지 못하면서도 주체사상으로 무장된 인민군만은 최고의 대우를 해주고 있다. 그 중에서도 가장 중요하게 생각하는 군부대는 평양을 수호하는 호위사령부다.

그러나 사령관인 이강렬 차수와 부사령관인 김영국 대장은 국무위원장의 심복이 아니다. 그들이 그 자리에 앉기까지 국무위원장의 인맥으로 분류된 적이 없다. 따라서 국무위원장은 남북통일 문제가 무르익어가자 가장 신경을 쓰는 군부의 주요 지휘관들을 교체할 계획을 비밀리에 수립하고 있었고, 첫손에 꼽히는 인사의 핵심은 호위사령부의 지휘관 교체였던 셈이다.

아무리 그렇더라도 당장 쫓아낼 명분이 없었기 때문에 호위사령부를 직접 방문하여 사령관과 부사령관에게 훈장을 수여하려는 것이다. 그동안 수고했다는 뜻으로.

그런데 이강렬과 김영국이 국무위원장의 이번 방문 목적을 잘 알고 있다는 사실이 문제라면 문제였다. 명목은 군의 사기를 진작시키기 위한 방문이지만 실제로는 자신을 제거하기 위한 마지막 제스처인 줄을 잘 알고 있었던 것이다. 훈장을 달아준 다음 숙청한다는 정보가 이미 수집된 터라 가만히 앉아서 당할 수는 없는 일인지라…….

'곧 역사의 한 장면이 열린다.'

김영국은 군모를 고쳐 쓰고 복장을 살피면서 국무위원장 영접 장소로 나가기 전에 크게 한 번 심호흡을 한다.

2.

국무위원장의 체포는 너무나 간단하게 끝나 버린다. 국무위원장이 호위사령부의 특별 회의실로 들어와 정해진 자리에 착석하기 전에 부사령관인 김영국 대장이 부하들에게 국무위원장을 체포하라고 명령했다. 국무위원장이 처음에는 무슨 소리인지 잘못 알아들은 것 같았다.

"뭐라고 했나, 김영국 동무?"

"방금 국무위원장 동지를 체포하라고 했소."

"나를 체포하다니……그게 무슨 소리야?"

"남조선 아새끼들과 부화뇌동하여 북조선을 팔아먹으려는 것을 잘 알고 있습네다. 우리는 북조선을 국무위원장 동지의 마수로부터 벗겨 내기 위하여 일어섰습네다."

"이 새끼가 무슨 소리 하는 거야?"

"조용히 하라고. 국무위원장 동지를 반혁명분자로 체포하는 거야, 알겠어?"

김영국의 지시로 건장한 인민군 10여 명이 거총한 자세로 거구의 국무위원장을 둘러싸자 국무위원장은 특유의 카랑카랑한 목소리로 욕을 해대지만 김영국은 대꾸도 하지 않는다. 국무위원장은 수행해온 윤동주에게 자신을 둘러싼 인민군들을 가리키며 소리를 지른다.

"윤동주 동지, 이 새끼들 보라. 이놈들이 나를 체포한다는데 날래 이 놈들 모두 까부시라요."

"입 다무시오, 동무는 이미 체포되었소."

윤동주까지 반기를 들었다는 사실에 국무위원장은 깜짝 놀란 표정을 짓는다. 다른 장병들도 마찬가지다. 김영국은 이미 자신의 부하들에게 어떠한 일이 일어나더라도 놀라지 말고 가만히 있으라는 명령을 내려두고 있었던 것이다. 사령관인 이강렬마저 사태를 보고도 아무런 조치를 취하지 않자 국무위원장은 다시 소리를 지른다.

"이 새끼들, 너희들은 모두 총살이야. 한 놈도 남겨두지 않겠어."

"총살, 총살당할 사람은 우리가 아니라 동무요. 동무가 왜 체포됐는지 알기나 하시오?"

이강렬이 한 마디 던진다.

"무슨 뜻이야?"

"동무가 남반부 아새끼들과 짜고서 건설한 함북 길주 원자력발전소에서 사고가 났소. 동무는 남반부 아새끼들이 원전을 건설해주면 그것 갖고 북한의 에너지난을 해결하고 경제를 살릴 수 있다고 하였지만 남반부 놈들은 동무를 배신하였소."

"배신하다니?"

"남반부 아새끼들이 일부러 사고를 내 길주 원전을 못 쓰게 한 거요. 결국 북조선 인민들만 고생한 거란 말이오. 남반부 놈들이 정말로 우리 인민들을 도울 거라고 생각했소?"

"무슨 개소리야? 원자력발전소는 함부로 고장이 날 것이 아니야."

"그런데도 불구하고 고장이 났다는 것은 남반부 놈들이 태업을 한 것이란 말이요."

이강렬은 남한의 기술자들이 주로 투입되어 길주 원자력 발전소가 건설되었으므로 상당히 많은 한국 기술자들이 발전소에서 근무하고 있는데 그들이 고의로 사고를 냈다고 하며 한 마디를 더 덧붙인다.

"남반부 놈들은 김일성 수령이 돌아가셨을 때도 조문단을 막은 악질들이오. 그놈들이 우리 공화국을 갖고 논 거란 말이오. 그것도 모르고 남반부 놈들을 끌어들인 동무가 모든 책임을 져야지. 자, 끌고 가라우."

국무위원장은 기가 막힌 표정을 지으면서도 욕설을 퍼부어댄다.

"이것들이 날 배반해? 반역자의 말로가 어떻게 되는지 내 이 두 눈으로 똑똑히 지켜보겠어."

이강렬과 윤동주, 김영국은 반란군들에게 끌려 나가는 국무위원장을 보며 서로 손을 잡고 큰 소리로 웃는다.

제19장 백두혈통

1.

황급하게 X가 묵고 있는 안가를 찾은 대통령은 당황한 표정이 역력하다.

"새벽부터 무슨 일이오?"

대통령이 응접 소파에 앉기가 무섭게 X가 묻는다.

"문제가 생겼습니다."

"문제가 생기다니요?"

"북에서 쿠데타가 일어났습니다."

"쿠데타?"

"아직 보도는 되지 않았지만 방금 보고를 받았습니다. 이번 남북통일 방안에 반대하는 군부에서 반란을 일으킨 모양입니다."

잠옷 차림의 X는 대통령이 건네주는 자료를 면밀히 읽어본 후 다시 돌려준다.

"그러니까 예상대로 군부에서 쿠데타를 일으켰단 말이군. 그들의 다음 방안은 무엇이겠소?"

"그들은 자주 노선을 천명하면서 통일 방안을 원천적으로 파기시킬 겁니다."

"국무위원장은 앞으로 어떻게 될 것 같소?"

"어느 정도 정황이 수습되면 처형하지 않겠습니까?"

"처형을 한다?"

"아마도 그렇게 할 것입니다."

"고약한 일이지만 그 정도는 이미 예상한 일 아니오?"

"그렇습니다."

"통일이 순조로울 거라고 생각한 사람은 아무도 없어요. 그러니 대통령이 마음을 다잡아야 할 거요. 국무위원장이 어디 있는지는 파악했소?"

"예, 이미 확인했습니다. X께서 지난번에 선물로 주신 시계가 전파를 정상적으로 보내오고 있으니까요."

X가 어떤 일이 있더라도 꼭 차고 있으라고 하면서 준 시계는 위치 확인 장치로 언제든지 국무위원장의 신변을 보호해 주겠다는 뜻을 담고 있었던 셈이다.

"그를 구출할 수 있겠소?"

"예, 경계가 강화된 금강산 지역이긴 합니다만 전격작전을 취하면 성공할 수 있습니다."

"언제 구출 작전에 들어갈 참이오?"

"준비는 끝난 상태입니다만 쿠데타 세력의 발표를 기다리는 중입니다. 그들이 쿠데타에 성공했다고 발표한 후 국무위원장을 탈출시키면 시너지 효과를 얻을 수 있지 않겠습니까?"

"현명한 판단이오. 여하튼 통일이 될 때까지 반대 세력의 움직임을 잘 살펴야 할 거요."

"알겠습니다, X. 너무 걱정하지 마십시오."

대통령은 들어올 때의 황급한 모습과는 달리 활기찬 발걸음으로 X의 처소를 떠난다.

2.

민족통일준비위원회 기자실. 출입기자들이 하나둘 모여들기 시작한다. 북한중앙방송이 정오 뉴스를 통해 오늘 오후 2시에 중대 방송을 내보내겠다고 예고했기 때문이다.

'입만 열면 중대 방송이라니 이거 어디 해먹겠나?'

제법 고참으로 보이는 기자가 투덜거린다. 내용에 대해서는 크게 신경을 쓰지 않는다는 눈치다.

오히려 바둑을 두고 있는 한쪽 구석으로 몰려들어 훈수를 두거나 구경을 하는 데 몰두하고 있다.

민족통일준비위원회 대변인도 기자들이 평양의 중대 방송보다 바둑에 열중하는데도 별로 개의치 않고 덩달아 바둑의 결과에 흥미를 보일 정도다. 그동안 북한중앙방송이 중대 방송을 예고해 놓고도 허탕을 치게 만든 적이 그만큼 많았던 것이다.

"어이, 우리 내기할까?"

"무슨 내기요?"

출입기자 중 최고참인 평화일보의 용대훈 기자가 태평신문의 황민성 기자와 대국 중 반상에 돌을 놓으면서 제안하자 황민성이 시큰둥하게 대꾸를 한다.

"오늘 중대 발표가 무슨 내용인지 알아맞히기. 알아맞히는 사람에게 2만 원씩 거둬주기로 하지."

"국무위원장 유고!"

비교적 신참으로 보이는 기자가 장난스러운 표정으로 입을 열자 한두 사람이 시큰둥하게 한 마디씩 보탠다.

"국무위원장이 군부대 행사에 참석하거나 무슨 공사를 앞당기라고 지시했다는 내용일 걸."

사실 기자들이 그렇게 추측하는 것도 일리가 있다. 김정일 사망 후 중대 방송 예고에 여러 번 허탕을 친 경험이 있었던 것이다.

이례적으로 1시간 전에 중대 방송을 하겠다고 예고했기 때문에 모두들 국무위원장의 공식 권력 승계나 권력 구조 개편 등을 예측했고 세계의 언론들도 평양방송에 촉각을 곤두세웠지만 중대 방송의 내용은 어처구니가 없었다.

청류다리 완공을 앞당기라는 조선인민군 최고사령관의 지시가 있었다는 내용과 김일성의 사망일을 태양절로 결정하고 주체 연호를 사용한다는 내용 등도 있었다.

북한으로서는 중대 사태일지 몰라도 외부인의 시각으로는 커다란 이슈가 아니었다. 이런 식으로 속아본 경험이 많은 기자들은 물론 북한 전문가들조차 중대 방송을 주목하지 않는 분위기였다.

"황 기자! 바둑판만 들여다보지 말고 의견을 말해 봐."

용대훈의 말에 황민성이 맥 빠진 소리로 대꾸한다.

"이미 많이 나왔는데 그 중에서 용 선배님이 그럴 듯한 것으로 찍어 주시죠. 저, 지금 대마가 죽느냐 사느냐 하는 문제로 무척 바쁩니다."

"대마불사라고 하잖아? 날카로운 황 기자의 의견이 없어서야 내기가 되겠어? 어서 말해 봐."

"내 원 참, 선배님도. 이 판에 지면 제가 한 점을 더 깔아야 한다고요."

"어차피 한 점 더 깔아야 할 텐데……내기에라도 이겨야 하잖겠어?

"정 그러시다면……쿠데타가 일어났다는 걸로 해두죠."

황민성의 말에 모두들 '와' 하고 웃는다. 절묘한 줄타기를 하며 지금까지 만신창이가 된 북한의 군과 인민을 차질 없이 통솔해온 국무위원장에게 누가 쿠데타를 일으킬 수 있단 말인가. 적어도 북한에서 쿠데타라는 말은 가장 거리가 먼 단어였다.

황민성의 말을 한 순간의 웃음거리로 생각하면서 오후 2시 정각이 되자 그래도 북한 방송을 수신할 수 있는 텔레비전 앞으로 몇몇 기자들이 몰려든다.

텔레비전에서는 조선노동당을 찬양하는 찬양가로 중대 방송을 시작한다. 모두들 오늘도 역시나 라고 고개를 돌리는 순간 남자 아나운서가 다소 긴장감이 배어 있는 북한 특유의 고조된 목소리가 울려퍼지며 특별 보도를 시작한다.

"조선노동당 중앙위원회와 조선노동당 중앙군사위원회 특별 보도를 보내드리겠습니다. ……온 나라 전체 당원과 인민군 장병, 인민이 앙양된 정치적 열의와 드높은 혁명적 신심에 넘쳐 주체의 사회주의 위업의 승리를 위하여 힘찬 투쟁을 하고 있는 가운데……."

'에이, 오늘도 보나마나군.'

기자 중에서 누군가가 실망감을 나타낸다. 과거 사실을 장구하게 나열하는 것으로 보아 또 속았다는 생각이 들었던 것이다.

기자들은 특집 준비를 위해 대기하고 있는 소속 언론사의 편집국 데스크에게 별 내용이 아닌 것 같다고 비상 해제를 알리려고 슬금슬금 꽁무니를 뺄 준비를 한다. 그때 아나운서의 목소리가 한껏 고조되며 새로운 사실을 쏟아놓는다.

"조선노동당 중앙위원회와 당 중앙군사위원회는 우리 당과 인민의 위대한 영도자 이강렬 동지께서 우리 당의 공인된 국무위원회 위원장 겸 조선인민군 최고사령관으로 추대되시었음을 엄숙히 선포한다."

갑자기 기자실이 술렁거린다.

'억' 하는 표정으로 누가 먼저랄 것도 없이 저마다 펼쳐 놓은 노트북의 자판을 두들겨대기에 여념이 없다. 쿠데타가 일어난 것이다.

"거참, 황 기자가 특종을 다 하네."

용대훈은 고참답게 기사를 작성하느라 바쁘게 손을 놀리면서도 여유가 있다.

"그럼 저도 진급 좀 하게 이번 기사는 내일까지만 보류해 주시죠. 특종 한 건을 해야 신문사에서 목이 붙어 있을 텐데 스트레스 받아서 죽겠습니다."

황민성이 자신의 예측이 기가 막히게 맞아떨어졌다는 사실에 상기된 표정을 감추지 못하고 맞장구를 친다.

"다 진 바둑을 이강렬의 쿠데타 바람에 한 점 더 안 깔게 된 거나 고 맙게 생각하라고."

"계가가 필요 없었다는 뜻입니까?"

"그래. 하지만 이번 판이 끝까지 갔다면 적어도 내가 3점은 이겼을 걸. 운 좋은 줄 알아."

한국기원 공인 1급이지만 아마추어 4단으로 계가에 있어서는 자타가 컴퓨터라고 인정하는 용대훈의 말에 황민성은 우쭐한다. 덕분에 궁지를 간신히 벗어났다는 안도감이 엿보인다.

"어쨌든 오늘은 제가 내기에 이겼으니 기사 넘겨놓고 저녁을 사겠습니다."

"그래야지."

방송이 계속되면서 모든 상황이 명백해진다. 국무위원장이 실각하고 호위사령부 사령관인 이강렬 차수가 쿠데타에 성공했다는 소식이다. 이강렬의 쿠데타 소식에 전 세계가 경악할 것은 불을 보듯 뻔하다. 북한 내부에 변화를 가져올 수 있고 이로 인해 한반도는 물론 동북아 정세 변화의 진앙이 될 만한 대형 사건이었기 때문이다. 과연 이번 쿠데타는 무르익어 가던 한반도 통일에 어떤 영향을 미칠 것인가. 방송에서는 이강렬에 대한 찬사가 계속된다.

"이강렬 동지께서는 제국주의 반혁명 공세가 전례 없이 강화되는 어려운 환경 속에서도 사회주의 원칙을 견결히 고수하시며 우리 조국을 사회주의의 강력한 보루로 전변시키시었다. 위대한 이강렬 동지께서 이끄시는 전 시간 동안 우리 당은 혁명과 건설에서 실패한 일이 없고 좌왕우왕한 일도 없으며 노선상의 과오를 범한 일도 없다."

쿠데타에 성공한 이강렬의 직함은 일단 국방위원회 위원장 겸 조선인민군 최고사령관으로 발표되었다.

상위 직인 노동당 중앙위원회 총비서와 조선민주주의 인민공화국 주석은 노동당 중앙위원회 전원회의에서 선출되어야 하므로 함부로 달 수 있는 것은 아니다. 노동당 1당 지배 국가인 북한은 당 중앙위원회 전원회의의 결정이 모든 것을 지배한다. 행정부의 수반이자 국가 대표인 주석도 여기서 토의한다.

헌법상 주석 선출기관인 최고인민회의(의회)는 형식적인 절차일 뿐이다. 중앙위 전원회의는 매년 두 차례 열도록 규정되어 있으나 몇 년씩 열리지 않을 수도 있다.

번번이 언론의 예측을 빗나간 것이 바로 그 때문이다. 국무위원장이 권력 승계를 공고히 하자 총비서와 국가주석 직을 계승하리라 예상했지만 국무위원장은 절묘하게 그런 직책을 빠져나갔다.

인민들에게 각인된 김일성과 김정일을 이은 젊은 국무위원장으로서는 자신의 선조를 보다 위대한 인물로 만드는 것이 자신에게 유리하다고 판단했기 때문이라는 것이다.

'도대체 이강렬이라는 자가 누구야?'

전 세계가 궁금하게 여기고 정체를 파악하기 위해 심혈을 기울였지만, 이강렬의 경력은 너무나 평범하고 나이는 적어도 80대 후반부일 거라는 추측뿐 정확하게 파악되지 않는다.

1940년대 초에 어린 나이로 김일성이 이끄는 항일 빨치산부대에 입대해서 해방이 되었을 때 의용군 제1지대장이었고 한국전쟁 때는 춘천을 공격한 제8야전사단의 참모로서 전투에 참가했다는 사실을 바탕으로 한 추측이다.

군대 경력은 오래 되었지만 눈길을 끌 만한 정치력을 보인 적도 없어서 권력 서열 25위에 불과한 이강렬이 쿠데타에 성공했다는 것은 외신을 놀라게 하기에 충분했다.

국무위원장은 권력을 장악하자 자신의 심복들을 요소요소에 심었지만, 이강렬은 김일성 시대의 인물임에도 자리를 계속 지킬 수 있었다. 그것으로 미루어 모나지 않은 인물로 오랜 세월동안 보신을 위하여 연기를 계속해온 것이 틀림없다는 정도로 평가할 따름이다.

이강렬이 백두혈통과 연계된다는 말도 나왔다. 백두혈통이란 북한에서 김일성 직계 가족을 일컫는 말로 김일성과 그의 부인 김정숙이 백두산 인근 지역에서 항일독립운동을 했다는 것을 기린다는 명분을 갖고 있으므로 백두혈통은 신격화된다는 말도 있다.

그러므로 북한에서 백두혈통은 '혁명 위업의 계승자'가 될 자격이 있다는 뜻으로 북조선의 지배자로 군림하는 것이 당연하다는 설명까지 덧붙여졌다. 이강렬이 김정숙과 인척관계라는 설명도 있었는데 물론 확인된 사항은 아니다.

제20장 구출작전

1.

민족통일준비위원회 위원장실. 비서가 들어와 보고를 한다.

"도착했습니다."

"알았어요. 들어오시라고 해요."

박민희는 자리에서 일어나며 문 옆에 걸린 거울을 쳐다본다. 육십을 훨씬 넘긴 나이인데도 얼굴에 주름살이 자글거려 훨씬 늙어 보인다는 생각을 하며 습관처럼 미간을 어루만진다. 나이에 비해 젊어 보인다는 게 여자에 대한 인사일 텐데, 자신에 대해서는 항상 나이를 몇 살 더 보는 게 마음에 걸리는 것이다.

3년 전에도 자신의 직책과 얼굴을 잘 모르는 아프리카의 한 외교관이 자신의 나이를 칠순 정도로 본 적이 있어서 주먹으로 한 대 때리고 싶었던 마음을 꾹 참기도 했다.

그러나 사실 거울을 보면 그의 말이 결코 과장이 아니라는 생각이 든다. 그만큼 앞뒤 가리지 않고 억척같이 일을 했기 때문이리라.

"어서 오세요."

문이 열리고 두 사람이 들어오자 박민희가 먼저 인사말을 건넨다. 군복 차림은 아니었지만 머리 모양새나 태도로 보아 한 눈에도 군인이라는 것을 알 수 있다.

"전호준 소장입니다. 이쪽은 도승우 대령이고."

"먼 길 와주셔서 감사해요. 앉으시죠."

박민희가 권하자 꼿꼿하게 서 있던 두 군인이 그제야 의자에 앉는다.

"나보다도 더 바쁘실 테니까 간단하게 몇 가지만 질문하죠. 전 소장은 이번 작전이 성공할 수 있다고 믿으세요?"

"예, 틀림없이 성공할 수 있습니다."

전호준 소장의 목소리는 자신감에 차 있다.

"1%도 실패 위험은 없다는 뜻이군요?"

"저희들이 참여하는 한 실패란 있을 수 없습니다."

"말씀을 들으니 마음이 든든해지네요. 군 작전에 대해서는 문외한이니까 이번 작전 계획을 듣고 나서 실패하면 어떻게 될까 하고 더 걱정이 됐어요."

박민희는 말로만 그런 게 아니라 실로 걱정하는 표정이 역력하다.

"그 점은 저희들에게 맡겨 주십시오, 위원장님."

"저쪽에서도 상당히 경비를 강화할 텐데 정말로 기습 작전이 성공할까요?"

"그 점은 장담합니다. 정보에 의하면 국무위원장은 산세가 험하고 경비가 엄하기로 유명한 금강산 지역의 한 독립 건물에 갇혀 있는데 경비원은 10여 명뿐이라고 합니다.

"솔직하게 말씀드려 저는 이런 일이 영화에서나 일어나는 것으로 생각했어요. 통일을 위한 일이라고 하니 적극 찬성했지만 내심 걱정이 되기에 한 번 만나자고 한 거예요."

박민희가 국방부장관에게 특별히 부탁하여 만들어진 자리였다. 국무위원장 구출 작전을 맡은 특전사 사령관과 직접 현장에 투입될 장병을 꼭 만나서 격려하고 싶다는데 반대할 까닭이 어디 있으랴.

자타가 인정하는 통일 전문가로서 쿠데타에 의해 통일이 무산될 우려가 있자 박민희는 국무위원장 구출 작전에 적극 찬성하고 나선다. 필요하다면 자신도 직접 특공대에 자원하고 싶다고 하여 사람들을 어리둥절하게 만들거나 감격하게 만들면서…….

"저희들도 이번 작전의 중요성을 잘 알고 있습니다. 실무진에서 여러 번 검토를 했는데 성공할 수 있다는 자신을 얻었습니다."

"반드시 그래야겠지요. 통일 작업은 이제 막바지에 돌입했는데 우리의 이런 노력을 모르고 쿠데타를 일으키다니 정말로 정신 나간 짓이지요."

"어디서든 반대파가 있게 마련이라고 생각합니다. 기득권을 쉽게 포기하려고 하겠습니까?"

"그렇지만 민족을 위해, 후손들을 위해 대승적으로 생각해야지죠. 이번 쿠데타로 통일이 무산된다면 그 책임이 누구에게 돌아가겠어요?"

박민희는 결의를 다지듯 손을 꽉 쥐어 보이며 질문을 보탰다.

"대원들은 선정되었나요?"

"예, 우리 군의 최정예 요원들입니다만, 실은 위원장님이 이미 만나 보신 대원도 있습니다."

"제가 만나본 대원이라고요?"

"이번 작전의 중요성과 보안 유지를 위해서 특공 작전에 투입되는 인원은 미국의 SEAL에서 대테러 훈련을 받았던 특전사 소속 장병들이 주축입니다. 위원장님도 거기서 대원들과 함께 훈련을 받으셨다면서요?"

"그렇다면 정말 든든하죠. 제가 알기로 그들은 세계 최고의 군인들이에요. 그들 중에는 여자 군인들도 있었는데……이번 작전에도 참가해요?"

"예, 군인은 남녀가 따로 있는 게 아니니까요."

"정말 감탄했어요. 여자들도 얼마든지 두각을 나타낼 수 있다는 걸 직접 목격했거든요."

박민희는 자못 감격스러운 표정을 짓는다.

"위원장님의 기대에 부응하기 위해 최선을 다하겠습니다."

"고맙군요. 작전 일정은 정해졌나요?"

"아닙니다. 그러나 이런 작전은 빠를수록 좋으니까 곧바로 시행할 참입니다."

"제발 성공해서 그들과 다시 만날 수 있었으면 해요. 두 분을 보니 믿음도 가고……."

"감사합니다, 위원장님."

"도 대령님도 이번 작전에 참여하세요?"

도승우가 갑자기 자기에게 질문이 떨어지자 자세를 바로잡으며 대답한다.

"그렇습니다. SEAL에서 훈련받았던 특전사 요원들은 저의 부대원들로 제가 직접 대원들을 인솔하고 작전에 참가할 겁니다."

"특전사에서만 병력이 동원되나요?"

이번에는 전호준이 박민희의 질문에 대답한다.

"군에서는 저희들만 참가하지만 다른 기관의 몇몇 특수요원들이 합류합니다."

"다른 기관이라면……?"

"그건 저희들도 잘 모릅니다. 매우 중요한 임무를 수행하는 사람으로만 알고 있습니다."

"그렇겠군요. 어쨌든 저와 함께 훈련했던 장병들이라니 든든하네요. 대신 제 안부나 좀 전해주세요."

"예, 꼭 전해드리겠습니다. 위원장님이 이렇게 지원해 주시니 든든합니다. 그럼 좋은 소식 드릴 수 있도록 최선을 다하겠습니다."

두 사람이 자리에서 일어서자 박민희는 조그마한 선물을 하나씩 건네주며 문으로 안내한다.

"우리 위원회에서 만든 통일 염원 메달이에요. 다음번에는 '염원' 글자가 빠진 통일 메달을 만들 참입니다.

"그래야지요. 이렇게 만나 뵙게 되어 영광입니다."

"오히려 제가 영광이죠. 그럼 안녕히 가세요."

2.

도승우 대령이 지휘하는 특전사 707대대 침투요원 40여 명은 한국에서 새로 개발한 대형 스텔스피라미드를 타고 국무위원장이 잡혀 있다는 금강산 지역으로 향하는 중이다. 비행기나 헬리콥터로 특공대를 침투시키려면 소음도 걱정이고 레이더에 포착될 우려가 있는데 이들이 탄 비행체는 피라미드 형태로 스텔스 기능이 있어 레이더에 포착되지 않을 뿐만 아니라 보호막을 치면 어떤 화력으로도 이를 뚫지 못한다. 더불어 소음이 없으므로 어느 지역이든 마음대로 출동할 수 있다.

피라미드에 40명이나 되는 장병이 타고 북의 영토에 들어온 지 꽤 오랜 시간이 흘렀건만 북측에서는 어떤 징조도 보이지 않는다. 한 마디로 말해 그들의 침투를 까맣게 모르고 있을 정도로 스텔스 피라미드의 침투는 완벽했다.

"대령님, 정확하게 5분 후에 작전 지역에 도착합니다."

조종사가 도승우에게 무전으로 일러준다.

"알겠다. 우리를 무사히 인도해 주어서 고맙다."

"천만에요, 스텔스 비행기라 세계 어느 곳이든 발각되지 않고 이착륙이 가능합니다. 어쨌든 해가 뜨기 전인 5시까지 약속 장소에 도착하셔야 합니다."

"알겠다."

조종사와의 통신을 끊고 도승우가 부하들에게 묻는다.

"자, 모두들 준비는 되었겠지?"

"예."

"다시 한 번 장비를 점검하라."

대원들은 모두 방탄조끼를 입고 있다. 저마다 한국군에서는 유일하게 707대대만이 보유한 기관단총과 권총을 확인한다. 인민군복 차림인 대원들의 얼굴은 모두 위장크림으로 시커멓게 칠해져 있어 희미한 불빛에 눈만 반짝거린다. 각자의 배낭에는 실탄 300발과 탄창 5개, 수류탄 다섯 발씩 들어 있고, 장병에 따라 석궁, 유효 사거리 1킬로미터가 넘는 저격용 소총, 독침 발사용 플루트 등이 지급되어 있다.

"장비, 이상 무!"

장병들이 차례로 복창을 한다.

"그럼 잠시 후 북한 땅을 밟는다."

피라미드가 아무런 저항도 없이 평지에 안착하자 문이 서서히 열린다. 도승우 대령이 가장 먼저 뛰어내린 후 이어서 모든 대원이 피라미드에서 뛰어나가자 피라미드는 유유히 하늘을 날아 사라져간다.

"대령님, 모두 모였습니다."

완전군장으로 무장한 대원들 앞에 서서 김미은이 도승우에게 거수경례를 하며 인원 보고를 하다가 도승우의 옆에 서 있는 권준혁을 보고 흠칫 놀란다. 뜻밖의 인물을 뜻밖의 장소에서 만났던 것이다.

"낙오자는 없나?"

"예, 한 명도 없습니다."

"놀랍군. 예상했던 시간보다 15분이나 빨라."

도승우는 김미은의 보고에 시계를 보면서 만족한 표정을 짓는다.

"그렇습니다. 이번 작전은 사실 어려운 일도 아닙니다."

"알아, 김 대위. 하지만 이곳은 북한 땅이야. 소개하지. '국가특수업무원'의 권준혁 팀장이야."

"예. 반갑습니다, 팀장님."

김미은이 권준혁에게 경례를 하자 그도 경례로 답한다.

"권 팀장도 선두에 설 거야. 잘 협조하여 이 작전을 꼭 성공시키도록."

모든 조짐이 좋다. 도승우는 어려운 일일수록 처음에 조짐이 좋아야 한다는 신조를 가지고 있는 사람이다. 그가 대령까지 진급하는 동안 우여곡절도 많았지만 지금까지는 슬기롭게 헤쳐 온 셈이다.

"곧바로 출발할까요, 대령님?"

김미은이 도승우에게 묻는다.

"그래, 출발하지."

그들은 날렵한 몸놀림으로 산을 타기 시작한다.

'1968년 1월 21일 청와대를 급습하려던 김신조 일당도 우리처럼 재빠르지는 못했을 걸.'

대원들 중에서 누군가가 작은 목소리로 뽐낸다. 특수업무를 맡은 팀으로서는 다소 많은 40명이나 되는 인원인데도 마치 한 사람이 움직이는 것 같다. 특전사에서도 호랑이 중의 호랑이로 불리는 도승우 대령, 대령 진급을 앞둔 천병삼 중령과 김미은 중대장, 권준혁 팀장이 앞장서서 그들을 이끈다. 특공대원과 똑같은 위장복을 입은 권준혁에게 김미은이 속삭인다.

"오빠를 여기서 만날 줄은 몰랐어요."

"나도 마찬가지야."

"피, 특전사 장병들이 참전한다는 것을 아셨잖아요?"

"알았지. 하지만 여군들까지 참전할 줄은 몰랐어."

"또 남녀 차별적인 발언이군요?"

"그게 아니라……여자 대원들은 작전에서 제외하자는 말도 있어서."

"여하튼 오빠와 같은 작전에 참여하게 되어서 기뻐요."

"얼마나 우수한 신체를 가진 남자인지 테스트할 수 있다는 뜻이야?"

"또 버릇이 나오네요. 너무 우쭐대지 마시라니까. 그러다가 다쳐요."

김미은이 권준혁에게 맵게 쏘아붙이다가 그가 찬 시계를 보고 말한다.

"좋은 시계 차고 있네요?"

"그렇게 좋은 시계는 아니야. 국방과학기술연구원에 있는 친구가 만들어 주더군. 시간이 잘 맞는다기에 차고 나왔지."

권준혁은 대수롭지 않게 얼버무린다. 김미은은 반가운 김에 뭔가 얘기할 만한 꼬투리라도 잡으려고 하는데, 그는 무뚝뚝하게 목표를 향한 강행군에만 계속 정신이 팔려 있는 것이다.

"정지!"

도승우의 정지 신호로 대원들이 쥐 죽은 듯이 걸음을 멈춘다. 한동안 산악행군이 이어진 다음 드디어 그들이 목표로 삼은 건물 근처에 도착한 것이다. 어렴풋이 건물의 윤곽만 드러날 뿐 주위는 칠흑처럼 어둡다. 두 장병이 1,100밀리미터의 망원렌즈가 달린 적외선 카메라로 목표 지점을 살피기 시작한다.

"뭐가 보이나?"

"별다른 기미는 없습니다."

도승우의 질문에 적외선 카메라로 살피는 장병이 대답한다.

사전에 알려진 정보와 다른 점이 전혀 없고 국무위원장을 억류하고 있는 곳이라면 경계가 삼엄하고 뭔가 달라야 할 텐데 너무나 조용하기만 하다. 국무위원장이라는 거물이 유폐되어 있다는 사실을 감추기 위해 일부러 특별 경계를 하지 않는 것 같기도 하고.

'이거 너무 싱겁겠는 걸?'

한 바탕 활극을 기대하고 있던 대원들 중에는 툴툴거리는 사람마저 있다. 예상대로 초소가 있고 두 명이 경비를 서고 있는 모습이 보인다. 건물을 향하여 카메라를 조준한 후 원격조종 전자감시 장치를 가동시키던 병사가 화면에 켜진 붉은 점을 보면서 말한다.

"초소에 두 명이 있고 건물 내에 12명이 있습니다. 1층에 7명, 2층에 5명입니다."

"국무위원장은 어디 있나?"

"2층 중앙에 있는 것 같습니다."

도승우의 질문에 병사는 신호가 나오는 장소를 가리킨다.

"우리의 목표는 2층에 있는 국무위원장을 무사히 모셔오는 거다. 알겠지?"

"예."

대원들이 나지막하지만 다부진 목소리로 대답한다.

3.

국무위원장의 억류 장소로 추측되는 숙소에서는 계속 신호가 정규적으로 발신되고 있다. 그들은 어떠한 방해도 받지 않고 작전대로 산개하여 건물을 둘러쌌다. 담장도 높지 않아 장병들이 가볍게 넘을 수 있을 정도다. 저격병이 두 명의 위병을 적외선 망원경을 부착한 소총으로 겨냥한다. 소총을 겨눈 장병이 도승우에게 보고한다.

"대령님, 준비되었습니다."

"좋아, 공격 개시!"

명령과 함께 초소의 위병이 쓰러지는 순간 30명의 1진 특공대원들은 각자의 위치에서 담을 넘어 건물로 뛰어 들어가고 2진으로 남은 10명은 건물의 곳곳에 은폐 엄폐하며 사주 경계에 들어간다. 선봉은 권준혁과 김미은이 맡고 배현희가 뒤를 따른다.

건물의 배치도를 정확하게 꿰뚫고 있는 그들은 대원들을 이끌고 거침없이 건물 안으로 뛰어 들어간다. 건물 입구의 보초는 권준혁의 소음총에 의해 간단하게 제압된다. 자고 있던 7명의 경호원들이 대원들에게 붙잡히자 1층은 예상보다 손쉽게 접수된다.

"1층 접수 완료."

1층을 완전히 접수한 다음 상황을 보고하고 권준혁과 김미은, 배현희는 20여 명의 침투요원들을 3개조로 나누어 인솔하며 3개의 계단을 통해 2층을 공격하기 위해 천천히 올라가기 시작한다.

국무위원장을 포함하여 단 5명뿐이라는 것을 이미 알고 있고 1층을 접수하는 데 단 몇 분도 걸리지 않았지만 공격 조의 움직임은 신중하기만 하다. 2층의 경비원들이 그들의 침투 사실을 눈치 채고 전투 준비를 하고 있는 게 틀림없다고 생각했기 때문이다.

"2층 공격조 어떻게 됐나?"

도승우 대령이 무선으로 상황을 묻는 순간 따따따따- 연속적으로 총성이 울리면서 2층 경비원들과의 전투가 어려울지도 모른다는 대원들의 예상은 빗나가지 않는다. 그야말로 필사적인 저항이다. 2층 경비원들은 유리한 지형지물에 의지하여 요소요소에서 마구 총알을 퍼부어대자 공격하던 3개조가 동시에 주춤한다.

"2층 공격 조는 방어에 최선을 다하라. 예비 조가 옥상을 통해 침투한다."

상황이 어렵다고 판단한 도승우는 옥상을 통한 양면 작전을 펴기로 한다. 결국 30여 명이 한꺼번에 투입되어 2층에서 완강히 저항하는 4명의 경비원을 상대했다. 배현희 중위가 제일 먼저 올라가다가 저격을 받고 쓰러졌으며 김미은도 올라가다가 바른 팔에 부상을 당했다. 김미은을 저격한 경비원은 철저한 훈련을 받은 듯 신출귀몰하게 특공대의 진입을 막고 있었는데 결국 권준혁에 의해 사살되었다.

"많이 다쳤어?"

권준혁이 계단에 쓰러져 있는 김미은에게 묻자 그녀는 큰 부상이 아니라며 권준혁을 따라 나선다. 결국 악착같이 반항하던 경비원들을 모두 제압했지만 아군의 피해도 생각보다 심각했다. 방탄조끼를 입었으므로 상당한 보호가 되지만 배현희 중위를 비롯하여 3명의 전사자들은 머리 등 급소를 맞았다. 그리고 김미은을 비롯하여 8명이 부상을 당했다.

어쨌든 그들은 애초의 임무를 수행하기 위해 국무위원장이 묵고 있는 방으로 뛰어 들어갔지만 개미 새끼 한 마리도 보이지 않는다.

깜짝 놀라서 바라보니 텅 빈 방의 중앙에 테이블이 놓여 있고, 그 위에는 달랑 시계 한 개가 놓여 있을 뿐이다.

"이런……아무도 없잖아?"

성미 급한 대원 한 사람이 테이블로 다가가서 시계를 들어 올리는 것을 보고 권준혁이 김미은을 감싸고 쓰러지면서 소리친다.

"동작 그만, 함정이야!"

동시에 시계가 폭발하면서 시계를 만진 대원과 그 옆에 서 있던 대원 여섯 명이 즉석에서 전사한다.

"대령님, 함정입니다."

권준혁 때문에 구사일생으로 살아난 김미은의 보고에 도승우가 다급하게 묻는다.

"국무위원장이 없단 말인가?"

"예, 시계에 폭파 장치를 해둔 것 같습니다."

"알겠다. 사상자는 몇 명인가?"

"생각보다 많습니다. 배현희 중위도 전사했고 시계 폭발로 6명이 사망했으므로 제가 알기로 일단 9명입니다."

"알겠다. 사상자를 파악한 후 부상자들을 데리고 곧바로 철수하라."

철수하면서 바른 팔에 지혈을 한 김미은이 권준혁에게 조그마한 목소리로 말한다.

"두 번씩이나 살려주어서 고마워요."

"황소가 뒷걸음치다가 쥐를 잡은 셈이지. 미은이는 원래 전투에서 죽을 운명이 아니라서 그런 거야."

"고맙다고 하는데 진정으로 받아들이면 안 돼요?"

"진심인 줄 알아. 하지만 일일이 공치사할 것은 없다는 뜻이지."

"생각보다 무뚝뚝한 면도 있네요. 여하튼 고마워요."

4.

이강렬은 윤동주의 보고에 그 보란 듯이 의기양양하다.

"위원장 동지의 예상이 틀림없었습니다."

"특공대가 침입했다는 뜻인가?"

"예, 남반부 놈들이 급습했는데 시계가 터지는 걸 보고 혼비백산했을 겁니다."

"그렇겠지. 놈들은 지금 어디 있나?"

"아직 금강산 지역을 빠져나가지 못했습니다."

"당연하지. 내가 뭐랬나? 놈들이 온다고 하지 않던가."

"그들을 어떻게 처리할까요?"

"몇 명이나 침투했나?"

"50명 정도로 보입니다."

"50명씩이나? 사상자는?"

"우리 측 경비대원들은 모두 사망한 걸로 보이며 남쪽 놈들도 상당수 피해를 입었습니다."

"그래야지. 머나 먼 남반부에서 올라왔는데 선물이 없어서야 되겠어."

"한 바탕 정신이 빠져 있을 겁니다. 모두 잡아들일까요?"

"아니야, 아냐. 그대로 돌려보내."

"그냥 보냅니까, 위원장 동지?"

"그래, 그냥 보내. 우리가 왜 놈들을 그냥 보냈는지는 남반부 바보들이 머리를 짜내 생각하도록 만들면 돼."

"알겠습니다, 위원장 동지."

윤동주는 이강렬의 방에서 곧바로 어디론가 전화를 건다.

"적당히 막는 척하면서 놈들을 그냥 놓아 보내. 이것도 다 작전이란 말이야."

한 마디로 국무위원장 구출 작전은 실패로 돌아간 셈이다.

만반의 준비를 한 채 통발을 대고 기다리는 호구로 뛰어들었으니 실패는 당연한 결과라고나 할까.

5.

청와대 근처의 안전가옥.

X가 미리 연락을 받은 듯 거실의 응접 테이블에 앉아 누군가를 기다리고 있다. 잠시 후 대통령이 황급하게 들어와 X를 보자마자 당황한 목소리로 입을 연다.

"큰일 났습니다."

"갑자기 큰일이라뇨?"

"구출 작전이 실패로 돌아갔습니다. 저쪽에서 미리 준비하고 있던 데다 국무위원장은 아예 현장에도 없었습니다. 우리가 저들의 농간에 놀아난 것 같습니다."

대통령이 흥분하여 설명하자 X의 표정이 잠깐 일그러진다.

"국무위원장의 시계가 송신기라는 것도 미리 알고 있었다는 뜻이오?"

"그렇습니다. 누군가가 정보를 건네준 게 틀림없습니다."

"쥐새끼라……이 작전을 알고 있는 사람은 몇 명이나 되오?"

"작전 자체는 특별히 보안조치를 했지만 작전을 수립하면서 많은 사람들이 협의를 했기 때문에 아는 사람들은 꽤 됩니다. 고위층 인사들 중에 누군가가 정보를 흘린 것 같습니다."

"통일가도에 배신자라니 정말 고약한 일이군. 빨리 찾아내야 할 텐데, 혹시 의심스러운 사람이라도 있소?"

"아닙니다, 현재로서는……."

"배신자만 찾아내면 오히려 전화위복이 될 수도 있을 거요."

X의 표정은 작전 실패에도 불구하고 수심이 가득한 대통령과는 달리 한결 밝은 편이다.

"디데이(D-day)까지 너무나 시간이 촉박하여 배신자를 찾을 수 있을지 걱정입니다."

"너무 걱정 마시오. 꼭 잡힐 거요. 북쪽의 반응은 어떻소?"

"국무위원장을 처형했다는 자료를 보내왔습니다."

"그래요? 그렇다면 이제 이강렬에게 큰 숙제를 내줄 차례군. 아마도 남쪽에 국무위원장이 살아있다고 하면 놀라 자빠질 거요. 한 가지 덧붙이자면⋯⋯그 사실을 중국 등 주변국에도 알려주는 게 좋겠소."

"그렇게 하겠습니다. 하지만 그렇게 하더라도 북쪽의 반발이 만만치 않을 것 같습니다."

"그 문제는 이렇게 하면 되겠지요."

X가 대통령에게 귀엣말로 뭔가 알려주자 대통령의 표정이 갑자기 밝아진다. 평소에 과묵하기로 소문난 대통령이지만 어린아이처럼 즐거워하는 눈치다.

"정부애서 그런 정보를 보내며 잘 살펴보면 배신자가 누군지도 알 수 있을 거요."

"예, X 덕분에 골칫거리들을 한꺼번에 날려버릴 수도 있겠습니다."

"내 덕분이랄 건 없고⋯⋯대통령이 좀 더 수고를 해줘야 할 겁니다."

"여부가 있겠습니까?"

사색이 되어 안전가옥을 찾았던 대통령은 X를 만난 후 통일이라는 목표가 눈에 보이기라도 하듯 보무당당하게 문을 나선다.

제21장 DNA 정보 저장

1.

아침나절이라 커피숍에는 손님도 별로 없다.

권준혁이 오민우 경감과 함께 커피숍으로 들어가 자리에 앉자 종업원이 쪼르르 달려와 엽차를 놔주고는 주문을 재촉하듯 옆에 서 있다. 주문을 받고 종업원이 떠나자 권준혁이 말문을 연다.

"정부에서 특수업무 팀을 가동시키는 이유는 우리가 이번 기회에 다른 나라의 압력을 벗어나서 자체 능력만으로 통일을 이룰 수 있다고 생각하기 때문입니다."

"그게 가능하다는 뜻입니까?"

"그래요. 전번에 국무위원장과 대통령의 합의는 진정한 의도를 가지고 발표한 겁니다. 그런데 그걸 반대하는 세력이 있기 때문에 여러 가지 편법을 동원할 수밖에 없는 거죠."

"이해가 갑니다만……한반도의 통일과 진 박사의 살해 사건이 무슨 관계가 있습니까?"

"진 박사가 통일한국을 이끌 X, Y의 존재를 증명한 주역이란 겁니다."

"무슨 말인지……이해가 되지 않는데?"

"그동안 진 박사의 동생인 김유라를 살해된 진 박사의 대역으로 활용하고 있는데, 살해한 쪽에서는 김유라를 보고 아직도 진 박사가 살아 있다고 생각하는 겁니다. 김유라의 얼굴이 진 박사를 너무나 빼닮았거든요."

"그런데 김유라의 머리에 칩이 있다는 건 또 무슨 소리요? 전에 말한 나노 칩이요?"

"큰 틀에서 나노 칩이고도 볼 수 있지만 김유라 머리에 있는 것은 DNA 정보저장이라고 볼 수 있죠. 진 박사는 DNA에 대량의 정보를 담은 후 인간의 두뇌와 연결시키는 연구를 하고 있었어요. 그 첫 번째 시술자가 바로 자기 동생이었고."

"X나 Y도 그런 분들인가요?"

"그건 지금 말씀드릴 수 없습니다. 차차 아시게 되겠지만……."

"대단하군요. 그런 기술이 한국에서 개발되었다니?"

"나노 칩의 개발도 엄청난데 DNA에 정보를 저장할 수 있다는 것은 상상을 초월하는 기술이죠. 그런데 우리가 주목하는 것은 진 박사가 연구 도중 한국에 치명적인 또 다른 어떤 연구가 외부에서 진행되고 있다는 것을 발견한 겁니다. 결국 진 박사를 회유하기 어려울 것으로 여겨 살해하는 것이 더 낫다고 판단한 것 같아요."

"말하자면 못 먹는 감 찔러나 보자는 심보로 살해했다는 뜻이군요? 그게 무엇입니까?"

"그걸 알면 제가 오 경감님을 만나자 하고 우리가 김유라를 철저하게 보호하겠습니까?"

"아직도 살해하려고 노린단 말입니까?"

"이제야 좀 말이 되는군요."

"그런데 왜 우리에게 이런 사실을 털어놓으면서 협조를 요청하는 거죠?"

"살해 사건은 우리보다 경찰이 더 전문가니까요. 진 박사를 악착같이 살해하려는 범인들에 대해 경찰에서 어느 정도 파악하고 있는지 알고 싶습니다."

"우리가 지금까지 파악한 수사 내용을 알고 싶다는 이야기로군요?"

"그렇죠. 경찰청에 공식 요청할 수도 있지만 정황 상 오 경감님에 대한 결례도 되고요."

"다행이군요. 처음에는 권 팀장을 아주 교활한 사람으로 보았는데 그렇지 않다는 걸 알고 나니 약간 섭섭하면서도 속이 후련하군요."

그러면서 오민우는 경찰의 수사 내용을 설명하기 시작한다.

"일단 체포된 탁원식의 이야기로는 진 박사를 살해한 사람이 현장에서 사살된 총잡이라고 합니다. 배후는 마피아와 연합한 모사토전자회사가 틀림없는 것 같은데……더 이상 진전은 없어요. 살해된 외국인에 대한 조사도 답보 상태로, 얼마나 범행 준비가 철저했던지 지문이 모두 뭉개져 있더라고요. 그나마 한 가지 다행스러운 일은 진 박사의 남편이 그녀의 살해에 깊숙이 관련되어 있다는 혐의를 잡은 것 정도입니다."

"진 박사의 남편이요?"

"예, 김한룡 박사라고 유전자 분야에서 꽤 유명한 사람인데……지금은 행방이 묘연하지만 우리가 추적하고 있으니까 곧바로 찾을 수 있겠죠."

권준혁이 가장 찜찜하게 생각했던 김한룡에 대해 오경감이 거론하는 것이 그렇게도 고마울 수가 없었다. 그 역시 김한룡이 뭔가 진영숙 피살 사건과 관련되었을 것이라고 생각했지만 김유라를 생각해서 잠시 시간을 벌고 있었기 때문이다.

"고맙습니다. 수사에 진전이 있으면 계속 알려주실 거죠?"

"맨 입으로는 안 되죠. 권 팀장 때문에 10만 원을 강 과장에게 빼앗겼는데……."

"맙소사. 자신이 잘못 겨냥한 걸 가지고 나에게 책임을 물으면 어떡합니까? 하지만 목숨을 살려준 은혜도 있고 하니 오늘은 내가 한 턱 쏘죠."

2.

"사나이끼리 술을 마시고 2차가 없다면 무슨 재밉니까?"

권준혁의 억지스러운 제안으로 어느 정도 술기가 오른 두 사람은 포장마차에서 일어나 지나가는 택시를 잡아탄다. 그들이 택시에서 내려 들어간 곳은 서울에서도 내로라하는 환락가인 강남의 룸살롱.

입구는 볼품없지만 실내로 들어가자 수많은 종업원들이 바쁘게 움직이는 가운데 휘황찬란한 샹들리에가 천장에 걸려 있고 온통 값비싼 대리석들로 장식되어 있다.

"이야, 이거 정말 대단한데?"

"안으로 들어가면 더욱 놀라실 겁니다."

오민우의 감탄사에 권준혁이 싱글거리며 대꾸한다.

"여기 자주 오나 보죠?"

"꼭 그런 건 아니지만……오 경감님도 이미 아는 곳입니다."

"내가 아는 곳이라니?"

"나를 살려주도록 도청당한 마담이 근무하는 곳이죠."

"아, 다정 마담."

"한 가지 부탁드릴 것은……내가 여기서는 동민일보 기자로 알려져 있다는 겁니다."

이때 다정이가 나오며 반갑게 인사한다.

"어머, 어떻게 연락도 없이 왔죠?"

"거물 인사와 저녁을 먹다가 그냥 갈 수 없어서 함께 왔지. 다정아, 인사 드려라. 내가 깍듯이 모시는 선배님이야."

"안녕하세요? 다정이라고 해요. 마침 빈 룸이 한 곳 남았는데……이쪽으로 오세요."

두 사람이 안내되어 들어간 룸은 프랑스풍으로 꾸며져 있고 테이블에는 양주와 음료수들이 준비되어 있다. 다정이가 두 사람 사이에 앉더니 오민우에게 묻는다.

"선배님은 어떤 취향의 아가씨가 좋으세요?"

"나는 아가씨 필요 없어요."

"허허……그런 말씀 마시고 마담에게 어떤 취향이라고 말만 하시라니까요."

오민우가 약간 혀가 꼬부라지는 소리로 끼어든다.

"나는 혼자라도 되니까 권 팀장이나 불러요."

"좋아요. 그럼 후회 없는 겁니다."

권준혁이 오민우는 여자가 필요 없다고 하자 다정은 오민우에게 다시 한 번 권유하더니 완강한 거절에 더 이상 말을 하지 않는다.

"남자가 외기러기로 술 마시는 것도 보기가 안 좋은데……오빠는 누구로 할까?"

"그야 마담이 왕초지."

"그럼 전번에 오빠와 함께 외박한 정미는 어때? 더블이지만 곧 끝날 거야."

"좋을 대로."

오민우는 룸살롱에서 마치 안방처럼 노는 권준혁의 모습에 놀라는 눈치다. 권준혁의 파트너로 들어온 정미라는 아가씨는 더블이라며 자주 자리를 비우고 마담도 연신 들락거린다.

"도대체 마이크를 잡았다 하면 놓을 줄을 모르는구먼."

오민우가 한 마디 던진다. 권준혁이 마이크를 잡자마자 몇 곡을 연달아 부르며 경찰청에서 노래라면 한 가닥 한다는 그의 기를 죽인 데 대한 불평인 셈이다. 사실 권준혁이 노래 부를 때의 모션과 제스처는 노래로 밥 벌어 먹는 가수나 다를 바가 없다.

"아이고, 이제야 끝났네."

위스키를 두 병이나 마셨을 때쯤 다정이가 자리에 눌러 앉는다.

그러자 권준혁은 언제 술을 마셨냐는 듯 말똥말똥한 정신으로 다정에게 묻는다.

"며칠 전에 누가 찾아오지 않았어?"

"사실 찾아온 사람이 있었어요."

"어떻게 생긴 사람들이야?"

"이야, 오빠가 경찰처럼 묻네?"

"기자도 캐묻는 데는 경찰보다 못하지 않지."

오민우는 권준혁과 다정의 대화를 듣고만 있다.

"두 사람이 왔던데 한 사람은 작달막하고 또 한 사람은 껑다리였어."

"누구라고 하면서?"

"동민일보에 함께 근무하는 동료 기자라고 하던데……왜 그래?"

다정은 그제야 이상한 느낌이 드는 모양인데, 권준혁은 다정의 반문을 무시하고 계속 질문을 던진다.

"왜 나를 찾는다고 했지?"

"오빠가 취재하고 있는 사건의 실마리를 풀었대나……오빠에게 빨리 알려야 할 텐데 연락이 없다는 거야. 그래서 숙소가 어디냐기에 가르쳐줬죠."

"그걸 믿었어?"

"그럼, 믿지 않고? 오빠가 예전에도 중요한 사건을 취재할 때는 한두 달씩 출근도 않고 연락처도 가르쳐주지 않는다는 말을 했잖아?

"어디라고 가르쳐 줬어?"

"오빠가 명구 오빠랑 함께 지낸다고 했잖아? 도대체 왜 그러는데?"

"명구가 놈들에게 살해되었어."

"세상에……그럼 나를 찾아왔던 두 사람이 명구 오빠를 죽인 거야?"

"그래. 그 후로는 연락이 없었고?"

"없었어. 그럼 명구 오빠 살해될 때 같이 있었단 말이야?"

"나도 저승으로 갈 뻔했지."

너무나 심상한 말투에 다정이 눈을 크게 뜨며 묻는다.

"오빠 괜찮은 거야?"

"이젠 괜찮아."

"그럼 그 사람들이 명구 오빠 죽이려고 한 게 아니라 오빠를 죽이려고 했다는 얘기잖아?"

"그랬지. 그런데 엉뚱하게 살해를 당했으니……불쌍한 녀석이지."

"그러니까 명구 오빠는 오빠를 재워준 죄로 죽은 거네?"

다정의 목소리가 뾰족하게 날이 선다.

"야아, 마담 생활 3년이면 세상 돌아가는 일 모르는 게 없다고 하더니 정말 그러네?"

"식당 개 3년에 라면 끓이기죠. 범인은 잡혔어요?"

"범인이 잡혔으니까 이렇게 안심하고 다정이를 만날 수 있지."

권준혁은 다정에게 사건의 전말을 대강 설명하고는 한 마디 덧붙인다.

"명구가 술이 취한 채 덤벼들다가 총탄에 맞아 쓰러진 후 내가 살해되기 직전에 경찰청 특수대원들이 출동하여 목숨을 살려주었지."

권준혁은 그러면서도 오민우가 당사자라는 말은 하지 않는다. 그의 얘기를 듣고 난 다정은 전혀 뜻밖의 이야기를 털어놓는다.

"우리 가게에 원두영 박사도 자주 와요."

"원 박사가?"

"사실은 내 친구가 원 박사의 애인이거든요. 오빠를 찾으려고 원 박사에게 전화를 걸었을 때도 옆에 있었고."

"원 박사가 여기 단골이란 말이지?"

"그래요. 내가 이곳으로 옮겨온 후에도 세 번이나 왔어."

"누구랑 함께 오는데?"

"내가 테이블에 들어가는 게 아니니까 잘은 모르지만 두 번이나 덩치 큰 흑인과 함께 왔는데 그는 한국말을 우리처럼 잘하대, 한 번은 나이 많은 남자 둘을 포함하여 세 명이 원 박사와 함께 왔는데 그들 세 명은 중국말을 하더래."

다정의 설명대로라면 흑인은 모사토전자회사의 책임자인 브로코가 분명하다.

'외부에 알려지기로 브로코와 원 박사는 같은 모사토그룹에 있지만 경쟁 관계라기보다 견원지간인데 두 사람이 룸살롱까지 함께 다닌다?'

권준혁이 뭔가 아귀가 잘 안 맞는다고 생각하는 순간 오민우의 눈빛이 달라지는 것도 느낄 수 있다. 중국말을 하는 세 명이 원두영과 함께 왔다는 것도 심상치 않다. 그렇다면 원두영이 생각보다 훨씬 깊숙이 사건에 개입되어 있는 게 아닐까? 잠시 생각에 잠겨 있는 사이 파트너인 정미가 들어오면서 호들갑을 떤다.

"오빠, 많이 기다렸지? 이제 완전히 끝났어."

"누가 널 기다려? 어디가 예쁘다고?"

권준혁이 이렇게 면박을 주는데도 정미는 그저 생글거리며 맞받는다.

"피, 오빠 마음 내가 모를 줄 알고?"

"아이쿠, 열녀 났네. 여기서는 끝내고 3차나 가자고."

권준혁이 바람을 잡는 바람에 네 사람은 살롱 바로 앞의 포장마차로 옮긴다. 다정은 포장마차의 의자에 앉자마자 잔뜩 풀어져서 룸살롱에서와는 전혀 다른 모습으로 넋두리를 해댄다.

"내가 오빠 숙소를 가르쳐주는 바람에 명구 오빠가 죽었단 말이지? 어떻게 돌아가는 세상인지 모르겠어, 정말."

다정은 소주를 벌컥벌컥 들이키다가 울다가 주정까지 곁들인다.

"왜 그래, 언니?"

보다 못한 정미가 다정을 흔들어대며 묻는다.

"명구 오빠가 나한테 얼마나 잘해줬는지 넌 몰라."

"그랬을 거야. 양반 중의 양반이고 신사 중의 신사니까. 언젠가 나한테 다정이에 대해 물은 적도 있었지."

권준혁이 명구 이야기를 하자 다정이 바짝 다가든다.

"뭐라고?"

"내가 너하고 잤느냐고?"

"그래서?"

"잔 적이 없으니까 안 잤다고 했지."

"사실 명구 오빠는 얼마나 자상했는지 몰라. 여기로 옮길 때도 오빠가 자금을 대줬고."

"자금을 대줘?"

"그래요. 여기로 옮기면서 몇몇 마담들이 자금을 대고 지분을 받기로 했어요. 강남에서도 젤 잘 나가는 룸살롱이라 수리비도 만만찮은데, 내가 그 돈이 어디 있어? 오빠에게 빌려 달라고 했지."

"얼마나?"

"3억 원. 그런데 1억 원만 먼저 들어오고 나머지는 다음 주에 받기로 했는데 오빠가 살해된 거야."

"그런 줄 몰랐어, 언니."

정미가 다정을 위로하듯 끼어든다.

"나는 명구 오빠가 죽었다기에 내가 참 재수가 없는 년이라고 생각했어. 그런데 그게 바로 내 잘못 때문이라니……."

"일부러 그런 것도 아니잖아, 언니."

"문제는 나머지 2억 원을 제 때에 못 내면 이미 지불한 1억 원마저 떼일 판이라는 거야. 세상에……방정맞은 내 조동아리 때문에 만사가 이렇게 엉망진창이 될 줄이야."

이야기가 엉뚱한 데로 흘러가건만 모두들 대책이 없다. 오민우는 처음부터 아예 입을 봉한 채로 듣기만 한다. 권준혁은 결국 오민우를 먼저 택시에 태워 보낸 다음 다정과 정미를 데리고 다정의 아파트까지 가서 실속 없이 하룻밤 신세를 진다.

제22장 배신자

1.

토요일 오후, 권준혁과 김미은이 만나고 있다.

"지금은 어디서 근무해?"

"작전에 실패했지만 아직도 707대대에서 근무하죠."

"대단한 장병들이야. 나도 숱한 작전에 참가해 봤지만 그렇게 용감하고 사기가 충천한 군인들은 정말 처음이었어. 팔은 어때?"

"총알이 스친 정도니까 큰 부상은 아니었어요."

"미은이가 총을 맞고 '아얏' 하면서 쓰러졌을 때는 중상인 줄 알았지. 천만다행이야."

"저도 처음에는 큰 부상인 줄 알았는데 옷을 걷어보니 총알이 스친 거였어요. 여하튼 오빠가 그렇게 용감한 줄은 몰랐어요."

"야, 이래 뵈도 프랑스 외인부대에서 3년씩이나 월급을 받았던 사람이야."

"그래도 국가특수업무원에서 꽤나 막중한 임무를 맡고 있는 것 같던데 특공 작전에 자원했다니 믿어지지 않아서요."

"뭐가 믿어지지 않아? 국무위원장을 구하는 것이 가장 중요하기 때문에 내가 빠질 수 없었던 거라니까."

"하기야 그랬으니까 저를 살릴 수 있었죠."

"그때도 말했지만 황소가 뒷걸음치다가 쥐를 잡은 거야."

"또 그 소리……."

김미은의 핀잔에 권준혁이 피식 웃고 만다.

특공 작전에 참가하겠다고 하자 신한수가 펄펄 뛰던 생각이 난다.

"작전에 참가했다가 죽기라도 하면 어쩌겠다는 거야?"

"지금 국무위원장을 구출하는 일보다 더 중요한 일이 어디 있겠어요? 만약에 저들이 특공대가 침입할 것을 예상하고 가짜 국무위원장을 감금하고 있다면 그를 알아볼 수 있는 사람은 저뿐이란 말입니다."

권준혁의 말이 사실이라 결국 그가 특공조에 투입된다.

물론 북측에서 가짜 국무위원장을 내세우지 않고 시계만 가지고 농락하는 바람에 모양새 없게 작전이 끝나 버리긴 했지만.

김미은도 더 이상 자원 이유에 대해 묻지 않고 다른 화제로 돌린다.

"우리 쪽에 배신자가 있었다는 생각은 해보지 않았어요?"

"미은이가 그걸 어떻게 알아?"

"당연하잖아요?"

"정황상 그럴 가능성을 배제하진 않아. 하지만 배신자가 있다고 해도 찾아내기가 쉽지도 않고."

"그렇겠죠. 그러니까 더 악착같이 찾아내야죠."

"미은이는 무슨 묘수라도 있어?"

"묘수가 있다면 제가 이미 수단 방법 가리지 않고 나섰겠죠. 배신자 때문에 제 부하들이 죽은 것을 생각하면 잠이 오질 않아요. 배현희 중위까지 희생됐잖아요? 귀국할 무렵 다른 부대로 전출할 생각은 없냐고 했더니 중대장 마칠 때까지는 죽으나 사나 특전사라고 하더니……."

김미은은 끝내 말을 맺지 못하고 눈물이 글썽한 채 불끈 쥔 주먹을 부르르 떤다.

"그래, 배 중위 일은 참 안 됐어."

"배신자를 꼭 찾아내서 넋이라도 위로해 줘야죠. 그녀는 항상 선두에 섰고 어느 남자보다도 용감했어요. 그 용감함이 결국 그녀를 국립묘지에 묻히게 만들기는 했지만 최초의 여자 참모총장이 되지는 못했어요."

"여자 참모총장?"

"그래요. 배 중위가 좀 당돌했어요? 최초의 여자 참모총장이 되겠다고 모든 일에 솔선수범했는데 결국 국무위원장 구출 작전에서 꿈을 꺾였으니……."

김미은이 아쉬운 표정을 짓는다.

"미은이도 여자 참모총장에 마음이 있는 모양이군?"

"시켜 준다면 못할 것도 없죠. 하지만 당장은 배신자를 찾는 것이 중요해요."

"알았어. 그만 흥분하라고. 정부에서도 미은이만큼 배신자를 찾으려고 열심히야."

"그렇겠죠. 참, 사흘 전에 박 위원장님 전화가 왔어요. 언제 들를 수 있느냐고 물으시기에 오늘부터 사흘간 외박이 가능하다고 하니까 내일 3시에 들르라고 하시더군요."

"요즈음처럼 바쁜 일정에 미은이 만나려고 시간을 내다니 대단한 분이네."

"그래서 오빠하고 함께 방문하면 어떠냐고 했더니 좋다고 하시더군요."

"세상에……이미 약속이 되었단 말이야?"

"예. 영숙 언니도 함께 오라고 했는데 언니는 당분간 외출이 어렵다고 하니까 둘이라도 함께 오라고 하셨어요. 뭘 그렇게 골똘히 생각하세요? 자, 내일을 위해……2차 가야죠?"

김미은의 말에 권준혁은 흔쾌히 그녀를 데리고 자신이 잘 아는 나이트클럽으로 간다. 시간은 저녁 10시 30분밖에 되지 않았는데도 사람이 꽉 차 있다.

무대에서는 러시아에서 온 무용단이라며 러시아 민속춤을 보여주고 막간에 포르노성 프로도 빠뜨리지 않는다.

"웨이터랑 잘 아는 걸 보니 자주 오는 덴가 봐요?"

"그럼, 여기는 내 안방이나 마찬가지지."

"안방이라고요? 이야, 오빠가 플레이보인가 보네?"

"플레이보이라고? 그게 아니라 실속 없는 카사노바라고나 할까?"

그러면서 권준혁은 개구쟁이처럼 웃는다.

"플레이보이나 카사노바나 그게 그거 아니에요?"

"그게 그건 아니지. 실속이 있느냐 없느냐가 중요한 거라니까."

"그럼 실속도 없으면서 안방처럼 드나들어요?"

"여기만 오면 '쨍' 하고 아이디어가 팍팍 떠오르거든."

"피, 거짓말."

"거짓말인지 아닌지 우리 회사에 와보면 알 수 있을 걸. 자, 춤이나
추러 나가자."

플로어로 나간 두 사람은 디스코 리듬에 맞추어 신나게 몸을 흔들어
댄다. 명멸하는 조명 속에 갇힌 사람들의 몸놀림은 괜히 바라보는 사람
들까지 어깨를 우쭐거리게 만들 정도로 분위기를 고조시킨다.

디스코 리듬에 이어 브루스 음악이 나오자 자리로 돌아가려는 권준
혁의 소매를 잡아끌며 김미은이 속삭이듯 말한다.

"오빠, 계속 춰!"

권준혁은 엉거주춤하며 좀 쑥스러워 하는 태도로 김미은의 손을 맞
잡는다.

"미은이는 브루스를 정말 잘 추는데?"

"미국에서 이미 확인했잖아요?"

"그때보다 더 잘 추는 것 같은데……?"

"마지막으로 브루스를 춘 사람이 오빤데, 오빠하고 추면서 실력이
늘었나?"

"내가 뭐 춤 선생이라도 되나?"

몇 마디 오고가는 사이에 권준혁과 김미은의 거리는 더욱 가까워진
다. 음악이 끝나고 다시 러시아 무용단의 공연 순서가 되어 두 사람이

자리로 돌아오자 웨이터가 위스키 한 병을 갖다 주며 권준혁에게 생색을 낸다.

"미인을 모시고 오셨기에 제가 서비스하는 겁니다."

웨이터가 멀어지는 걸 보면서 김미은이 한 마디 한다.

"위스키를 서비스할 정도니 안방은 안방인 모양이네요."

"웨이터야 자주 오는 손님이 최고지."

권준혁이 술잔에 위스키를 따르려고 하자 김미은이 맥주잔을 건네주며 가로막는다.

"이왕 마시는 김에 폭탄주로 해요."

"폭탄주?"

"그래요. 언제 맥주 마시고 위스키 마셔요?"

"대단하네. 미은이는 항상 폭탄주로 마시나?"

"항상 그렇지는 않지만……오래간만이니까 폭탄주로 기념하자는 거죠."

잔을 부딪치며 단숨에 술잔을 비우자 이번에는 김미은이 직접 폭탄주를 만든다. 그때 한 여자가 그들의 테이블로 다가와 인사를 건넨다. 다정이다.

"어머, 오빠. 여기서 뵙네요."

"어, 어쩐 일이야? 오늘 출근 안 했어?"

"영업정지를 맞아서 쉬고 있는 중이에요. 친구랑 바람 쐬러 나왔다가 오빠를 만났죠. 옆에 앉은 미인이나 소개해주시지 그래요?"

다정은 술에 취했는지 약간 혀 꼬부라진 목소리다.

"우선 앉아. 이쪽은 김미은. 이쪽은 다정이."

"아가씨는 어느 살롱에 나가요?"

"살롱?"

김미은이 무슨 말인가 하고 권준혁을 쳐다본다.

"미은이는 술집에 나가지 않아."

권준혁은 잠시 당황한 표정으로 서둘러 대답한다.

"이야, 오빠가 술집에 나가지 않는 여자도 만나요? 아가씨, 이 남자 조심해요."

"무슨 소리야, 다정이?"

"서울에서 권준혁이라는 남자가 바람둥이라는 걸 모르는 사람이 어디 있다고……잘못 코 꿰지 말라는 거예요."

다정은 시비조로 떠들어대더니 위스키를 맥주잔에 따라 벌컥 마신다.

"좀 취한 것 같은데……이제 그만 마셔."

권준혁이 말리는데도 다정은 막무가내다.

"내 주량은 내가 잘 알아요. 미은 씨, 오빠랑 몇 번이나 만났죠?"

초면에 뭐 이런 여자가 다 있나 하는 표정으로 김미은은 대답도 하지 않는다.

"내가 오빠 애인이란 건 이야기했어요? 후후, 내 이야기도 안 했다고요? 내가 오빠랑 몇 번이나 잤는지는 직접 물어보세요. 나, 이제 일어날게요. 두 사람 재미 보는 데 더 앉아 있을 수는 없지."

다정이가 일어나 걸어가면서 쓰러지려고 하자 웨이터가 얼른 부축하려고 다가간다.

다정이는 웨이터의 팔을 뿌리치며 혼자 비틀비틀 걸어 나간다. 김미은이 멀어져 가는 다정이를 보면서 빈정거리듯 한 마디 한다.

"오빠가 안방에서 화려한 생활을 했나 봐요?"

"방금 다정이는 나한테 맺힌 게 있어서 거짓말을 하는 거야."

"맺힌 게 있다고요?"

"진 박사가 살해되고 피해 다닐 때 강명구란 친구 집에서 묵었는데, 일이 꼬이느라고 그 친구가 나 대신 살해되고 말았어. 강명구가 바로 다정이의 애인이었거든."

"오빠에게 그런 일이 있었을 줄은 몰랐어요. 그런데 무슨 거짓말을 한다는 거죠'?"

"나는 다정이와 자지 않았다고……."

"마담이라 건드리지 않은 모양이군요?"

"그런 소리 마. 다정이는 친구 애인이었다니까."

"그런데 왜 나한테는 그런 말을 하죠?"

"강명구가 돈을 빌려주기로 한 모양인데……나 때문에 그것마저 틀어졌다고 생각하나 봐."

"말도 안 돼요."

"술집 세계란 게 우리 생각과는 다른 모양이지. 판도 깨졌고 하니 이제 나가지?"

"그래요. 그렇게 일이 꼬였다니 다정이란 마담도 참 안 됐네요?"

"그러게……12시가 넘었는데 어디로 갈 거야?"

"가까운 데서 자야죠."

권준혁이 김미은을 데리고 근처에 있는 호텔로 가자 호텔의 종업원이 반갑게 맞으며 호들갑을 떤다. 평소에 잘 알고 지내는 눈치다. 카운터에서 호텔 주인이 생색을 낸다.

"우리 호텔에서 제일 좋은 방을 30% 할인해 드리죠."

열쇠를 받아들고 객실로 올라가서 권준혁이 방문을 열자 김미은이 열쇠를 빼앗아 안으로 들어가더니 문을 '꽝' 닫아 버린다.

권준혁은 쓴 웃음을 지으며 돌아선다.

2.

권준혁과 김미은이 집무실로 들어가자 박민희는 서로 만난 지 몇 년이 된 것 같다고 다소 과장된 모습으로 반갑게 맞는다.

"앉아요. 진 박사는 연락이 안 된 모양이지?"

"당분간 외출이 불가능하다고 하더군요."

박민희의 말에 권준혁이 대답한다.

"서울에 없는 모양이군?"

"예. 좀 이상한 사건이 생겨서 칩거하고 있는 셈이죠. 진 박사 주변에서 살인사건이 벌어졌거든요."

"그런 일이 있었어? 나는 까맣게 몰랐네. 권 팀장이 얘기라도 좀 해 줬으면 좋았을 걸."

박민희는 깜짝 놀라면서 권준혁을 힐문한다.

"위원장님처럼 바쁜 분에게 그런 이야기를 하면 부담만 드릴 것 같아서요."

"무슨 소리……미국에서 만났을 때 특별한 일이 생기면 함께 풀어가자고 했죠? 지구에 살고 있는 70억 인구 중에서 서로 한 번이라도 만났다면 그건 보통 인연이 아니라는 것이 내 신조야. 그렇게 보면 우리가 어디 보통 사이인가?"

"제 불찰입니다. 위원장님 뜻은 잘 알겠습니다. 꼭 기억해 두고 있다가 앞으로는 실수 없도록 하죠."

권준혁이 다시 한 번 다짐하듯 말한다.

"김 대위의 일은 참 안 되었어."

박민희가 김미은을 바라보며 말을 건넨다.

"제 일이라뇨?"

"국무위원장을 구출하려고 출동했다가 부하들만 잃고 작전은 실패했다면서?"

"그걸 위원장님이 어떻게 아세요?"

김미은이 눈을 크게 뜨면서 묻는다.

"사실 그 작전은 내가 적극적으로 찬성해서 성사된 거야. 이제야 말하지만 안보회의에서 몇몇 사람은 실패할지도 모른다고 반대했지만, 나는 찬성하는 쪽이었어. 국무위원장만 구출한다면 틀림없이 통일을 성취할 수 있다고 믿었기 때문이지."

"예, 그런 일이 있었군요?"

"그래요. 출동하기 전에 도승우 대령을 만나 격려한 적도 있는 걸. 그런데 많은 사상자만 생기고 작전도 실패했다니 가슴이 아파."

박민희는 권준혁이 작전에 참가했던 사실은 모르는 듯하다. 김미은 도 굳이 얘기할 필요가 없다고 생각하는지 입을 다문다.

"그런데 왜 작전이 실패했을까?"

"아마도 공격 정보가 누설되었던 것 같습니다."

"정보가 누설되었다고……도대체 누가 그런 짓을 했지?"

"그건 아직 모르죠. 다만 여러 가지 정황으로 볼 때 첩자가 있었던 것 같습니다. 누군가가 정보를 흘리지 않았다면 틀림없이 국무위원장 을 구출할 수 있었을 겁니다."

"그런 생각은 못 해봤어. 근데 권 팀장 말을 들으니 정말로 첩자가 있었을 것 같다는 느낌이 드네."

권준혁의 말에 박민희는 신중하게 생각하는 표정으로 고개를 주억 거린다.

"느낌이 아니라 분명합니다. 그 배신자를 알아내기만 하면 당장에 라도 달려가서 응징할 거예요."

김미은이 주먹을 불끈 쥐어 보이며 끼어든다.

"아서요, 정말로 북쪽과 통하는 배신자라면 아무 대비책도 없이 김 대위가 쫓아오도록 기다리고만 있겠어? 김 대위의 의견에 대해서는 내 가 정보당국에 공식적으로 거론해보지. 배신자를 찾지 못한다면 북쪽 과의 통일 협상도 어려워질지 모르니까."

"그렇습니다. 극비 정보가 북쪽으로 올라가는 건 막아야 합니다."

"알아요. 이 바쁠 때 배신자라니 정말로 끔찍하군. 이제 그런 딱딱한 얘긴 그만해요. 그런 얘기나 하려고 만나자고 한 건 아니니까. 권 팀장 이 추진하는 일은 잘 돼 가요?"

박민희는 노련하게 권준혁에게로 말머리를 돌린다.

"잘 되는 것도 있고 잘 안 되는 것도 있습니다."

"말이 어렵네?"

"북의 쿠데타 때문에 통일전선에 혼선이 일어났다는 것은 상당 부분 잘 안 되는 거죠."

"하지만 북에서 국무위원장과 대통령이 합의한 통일을 막을 수는 없을 거야."

"당연히 그래야죠. 어쨌든 위원장님 같은 분이 앞장서서 통일을 위해 애쓰고 계신다는 것은 잘 되는 경우라고 봐야겠죠."

"그런가? 권 팀장도 북의 쿠데타 때문에 실업자가 되지는 않겠지?"

"물론입니다. 위원장님 같은 분들이 열심히 뛰어다니고 계시니까 이번에는 반드시 통일이 성사될 겁니다."

박민희는 그쯤에서 화제를 바꾼다.

"한국에 와 보니 나이가 많은 사람들을 주로 상대할 수밖에 없는 형편이라 젊은 사람들과 만날 기회를 더 많이 만들려고 노력해요. 더구나 일에 묻혀 바쁘게 사니까 사생활은 엉망진창이고……아무튼 세상 돌아가는 얘기까지 나이 많은 사람들과 나누고 싶은 마음은 없거든요. 앞으로 젊은이들 얘기를 더 많이 듣고 싶으니까, 자주 찾아와 주겠죠?"

"한 달에 한 번 정도는 연락드리겠습니다."

권준혁의 말에 김미은도 동감이라는 듯 고개를 끄떡인다.

"고마워요. 워싱턴에서 처음 만날 때부터 느낀 대로 역시 소중한 인연이구나 하는 생각이 들어요."

박민희와 헤어져 민족통일준비위원회가 입주해 있는 건물을 빠져나온 권준혁과 김미은은 떡 본 김에 제사 지내는 기분으로 만난 김에 데이트를 즐긴다.

물론 서양 영화 같은 데서 흔히 볼 수 있듯이 잠자리를 같이하는 그런 데이트는 아니었지만.

저녁 식사를 하러 한성식 집으로 들어갔을 때 김미은이 박민희를 다시 만난 기분을 털어놓는다. 아무래도 장관급인 위원장이라는 직함이 주는 효과도 곁들여진 듯하다.

"나는 위원장님이 젊은 사람들에게 관심을 가지고 있다는 말을 듣고 무척 기쁘던데요. 어쩌면 그런 위치에 있는 분의 마음 씀씀이가 그렇게 섬세할 수 있어요? 박 위원장님 같은 분이 직접 나서면 배신자를 찾는 데도 어려움이 없겠죠?"

"여하튼 항상 똑 부러지게 이야기하는 성격은 여전하더군. 여론조사에서 통일한국의 대통령으로 적합한 인물이라는 응답이 무려 3%나 되고 언론들도 여성 총리로 지목되면 국회의 인준은 문제없을 거라는 소식은 들었지? 한 번 지켜볼 일이야."

제23장 기습작전

1.

국가특수업무원에 파견되어 근무 중인 최창수의 사무실은 권준혁의 사무실 바로 옆에 있어서 미우나 고우나 잡다한 업무를 협의하느라 서로의 사무실을 자주 들락거린다.

한 번은 사무실로 들어갔는데도 최창수가 미동도 없이 책만 읽고 있어서 권준혁은 은근히 부아가 치민 목소리로 묻는다.

"독서삼매경도 좋지만 사람이 들어오면 본 척이라도 좀 합시다."

"권 동무, 오해는 하지 마세요. 내가 좀 심각해서……."

최창수는 그러면서 책을 쳐들고 표지 쪽을 보여준다.

뜻밖에도 제목은 『임신과 출산』.

"누가 임신했어요?"

물어보는 권준혁의 표정이 순식간에 일그러진다.

"아뇨, 그 반대요."

"그 반대라니?"

"4달째니까 지금쯤은 임신할 때가 됐는데, 아직 아무 말도 없어서 책을 찾아보고 있었소."

최창수가 뻐기듯이 웃는 모습에 권준혁은 배알이 뒤틀리지만 짐짓 딴청을 피운다.

"이강렬이가 쿠데타를 일으켰으니 최 상좌는 아예 여기서 눌러 살 생각을 해야겠군요?"

"오래 가기야 하겠소? 또 여기서 산다고 못 살 것도 없고……어쨌든 지난번에는 활약이 대단했다고 들었소."

"아주 바보 노릇만 했죠. 그러고 보면 이강렬도 머리를 쓸 줄 아는 것 같더군요?"

"당연한 얘기죠. 북조선 같은 체제에서 쿠데타를 일으킨 걸 보면 모르겠소?"

"하긴 절대 권력이라고 생각했던 국무위원장에 대해 쿠데타를 일으킬 정도라면 물론 대단하기도 하지만, 더욱 놀라운 것은 우리의 공격이 실패했는데도 우리가 탈출할 수 있도록 내버려둔 거요."

"그건 맞소. 특공대가 올 것을 사전에 준비하고 있었는데 살려 보내겠소?"

"바로 그 점을 노린 거죠. 그래서 걱정이 태산 같아요. 통일로 가는 길에 간단치 않은 장애물이 나타났으니까."

"이강렬이가 날고 기는 재주가 있더라도 통일은 예정대로 이뤄질 거로 보이지만 나는 적어도 이번 광복절에는 통일이 불가능하다고 생각하고 있소."

"천만에요, 이번 광복절에 꼭 통일이 이뤄져 진정한 민족해방의 날로 기록될 겁니다."

"대단한 자신감이지만 현실은 권 동무의 견해와 정반대로 움직이고 있소."

"최 상좌가 무슨 말을 하는지 모르는 바 아니지만 나는 분명히 통일이 되는 쪽에 걸겠소."

"그렇게 장담하는 이유가 뭐요?"

"최 상좌도 X의 존재를 잘 알잖아요? 이강렬이는 꿈에도 모르고 있는 사실이지만……."

"아, X! 하지만 X의 의지만 가지고 통일이 성취될 수는 없잖소. 손뼉도 마주쳐야 소리가 날 텐데 이강렬은 결코 통일에 동의하지 않을 거요. 그가 통일을 원했다면 무엇 하러 쿠데타를 일으키겠소?"

최창수의 말에 권준혁은 피식 웃으며 한 마디 던진다.

"통일 선언은 이강렬이가 아니라도 얼마든지 할 수 있습니다."

"지금 이 마당에 이강렬이 말고 누굽니까?"

"국무위원장."

"말도 안 되는 소리. 연금되어 있는 국무위원장은 이제 실권이 없는 사람이오."

"하지만 국무위원장이 남쪽에 살아있다면 상황이 다르겠죠?"

"무슨 홍두깨 같은 소리요?"

"하하하, 두고 보시라니까요."

권준혁의 자신만만한 태도에 최창수가 의아한 표정으로 묻는다.

"그게 정말이요?"

"그럼요. X가 이런 일을 예상하고 사전에 조치를 취해 뒀죠. 서로 만난 적도 있거든요."

"두 사람이 만난 적도 있단 말입니까?"

"당연하죠. 두 사람이 만나서 이야기하는 것을 내가 직접 보았으니까. 이제 이해하시겠소? 걱정 마세요, 다 잘 될 테니까."

"사실 나는 북에서 언제 소환할지 몰라 노심초사하고 있었소."

"진 박사 때문에?"

"그래요. 그런데 아직도 희망이 있단 말이죠?"

"두 말 하면 잔소리죠."

"그동안 무척 답답했지요. 내가 진 동무에게 얼마나 몹쓸 짓을 했는지 이제야 알게 되었는데 또 다시 헤어져야 한다는 생각을 하니 눈앞이 캄캄했소."

"사실 이강렬 정도의 장애물 때문에 통일이 좌절된다면 애당초 착수하지도 않았을 겁니다."

"이제야 좀 속이 후련하군요. 근데 어떤 경우에 임신이 안 되는지 알아요?"

말 타면 견마 잡히고 싶다는 식으로 최창수가 엉뚱한 질문을 하자 권준혁은 쓸쓸한 표정을 짓는다.

사실 최창수가 오기 전에는 김유라가 신한수 차장에게 직접 권준혁에게 마음이 있다고까지 말하지 않았던가? 그런데 최창수가 나타나 완전히 '아니올시다!'가 된 것이다.

"씨에 문제가 있거나 밭에 문제가 있거나……."

"신체검사를 받아보니 양 쪽 다 문제는 없어요."

"그럼 뭘 걱정하십니까? 통일동이가 되려고 때를 기다리는지도 모르는데……."

"제발 그랬으면 좋겠소."

이때 권준혁에게 오민우가 찾아왔다는 전화가 걸려온다. 김유라의 임신 문제를 놓고 얘기를 하자니 답답하기 짝이 없었는데 오민우가 찾아왔다니 그렇게 반가울 수가 없다.

권준혁은 곧바로 일어서서 자신의 사무실로 돌아간다.

2.

권준혁이 서둘러 자신의 사무실로 들어가자 오민우가 응접 테이블에 앉아 있다가 일어나며 반갑게 손을 내민다. 무척 표정이 밝다.

"권 팀장, 오랜만이오."

"오늘은 해가 서쪽에서 뜨겠네. 오 경감님이 나를 다 찾아주시고?"

오민우는 권준혁의 말에는 대꾸도 없이 구석에 있는 야전 침대를 보며 운을 뗀다.

"사무실 안에 야전침대가 있는 건 오랜만에 봅니다."

"요즘은 야근을 자주 해요. 무슨 좋은 일이 있나 보죠?"

권준혁이 오민우의 눈치를 살피며 묻는다. 오민우는 대답 대신 권준혁에게 봉투에 든 서류를 꺼내 보여준다.

"우선 이것 좀 살펴봐요."

"한 건 잡으신 모양이네."

이렇게 말하고 서류를 읽어 내려가던 권준혁의 표정이 점점 밝아진다. 권준혁이 서류를 검토하는 동안 오민우는 느긋하게 앉아 담배를 피워 문다.

"오 경감님, 정말 대단한 작업을 하셨군요?"

"권 팀장에게 10만 원을 챙겼으니 나도 뭔가 해야죠. 빚지고는 못 사는 성미니까."

"아무튼 여기서 잠깐 기다려 주시죠. 차장님께 보고하고 바로 돌아올 테니까."

권준혁은 부리나케 일어나 갑자기 생각난 듯 오민우에게 신문을 가져다준다.

"시간이 오래 걸리나 보죠?"

"꼭 그런 건 아니지만 다소 시간이 걸릴 수는 있어요. 곧바로 출동하려면 몇몇 부서의 결재를 받아야 하니까."

권준혁은 밖으로 나가면서 엄지손가락을 세워 보인다.

3.

국가특수업무원 회의실. 오민우가 가져온 자료를 본 신한수 차장이 시급한 사안이라고 판단하여 회의를 소집했다.

신한수 차장과 국장들, 최창수, 권총을 찬 10여 명의 요원들, 그리고 특별히 오민우 경감이 참석하고 있다. 칠판에 써가며 설명을 하는 사람은 권준혁이다.

"경찰의 조사에 의하면 진 박사의 전 남편인 김한룡이 이번 사건에 깊숙이 관련된 것으로 보입니다. 그는 중국과도 연관이 많고 우리를 공격했던 러시아인을 채용했던 사람이기도 합니다."

"러시아가 김한룡과 연관되었다는 것은 어떻게 알았나?"

신한수가 물었다.

"최창수 상좌가 확인해 주었습니다. 최 상좌도 이번 작전에 합류시킬 계획입니다."

"남북한 공조 작전이란 말이지?"

"그렇습니다, 차장님. 분단 이후 최초의 남북 공동 작전인 셈이죠. 어쨌든 김한룡의 아지트를 급습하여 그를 체포해야 한다고 봅니다."

"저들의 움직임은 파악했나?"

"우리 요원들이 확인한 바로는…… 김한룡 일당은 현재 아지트 안에 있습니다. 곧바로 출동하면 체포하는 건 어렵지 않습니다."

"출동할 인원은?"

"경찰과 군의 대테러 요원들 중에서 이번 작전에는 특전사 707대대를 투입할 수 있습니다."

"이유는?"

"저들의 아지트가 707대대에서 멀지 않기 때문에 명령만 떨어지면 곧바로 포위할 수 있습니다."

"좋아. 꼭 생포하도록."

"알겠습니다."

그쯤에서 신한수가 나가자 곧바로 세부 작전 수립에 들어간다.

작전의 골자는 707대대가 아지트를 사전에 포위하도록 하고 권 팀장을 비롯한 요원들이 헬리콥터로 근처까지 이동한다는 것.

권준혁이 오민우에게 묻는다.

"오 경감님도 같이 가시겠습니까?"

"두말 하면 잔소리죠. 내가 아니면 누가 참가하겠소?"

"10만 원 빚은 이미 청산되었습니다."

"알아요. 하지만 김한룡 같은 악당은 내가 직접 체포해야 직성이 풀리죠."

작전에 참가할 사람들은 곧바로 건물 옥상에 대기하고 있는 헬리콥터에 올라탄다.

4.

김한룡 박사의 아지트.

뜻밖에도 원두영 박사와 얘기를 나누고 있다.

"김 박사님이 잘 아시는 왕이 이번에 승진했다면서요?"

"그래. 중국공산당 중앙정치국 상무위원 겸 국가중앙군사위원회 상무위원이 됐다더군."

"대단한 자리인 모양인데 대체 하는 일이 뭐죠?"

"중화인민공화국의 정책을 좌지우지할 수 있는 몇 사람 중의 하나지. 더구나 그는 군에서 잔뼈가 굵은 강경파 군인 출신이야."

"그렇다면 이번 북한의 쿠데타에도 관심이 크겠군요?"

"무슨 뜻이지, 원 박사?

"한반도에서 통일강국이 태어나는 것을 바람직하게 생각하느냐는 거죠."

"글쎄, 좋아하지 않을 수도 있지만 북으로 통일된다면 반대하지 않겠지."

"그건 논외로 하고 잘하면 왕을 통해 중국에도 우리 사업을 연결시킬 수 있겠는데요?"

"불가능한 것만도 아니지."

김한룡은 우쭐해서 대답한다.

그런 김한룡에게 원두영은 한층 부드러운 태도로 입 안의 혀처럼 달

콤한 말을 속삭여댄다.

"어쨌거나 박사님이 죽을 목숨 살려주신 셈입니다."

"그게 무슨 소린가, 원 박사?

"박사님 아니었으면 제가 브로코의 손아귀에서 살아남을 수 있었겠습니까?"

"그거야 원 박사 실력이 웬만하니까……."

"요만큼이나마 실력을 쌓을 수 있었던 것도 모두 박사님 덕분이죠."

"무얼? 자네 경력이 화려하니까 나노 칩에 대한 기본 이론을 가르쳐 준 거지."

"박사님이 가르쳐주신 비법이 아니었다면 저는 괘씸죄로 꼼짝없이 브로코의 손에 죽었을 겁니다."

"결과가 좋으면 다 좋은 거라고 하지 않던가? 지금부턴 패가 제대로 풀려 나갈 거야."

"고맙습니다. 죽는 날까지 이 은혜는 잊지 않겠습니다."

"뭐, 은혜랄 것까지야 있겠나?"

원두영이 김한룡에게 코가 땅에 닿도록 굽실거리는 이유가 있다.

모사토전자회사의 한국법인 책임자인 브로코는 원두영의 제안대로 나노테크 칩을 생산하는 프로젝트를 추진하면서 한국에 공장을 세우고 회사의 지분도 3분의 1을 할애하겠다고 한다.

말하자면 여기까지는 원두영의 도박이 성공한 셈이다.

그러나 원 박사의 쭉정이 실력이 문제가 되었다.

나노 칩에 대한 국내 최고의 권위자로 알려져 있지만 실상은 그게 아니었기 때문이다. 더구나 칩을 생산하기 위한 세부 설계에 대해서는 별로 아는 것이 없었다.

가장 중요한 노하우는 진영숙 박사가 갖고 있는데, 사건이 일어난 후로는 그마저도 불가능한 상황이다. 진 박사는 누구에게도 자신의 핵심 연구를 알려주지 않았으며 그녀가 마지못해 칩에 대해 발표한 논문도 원론적인 수준이었고.

그런 사실을 모르는 브로코는 모사토 본사에서 진영숙 박사를 제거하라는 명령이 내리자마자 곧바로 살해했다.

진영숙이 사라지자 이번에는 원두영이 오히려 독점적 노하우를 내세우는 바람에 부득이 주식까지 떼어주기로 양보할 수밖에 없어서 자존심이 구겨질 대로 구겨진 상황이다.

그런 판에 칩 생산 공장 부지까지 확보하고 라인의 세부 설계도를 달라고 하는데 수정할 부분이 있다면서 제때에 주지 않고 차일피일 미루자 브로코는 의심의 눈초리를 번뜩이며 원두영을 몰아치던 참이다.

적어도 진영숙 박사를 납치하여 나노 칩 핵심을 알아낸 다음 제거해도 문제가 없었을 일이다. 그런데 덜컥 진 박사를 살해하고 나자 원 박사가 버티기 시작했다. 결국 그의 말만 듣고 브로코가 항복했는데 문제는 그가 쪽정이라는 것이다.

브로코가 원두영을 제거해야겠다고 생각하던 차에 원두영의 그런 궁지를 해결해준 사람이 바로 김한룡이다. 그는 원두영의 말을 듣자마자 칩 생산에 필요한 기초 내역서를 선뜻 내주었다. 브로코는 그 자료를 보고 만족해하며 공장이 준공되기 전에 마지막 노하우를 알려줄 때 주식의 3분의 1을 양도하겠다고 말했던 것이다.

김한룡의 속셈이 뭐든 원두영으로서는 그가 고마울 수밖에 없었다.

5.

김한룡의 아지트 밖에서는 707대대의 대테러 요원 30여 명이 완전무장을 한 채 김미은 대위의 지휘를 받으며 아지트를 에워싸고 있다. 그곳은 외진 곳에 호화 별장으로 지어진 단독 주택으로 보일 뿐 특이사항은 없다.

곧이어 헬기에서 내린 권준혁 일행이 지프차를 타고 현장에 도착하자 김미은 대위가 다가가 상황을 보고한다.

"공격 준비 완료했습니다."

"명령이 떨어지면 바로 진입하시오."

"예."

반기기는커녕 보고도 받는 둥 마는 둥 하며 걸어가는 권준혁을 뒤따라간 미은은 남들이 듣지 못할 정도의 거리에 이르자 서운한지 볼멘소리를 한다.

"오빠, 왜 그래요?"

"707대대에는 미은이밖에 없나?"

권준혁은 대뜸 핀잔부터 준다.

"무슨 말씀이에요?"

"특공 작전인데 또 다시 여자 지휘관이 나타나서 그래."

"여자니까……전번 작전처럼 제가 참가하면 실패할 거라고 생각하세요?"

"그게 아니라 미은이처럼 예쁜 얼굴로 총알이 날아다니는 것은 바람직하지 않다는 뜻이지."

"듣고 보니 고마운 말씀이긴 한데……제가 특전사 군인인 줄 모르시나 보죠?"

"어쨌든 조심해. 집안에는 몇 명이나 있지?"

병 주고 약 주는 건가?

김미은은 권준혁의 질문에 선뜻 대답이 나오지 않는다.

"……생각보다 많네요. 열 명쯤 되는 것 같아요."

"열 명씩이나? 이놈들 세계를 지배할 준비라도 하는 모양이지?"

"모니터 상에는 1층에 5명, 2층에 5명이 있습니다."

김미은은 한 대원이 작동시키는 원격조정 전자감시 장치의 모니터를 보면서 대답한다. 바로 그때 오민우가 핸드 마이크를 잡고 외치는 소리가 들린다.

"너희들은 포위되었다. 모두 손을 머리에 얹고 밖으로 나와라. 다시 한 번 반복한다……."

안에서는 아무런 반응이 없다. 다시 오민우의 목소리.

"마지막으로 경고한다. 모두 손을 머리에 얹고 밖으로……."

항복을 권유하는 오민우의 말이 채 끝나기도 전에 갑자기 집안에서 여러 명이 기관단총을 쏘아대기 시작한다.

"응사하는 걸 보니 항복할 의사가 없다는 말이지……좋다, 돌격 앞으로!"

"돌격 앞으로!"

권준혁의 명령을 복창하며 최창수, 김미은, 오민우, 그리고 몇 명의 특전사 요원들이 아지트를 향해 뛰어간다.

엄호를 받는 가운데 엄폐, 은폐를 하고 응사를 하며 한 발자국씩 다가간 공격 조는 어느덧 아지트의 바깥벽까지 접근한다.

다음 순간, 중무장한 특전사 요원 두 명이 문을 박차고 들어가다가 저격을 받고 쓰러진다.

"불필요한 희생을 줄여라."

권준혁은 눈에 불똥을 튀기며 소리친다.

10여 명의 공격 조가 유리창을 뚫고 들어가 1층에 있는 경비와 총격전을 벌이며 제압해 나가는 동안 다른 공격 조는 창문으로 뛰어올라 2층으로 진입한다.

그러나 2층의 저항은 예상보다 강하다. 1층을 제압한 오민우가 계단을 통해 2층으로 올라가다가 다리에 총탄을 맞고 뒹굴자 권준혁이 거침없이 오민우를 쏜 경비를 사살해 버린다."

"오 경감님, 괜찮아요?"

"내 걱정은 마시오."

이번에는 재빠른 동작으로 계단을 오르던 권준혁이 계단에 숨어 있던 경비의 총에 어깨를 맞는다. 흠칫 움츠리는 사이 권준혁을 쏜 경비를 김미은이 사살하고는 엄지손가락을 세운다. 기관총을 쏘아대는 경비들에 의해 특전사 요원들의 사상자도 늘어났지만 공격을 막을 수는 없는 상황. 얼마 가지 않아서 저항은 수그러든다.

김한룡과 원두영은 지하실에 숨어 있다가 김미은과 최창수에 의해 체포된다. 아지트에 있던 10명 중 6명이 사살되고 4명이 생포되었는데 생포된 2명도 중상을 입은 상태다.

아군의 피해도 5명이 사망하고 6명이 부상했는데, 부상자 중에는 권준혁과 오민우도 포함된다.

조사 결과 아지트에 있던 사람들은 놀랍게도 5명이 외국인이고 그 중에는 미국인, 일본인, 러시아인과 중국인도 있었다.

제24장 역정보

1.

국가특수업무원 취조실. 김한룡이 바락바락 악을 써댄다.

"나는 중국 국적을 가지고 있으니까 중국 대사관에 통보해주고 변호사를 불러주시오."

"좋아요. 김 박사 뜻대로 중국 대사관에 통보하고 변호사도 부르도록 조처하죠. 그러나 먼저 우리에게 협조하는 것이 신상에 이로울 거요."

어깨에 붕대를 감은 권준혁이 달래듯이 어르듯이 한 마디 던진다. 외국인 신분을 특권이나 되는 것처럼 들먹거리는 게 아니꼬운 것이다.

"내 요구가 관철되지 않으면 나는 아무 말도 하지 않겠소."

그러면서 김한룡이 끝내 입을 다물어 버리자 몇 시간 동안 실랑이를 벌여온 권준혁은 벌컥 화를 내며 몰아붙인다.

"이것 봐요, 김 박사. 원 박사가 모든 것을 실토했으니까 괜히 고집 부리지 마쇼. 김 박사가 브로코 살해 사건에도 관련되었다는 사실을 다 불었다니까."

"그건 원 박사가 나를 모함하는 거요."

"이거 정말 성질나게 만드네. 당신 정말 이럴 거야?"

권준혁이 윽박지르듯 주먹으로 테이블을 꽝 하고 내리치자 김한룡이 잠시 움찔한다.

"어쨌든 나는 살인자가 아니오."

"무슨 소리야? 당신은 진 박사와 나까지 살해하도록 묵시적으로 인정하지 않았어?"

이때 신한수가 취조실로 들어오자 권준혁이 벌떡 일어서며 경례를 하고 불평을 터뜨린다.

"콧방귀만 뀌면서 조사에 응하지 않는……아주 악질 중의 악질입니다."

"알았어. 내가 처리하지. 권 팀장은 잠시 나가 있게."

신한수의 말에 권준혁은 툴툴거리며 밖으로 나간다. 신한수는 김한룡의 앞으로 다가앉으며 부드러운 목소리로 이야기를 시작한다.

"나는 국가특수업무원의 신한수 차장입니다."

"국가특수업무원 차장?"

"사건 기록을 보니 종신형을 받을 수도 있겠던데, 우리는 김 박사가 악랄한 살인 교사자로 교도소에서 여생을 마치기를 원하지 않습니다. 재주가 아깝다는 뜻이죠."

"종신형이라니……나는 살인자가 아니오."

"직접 손을 쓰지는 않았겠지만, 아지트에서의 총격전에 대한 책임은 부정할 수 없을 겁니다."

"나는 총질을 한 적도 없소."

"그야 그럴 테지요. 하지만 죄를 묻기로 치면 당연히 수괴로 인정될 겁니다."

"죄를 묻지 않을 수도 있다는 말이오?"

"경우에 따라서는. 우선 두서없이 몇 가지 질문하겠소. 김 박사의 기록을 보면 전혀 이해가 되지 않는 점이 있던데?"

"기록? 기록 좋아하시네."

김한룡은 시답잖다는 듯 빈정대는 말투다. 신한수는 평소의 성깔답지 않게 느긋한 태도로 다시 묻는다. 신한수의 진지한 태도에 김한룡도 조금씩 끌려오기 시작한다.

"김 박사는 나노테크 분야의 세계적 전문가로 알려져 있는데, 진영숙 박사는 왜 죽이려고 했죠?"

"나는 진 박사 살해와는 관련이 없소. 내가 왜 전처를 죽입니까?"

"물론 피살된 사람은 대역입니다. 그런데 한계령에서 진 박사를 공격했던 일당 중의 하나인 러시아인 치챠코프를 초청한 사람은 김 박사더군요?"

"나는 인공지능 분야에 일가견이 있는 치챠코프 박사를 초청했는데 실제로는 딴 사람이 도착했소. 그는 과학자도 아니고 인공지능 분야에는 아예 깡통이었소. 그것까지 내가 책임을 져야 할 일이오?"

"누군가가 그를 바꿔치기 했단 말입니까?"

"그걸 난들 알겠소? 여하튼 나는 진 박사 사건과는 관련이 없어요."

"고집 피워도 소용없습니다. 모든 것이 밝혀질 테니까. 아지트에 있던 5명의 외국인 중 4명이 사살되었고 일본계 미국인 한 명이 생포됐는데, 그들이 어떻게 김 박사와 합류했습니까?"

"솔직하게 말하면 나도 몰라요. 나는 나노 칩을 만드는 공학자일 뿐인데, 내가 무엇 하러 살인 사건에 끼어든단 말이오?"

"어쨌거나 결과적으로 끼어든 셈이 되지 않았습니까?"

"나는 그저 그들을 잠시 맡아달라고 해서 받아준 것뿐이오."

"그게 누구입니까?"

"음성이 변조된 전화 목소리라 여자인지 남자인지도 모르겠소. 단지 협박하다시피 부탁했는데 내가 아는 사람은 아니었소."

"누군지도 모르는데 테러단을 보호해준다고 수락했단 말입니까?"

"내가 테러요원인지 어떻게 알았겠소? 여하튼 맡아 달라고 해서 승낙한 것은 사실이지만 나는 정말로 모르는 일이오."

"그를 소개해준 사람은 있을 것 아닙니까?"

"누구를?"

"러시아인 치챠코프."

"아. 치챠코프는 인공지능 분야에서 사실 세계적인 권위자요. 그는 나의 나노 칩 활용에 도움이 될 것 같아 초청했소."

김한룡이 거짓말을 하지 않는 것은 분명하다. 그는 자신의 나노 칩을 설명하고 세계적인 활용방안을 상의하기 위해 그를 초청했는데 엉뚱한 사람이 와서 자신도 놀랐다고 한다.

"치챠코프만 초청했습니까?"

"솔직하게 말하면 중국인으로 명망이 있는 유전학자 고도 함께 초청했소. 그런데 그가 갑자기 중국의 고관인 왕과 약속이 잡혔다며 도착하지 않았소."

"왕이라면?"

"중국공산당 중앙정치국상무위원 겸 국가중앙군사위원회상무위원이 된 왕 장군이오."

"왕 장군을 잘 알고 있습니까?"

"그렇소. 사실 나노 칩 개발은 왕 장군이 도와주었기 때문에 성공할 수 있었소. 그 많은 연구비를 그가 주선하지 않았으면 내 힘으로는 도저히 불가능한 일이였소."

신한수는 김한룡이 살인자, 테러단은 아니지만 여하튼 고약한 일에 엮여 있다는 점은 인정해야 한다고 오금을 박은 후 취조 겸 면담을 끝낸다.

2.

신한수 차장의 집무실.

신한수 차장과 권준혁, 최창수가 자못 심각한 표정으로 소파에 앉아 있다.

"상처는 어떤가?"

신한수 차장이 권준혁에게 묻는다.

"견딜 만합니다. 어깨 부위에 맞았으니까 그나마 다행이죠."

"다음번에도 총알이 자리 봐가며 맞아 주리란 보장은 없어."

"물론이죠. 그래도 날 쏘던 녀석을 저 유명한 707대대 중대장이 사살했다는 거 아닙니까."

그러자 신한수가 정색을 하며 묻는다.

"김 대위라고 했던가? 미국에서 만났고 국무위원장 구출 작전에도 함께 참가했다면 보통 인연이 아닌데, 어떻게 권 팀장이 가만히 내버려 두었을까?"

"차장님은 절 어떻게 보고 하시는 말씀입니까? 제가 뭐 카사노바라도 된단 말입니까?"

"지금까지 행적을 보면 대충 그랬던 것 같은데?"

"맙소사, 생사람 잡지 마십시오. 총각 혼삿길 막힙니다."

"내 말은 인연이 있는 사람을 만나기가 쉽지 않다는 뜻이니까 새겨들으라고."

그 말에 최창수가 끼어들어 한 마디 거든다.

"맞습니다. 인연이란 참 대단한 거죠."

그쯤에서 신차장이 본론을 꺼낸다.

"빨리 통일이 되어야지. 김한룡 박사의 이야기를 들으면 머리가 돌아버릴 지경이야."

"무슨 뜻이죠?"

"그의 말이 틀린 것 같지 않으니까 더욱 그렇단 뜻이야."

"변조된 목소리의 주인공이 배신자라는 생각이 든다는 말이군요?"

"그래. 중국의 왕과도 선이 닿아 있을 정도니 고위직 인사임에는 틀림없는데……왕에게 배신자의 이름을 알려달라고 할 수도 없고 일이 점점 꼬여가는 것 같아."

왕이 누군가?

중국공산당 중앙정치국 상무위원 겸 국가중앙군사위원회 상무위원이다. 그런 사람과 관련되어 있다면 고도의 국제 정치적인 상황으로 변질되기 때문에 사건을 상식적으로 해결하기는 어렵다는 것이다. 조용히 듣고 있던 최창수가 입을 연다.

"제게 한 가지 아이디어가 있습니다."

"뭡니까?"

"김한룡을 이용해 보면 어떨까요?"

"김한룡을 이용한다고요?"

"예. 김한룡이 왕과 잘 안다고 하니까 그를 통하면 알아낼 수 있지 않겠습니까?"

그러나 신한수는 고개를 좌우로 가로젓는다.

"그건 어려울 거요. 중국에서도 최고위직에 있는 왕이 그걸 이야기 해줄 것 같소?"

"그렇다면 다른 방법으로 이용할 수도 있지 않겠습니까?"

권준혁이 운을 떼자 신한수가 바짝 다가들며 묻는다.

"다른 방법으로 이용한다면?"

"적어도 김한룡은 왕을 곧바로 만날 수 있을 테니 그를 통해 거꾸로 우리나라의 정보를 알려줄 수는 있지 않겠어요?"

"거꾸로 정보를 제공한다……그거 좋은 생각이야. 김한룡을 이용할 수 있겠어."

신한수가 밝은 표정으로 권준혁의 어깨를 툭 치자 권준혁이 '어이쿠' 하며 자지러진다.

"저런, 저런……미안하네. 그러게 빨리 완쾌되어야지."

"지금 차장님이 건드리는 바람에 2주일은 더 지나야 완쾌될 겁니다."

"미안, 미안……내가 이번 일이 잘 되면 저녁을 사지."

"고작 저녁입니까?"

"나한테 저녁 대접받은 사람이 몇 명이나 되는지 알아봐."

권준혁이 '괜히 투정 부렸다가 본전도 못 찾는군. 누가 짠돌이 차장 아니랄까 봐.'라고 속으로 생각하는데 그의 마음속을 읽었는지 신한수가 큰 소리로 윽박지르듯 말한다.

"쓸데없는 생각하지 말고 빨리 나가 보라니까."

등을 떠밀리듯 최창수와 함께 밖으로 나오자 이번에도 미스 양이 입을 삐죽거린다.

권준혁이 바쁘다고 하면서 감질나게만 하고 정작 그녀에게 데이트하자는 말도 없이 계속 공수표를 남발해 왔기 때문이다.

3.

신한수가 응접 테이블에 앉아 있는데 김한룡이 수갑을 찬 채 교도관과 함께 들어온다.

"수갑은 풀어주고 자넨 나가 있게."

교도관이 나가자 신한수가 김한룡에게 담배를 권하고 불을 붙여준다.

"고생스럽지 않습니까?"

"교도소가 호텔 같기야 하겠소?"

"나는 생각할수록 도저히 이해가 안 됩니다."

"뭔가요?"

"세계적으로 유명한 김 박사께서 왜 진 박사 연구 성과를 빼내려고 했는지 말입니다."

"나는 그런 적이 없소."

"정황상……김 박사님이 아니면 누가 진 박사의 연구 파일을 필요로 하겠습니까?"

"어이가 없네요. 나를 남의 연구 성과나 훔치는 사람으로 생각하다니? 그래도 나름대로 자존심만은 지켜온 사람이오. 오히려 진 박사가 내 아이디어를 도용한 거지."

김한룡은 펄쩍 뛰며 반박한다.

"진영숙 박사가 박사님의 아이디어를 도용했다고요?"

"물론이지. 솔직히 말해 두뇌에 삽입하는 나노 칩의 아이디어는 원래 내가 낸 거요."

"그래도 칩이 두뇌에서 작동하도록 생체 적응에 성공한 사람은 진 박사 아닙니까?"

"그건 모르겠소. 나는 나노 칩에 무한대의 정보를 저장하는 방법을 개발했고 그걸 인체에 접목시키느냐 아니냐는 내 분야가 아니오."

"전혀 다른 분야군요?"

"그렇소. 그녀는 유전자 분야의 전공자로 칩을 아는 사람은 아니요. 인체 접목도 상당한 의미가 있으므로 관심을 가진 것은 사실이지만 진 박사의 연구에는 전혀 관심을 가지지 않았소. 나는 마누라의 연구라 더욱 신경을 쓰지 않았고 특히 나는 남의 연구 결과나 몰래 뒤적거리는 사람이 아니란 말이오."

"김 박사님이 그렇게 말한다면 믿겠습니다. 다만 문제라면 진 박사를 살해한 사람이 김 박사의 주변에 있다는 것이지요."

"그게 내 책임은 아니지 않소? 그녀가 얕은꾀를 내는 바람에 대역만 불쌍하게 됐지만……충분히 그럴 만한 여자요.

김한룡은 툴툴거리며 혀를 내두른다.

"한 가지만 더 묻겠소. 왕과는 어떻게 친분을 맺었습니까?"

"그건 정말로 우연이오. 나는 중국 연변에서 태어났는데 왕이 태어난 곳도 매우 가까운 데라고 했소. 내가 한 학회에 참석했을 때 그와 동석하게 되었고 그 후로도 자주 연락을 했소."

"말하자면 고향 친구인 셈이군요?"

"그렇게 되나? 지금 나에게 그걸 질문하러 왔소?"

"아닙니다. 나는 박사님이 몇 가지만 협조해 주시면 박사님에게 자유를 드리겠다는 사실을 전하려고 왔습니다."

"말이 요상하군요. 나를 풀어주는 조건은 무엇입니까?"

김한룡은 은근히 관심을 가지는 눈치다.

"조건은 간단합니다. 박사님이 왕과 절친한 관계를 높이 사겠다는 겁니다."

"그러니까 나를 이용해서 왕에게 접근하겠다는 거요?"

"말하자면 그렇습니다."

"하긴 죽마고우인 왕은 나에게 원하는 것은 무엇이든 들어주겠다고 했고 내가 나노 칩에 대해 설명하자 전격적으로 나를 지원해주었소. 그래 내가 어떻게 하면 되겠소?"

"왕에게 우리가 준비한 것을 직접 전달해 달라는 겁니다."

"왕에게 직접 전해 달라고? 그렇게는 못 하겠소. 그런 얘기라면 더 이상 할 얘기가 없으니 이만 일어서겠소."

김한룡의 태도가 느닷없이 돌변한다.

"왜 그러세요? 우선 앉아요. 내용이나 들어보고 결정하시면 되지 않겠어요?"

"내가 거짓 자료를 전해주면 언젠가 알려질 텐데……그건 자유를 잃느니만 못하지."

"우리가 드리는 자료는 적어도 거짓말이 아니며 한중 양국에 결코 불리한 자료가 아닙니다. 박사님이 왕에게 직접 전달해 주시기만 하면 모든 죄는 사면해 드리겠습니다. 그 일만 끝나면 박사님은 자유입니다. 담배 태우시겠어요?"

신한수의 말에 김한룡이 엉거주춤 고개를 끄덕인다.

신한수가 담배 갑과 라이터를 건네주자 직접 담배를 뽑아 불을 붙이며 입을 연다.

"조건은 만족할 만하군. 그런데 왜 하필 나요?"

"아까도 이야기했듯이 박사님이 왕과 절친하다는 것을 높이 사겠다는 뜻입니다."

"지금까지 얘기로는 결코 문제될 게 없는 내용인데 그런 정도라면 나를 통하지 않아도 얼마든지 가능하지 않겠소?"

김한룡은 담배를 한 모금 깊숙이 들이킨 후 도넛을 만들어 신한수 앞으로 훅 분다.

호락호락 간계에 말려들지 않겠다는 듯이……. 신한수는 물끄러미 연기를 바라보며 입을 연다.

"맞습니다. 그러나 박사님을 통하는 게 가장 효과적이라고 판단했기 때문이죠."

"그 이유나 좀 압시다. 그것도 비밀이오?"

"비밀은 아닙니다. 공식적으로 왕에게 어떤 정보를 전하려면 상당한 시간이 걸리고 또 중간에 비밀이 누설될 수도 있습니다. 중요한 사실은 우리가 전하려는 정보는 한중 양국에는 매우 도움이 되지만 제3자가 알아서는 안 되는 정보라는 것입니다."

"한중 양국에는 도움이 되지만 다른 나라에는 불리하다……통일에 관련된 얘긴가 본데?"

"굳이 말하자면 한반도 통일과 무관한 내용은 아닙니다. 읽어보시죠."

신한수가 주는 서류를 꼼꼼하게 읽고 난 후 김한룡이 말한다.

"이 서류만 전해주면 되는 거요?"

"그렇습니다. 조건은 왕에게 이 친서를 정확하게 전해주고 어느 누구에게도 지금 읽은 내용을 이야기해서는 안 된다는 겁니다."

"이런 내용을 동네방네 불고 다닐 정도로 바보처럼 보이요?"

"그렇지 않다는 것을 아니까 이 중요한 서류를 보여드리는 겁니다."

"조건은 만족할 만하군요. 한국에서 정말로 그 약속을 지킬지 의심스럽긴 하지만……."

"약속을 지킬 수 없다면 박사님을 보내지도 않습니다. 다만, 중국에서 잠적하신다면 박사님의 화려한 경력을 즉각 중국 측에 통보하겠습니다. 아마 거기서도 이런 경력으로는 환영받지 못할 겁니다."

"물론 과장해서 보내겠죠?"

"과장할 게 뭐 있겠습니까? 사실만 가지고도 충분할 텐데."

"협박입니까?"

"아니죠. 죄를 지은 사람은 박사님인데 우리가 왜 박사님을 협박합니까? 사실 박사님이 왕과 친분이 두텁다는 사실만 아니라면 꽤 오랫동안 감옥신세를 질 수밖에 없었을 겁니다.

"좋습니다. 나로선 선택의 여지가 없군요."

"박사님이 도와주시면 원 박사도 무죄 방면하겠습니다. 사실 원 박사야 박사님의 일을 도와주기만 한 셈이니까 큰 죄도 아니죠.

신한수는 마지막으로 김한룡의 우려를 말끔하게 씻어준다.

제25장 통일의 조건

1.

이강렬의 집무실.

이강렬이 비서실장 역할을 맡고 있는 윤동주에게 인터폰으로 묻는다.

"중국에서 특사가 왔다고 했나?"

"예. 중국공산당 정치국상무위원이자 국가중앙군사위원회상무위원인 왕의 보좌관이 친서를 가져 왔다고 합니다."

"무슨 내용이라고 하던가?"

"위원장님께 직접 전달하겠다면서 내용은 밝히지 않았습니다만, 매우 중요한 사항인 모양입니다."

"몇 분으로 일정이 잡혔나?"

"15분입니다."

"그 정도야 할애해야지. 들여보내."

금방 날카로운 눈매의 특사가 조그마한 가방을 들고 이강렬의 집무실로 들어온다.

"왕 상무위원께서 보내신 친서를 갖고 온 곽입니다. 위원장 동지를 뵙게 돼서 영광입니다."

"먼 길에 수고 많습니다. 이번에 상무위원이 되신 왕 장군에게 축하한다는 말씀을 꼭 전해주십시오."

"예, 왕 상무위원님은 중국 측에서 수집한 이 정보를 위원장 동지께서 급히 보실 필요가 있다고 하셨습니다. 직접 읽어보시기 바랍니다."

이강렬의 중국어가 유창하여 통역관은 필요가 없다.

곽은 가방에서 봉투를 꺼내 이강렬에게 건네준다.

이강렬이 봉투를 열자 한 장의 편지와 다섯 장의 사진이 들어 있다. 사진은 축출된 국무위원장과 그의 지문을 확대한 것으로 남측에서 직접 찍는 장면도 있다.

꼼꼼히 편지를 읽어 내려가던 이강렬이 깜짝 놀라며 묻는다.

"나더러 이 내용을 믿으란 말이오?"

"저로서는 뭐라고 답변을 드리기 어렵습니다만 상무위원께서 직접 보내신 자료라면 믿어도 될 것으로 생각합니다."

"말도 안 되오. 그는 이미 우리가 총살시켰다니까……."

"하지만 이렇게 증거가 있지 않습니까? 여기서 체포된 사람은 본인이 아니라 국무위원장의 대역이라는 겁니다. 그가 어떻게 대역을 북한으로 보냈는지는 모르지만 이 정보는 틀림없다고 상무위원께서 강조하셨습니다."

곽은 자료의 신빙성을 거듭 강조하지만, 이강렬도 의구심을 드러내며 양보하려고 하지 않는다. 어쩌면 믿고 싶지 않은 것인지도 몰랐다.

"나는 그를 어릴 때부터 지켜봐 온 사람이오. 대역이라면 내가 모를 리가 있겠소? 왕 상무위원께서 지나친 걱정을 하시는 모양인데 국무위원장은 틀림없이 죽었다고 전해 주시기 바랍니다."

"그렇게 전하겠습니다만, 왕 상무위원께서 다른 점을 우려하고 계십니다."

"다른 점이라뇨?"

"남쪽에 있는 국무위원장이라는 사람이 위원장님께 불리한 술수를 쓸지도 모른다는 거죠."

"바쁘실 텐데 이런 데까지 신경을 써서 서신을 보내 주시니 정말 고마운 배려요."

"상무위원께서는 위원장님께서 추진하시는 일을 적극적으로 돕겠다는 말씀도 하셨습니다."

"내가 대단히 감사하게 생각한다고 전해주십시오. 또 보내주신 자료에 대해서는 다각도로 검토한 후 결과를 알려드리도록 하겠습니다."

"알겠습니다. 또한 상무위원님은 위원장께서 조속하게 불순분자들을 제거해야만 안정된 국가를 구축할 수 있다고 조언하셨습니다."

"감사한 일이지요. 먼 길 와주셔서 고맙습니다. 나도 조만간 왕 상무위원님을 만나 뵙고 싶다고 전해 주십시오."

"불원간 위원장님께서 중국을 방문하실 수 있도록 건의하겠습니다. 그럼 저는 일어서겠습니다."

왕의 특사라는 곽은 제 할 말은 다했다는 표정으로 가방을 챙겨 이강렬의 사무실에서 나간다.

2.

이강렬은 기분이 께름칙하다.

그럴 리가 없다고 하면서도 중국의 유력한 인물이 자료까지 보내온 마당에 그대로 무시할 수도 없어서 조사를 해보라고 지시를 했다.

"결과가 나왔나?"

"예……틀림없이 국무위원장 본인이었습니다."

"그래? 도대체 어떻게 이런 일이 가능하냐고?"

"틀림없이 대역을 쓰고 있는 것 같습니다. 요즘은 성형수술이 워낙 발달해서 국무위원장과 외모를 똑같이 만드는 것은 어렵지 않습니다."

"나도 알아. 그런데 어떻게 지문까지 똑같으냔 말이야?"

윤동주는 할 말을 잃는다. 국무위원장이 정상회담을 위해 서울을 방문한 적이 있으니까 충분히 지문을 채취할 수야 있었겠지만, 지문을 찍는 모습과 손가락을 확대한 사진은 어떻게 해석해야 할 것인가?

문제는 장소인데 그가 지문을 찍고 있는 장소는 청와대 대통령 문장이 보이는 것으로 보아 북한이 아님이 분명했다.

　그 흔한 컴퓨터그래픽이 아님도 분명하다. 지문을 확인해 보라는 뜻으로 자료를 보냈다면 남쪽에 있는 사람이 국무위원장이라는 사실을 확신하고 있다는 뜻이 분명한 셈이다.

　"지문도 정밀하게 손가락에 이식시킬 수 있을 겁니다."

　"나쁜 자식들……국무위원장의 건강 기록과 처형된 시체는 샅샅이 대조해 보았겠지?"

　"물론입니다. 제가 세 번씩이나 그의 시체와 의료 기록을 확인했는데, 다른 사람일 리가 없습니다. 특히 중요한 것은 치과 기록인데 치아까지 똑 같습니다."

　"그래, 국무위원장은 분명히 죽었어. 더구나 놈들은 국무위원장을 구출한답시고 특공대까지 보내서 많은 사상자를 내고 실속 없이 철수하지 않았나? 그런데도 그가 남쪽에 살아있다는 거야?"

　"말도 안 되는 소리죠."

　"그런데 문제는 놈들이 이런 주장을 동네방네 퍼트리고 다니는 거란 말이야."

　"정말 밉살스럽게 구네요. 우리도 남쪽 아새끼들의 말은 하나도 믿을 수가 없다는 걸 알려야 합니다."

　윤동주의 말에 이강렬은 석연치 않은 표정으로 볼멘 소리를 한다.

　"어떻게?"

　"방법을 찾아봐야죠."

　"남쪽 아새끼들을 어떻게 혼내주지?"

　"우리도 사진을 공개하는 것이 어떻겠습니까?"

　"국무위원장의 처형 사진 말인가?"

　"예, 총살시키는 장면도 찍혀 있으니까……."

　"부작용은 없을까?"

　"부작용이라니 무슨 말씀이십니까?"

"총살당할 때 행동이 너무나 대범했거든. 그걸 보면 오히려 그를 추모하는 놈들도 생길 수 있지 않겠어? 어쨌든 필름은 공개하지 않는 게 좋겠어."

국무위원장은 처음 체포될 때만 해도 고래고래 소리를 지르며 반항하더니 어느 순간부터 모든 일에 너무나 의연하게 처신하기 시작했다. 비밀재판에서 사형을 언도할 때도 대범한 모습을 보여주었고 막상 총살 현장에서도 진정으로 조속한 통일을 원한다는 말을 했던 것이다.

"녹음된 내용을 삭제하고 공개하면 문제가 없을 겁니다."

"그래도 찜찜하단 말이야. 거, 음성 분석기는 어떻게 되었나?"

이강렬은 똥 마려운 강아지처럼 윤동주에게 물어본다.

"처형 당시의 목소리와 평소 연설한 목소리를 대조해 봐도 국무위원장이 틀림없습니다. 설마 음성 주파수까지 변조할 수 있겠습니까?"

"그런데 남조선 아새끼들은 뭘 믿고 까부는 거야? 이번 기회에 아예 혼을 내줘야 하겠는데 묘안이 없을까?"

"간단합니다. 더 이상 까불면 핵폭탄을 떨어뜨리겠다고 하는 겁니다."

"바보 같은 소리……북조선이 그동안 개발한 핵폭탄은 위협용이지 공격에 사용하기 위한 것은 아니잖아?"

"무슨 말씀이신지?"

머쓱해진 윤동주가 조심스럽게 묻는다.

"남쪽에 핵폭탄을 떨어뜨리면 우리는 피해가 없겠냐고? 까불지 못하게 하는 것은 좋지만 진짜로 떨어뜨릴 수는 없지."

"하지만 그들이 계속 비방해대는 걸 가만히 보고만 있을 수는 없지 않습니까?"

"그건 그래. 그렇더라도 핵폭탄은 문제가 있어. 다른 방법을 찾아 봐야지.

"다른 방법이라면?"

"꼭 핵폭탄을 터트려야만 핵폭탄의 위력을 보여줄 수 있는 것은 아니잖아. 무슨 뜻인지 알겠어?"

"그러면 지하 핵실험이라도 보여주죠.

"지하 핵실험? 그건 구문이야. 과거 여러 번 실험해 북조선이 핵폭탄을 갖고 있다는 것은 세계가 다 알아. 더구나 미국과 협상용으로 지하 핵실험 시설을 파괴했는데 굳이 그런 구차한 행동을 보여야겠어?"

북한이 국제사회와의 약속대로 그동안 여러 차례에 걸쳐 폭파 실험에 이용했던 북한의 핵 실험장을 파괴한 것은 사실이다. 이들 폭파는 지하 갱도 3곳과 지상의 여러 구조물에 집중됐다. 국무위원장은 이들 장소의 폐쇄를 '핵-청정의, 평화로운 세계'의 건설과 '전 지구적 핵 군축' 절차의 일환이라고 주장했다.

특히 언제든지 가동 가능한 터널도 폭파하여 북한이 더 이상 핵폭탄 개발에 연연하지 않는다는 점을 강조했다. 이미 핵폭탄을 확보한 이상 핵폭탄 실험을 더 이상 할 필요가 없다는 뜻이다.

특히 지하 갱도와 함께 지상 시설인 전망대와 경비병, 인부 막사도 역시 폭파했다. 북한이 굳이 지하 핵실험에 공을 들일 필요가 없다는 뜻으로 이강렬이 핵폭탄을 다시 터트리려면 그동안 더 이상 핵폭탄을 실험하지 않겠다는 사실에도 위반된다.

"알겠습니다. 다른 방법을 찾아보겠습니다."

"또 하나……국무위원장이 남쪽 대통령과 만나 무슨 밀담을 했는지 알아내는 것도 중요해."

"알아보고는 있는데 사실 그게 간단한 일이 아닙니다. 단독회담으로 뭔가를 결정한 모양인데 국무위원장은 처형됐고 대통령은 남측에 있으니까 도저히 알아낼 수가 없습니다."

남북 정상회담에서 도대체 무슨 얘기가 오갔을까?

이강렬은 그걸 알 수 없다는 것이 고민이라면 고민이다. 서울에서 3박4일 동안 무려 다섯 차례나 정상회담을 했는데 그때마다 독대였던 것이다. 그 후에 나온 발표는 1국가 1체제의 남북한 완전 통일을 합의했다는 내용으로 단지 시기만 문제라고 했는데, 그걸 곧이곧대로 믿을 사람이 어디 있겠는가? 쿠데타로 집권한 후에 브리핑을 받으면서 알게 된 사실이지만 시나리오는 광복절에 맞춘 전격 통일인데 방법이 문제였다. 어떻게 완전 통일을 할 참이었는지 아는 사람이 없는 것이다.

이강렬은 애당초 그런 문제가 어려운 일은 아니라고 생각했던 게 사실이다. 국무위원장을 취조하여 남북 정상회담의 내용을 알아내기는 식은 죽 먹기라고 생각했는데 그게 아니었다. 목숨을 살려 외국으로 보내준다는 회유에도 국무위원장이 꿈쩍 않고 대범하게 버티는 바람에 홧김에 처형해 버렸던 것이다.

지금 생각하면 스스로 발목을 잡은 꼴이지만 국무위원장이 남쪽에 살아있다는 정보가 입수되자마자 처형을 서둘렀던 것이 후회스럽기 짝이 없다. 지구상에 국무위원장이 존재하지 않는다는 것을 확인시키려고 했던 것인데 오히려 거꾸로 일이 꼬이고 만 셈이다.

"특공대를 보내고도 구출에 실패했던 남쪽 아새끼들이 갑자기 국무위원장이 남쪽에 살아있다고 나팔을 불어댄 이유가 도대체 뭘까?"

"잇속이 있었던 게 아닐까요?"

"어쨌든 괜히 서두르는 바람에 꿩 놓치고 알까지 깨 버린 꼴이야. 국무위원장으로부터 정보를 더 캐낼 수도 있었을 텐데……."

이강렬은 공연히 부아가 치밀어 오른다.

아무리 독대를 했다고 하더라도 국무위원장이 북에 불리한 합의는 하지 않았을 텐데 도무지 무슨 얘기가 오갔는지 알아낼 방법이 없으니 답답할 수밖에. 서울 방문에 앞서 국무위원장은 어떤 일이 있더라도 북조선에 불리한 합의는 하지 않겠다고 천명했고, 애당초 1국가 1체제의 완전 통일은 상상도 못했던 일이 아닌가.

인구나 경제력에서 비교가 되지 않지만 북한은 핵폭탄을 갖고 있어 막상 전투가 벌어진다면 북한이 남한을 항복시키는 것은 어려운 일이 아니라는 전문가들의 평가였다.

　엄밀하게 말하면 남한과 북한의 군사력은 상대가 되지 않을 정도로 남한이 월등했다. 북한의 소련제 비행기는 몇 십 년 전에 제작된 것이지만 남한의 비행기들은 미국제 최신형이며 해군도 함정 수는 물론 전투력에 있어 비교도 되지 않는다. 더욱이 육군의 탱크는 물론 자동소화기조차 남한이 월등하다.

　그러나 북한의 자랑은 핵폭탄과 ICBM이다. 그동안 국무장관은 미국을 비롯한 세계와의 약속으로 핵폭탄을 더 이상 제조하지도 않고 외국 테러단 등에게 기술을 이전하지 않겠다는 약속을 전제로 남한과의 정전협정을 종전선언을 통해 평화협정으로 바꾸었다. 휴전협정의 당사자인 미국으로부터 이를 확인받은 것도 중요한 일이다.

　미국으로부터 허용된 북조선과의 평화협정은 매우 중요한 대목이다. 북한의 열악한 경제 상황에도 불구하고 남북한의 대치로 인해 정부 예산의 상당 부분을 국방에 투입하지 않을 수 없었다. 그러나 평화협정으로 실질적인 평화와 안정된 체제가 정착되면 국방비의 상당부분을 내수부분에 전용할 수 있기 때문이다.

　그러나 북조선이 가장 크게 우려한 것은 전력이 현격하게 남한과 차이가 나는데도 마지막 카드를 버렸을 때, 다시 말해 핵폭탄을 모두 폐기했을 때 미국과 일본이 공조하여 북한을 공격하면 이에 맞설 방법이 없다는 점이다. 그동안 줄기차게 외쳐온 자주노선이 붕괴되는 것은 물론 북조선 자체가 소멸되는 것이다.

　북한은 미국과 일본이 이와 같은 야욕을 드러내는 것은 북한이 갖고 있는 무진장의 자원 때문임을 분명히 알고 있었다. 석탄은 물론 희토류도 세계 최정상급이다. 더구나 세계를 놀라게 한 것은 북조선에 세계 몇 위에 해당하는 원유가 매장되어 있다는 점이다.

　2004년 한국의 거대재벌 정주영이 평양을 방문했을 때 김정일 국방위원장은 "평양이 거대한 유전지대에 둥둥 떠 있다."고 말하기도 했다.

이를 서방측은 말도 안 된다고 일축했지만 중국 국영 '해양석유총공사'는 2004년 10월 자체적으로 북조선의 서한만 유전의 매장량을 확인한 끝에 2005년 10월, 서한만 분지에 약 600억 배럴 규모의 원유가 매장된 사실을 실토하기도 했다. 중국이 이 사실을 쉬쉬했던 이유는 발해만 대륙붕에 연결된 서한만 분지 유전지대가 바로 북측 수역(영해)이었기 때문으로 알려진다.

북한은 서한만 유전지대의 정밀 탐사를 위해 유전탐사 장비를 캐나다 등지에서 수입하려 했지만, 미국의 방해로 결국 탐사 장비를 자체 개발, 시추공을 뚫고 유전 탐사를 진행했다. 그런데 서한만 유전지대의 매장량 규모가 기존에 알려진 700억 배럴의 2배 규모인 매장량 200억 톤 규모, 약 1,470억 배럴임을 확인했다고 알려졌다. 지질학자들은 한반도 형성과정에서 퇴적분지인 서한만은 지질구조로 볼 때 원유가 존재할 개연성이 많다고 분석했다. 그런데 서한만 유전지대는 남포는 물론 평양까지 연결된 것으로 추정한다.

2003년 『한반도 경제보고서(국립중앙도서관, 국회도서관 소장)』에 따르면, 북측의 원유 총 매장량은 최소 588억 배럴에서 최대 735억 배럴로 추정하고 있으며, 남포 앞바다에 430억 배럴(약 60억 톤) 매장이 된 것으로 추정했다. 특히 북측이 첨단 탐사장비를 동원하여 수 년 동안 유전탐사를 본격화하면서 서한만 유전의 매장량이 급속히 증가했다는 설명도 있었다.

여하튼 북한의 원유 매장이 보다 큰 주목을 받은 것은 중국의 원유 매장량이 세계 13위(200억 배럴)인 데 반해 북한의 석유 매장량은 1,470억 배럴, 다시 말해 세계 3위로 자리매김하기 때문이다. 물론 세계를 놀라게 한 엄청난 북한의 매장량은 다소 차이가 있어 세계 3위는 아니라는 설명도 있지만 상당량의 원유가 북한에 매장되어 있다는 것은 여러 부분을 통해 알려지기 시작했다.

그러나 미국을 비롯한 서구권의 강력한 로비 등을 통해 북한에 석유가 매장되어 있다는 것은 난센스라고 공격했다. 그러면서 북한에서 원유를 채굴할 수 없도록, 다시 말해 원유가 정말 있다면 채굴하는 장비가 필요할 테니까 이를 북한에 제공하지 못하도록 모든 방법을 동원하여 막았다고 알려진다.

이렇게 되면 방법은 단 하나. 북한은 각고의 난관을 이겨내며 채굴 장비를 자체 개발하여 드디어 자체적으로 원유를 생산하는 데 성공했다고 알려진다. 북한은 1990년대 후반부터 본격적인 석유 생산에 들어가 1998년 평안남도 숙천군 앞바다 유전에서 원유 시험 생산에 성공한 뒤 매년 이 유전에서 30만 톤의 원유를 생산해오고 있다는 것이다.

이강렬은 북조선의 원유 생산에 관한 한 상당히 부정적인 생각을 보였다. 정말로 북한이 원유 생산에 성공했다면 북조선에서 원유를 생산하고 있다는 사실을 발표하지 못할 이유가 없다고 국무위원장에게 넌지시 이야기하기도 했다. 그러자 국무위원장은 북한이 원유 생산에 성공한 사실을 대내외적으로 극비에 부쳐온 것은 사실이라고 알려왔다.

그런 보도 통제를 하게 된 이유는 여러 유전을 개발하여 그동안 원유 부족으로 인한 경제난을 해결할 수 있는 자신감이 생겼을 때 원유 생산 사실을 대내외에 공표하면서 동시에 '강성대국' 진입을 선언하겠다는 것이다.

그러나 이강렬은 원유 매장에 관한 한 확신을 갖고 있지 않았다. 원유 매장설이 과장일 가능성이 많다고 생각했던 것으로, 정말로 많은 원유가 매장되어 있다면 그에게까지 비밀로 할 이유가 없다는 것이다. 이강렬은 쿠데타로 집권하기 전 여러 방면을 통해 원유 매장과 생산에 대해 나름대로 확인했다.

그에게 보고된 자료는 그의 예상과는 전혀 달랐다.

북조선의 원유 수입량을 보면 1990년 252만 톤에 달하는데 2010년에 52만 톤이었고 2014년에는 45,000톤으로 급감했다. 1990년에는 북조선에서 원유가 생산되지 않았으므로, 당시 원유 수입량 252만 톤은 원유 수요량과 맞먹은 것으로 볼 수 있는데, 원유 수요가 계속 증가하여 2014년도 원유 수요량은 300만 톤 이상으로 추산되었음에도 실제 수입량은 45,000톤으로 급감했다는 것이다.

그제서야 이강렬은 중국의 왕이 외교부장이 2014년, 2015년 석유 한 톨도 북한에 공급하지 않았다는 말을 떠올렸다. 중국이 연간 50만 톤 정도 파이프를 통해 북한으로 공급했다고 하지만 이를 감안하더라도 250만 톤 이상 원유 수요량을 어떻게든 충당했다는 것을 의미하는데, 수입을 하지 않았다면 자체로 충당했다는 것을 의미한다.

비교적 설득력 있는 자료를 확보한 이강렬은 자체적으로 원유, 즉 에너지 문제를 해결할 수 있다면 더 이상 외세의 간섭을 받지 않고 내정에 투입할 수 있다고 생각했다. 그는 북조선이 세계적인 원유 매장량을 확보하고 있으며 생산마저 순조롭다면 굳이 남한과 통일하지 않아도 남한과 같은 경제대국이 될 수 있다고 생각했다. 그는 원유가 확보되고 정정(政情)이 안정되면 단기간에 남한에 버금가는 경제 강국이 될 수 있다고 국무위원장에게 이야기했다.

이강렬은 국무위원장에게 '북은 남이 갖지 못하는 장점을 갖고 있다.'는 사실을 부각시키자고 했다. 그가 제시한 방안은 북조선에서는 부동산 가격에 대한 부담이 없으며 인건비가 남한은 물론 서양보다 10~100배나 저렴하고 남한의 고질인 노조도 없다는 사실을 정확히 지적했다. 더구나 손재주는 북한이나 남한이나 같은 한민족이니까 별반 차이가 없다는 사실도 강조했다. 한 마디로 외국의 어느 기업이라도 북조선이 남한보다 유리하다는 것을 알 수 있다는 논리다. 그래서 몇 해만 버티면 북조선의 경제력에 세계가 놀랄 것이라고 말했다.

이처럼 국무위원장에게 남한과 관련 없이 독자적인 노선을 견지하자고 강변했음에도 남쪽 대통령과 완전 통일을 합의해 버렸던 것이다. 이것은 이강렬이 쿠데타를 결심하게 된 동기 중의 하나라고 할 수 있었다.

북조선이 과거와는 달리 경제적인 면에서도 상당히 유리한 여건을 갖고 있음에도 불구하고 국무위원장이 남한과 통일하겠다고 결정하게 된 배경이 자못 궁금하지 않을 수 없다.

그렇게 합의한 이유가 뭘까? 한편으로 생각해보면 남측의 태도도 이상하다. 북조선의 새로운 위상을 생각하면 국무위원장이 남측에 시시콜콜 양보했을 리 없다. 그렇다고 남측 대통령이 국무위원장의 요구 조건을 모두 들어준다면 유리할 게 없지 않은가?

그럼에도 불구하고 완전 통일에 합의했다면 남쪽도 만족할 만한 결론을 내렸다는 뜻이다. 문제는 그 절묘한 합의점이 무엇인지 모른다는 사실이다. 거기에 생각이 미치자 이강렬의 이가 지근지근 아파온다. 이강렬이 짜증을 부리자 윤동주가 참견을 한다.

"짜증이 나니까 이빨까지 아프군."

"치료를 받지 그러세요?"

"내가 지금 치료받을 시간이 어디 있어? 우선 국무위원장이 틀림없이 죽었다는 사실을 누가 봐도 알 수 있도록 발표해. 그러면 남쪽의 속셈을 알 수 있겠지."

"알겠습니다. 남쪽의 A에게 먼저 통보하는 것이 좋지 않을까요?"

"그래, 발표하기 전에 A에게 먼저 알려줘. 그리고 A에게 X가 누구인지도 알려 달라고 해."

"알겠습니다. A라면 틀림없이 파악하여 알려올 겁니다."

"그래야지. 남쪽 놈들이 A의 존재를 알면 눈깔이 뒤집힐 걸?"

이강렬은 A에게 남쪽의 모든 정보를 기대하기는 어렵다고 생각하면서도 남측의 핵심에 그들의 첩자가 있다는 사실에 미소를 짓는다.

제26장 세포 복제

1.

국가특수업무원 신한수 차장 집무실.

신한수가 서른 살은 연하인 유라를 설득하느라 안간힘을 쏟고 있다.

"내 처지를 봐서라도 제발 부탁하네, 진 박사."

신한수가 김유라를 진 박사라고 부르는 것은 그녀의 역할을 해달라는 뜻이다. 김유라는 오불관언이라는 태도다.

"도무지 이해할 수가 없군요. 왜 제가 그들을 만나야 하죠?"

"진 박사의 곤혹스러운 입장은 잘 알지만 그들을 이해시키려면 직접 나서 주는 수밖에 없다는 거야."

"그들이 아직도 우리를 믿지 못한다는 뜻으로 들리는데 그렇다면 국방위원장을 직접 보여주시지 그러세요?"

"중국 측 인사들에게 직접 보여드리면 안 되겠느냐고 물어봤지. 하지만 보기 좋게 거절당했어."

"왜요?"

"대역이라고 믿고 있거든. 직접 본다고 해도 그가 진짜인지 가짜인지 알 수 없다는 거지."

"그렇다면 왜 저를 만나려는 거죠?"

"그들도 유전자 분야의 전문가들인데 진 박사의 성과가 믿기지 않으니까 직접 만나서 궁금한 것을 묻고 싶겠지."

"좋아요. 하지만 제가 왜 김 박사까지 만나야 하죠? 두 사건은 완전히 다를 텐데……? 더구나 나를 죽이라고 묵시적으로 승낙했던 사람을 만나라니 혹시 정신이 나간 것 아니에요?"

"물론 두 사건은 완전히 달라. 그러나 김 박사를 통해 중국에 국방위원장이 살아있다는 것을 알려주자 곧바로 의심스럽다는 의견을 밝혀왔으니까 그도 중요한 증인 중의 한 사람이지."

김유라의 앙탈에도 신한수는 막무가내다.

"나를 죽이려는 사람과 웃으면서 만나 고맙다고 인사를 하라는 뜻이에요?"

"그런 뜻이 아니라는 건 진 박사도 잘 알 텐데? 사실 그는 진 박사를 살해하는 데 반대했던 사람이야."

"겉으로야 그랬을지 몰라도 속으로는 반대하지 않았을 걸요?"

"그렇지 않아. 김 박사는 진 박사의 능력이 자신보다 앞선다며 적극적으로 반대했다는 건 틀림없는 사실이야. 어쨌든 진 박사가 우리의 고충을 이해해 줬으면 좋겠어."

김유라는 눈을 감고 지난날을 회상한다.

스무 살이었던 대학 2학년 여름방학 때, 그녀는 과학기술연구원에서 유전학을 연구하던 김한룡 박사의 연구실에 아르바이트 학생으로 취직했다. 아르바이트를 하는 사람은 모두 다섯 명이었지만 여자는 그녀 혼자였다. 김일룡은 잘 생긴 호남아에 팔방미인으로 술 담배도 잘하고, 웃기는 데도 일가견이 있었으며, 대학 시절에 육체미 운동까지 하여 체구가 건장했다.

아르바이트 학생으로 출근했던 첫날 그가 말했다.

"나를 따르지 못하는 사람은 바로 그 순간에 해고야."

그것이 자신의 신조라고 하며 회식 자리에서 술을 마시고 담배를 피우라고 강요했다. 그날 진영숙은 처음 담배를 피웠고 소주잔을 연거푸 주는 대로 마시다가 그만 혼절하고 말았다. 그녀는 그로부터 꼬박 24시간이 지나 병원에서 깨어났다. 그것이 김일룡과의 첫 만남이었다. 그 후 그녀는 김일룡의 연구실에서 독보적인 존재였다.

단순 작업이 많았지만 그녀는 자신에게 주어진 작업을 철저하게 마무리했고 남자들도 맡기 싫어하는 궂은일을 마다하지 않으며 밤샘 작업도 보통이었다. 그녀의 철저한 연구 자세와 톡톡 튀는 아이디어는 김일룡의 마음을 사로잡았고 방학이 끝나고도 계속 파트타임으로 근무해 달라는 제의를 받았다.

일주일에 3번씩 출근하는 조건이었는데 토요일과 일요일에 근무하고 나머지 하루는 강의가 없는 날을 선택했으므로 학교도 다니고 연구소도 다닐 수 있었다. 그렇게 열심히 8개월을 일했는데 하루는 김일룡이 워커힐 호텔에서 만나자고 하더니 청혼을 했다. 당시 그가 총각이라는 것을 그때 처음 알았다.

당시만 해도 남자를 전혀 모르는 데다 그 흔해 빠진 미팅도 몇 번 해보지 못한 쑥맥 중의 쑥맥이었던 진영숙은 사실 김일룡에게 취해 있었다고 해도 과언이 아니었다. 결국 그녀는 김일룡의 구혼에 곧바로 승낙하고 4개월 후에 결혼식을 올렸다.

"좋아요. 하지만 내가 진 박사라는 것을 확인하는 데는 단 10분이면 되겠죠?"

"그럼, 김 박사가 진 박사를 확인하는 거야 단 몇 분이면 되겠지."

"어디서 만나죠?"

"김 박사와 중국 측 인사들은 이미 도착해서 기다리고 있어."

2.

김한룡 박사와 함께 들어온 중국 측 과학자 고와 리는 학회에서 여러 번 만났다고 김유라를 금방 알아보았다. 물론 영숙으로 알고 있지만. 김유라와 두 중국인은 반갑게 인사를 나눈 반면 김유라와 김한룡의 사이는 냉랭했다. 아예 눈도 마주치지 않으려고 할 정도로.

"저를 보자고 하셨다는데 이제 궁금한 게 있으면 질문하세요."

중국 과학자 고가 물었다.

"진 박사의 실험실을 보고 싶다고 했더니 보여줄 수 없다고 하던데, 혹시 실험실을 볼 수 있을까요?"

나이가 많은 고가 미소를 지으면서 영어로 묻는다. 그러자 김유라는 딱 부러지게 대답한다.

"아뇨. 만약에 고 박사님의 실험실을 보자고 하면 보여 주시겠어요?"

"그럼요. 보여 드리죠."

"보여드릴 만한 것은 보여드릴 수 있지만 중요시설은 안 되죠. 그건 이해하실 거예요."

"섭섭하군요. 그렇다면 더 이상 거론하지 말죠."

"고마워요."

"우리도 유전학자니까 기초적인 것은 이해할 수 있는데……우선 두 가지만 질문하죠."

"말씀하세요."

유라는 고개를 쳐들고 담배를 꼬나물면서 말한다. 김한룡은 그녀를 바라보며 잠자코 있다.

"태아가 태어나는 복제인간이라면 이해가 가는데 진 박사님은 체세포로부터 성인을 복제했다고 하더군요. 그것은 지금까지 불가능하다고 알려져 있지요."

"꼭 그렇지는 않아요. 사실 그건 제 아이디어가 아니라 SF물에서 간단하게 처리되고 있죠."

"SF물이야 불가능의 분야를 간단하게 해결하지만 실제로 그게 가능하다고 볼 수는 없죠."

"물론 제가 말하는 것은 타임머신, 초광속 비행, 투명인간 등을 말하는 것이 아니라 생명과학분야에서 남들이 불가능하다고 생각하는 분야에서 틈새를 찾았죠."

"틈새라고요?"

인간이 지구상에 태어난 이래 과학 분야에서 항상 불가능이라는 영역은 존재했다. 바퀴가 발명되기 전에 뛰는 것보다 빨리 간다는 것은 불가능의 영역이었고 비행 원리가 알려질 때까지 하늘을 난다는 것은 불가능의 영역이었다. 그러나 진실한 의미에서 과학이 발전하게 된 것은 아이러니컬하게도 불가능하다고 생각하는, 어떤 의미에서 절대로 실현될 수 없는 꿈에 대한 집착 때문이다.

'하늘을 날아봤으면', '저기 보이는 별에 가 봤으면', '슈퍼맨이 되어 악당들을 마음껏 처치했으면'……상상력을 한껏 자극한 이런 꿈들은 그 시절을 지나 돌이켜보면 대개 황당무계한 것으로 웃어넘기기 일쑤다. 그러나 과학이 인간의 기본 요소로 자리를 잡기 시작한 후부터 '이룰 수 없는 꿈'을 현실화시키기 위해 진보해 왔음을 헤아린다면, 꿈은 불가능할수록 진가가 나타나는지도 모른다. 불가능이 있다는 것은 가능한 것을 원천적으로 봉쇄한다는 뜻이므로 유쾌하지 못한 이야기임에는 틀림없다.

그럼에도 불구하고 인간의 가장 큰 무기는 불가능을 용서하지 않는다는 점이다. 불가능이 있다는 것은 가능한 것을 원천적으로 봉쇄한다는 말이 되지만 오히려 유익한 점이 많다. 역으로 말하여 불가능하다는 것을 정확히 안다면 아직도 실현되지 않은 가능성들을 실현시키는 데 큰 도움을 주기 때문이다.

김유라가 고 박사에게 틈새에 대해 설명한다.

"간단해요. 체세포를 배양한 다음 반드시 이를 증식시킬 자궁이 필요하죠. 자궁에서 충분히 성숙된 후 어린아이가 태어나도록 하는 것이 지금까지의 복제 방법이었어요."

"그렇습니다, 진 박사님."

고 박사는 나이가 한참 어린 김유라에게 존칭을 쓰면서 수긍한다. 김유라는 공손하게 말하는 고 박사에게 미소를 지으면서 대답한다.

"바로 그곳에서 틈새를 발견했죠. 저는 자궁에서 어린아이가 아니라 성체까지 성장할 수 있도록 했어요."

"그 방법이 궁금하군요?"

"간단하죠. 자궁에서 어린아이가 만들어지는데 왜 어른인들 못 만들겠어요? 엄마의 자궁에서 태아까지만 배양했지만 저는 어른까지 고속으로 증식시킬 수 있게 한 거죠."

"그게 정말로 가능했다는 이야기입니까?"

"그것이 불가능하다고 생각하셨다면 저를 만나러 오실 필요가 없었겠죠?"

김유라가 강타를 먹이자 고 박사는 어색한 표정을 지우지 않으면서도 부드럽게 대답한다.

"그렇게 말하니 믿겠습니다만 두 번째 질문에는 좀 더 구체적으로 설명해주셨으면 합니다."

"어떤 질문인지에 따라 다르겠죠."

김유라는 고 박사의 질문이 무엇인지 예상하고 있다는 듯 삐딱하게 대꾸한다. 그러나 산전수전 다 겪었을 고 박사는 김유라의 건방져 보이고 도전적인 태도는 개의치 않는다는 듯 궁금한 점을 토로한다.

"아주 간단한 질문입니다. 방금 말한 대로 체세포로 성장된 인간을 만들 수 있다는 부분은 인정합니다. 영화나 소설에서 자주 쓰는 수법이죠. 그러나 그 사람이 갖고 있는 기억이 복제되었다는 점은 아직도 이해가 되지 않습니다."

"그 문제에 대해서는 사실 논란의 여지가 있지만 저는 성장된 세포에 그 사람의 기억이 들어 있다는 것을 예전부터 주장했어요. 제 논문은 읽어 보셨겠죠?"

"그래요. 바로 그 논문을 진 박사가 영국에서 발표할 때 나도 참석했지만 당시 반 페이지에 불과한 요약(abstract)만 제출했지요."

"그랬지요. 비록 제목만 이야기했지만 바로 그 요약에 모든 것이 들어있어요. 몇몇 학자들은 저의 이야기를 듣고 저를 비웃기도 하더군요."

"비웃었다기보다 이해를 하지 못했다고 해야겠죠."

"여하튼 저는 체세포에 포함되어 있는 기억을 복제하여 이식시키는 신코딩 기법을 성공시켰어요. 기억 이식이 가능하다는 것을 증명한 거죠."

김유라의 말 한 마디 한 마디에 주의를 집중하면서 고 박사와 리 박사, 그리고 김한룡은 입을 굳게 다물고 있다. 김유라가 설명을 다 마쳤는데도 질문하는 사람이 없다.

"더 이상 질문하실 게 없습니까?"

답답하게 시간이 흐르자 신한수 차장이 확인하는 질문을 던졌고 그제야 젊은 중국인 리 박사가 말문을 연다.

"진 박사님의 경력이나 업적을 봐서 진실로 믿겠습니다. 우리가 그분을 직접 볼 수 있겠습니까?"

"아뇨. 그건 불가능합니다. 그러나 남북한에서 벌어지는 모종의 조치가 성사된 후에는 언제든지 그분을 만나실 수 있도록 주선하겠습니다."

이번에 대답을 한 사람은 김유라가 아니라 신한수다.

"지난번에는 그분을 직접 만나는 것이 어떠냐고 제안하시지 않았습니까?"

신한수의 말에 고 박사가 볼멘소리를 한다. 신한수도 지지 않고 대답한다.

"그랬죠. 그러나 그분을 만나는 것에 반대한 것은 중국 측입니다. 더구나 이제 진 박사를 만났으니까 그분을 만날 필요가 없겠죠."

"알겠습니다. 우리가 잘못 생각했다는 건 인정하죠. 그러면 그분을 언제 만나볼 수 있겠습니까?"

"오래 걸리지는 않을 겁니다."

신한수의 대답에 리 박사가 다시 질문을 했다.

"그때는 진 박사의 시설도 볼 수 있을까요?"

리 박사의 질문에 김유라가 나선다.

"그 문제는 제가 말씀드릴 것이 아니지만 기본 내용을 학회에서 발표할 예정이니까 그렇게 조급하게 생각하시지 않아도 될 겁니다."

"그동안 논문을 제출하지 않더니 논문을 발표하신다고요?"

"학자들과 공유하고 싶은 것들이 있다는 뜻이죠."

"진 박사님이 과학계에 폭탄을 터뜨리는 장면을 꼭 보고 싶군요."

그것으로 얘기가 끝나고 모두들 일어선다.

그동안 김한룡은 단 한 마디도 하지 않고 김유라만 뚫어지게 쳐다보고 있다. 신한수가 세 사람을 문으로 안내할 때 김유라가 갑자기 큰 소리로 웃으며 한 마디 던진다.

"제 말을 진심으로 믿고 계시는군요?"

리 박사가 받아서 반문을 한다.

"그래요. 진 박사가 이야기하는 것을 어떻게 믿지 않을 수 있겠소?"

"그렇지만 지금 이야기 중에서 일부는 과장된 거짓말이에요."

김유라의 말에 그들은 놀란 표정으로 다시금 돌아와 자리에 앉는다.

"사람을 성체로 복제하는 것은 그런 대로 가능하다고 하지만 세포에 모든 기억이 들어 있다는 것을 정말로 믿을 수 있어요?"

이번에는 고 박사가 되묻는다.

"그걸 진 박사가 해결했다고 하지 않았소?"

"그거야 두 분이 제 말을 어디까지 믿는지 알아보기 위해서였죠. 하지만 그건 불가능해요."

"그렇다면 국무위원장은 어떻게 된 겁니까?"

"간단해요. 바로 그런 문제점을 해결하는 칩을 개발했거든요."

김유라는 핸드백에서 조그마한 칩을 꺼내 세 사람에게 보여준다. 중국인 고와 리의 눈이 크게 벌어진다. 고 박사가 묻는다.

"무슨 뜻입니까?"

"북에서 처형당한 사람은 대역이라는 거죠. 제가 국무위원장의 세포로 복제한 다음 이 칩을 머리에 삽입시켰죠."

"그러니까 국무위원장이 아니라 진 박사가 복제한 대역이 처형당했다는 뜻이로군요?"

"이제야 이해하시는군요. 대역이 남북 정상회의를 끝내고 국무위원장 대신 돌아갔어요."

"놀랍군요. 세포로 성장한 인간을 복제하는 데 성공했고 기억은 칩으로 해결했다는 말에 실감이 갑니다. 여하튼 우리의 방문 목적은 한국에 있다는 국무위원장이 진짜냐 아니냐를 판단하는 겁니다. 그렇다면 대역인지 아닌지 확인하는 것은 간단하겠군요?"

"무슨 말이죠?"

"처형당한 국무위원장의 머리에 칩이 있는지 확인만 하면 되는 것 아닙니까?"

"아니에요. 이미 시간이 지났어요. 이 칩은 생체플라스틱으로 만들었기 때문에 사람이 죽으면 자동으로 녹아버려요. 그러니까 북에서 처형된 대역으로부터는 찾을 수 없다는 뜻이죠."

"이제 좀 이해가 되는군요. 정말로 세포에 기억까지 저장되어 있다고 말했다면 내가 먼저 진 박사를 이상한 사람으로 생각했을 겁니다."

고 박사가 마지막으로 한 마디 보태고 일어서자 줄곧 입을 다물고 있던 김한룡이 밖으로 나가면서 진 박사가 틀림없다고 고 박사에게 이야기한다.

3.

김한룡과 중국의 과학자들이 떠나자 신한수가 김유라에게 묻는다.

"대체 어떻게 된 일이야?"

"뭐가요?"

"북한에 있던 대역은 복제한 신체에 두뇌 칩을 이식해서 기억을 갖고 있다고 했잖아?"

"뭐가 이상하죠?"

"원래 오늘은 진 박사의 연구 결과를 그대로 설명해 주기로 했던 건데 전혀 다른 길로 갔거든?"

"그래요. 그런데 제 얘기 중에서 틀린 게 뭐죠? 중국에서 온 두 사람은 유전자 복제에서는 유명한 학자들이에요. 그러니까 그들에게 모든 것을 알려줄 필요는 없어요."

"그 반대 아닌가?"

"아니죠. 그들은 제가 처음에 이야기한 것을 곧바로 이해했어요. 그러니까 세포를 가지고 갓난아이가 아니라 성체까지 증식시킬 수 있다는 저의 이론을 이해했어요. 두 번째 질문은 기억의 전수인데……아직도 DNA 속에 기억이 저장되어 있고 또 새로운 기억을 저장할 수 있다는 저의 주장을 이해하지 못하고 있다는 것을 감지했어요."

"그들은 두 번째 질문도 이해했다고 했어."

"말은 그렇게 했죠. 그러나 그들이 제 말을 이해하지 못했다는 걸 금방 알아차렸어요. 그렇다면 우리의 만남은 실패로 돌아가는 거죠. 그들은 기억을 칩으로 이식시켰다는 사실에 곧바로 호응했어요. 그렇게 이해한 것이죠."

김유라가 미소를 지으며 말하자 신한수가 고개를 갸웃거리며 묻는다.

"그러면 제대로 설명이 된 셈이야?"

"그럼요. 그들은 유전자 복제에는 전문가지만 기억 이식에 대한 전문가는 아니에요. 그래서 제 말을 완전히 이해했을 겁니다."

"무슨 뜻이지?"

"기억 이식 전문가였다면 분명 살아있는 사람의 뇌에 인공 칩을 부착했다면 어떻게 작동하는지 질문했을 거예요. 그런데 그런 질문이 없는 걸 보니 그 분야를 잘 모르는 거죠. 사실 사람을 성체로 복제하는 것보다 인공 칩이 거부반응 없이 머리에서 작동할 수 있도록 하는 것이 더 어려운 일이에요."

"인공으로 만든 칩을 머리에 이식시켰을 때 칩에 내장된 정보가 자연스럽게 작동하는 것이 어렵단 말이지?"

"그래요. 중국인들은 아직도 DNA 정보 저장을 이해하지 못하고 있어요. 그래서 제가 차선책을 이야기한 거죠."

"중국인들이 정말로 이해를 했을까?"

"적어도 북한에서 처형된 사람이 국무위원장의 대역이었다는 사실은 수긍했을 걸요."

"그렇다면 됐어. 사실 그들이 나가려고 할 때 자네가 엉뚱한 소리를 하여 하늘이 무너지는 줄 알았어."

"아직 하늘이 무너지지 않았으니 안심하세요."

신한수는 그제서야 모든 것을 이해했다는 듯 표정이 밝아진다.

제27장 인간의 수명

1.

'국가특수업무원'에서 김유라를 만났던 고가 왕을 만나고 있다.

"한국에서 주장하는 것이 사실이던가?"

"틀림없어. 진 박사는 나도 잘 아는데……거짓말을 할 사람이 아니야."

고와 왕은 북경대학교의 동창생으로 서로 농담을 주고받는 사이다. 왕이 사관학교에 재직 중 북경대학교에서 연수했기 때문이다.

"그렇다면 이강렬이 속고 있다는 것이 사실이구면."

"그런 셈이지."

"진 박사는 돈을 엄청나게 벌겠네."

"돈을 벌자고 들면 그렇겠지. 그러나 돈보다는……글쎄 뭐랄까, 연구가 좋아 연구를 한다고 해야 할까."

"그런 소리 말게. 돈 싫어하는 사람이 어디 있겠어?"

"내 말은 돈을 싫어하는 것이 아니라 돈은 필요한 만큼 있으면 된다는 뜻이야."

"그래도 돈에 넘어가지 않는 사람은 보질 못했어."

"진 박사 정도 되면 악착같이 돈을 모으려고 하지는 않는다는 거지."

"어쨌든 진 박사의 연구는 때돈을 벌 만큼 부가가치가 높은데 그녀를 데려올 수가 없어서 안타까울 따름이야. 근데 세포가 기억을 갖고 있다고 한 그녀의 이론은 정말로 불가능한가?"

"그게 지금 학자들 간에 의견이 나뉘고 있어. 절대 불가능하다는 학자들이 많지만, 당장은 어렵더라도 어쩌면 가능할 수 있다는 데 거는 학자들도 있어."

"어쩌면 가능할 수도 있다고?"

"그럼. 앞으로 과학이 더 발달하면 진 박사의 아이디어가 실현될지도 모르지."

"그렇다면 오래 살려는 사람에게는 복음이겠군."

"그럴 수도 있지만 기억을 되살릴 수 있다고 해도 그것이 영생을 의미하지는 않아."

"무슨 소리야? 계속 복제한다면 영원히 살 수도 있는 것 아닌가?"

"신체적으로 가장 아름다운 스무 살 전후의 혈액을 수없이 채취해 두었다가 필요할 때마다 복제할 수는 있겠지. 그러나 문제는 인간의 기억이야."

"그래, 기억이 없다면 인간이 동물과 다를 바가 없겠지."

"20세의 혈액은 20세까지의 기억밖에 갖고 있지 못하니까 사실상 그 후의 경륜이 전혀 입력되지 않는 거야. 쉰 살에 장군이 된 사람이 스무 살 때 혈액으로 복제된다고 해도 그가 30년 동안 겪은 경험을 이용할 수 없는 거지."

"그런 문제점이 있었군. 그렇다면 50세 때 복제하면 되잖아?"

"옳은 말이지. 그런데 문제는 인간의 수명이 100살을 넘기기가 어렵다는 점이야."

"100살? 예끼 이 사람. 일부 학자들은 과학의 발달로 500살까지도 살 수 있다고 하던데?"

"말로야 1,000살은 왜 못 살겠는가. 하지만 인간이 100살을 넘을 수 없다는 것이 바로 '불가능의 영역'일세. 자네 전문 분야가 아닌 생명과학에 대해서 약간 설명해야겠군."

고는 왕이 아무래도 생명과학에 문외한이라며 좀 더 쉽게 설명해 주겠다고 한다.

"자네처럼 건강한 사람도 젊을 때보다 근력이 많이 떨어졌지. 안 그런가, 왕?"

"그건 그래. 지금은 조금만 무리해도 회복이 매우 느려지더군. 그래서 보약이란 보약은 모두 먹는데도 정말로 효과가 있는지는 모르겠어."

"그걸 노화라고 하는데 생명체에서 일어나는 노화라는 공통적인 성질은 변화가 진행성이며 비가역적(되돌릴 수 없는)이라는 점이야. 이 무자비한 쇠퇴의 원인에 대해서는 여러 가지 학설이 있지. 그런데 학자들을 놀라게 하는 연구 결과가 속속 나타나는 거야."

"좋은 내용인가, 나쁜 내용인가?"

"연구야 당연히 좋은 내용도 있고 나쁜 내용도 있게 마련인데 노화에 관한 한 나쁜 결과가 더 많아. 일반적으로 태아의 세포는 50번 정도 분열하는데 태아의 세포를 20번 분열시킨 다음에 냉동 보존했다가 다시 배양을 시켰더니 30번 분열하고 정지했다는 거야."

"어떤 방법을 사용해도 50번만 사용하면 폐기처리 된다는 뜻이군."

"그래. 정상세포에게 아무리 적합한 환경을 조성해 주어도 영원히 살 수 있는 것이 아니라 정해진 수명을 갖고 있음을 분명히 보여준 셈이지. 그러나 일부 학자들은 이 연구 결과에 오히려 고무되었다네."

"무슨 뜻이야? 아무리 연구해도 수명이 늘어날 수 없다면서……."

"이 가설이 학자들에게 큰 용기를 북돋워준 것은 유전자 속에 수명과 노화를 결정하거나 적어도 매우 큰 영향을 주는 인자가 포함되어 있다는 것을 강력히 시사하고 있기 때문이지. 말하자면 노화를 촉진하는 유전인자를 찾아낸다면 노화 현상을 인간이 조절하거나 다룰 수 있다고 생각하는 거야."

"같은 결과를 두고도 선악이 완전히 달라지는군."

"생명을 다루니까 그렇지. 여하튼 노화를 유발하는 요인이 어떻든

간에 노화를 막아보려는 노력은 중단되지 않고 있다네."

"그야 그럴 테지. 학자들도 인간 아닌가? 그렇다면 인간은 몇 살까지 살 수 있을까?"

왕이 자기 나이를 감안하여 물어보는데 고가 매우 실망스러운 답변을 한다.

"불행하게도 인간은 120세 이상 살 수 없다는 통설을 지지하는 수명 연장 불가론자가 지배적이야."

"또 쓴 소리를 하는군."

"나도 자네와 동갑 나이의 인간인데 왜 부정적인 이야기를 하고 싶겠나? 굳이 오래 산다는 희망마저 죽일 필요는 없다는 말이지. 지구에 있는 생물은 지구 표면에 있는 수많은 원소의 조합으로 이루어져 있는데 구성 원소를 살펴보면 탄소, 수소, 질소, 유황, 인 등이 있고 철, 칼슘, 마그네슘 등의 금속 이온도 있어. 물론 어느 원소 하나 중요하지 않은 것이 없으나 그 중 탄소는 특별한 의미를 갖고 있지. 생체 구성물의 기본 골격은 탄소이며 다른 원소들은 이 탄소에 연결돼 보조적인 역할을 담당할 뿐이야. 그러한 측면에서 탄소는 생명 현상을 유지하기 위한 핵심적인 원소라고 할 수 있는데 불행하게도 그 재질의 사용 기간을 대략 100년 정도로 추정하는 거야. 결국 사람의 수명은 자원적인 면으로도 백 년 이상을 초과할 수 없다는 뜻이지."

"탄소의 생명이 100~120살이라면 굳이 400~500살로 인간의 생명을 연장하겠다는 생각은 아예 잊어버리는 것이 좋다는 뜻인가?"

"그래. 그나마 한 가지 위안이라면 다른 동물보다 인간의 수명이 매우 길다는 거야."

왕은 고 박사의 말에는 크게 신경을 쓰지 않는 표정을 짓더니 다른 질문을 한다.

"그런데 진 박사 연구대로라면 복제인간 아닌 보통 사람에게도 칩을 이식시킬 수 있는 것 아닌가?"

"그래. 그녀의 가장 큰 업적이라면……나노 칩을 두뇌에 이식시켰을 때 일어나는 거부반응을 해결한 모양이야."

"그렇다면 칩을 여러 개 복사해서 여러 사람에게 삽입하면 모두 같은 사람처럼 활동할 수도 있겠네?"

"무슨 말을 하려는지 알겠어. 사실 국방을 위해서는 대단한 거야. 진 박사의 칩에다 어떤 특수한 명령어만 입력시키면 로봇과 마찬가지로 활용할 수 있을 테니까."

"칩을 이식받은 사람의 원래 기억은 어떻게 되나?"

"그거야 물론 갖고 있겠지."

"원리를 알고 있으니 그걸 우리가 연구할 수는 없겠나?"

그러나 고 박사는 고개를 좌우로 내젓는다.

"지금 당장은 불가능해."

"어째서?"

"우리는 진 박사의 노하우를 전혀 모르거든. 사실 조그마한 컴퓨터 칩에 모든 기억을 저장하는 것도 어려운 일인데 그것이 사람의 두뇌에서 아무런 부작용도 없이 작동한다는 것은 더더욱 간단한 일이 아니야."

"하지만 진 박사는 성공했다고 하지 않았는가?"

"그래. 진 박사는 그런 부작용이 없다고 하지만 과연 우리나라에서 당장 그런 결과를 얻을 수 있을지는 의문이야."

"알았어. 자네가 그 임무를 맡을 수 있겠나?"

"다시 한 번 말하지만 당장 진 박사와 같은 결과를 내라고 한다면 나는 거절하겠어. 하지만 지금이라도 그런 연구를 시작하라면 기꺼이 응하겠네."

왕은 알았다는 듯 고개를 끄떡이며 다른 얘기를 꺼낸다.

"내가 자네에게 개인적인 자문을 하나 구했으면 하는데……."

"개인적인 자문?"

"그래. 자네는 연변 출신이라 조선족에 대해 잘 알잖아?"

"자네보다야 잘 안다고 할 수 있지. 우선 한국어를 이해하니까."

"그래서 말인데 이 사실을 이강렬에게 알려주는 것이 좋을까?"

고 박사는 잠시 멈칫하더니 신중하게 입을 연다.

"나는 알려주지 않는 것이 좋을 것 같아."

"어째서 그렇지?"

"이강렬은 국무위원장이 남한에 살아있든 아니든 쿠데타 세력을 결집하고 있을 거야. 자네에게 중요한 것은 이강렬이 재빨리 체제를 안정시켜 남북통일을 저지하도록 도와주는 일 아닌가?"

"도와준다기보다는 그렇게 되는 것도 중국에 불리하지 않을 거라고 생각하지. 솔직하게 말해 통일이 되더라도 남측 위주가 아니라 북측 위주가 나쁘지 않을 거라는 거야."

"그게 그거 아닌가. 그렇다면 이강렬에게 알리기보다 남쪽을 비방하도록 그대로 놔두는 게 더 좋겠지."

"알았어. 한국까지 다녀와 줘서 정말 고맙네."

"공치사는 그만두게. 모두 중국을 위해서 한 일로만 생각하라고."

"그러지. 자, 이제 저녁이나 먹으러 가세."

제28장 준비된 무장

1.

　이강렬의 쿠데타는 한반도 정세를 원천적으로 재검토하도록 만든 중요한 사건으로 가장 놀란 것은 한반도와 연계된 국가들이다. 한반도에서 일어나고 있는 통일 선언 등이 자국에 어떤 영향을 미칠 것인지에만 신경을 쓰던 상황에서 전쟁이라는 새로운 변수가 생겼기 때문이다. 그것은 이강렬이 자신의 쿠데타 세력을 인정하지 않는 국가는 적으로 간주하며 언제든지 전쟁을 할 자세가 되어 있다고 천명했기 때문이다.

　북한의 호전성은 잘 알려진 사실이다. 1998년 9월 전 세계의 언론은 북한이 발사한 탄도 미사일이 대포동이냐, 인공위성이냐 하는 것으로 의견이 분분하였다.

　한 가지 분명한 결론은 북한이 액체연료를 사용한 3단 로켓을 발사하였다는 것이다. 북한 로켓은 1~2단계에 액체연료, 3단계는 고체연료를 사용했다. 1,000킬로미터 이상 비행하는 로켓에는 액체연료가 사용되는데 액체연료 개발은 극히 어려울 뿐만 아니라 값 또한 상상할 수 없을 정도로 비싸다.

　액체추진 로켓은 발사 직전에 연료를 주입해야 하는 등 안정성에 약간의 문제점이 있지만 강력한 힘을 내기 위해서는 필수적인 방법이다. 따라서 액체 추진 로켓은 핵탄두를 장착한 대륙간탄도미사일, 인공위성이나 우주선을 쏘는 데만 사용되고 있다.

　북한이 핵탄두 개발에 성공하였다는 주장의 근거가 바로 이러한 고도의 액체연료시스템을 개발한 데서 기인하는데 역으로 이 사실은 미국에 좋은 빌미를 안겨 주었다. 다시 말해 미국이 추진하는 MD(Missile Defense), 즉 미사일방어계획을 수립하게 만드는 결정적인 요인 중 하나였기 때문이다. 2001년 미국은 북한이 수백 기의 재래식 탄도미사일을 보유하고 있으므로 한반도 전쟁 재발 시 미국이 직면하게 될 가장 큰 위협은 이란-이라크와 함께 북한의 탄도미사일이라고 강조했다.

미국이 보고 있는 북한 미사일의 위협은 두 가지다.

첫 번째는 한반도 전쟁 발발 시 미군 공군기지들이 효력을 발휘하지 못하며 함정들도 북한의 미사일 공격으로 격침될 가능성이 있다는 점이다.

두 번째는 한국과 각국에 주둔하고 있는 미군 병력과 미군이 지켜야 할 민간인들이 화학탄두와 재래식 탄두를 탑재한 북한의 미사일 공격에 적절한 방어 수단을 갖고 있지 못하다는 것이다.

미국은 한 술 더 떠서 북한 장거리 미사일의 미국 본토 공격의 위험성도 강조했다. 북한이 사정거리 5,000~10,000킬로미터나 되는 미사일을 개발하고 있다는 점을 감안할 때 일본이 진주만을 공격했듯이 북한의 무모한 공격을 배제할 수 없다는 것이다.

부시 행정부는 북한이 2001년 6월말에 대포동 마을 부근 미사일 시험장에서 장거리 미사일 엔진에 대한 지상 실험을 실시했음을 지적했다. 북한은 2003년까지 장거리 미사일 발사를 유예하겠다고 천명했고 실제로 1998년 8월 이후 미사일을 발사하지 않았는데 허를 찔렸다는 것이다. 물론 이번의 경우 미사일을 직접 발사한 것이 아니라 지상에서 로켓 엔진 시험을 실시했으므로 북한이 미사일 관련 유예 약속을 어긴 것은 아니라는 논평도 있었지만 여하튼 북한의 미사일에 대한 위협은 점점 높아지고 있다고 강조했다.

현재 세계에서 미사일을 보유하고 있는 국가는 30여 개국이나 되는데도 북한의 미사일 개발 문제에 촉각을 곤두세우는 것은 북한이 이라크와 미사일 교류를 하고 있는 데다 북한의 미사일은 한국뿐만 아니라 일본을 비롯하여 전 세계적인 위협이 되기 때문이라는 설명이다.

미국은 MD가 본질적으로 중국을 겨냥한 것이 아니라 북한을 목표로 했다는 것을 분명히 했다. 부시 행정부가 스스로 밝힌 대량 살상무기 억제 정책은 미국 스스로 판단하여 필요한 경우 선제공격을 통해 대량 살상무기 개발을 무산시킨다는 것이다. 여기에 불을 붙인 것은 2001년 9월 11일에 있었던 미국 뉴욕 무역센터의 폭파 사건이다.

9월 11일 미국 뉴욕 맨해튼의 세계무역센터 건물과 워싱턴 국방부 청사(펜타곤) 등에 피랍 여객기가 연쇄 다발로 충돌하여 무려 5,000명 이상의 무고한 사람들이 희생된 것으로 집계되었다. 부시 행정부는 즉각적으로 아프가니스탄의 집권 탈레반이 보호 중인 사우디아라비아 출신 오사마 빈 라덴을 배후로 지목하고 테러와의 '더러운 전쟁'을 선포했고 미국의 장담대로 테러 조직을 비호하고 있는 아프가니스탄 탈레반 정권을 공격하여 붕괴시켰다.

근본 회교논리주의자로 세계에서 가장 악명 높은 탈레반 정권을 성공리에 붕괴시켜 미국이 세계에서 강자임을 다시금 확인시키자 미국은 미국 주도의 신세계질서, 즉 새로운 틀에 의한 새로운 질서를 탄생시켰다.

세계를 '문명 세계'와 '테러 집단 또는 불량국가'로 나누면서 문명국가에서 제외된 국가들에 대해서는 전에 없이 강경하게 미국의 잣대로 본 새로운 질서의 규범을 지키도록 요구했다. 핵무기, 미사일, 생화학 무기들을 폐기하고 미국의 확인을 받을 것을 제시하면서 이에 응하지 않으면 미국이 직접 나서서 제거하겠다고 천명했다. 지구에서 소요를 일으킬 소지가 있는 깡패 소탕은 맏형인 자신이 직접 처리할 수밖에 없다는 것이다.

북한은 미국이 정하는 이런 새로운 질서의 '문명 세계'에 포함되지 않았다. 미국은 대량 파괴무기(WMD)확산을 통해 미국의 국가 안보를 위협하는 국가로 러시아, 중국에 이어 이라크, 이란과 함께 북한을 3번째 국가로 지목했다. 미국과 몇 천 마일이나 떨어져 있는 북한이 미국의 안보위협국으로 등장한다는 것은 예전부터 예견되어온 일이다.

북한은 생물무기의 경우 수 주 안에 세균전에 사용할 수 있는 탄저균·천연두 등 10여종의 균을 개발해 저장하고 있으며 화학무기인 경우는 세계 3위 생산국이면서도 화학무기협약(CWC)에 가입하지 않았다.

미국은 북한이 다른 나라와 다른 지형적 요건을 갖고 있다는 데 주목했다. 산악지대가 많아 땅굴에 은폐·엄폐를 기본으로 하므로 외부에서 미사일 등의 타격에 의해 큰 피해를 보지 않는 것이 북한의 장점이다.

이에 착안한 미국은 미사일이 땅 속 깊이 뚫고 들어가 목표물을 파괴할 수 있는 무기를 개발했다. 레이저로 유도되는 GBU급 '벙커버스터'로 위성위치측정시스템(GPS)과 연결된 컴퓨터 통제에 따라 명중도가 20~30%나 된다.

이 폭탄은 3미터 정도의 콘크리트를 포함하여 지하 30미터까지 뚫고 들어간 후 폭발하는데 첫 번째 폭탄으로 생긴 구멍에 또 다른 폭탄을 투하할 수 있기 때문에 더욱 가공할 위력을 발휘한다.

AGM-86D는 더욱 위력적이다. 6미터 길이에 직경이 약 60센티미터 2,000킬로그램의 무게를 갖고 있는데 유일하게 B-52급 대형 폭격기에만 장착될 수 있을 정도다. GPS 장치에다 INS(Inertial navigation system)를 갖추어 정밀도가 무려 40%에 달한다. 여기에 상세한 제원이 비밀로 된 딥디거(Deep Digger)로 불리는 신형 폭탄은 연속 폭발을 일으키며 암반이나 콘크리트에 구멍을 뚫고 들어가 2차 폭발로 남은 구조물을 깡그리 파괴하는 속사포 형 무기라고 발표했다.

미국은 이어서 '벙커버스터' 형 미니 핵탄두도 개발했다고 발표했다. 소형 저강도의 핵무기만이 테러 조직들이 지하 깊숙이 매장한 생화학무기류를 파괴할 수 있다는 것이다. 미 국방부와 핵과학자들이 고폭발력 재래식 무기를 대체할 수 있는 지하 침투 형 핵무기 개발 및 핵탄두 변형을 위한 미니 핵탄두는 무게 5킬로그램 정도로 2차 세계대전 당시 일본에 투하되었던 원자폭탄의 3분의 1 정도다.

미국이 최첨단 무기들의 개발을 비밀에 붙이는 관례를 깨고 가공할 만한 신형 무기 개발을 계속 공개한 이유는 분명했다. 북한을 비롯한 불량국가들이 수많은 중요 공장과 병참시설, 군부대들을 지하 깊숙한 요새에 배치하였으므로 기존에 개발된 핵폭탄의 공격에는 끄떡없다고 장담할지 모르지만 미국의 새로운 무기에는 속수무책이라는 것을 깨달으라는 뜻이다.

그러나 북한의 반격도 만만치 않았다.

북한은 우선 자신들이 핵폭탄을 개발할 실력을 이미 갖추고 있음을 공표했다. 그들은 2006년 10월 9일 첫 핵실험을 발표한 후 2009년 5월 25일과 2013년 2월 12일에 각각 2차, 3차 핵실험을 진행했다.

1차 핵실험 당시에는 지진규모 3.9에 폭발위력은 1kt 이하였다. 2차 핵실험에서는 지진규모 4.5에 폭발위력은 2~6kt 정도였고, 3차 핵실험의 경우는 지진 규모 4.9에 6~7kt의 폭발위력을 나타냈다. 4차 핵실험은 2016년 1월 6일에 진행됐는데 지진규모는 4.8, 이에 따른 폭발위력은 6~7kt로 추정했다. 2016년 9월9일에 진행된 5차 핵실험은 인공지진파가 규모 5.0으로 보도되었는데 이는 4차 핵실험보다 0.2 정도 커진 수치다.

인공지진 규모가 0.1씩 올라갈 때 폭발력이 1.4배, 0.2 올라가면 2배 커진다는 점을 감안하면 폭발위력이 눈에 띄게 강화되어 핵실험의 규모가 10킬로톤으로 분석되었다. 이는 과거 4차례의 핵실험 때 위력보다 높아진 것으로 '히로시마 원폭' 규모가 12.2킬로톤 정도인 점을 감안할 때 북한 핵 능력이 히로시마 원폭 수준에 근접했다는 것을 보여준다.

2017년 9월 3일 함경북도 길주군 풍계리에서 실행한 6차 핵실험은 이전보다 훨씬 강력한 폭발력을 보였다. 지진규모는 5차 핵실험에 비해 5~6배 높아 한국 기상청의 P파 분석의 경우 M5.7, NORSAR(노르사르)의 미동 측정에 따르면 M5.8, USGS(미지질조사국)에 따르면 M5.69였다. 이 실험을 두고 북한은 ICBM에 장착할 수 있는 수소탄 실험이라고 밝혔다.

여기서 한국의 딜레마가 시작되었다.

북한이 미국의 잣대에 의한 '문명국'에서 제외된 채 휴전선을 맞대고 대치해 있지만 통일을 앞둔 상황에서 한반도에서의 전쟁을 막는 것은 한민족의 지상 과제였기 때문이다.

새로운 질서에 의해 국제적으로 한반도를 둘러싼 첨예한 문제가 다시 부각되더라도 확전을 요구하는 미국의 불똥이 한반도로 튀지 않도록 하는 것은 한국 정부가 해야 할 일이었다. 바로 그 묘수를 서울에서 열린 대통령과 국무위원장의 정상회담 때 도출하여 전격적으로 통일까지 합의했던 것이다.

그런데 이 모든 계획을 수포로 돌릴 이강렬의 쿠데타가 일어난 것이다. 그는 한반도든 아니든 어디에서, 언제, 누구와도 싸울 준비가 되어 있다고 천명했다. 그는 연일 무력시위를 하며 자신들이 원자폭탄은 물론 수소폭탄을 보유하고 있으므로 적어도 혼자 죽지는 않겠다는 점을 분명히 했다.

이강렬의 발표는 당연히 그동안 획기적으로 진전된 한반도의 평화 무드에 찬물을 끼얹었다. 남한의 대통령과 북한의 국무위원장, 북한의 국무위원장과 미국 대통령과의 정상회담을 통해 북한은 나름대로 상당한 양보를 했다고 평가되었다.

북한은 미국, 영국, 일본의 강력한 견제에도 불구하고 핵폭탄을 자체로 개발한 후 성공적으로 폭발시킨 것은 물론 미국 본토까지 도달할 수 있다는 화성형 ICBM 발사에 성공하고, 잠수함 발사 탄도미사일(SLBM)까지 성공적으로 발사했다.

당시 지구 상황은 매우 어지럽다. 기존 핵보유국인 미국, 러시아, 중국, 프랑스, 영국 등 유엔 상임이사국은 자신들을 제외하고 다른 국가들의 핵폭탄 개발을 원천적으로 봉쇄했다. 미국은 이란, 이라크, 리비아 등 아랍국들이 핵개발 의사를 밝히자 철저하게 이들을 규제하여 결국 핵폭탄 개발을 단념시켰다.

그러나 이런 규제에도 불구하고 인도와 파키스탄은 핵폭탄 개발에 성공했다. 상임이사국의 허가를 받지 않았으나 인도와 파키스탄의 핵폭탄 개발은 두 나라 간의 무력 균형 차원이고 기존 핵폭탄 보유국을 공격하는 용도가 아니라는 모호한 설명으로 용인되었다.

상임이사국의 허락을 받지 않은 인도, 파키스탄의 핵폭탄 개발에 이어 이스라엘이 핵폭탄을 갖고 있다는 보도는 세계를 놀라게 했다. 공식적으로 이스라엘이 핵폭탄을 갖고 있다고 발표되지는 않았지만 이스라엘은 공공연히 이슬람의 아랍제국이 이스라엘을 공격하면 핵폭탄을 발사하겠다고 했다. 이는 이스라엘이 독자적으로 핵폭탄을 보유하고 있다는 뜻으로 상임이사국의 결의에 반하는 것이 아닐 수 없다. 미국 등이 아랍의 핵폭탄 개발은 극력 반대함에도 불구하고 이스라엘이 핵폭탄을 보유할 수 있었던 것은 이슬람과 대립하는 기독교의 서방, 즉 미국 등이 용인했기 때문이라는 맥락이다.

이러한 핵폭탄에 대한 서방의 혼동되는 잣대는 북한의 핵폭탄과도 관련된다. 북한은 미국이 북한을 '악의 축'이라고 선언하며 각종 규제는 물론 북한을 붕괴시키는 것이 궁극적인 명제라고 선언하자 자위책으로 핵폭탄을 개발하지 않을 수 없었다고 항변했다. 북한은 실제로 북한에서 핵폭탄을 개발하지 않았다면 미국 등이 한반도에서 전쟁을 원치 않는 한국의 반대에도 불구하고 북한을 공격했을 것이 분명하지 않느냐고 반문했을 정도다.

어떤 방법을 동원해서라도 북한을 지구상에서 지워야 한다는 미국 강경파들의 목소리가 높아지고 있는데 그야말로 놀라운 상황이 연출되었다. 한 치 앞도 알 수 없는 혼돈상태에서 한반도를 둘러싼 그동안의 알력과 불신을 해결하기 위해 한국 대통령과 북한 국무위원장의 만

남, 북한 국무위원장과 미국 대통령과의 만남이 성사되었고 이를 토대로 그야말로 상상할 수 없는 변화가 일어난 것이다.

그동안 견지되던 한국전쟁 당시 조인된 정전협정을 종전선언에 이어 평화협정으로의 변경하였고 북한은 북한의 핵 폐기를 전제로 풍계리의 지하핵시설을 스스로 파괴했으며, 북한이 개발하여 미국을 타격할 수 있다는 ICBM을 파괴했다.

보다 놀라운 북한의 조처는 비무장지대(DMZ) 부근에 집중 배치한 장사정포를 후방으로 후진 배치했다는 점이다. 북한은 DMZ 인근 전방에 약 1,000문의 각종 포를 배치해 놓았다. 이 중 사거리 54km의 170mm 자주포 6개 대대, 사거리 60km의 240mm 방사포 10여 개 대대 소속 330여 문이 서울 등 수도권을 직접 겨냥하고 있다. 장사정포는 갱도 진지 속에 있다가 발사 때만 잠시 밖으로 나오기 때문에 타격이 쉽지 않아 한국의 골칫거리로 항상 제기되던 북한의 전력이다. 그런데 국무위원장이 군사적 긴장 상태 완화와 전쟁 위협을 실질적으로 해소하기 위해 통 큰 명령을 내렸다고 발표했다.

이러한 북한, 한국, 미국 등으로 이어지는 평화 무드가 조성되자 북한의 국무위원장, 남한의 대통령이 8월 15일 전격적으로 통일한국을 탄생시키기로 결정했다.

그런데 북한의 이강렬이 남북한의 통일은 북조선의 국무위원장이 남한에 항복문서를 바치는 것이라고 반발한 후 누구든 북한을 공격하면 비축한 핵폭탄을 투하하겠다고 했다. 놀라운 사실은 북한을 침공한 적군이 한국군이라도 발사를 주저하지 않겠다고 선언했다는 점이다.

2.

이강렬의 발표는 한국의 대통령, 북한의 국무위원장, 미국의 대통령에게 큰 충격을 주었다. 국무위원장이 미국과 한국에게 북한에서 개발한 핵폭탄과 미사일을 완전 폐기했다고 확언했기 때문이다. 대통령이 국무위원장에게 묻는다.

"이강렬의 말을 들으면 북한에 분명 핵폭탄과 미사일 발사장치가 있다는 뜻입니다. 국무위원장은 이강렬의 말을 엄포로 보십니까?"

"정말 혼란스럽군요. 나는 한국이나 미국과의 약속대로 북한의 비핵화를 철저히 시행했고 내가 직접 현장에서 지도했소. 내가 아는 한 북한에 핵폭탄은 없습니다."

"그렇다면 이강렬이 엄포를 놓고 있다는 뜻입니까?"

북한에서 그동안 변변한 증거 없이 큰소리를 쳐댔고 이것이 큰 성과를 얻은 것은 사실이다. 문제는 북한에서 핵폭탄을 만들었고 ICBM 발사에도 성공한 것이 사실인데 이강렬의 공표를 엄포로만 볼 수 있느냐 하는 것이다. 국무위원장의 얼굴이 시뻘게지는데 대통령이 말한다.

"미국 대통령과 핫라인으로 통화했는데 노발대발하더군요."

"나라도 그렇게 하겠지만 나는 진심을 말했습니다. 한국과 진정한 통일을 약속했는데 그건 한반도의 비핵화를 전제로 한 약속입니다."

거구의 국무위원장이 정색을 하며 말하자 대통령이 반박 대신 부드러운 목소리로 묻는다.

"이강렬의 말이 엄포라면 걱정할 필요는 없습니다만 여러 가지 측면으로 볼 때 이강렬의 말을 무조건 무시할 수 있는 것도 아닙니다. 만약 이강렬의 말처럼 핵폭탄과 미사일을 언제라도 발사할 수 있다고 한다면 그것이 어떻게 가능하죠?"

"이동식 발사대를 말하는 겁니까?"

"얼마 전에는 이동식 발사대를 폐기하지 않았으므로 북한의 핵 포기에 대한 진실성을 믿을 수 없다는 말도 있었습니다."

"그건 북조선의 무기체계로 보아 당연합니다. 북조선은 미사일로 Scud 계열, 노동, 무수단 중거리 탄도미사일(IRBM), 사거리 1만㎞급의 ICBM 등을 갖고 있었던 것은 사실입니다. 그런데 이번 나의 조처로 ICBM 등 장거리 미사일을 폐기했지만 단거리·중거리 미사일 등을 모두 폐기한 것은 아니므로 북조선의 자랑인 이동식 발사대는 폐기하지 않았습니다. 이동식 발사대는 각종 탄도미사일을 싣고 여기저기 옮겨 다니며 미사일을 쏠 수 있는 용도로 남조선에 위협이 된다고 강조했지만 남조선도 북한을 공격할 수 있는 미사일 등을 폐기한 것은 아니죠."

다소 어정쩡한 이야기에 대통령이 다시금 묻는다.

"문제는 이동식 발사대가 아니라 이동식 발사대에 탑재하여 발사할 수 있는 핵폭탄과 ICBM을 갖고 있을지 모른다는 점입니다. 국무위원장도 모르게 빼돌릴 수 있지 않겠습니까?"

"북조선에서 나의 지도 없이 그런 통 큰 일을 벌일 수는 없습니다."

국무위원장이 완강한 어투로 자신의 지도 없이 핵폭탄이나 ICBM을 감출 수 없다는 사실을 강조한다.

"그건 인정하죠. 그런데 북한에서 핵폭탄과 ICBM 개발은 물론 이들을 관리하는 책임자는 누구죠?"

대통령의 질문에 국무위원장이 깜짝 놀란다.

"세상에!"

"무슨 소리죠?"

"외부에는 전혀 알려지지 않았지만 그는 바로 이강렬입니다. 그 나쁜 놈이 나에게까지 거짓말을 했군요."

"국무위원장의 지도 없이는 누구도 그런 짓을 할 수 없다고 하지 않았나요?"

"맞습니다. 그런데 그는……."

국무위원장이 이강렬에 대해 이야기하려다 갑자기 말을 멈춘다. 그야말로 무언가 충격적인 말임을 직감한다.

"그는 백두혈통이라 저로서도 모시는 입장이었습니다."

"백두혈통이라면 김일성과 김정숙의 직계를 의미하지 않나요?"

"그렇죠. 하지만 이강렬은 김정숙 동지와 연계되고 항일운동에 직접 참여한 것은 사실이므로 저 역시 이강렬을 철저하게 신임했죠. 심지어는 직접 불러 서열은 높게 올리지 못하지만 북조선의 핵심인 핵폭탄과 ICBM 개발에 총력해달라고 했습니다."

국무위원장은 이제야 이강렬이 핵폭과 ICBM을 발사하겠다는 말을 이해하겠다고 한다.

3.

한미연합사령부의 블라시오 대령은 착석한 수많은 고위 지휘관들을 바라보았다. 감개무량한 순간이다. 거구의 브라이트는 사실 한국에 주둔하던 흑인 아버지와 동두천의 양공주였던 한국인 어머니 사이에서 태어난 혼혈아다. 아버지인 브라이트 중사는 자신이 자주 다니던 술집의 여자가 임신했다는 소리를 듣자마자 총알같이 전출 신청서를 내고 귀국해 버렸다.

그 후 브라이트의 어머니에게는 모든 것이 악몽이었다. 우선 그녀가 낳은 아들의 얼굴이 시꺼먼 흑인인 데다 다소 지진아였다. 말도 늦게 배우고 행동도 굼떴다. 그래도 아버지의 이름을 따서 브라이트라는 이름을 붙여 주었고 아들을 위해서라도 동두천을 떠났다. 자신을 버리고 떠난 브라이트에게 큰 소리를 치기 위해서라도 돈을 벌기 위해 물불을 가리지 않고 일을 했다. 그런 혹사가 문제였던지 몸무게가 갑자기 빠지기 시작했다. 병원을 찾았더니 암이 워낙 많이 퍼져서 3개월을 넘기기 어렵다는 판정을 받았다.

그녀는 결국 마지막 카드를 사용했다. 아들을 미국으로 입양시키려는 것이다. 다행히도 나이가 3살밖에 되지 않아서 그런지 곧바로 입양이 허가되었다. 그의 새로운 부모는 미 육군 중령이었는데 그들의 헌신적인 노력에 의해 미국에서는 정상적인 아이로 성장할 수 있었다. 브라이트는 양부의 전철을 따라 웨스트포인트 사관학교에 들어갔고 결국 대령까지 승진했다. 이제 어머니의 나라인 한국에 와서 한국이 당면한 위기를 수많은 한미연합군 지휘관들 앞에서 브리핑하고 있다. 그렇게 뿌듯할 수가 없는 것이다.

"인민군 육군은 4개 전연(전방)군단, 2개 포병군단, 1개 전차군단, 4개 기계화 보병군단, 4개 후방군단, 평양 일원을 방어하는 1개 수도방어사령부 등 모두 군단 급의 16개부대로 구성되어 있습니다. 이 중에서 주목할 것이 4개 전연군단으로 휴전선 서쪽으로부터 4군단-2군단-5군단-1군단 순으로 포진해 있습니다. 반면에 휴전선 남쪽에서부터 서울 사이에는 미2사단(경기도 동두천 지역)을 포함한 십여 개의 한국군 사단이 있습니다."

한국 육군의 편제는 군단 위에 야전군 사령부가 있지만 인민군에는 평상시에 이런 조직이 없다. 그러나 전쟁이 일어나면 즉각 두 개의 집단군 사령부를 구성하여 서부전선의 제1집단군 사령부는 한국군 제3야전군 사령부에 대항하고 동부전선을 맡은 제2집단군 사령부는 한국 제1야전군 사령부의 상대가 된다. 이 중에서도 주 공격 부대는 서부전선을 맡은 제1집단군 사령부로 이들은 한국의 1번 국도를 따라 가장 단거리로 서울 북쪽에 이르는 '개성-문산'과 43번 국도로 철원 평야를 따라 이어지는 철원 루트, 7번 국도를 따라 동해안 주요 도시로 내려가는 동해안 루트를 공격 핵심으로 삼는다.

3개 공격 루트 중에서 주축은 '개성-문산' 루트지만 이 공격이 원활하지 않을 때 국도 3호선을 우회하는 '개성-문산 북방 루트'를 보조 공격로로 이용한다. 철원 루트 공격을 위해서는 47번 국도가 지나는 김화 루트와 국도 3호선을 이용한 철원 서방 루트를 보조 공격로로 이용한다. 동해안 루트를 이용할 경우에는 보병부대를 태백산맥으로 침투시키는 태백산맥 루트를 이용한다.

브라이트는 가슴을 쭉 펴면서 본론으로 들어간다.

우선 북한 인민군의 훈련 상황부터 거론한다.

"인민군은 속전속결을 원칙으로 하기 때문에 강력한 화력과 대규모 기동전을 병합하는 '제병합동작전'을 주로 발전시켰습니다. 이를 위해 평시에도 보병, 포병, 기갑 등 여러 병과를 묶어 작전하는 훈련을 반복해 왔습니다. 인민군의 훈련이 세계 어느 나라 군대보다 심하다는 것을 감안할 때 이에 대항해야 할 한미 연합군으로서는 각오를 단단히 해야 할 것입니다."

박준수 한미연합사 부사령관이 브라이트에게 질문을 한다.

"만일 저들이 남침한다면 작전 계획은 어떻게 세울 것 같은가?"

"북한군의 남침 계획은 3단계로 작성되어 있습니다. 첫 번째는 제1제대인 4개 전연군단을 동원해 서울 북방에 있는 한미 연합군 부대를 궤멸시킨다는 계획입니다. 이때 620포병군단과 강동포병군단이 화력을 지원하며 동시에 미사일부대에서 한국의 각 비행장과 병참시설, 한미 연합군 지휘부 등을 향해 고폭약 탄두와 화학 탄두를 장착한 스커드와 프로그미사일을 발사합니다. 물론 이들의 계획은 원천적으로 효과를 보지 못한다는 것은 잘 아실 겁니다. 인민군이 서울 북방에 이르는 과정에서 한미 연합군의 격렬한 방어망에 걸려 막대한 손실을 입을 테니까요. 한 마디로 저들의 작전을 꿰뚫어보고 있으니까 계획대로 이루어지지 않을 것이란 점은 모두 잘 알고 계실 것입니다."

브라이트가 웃으면서 부연 설명을 한다.

"어쨌든 인민군의 작전은 서울의 지리적 입지 조건도 고려하여 수립되어 있습니다. 만약에 전연군단이 한미 연합군의 방어를 뚫고 서울 북방에 도착하면 이들의 제2제대인 기동부대는 서울에 입성하지 않고 신속히 남진합니다. 대형 건물이 즐비한 서울은 한미 연합군 입장에서는 방어에 더할 나위 없이 좋은 곳으로 인민군이 서울에 입성할 경우 이는 밀림에 떨어진 장병처럼 헤어날 수 없는 수렁에 빠질 수 있기 때문입니다. 제2제대가 한미 연합군의 방어벽에 걸릴 경우 집단군 사령부는 전략 예비부대이자 제3제대인 기계화보병군단을 신속히 투입하여 속전속결을 도모할 것으로 생각됩니다.”

“속전속결이라면 우리도 대비책이 있어야 할 것 같은데?”

“그렇습니다, 부사령관님. 다행히도 북한의 이런 전투교범은 근본적인 문제점을 안고 있습니다. 그것은 대부분의 전투 교리를 러시아군으로부터 전수받았기 때문입니다. 전통적으로 러시아군은 적이 대규모로 방어 작전을 펼치고 있으면 보병들은 보병전투차량(한국군의 경우 장갑차)에 태운 상태에서 공격 전투를 개시합니다. 그러나 인민군은 한국의 지형적인 여건상 도로를 따라 보병을 신속히 이동시킬 때에 한해서 보병전투차량을 활용하고 실제 전투에서는 그것들을 사용할 수 없습니다. 이는 현재 인민군이 사용할 수 있는 차량의 숫자와 연료 부족에 기인합니다. 한미 연합군의 상황에 비해 너무나 차이가 난다는 것을 알 수 있습니다.”

“저들도 나름대로 그런 점에 대해 보완책을 세우고 있지 않겠나?”

“물론 인민군은 이런 문제점을 보완할 수 있는 대안을 마련해 놓고 있습니다. 즉 특수전 부대의 활용이 그것입니다. 인민군 특수전 부대는 22개 여단과 7개 독립대대로 구성되어 있는데 이들의 여러 가지 임무 중에서 가장 주목되는 것은 후방지역에 제2전선을 구축하는 것입니다. 인민군과 한미 연합군이 전투를 벌이는 동안, 인민군 특수전 부대는 한국군 복장과 한국군 무기를 갖고 20여 개로 추정되는 땅굴과 AN-2기, 공기부양정인 LCAC 등을 타고 침투해 제2전선을 구축한다는 계획입니다.”

“일종의 빨치산 전투로 후방을 교란하겠다는 계획으로 보이네.”

“그렇지만 이들의 침투도 큰 효과를 보지는 못할 것입니다. 특수전 부대는 주요 교통로와 전략 거점을 점령하거나 선제 타격해 주력 부대가 남침을 도모할 수 있도록 하는 것이지만 비상령이 내려지자마자 유명한 한국의 향토 방위군이 동원되어 이들을 철저히 응징할 것이기 때문입니다. 따라서 저들은 공격을 하는 순간 자멸의 길을 걷게 됩니다. 이상으로 설명을 마치고 질문을 받겠습니다. 질문 있으신 분은 질문해 주시기 바랍니다."

아무도 질문을 하는 사람이 없다.

브라이트가 설명을 끝내고 자신의 집무실로 들어가자 한국군에서 파견된 연락관인 제갈민 대령이 손을 내민다.

"정말 훌륭했습니다, 브라이트 대령."

"고맙소, 제갈민 대령. 사실 나도 그렇게 많은 별들 앞에서 설명하기는 처음입니다."

"무척 뿌듯하시겠습니다. 그런데 북한이 정말로 그 교범대로 침투할 것으로 생각하십니까?"

"그건 틀림없어요. 그 이상의 방법이 없으니까요."

브라이트도 한국말이 유창하다. 그는 입양된 후에도 어머니가 한국인이라는 데 자부심을 느끼면서 한국말을 배웠고 특히 중위와 소령일 때 5년 동안 한국에서 복무했기 때문에 한국말을 구사하는 데 불편을 느끼지 않는다. 그가 한국군 장교들과 잘 어울리는 이유이기도 하다.

"그런데 한 가지 자꾸만 걸리는 것이 있는데 질문해도 괜찮겠소?"

"허허, 그게 무슨 말이오? 우리가 하루 이틀 만난 사이도 아닌데 새삼스럽게……."

브라이트는 제갈민 대령의 정중한 질문에 다소 당황하면서 의아한 표정을 짓는다.

"아까 브라이트 대령이 설명한 내용의 대부분은 미 해병대 정보단이 작성하여 인터넷에 띄워놓은 '북한 편람'에 있었던 내용입니다. 정말로 북한이 인터넷에 공개된 내용대로 공격하리라고 생각하십니까?"

"그래요. 그 방법밖에 없으니까."

"북한군의 작전 계획이라면 비밀로 분류되어야 할 군사 정보일 텐데 인터넷에 공개했다니 이상하지 않아요?"

"오히려 그 반대로 생각할 수도 있죠. 사실 미 해병대에서 그것을 공개한 이유는 북한이 취할 공격 작전을 포함한 모든 정보를 우리가 알고 있다는 사실을 알려주자는 의도가 있었습니다. 나도 인터넷으로 '북한 편람'을 봤지만 인민군의 무모한 공격을 억지하는 효과는 충분한 셈입니다."

"북한을 속속들이 알고 있다는 미군이 공개한 내용대로 따라올 만큼 인민군이 멍청한 짓을 할까요? 그 점은 어떻게 생각하세요?"

"글쎄요……제갈민 대령이 원하는 답은 뭡니까?"

"북한이 남침할 거라고 긴장 상태를 조성하고 있는데……사실 남침 징후는 보이지 않는다는 걸 브라이트 대령이 누구보다 잘 알고 있지 않소?"

"현재 상태로만 보면 그럴 수도 있겠죠. 그러나 문제는 북한이 현재 지구상에서 유일한 강대국인 미국의 심기를 건드리고 있다는 거죠."

"쿠데타를 일으키려면 미국 승인을 받아야 하는데 북한이 그걸 까먹었다는 말로 들리네요."

"그런 것은 아닙니다만 쿠데타를 일으킨 이강렬이 긴장을 조성하고 있는 것은 틀림없습니다. 미국으로서는 미국의 국익에 도움이 되는 일을 할 뿐이지요."

"그래도 이강렬이 집권했다고 무조건 남침할 것으로 생각하는 것은 문제가 있죠. 오히려 집권 초기에 군을 장악하기 위해서라도 전쟁을 하지는 않을 거라는 예측이 더 많습니다."

"제갈민 대령, 그런 문제는 여기서 더 이상 거론하지 맙시다. 사실 그 문제에 대해 정확하게 대답할 사람은 없어요. 미국 대통령도 대답하지 못할 겁니다."

"좀 모호하군요. 제 말은 북한에서 쿠데타가 일어났다고 해서 전쟁이 일어나는 것은 아니라는 뜻입니다."

"여하튼 북한은 세계의 평화를 위협하는 '악의 축'으로 지목된 국가입니다. 그런 상태에서 긴장을 조성하면 북한만 손해라는 겁니다."

"미국 측이 보는 시각으로는 그럴 수 있겠죠."

"이 문제를 슬기롭게 해결할 당사자는 북한입니다. 우리는 명령에만 따를 뿐이죠."

"나도 그렇습니다. 명령에 따라야 하는 군인이니까요. 하지만 한반도에서 전쟁이 일어난다는 소문을 부채질하는 것은 중단돼야 하지 않을까요? 북한의 병력 이동은 정지궤도 위성으로 낱낱이 파악되는데 그런 징조나 변화도 없이 북한의 남침을 과장한다는 것은 혼란만 부추길 뿐입니다."

"그것은 정치가들의 몫이죠. 나는 북한의 남침에 대비하여 그 대안을 만들 따름입니다."

"알아요. 하지만 석연찮은 이유로 공연히 전쟁 소동을 일으킬 필요는 없다는 뜻입니다."

"골머리 아픈 얘기는 이제 그만하죠. 내가 살 테니까 술이나 한 잔 합시다."

브라이트는 골치 아픈 화제에서 도망치듯 먼저 밖으로 나간다. 제갈민 대령은 뭔가 미심쩍다는 듯 고개를 갸웃거리며 브라이트를 뒤따른다.

4.

권준혁이 최창수의 사무실에 들어가자 브라이트 대령의 브리핑을 녹화로 보고 있던 최창수가 반갑게 맞으며 자리에 앉으라고 하더니 모니터를 끄려고 한다.

"끄지 않아도 됩니다. 함께 보죠."

"권 팀장님은 브라이트 브리핑 때 참석하지 않았소?"

"참석했죠. 하지만 영어로 설명하는 바람에 모두 이해한 건 아니죠."

권준혁은 그러면서 모니터의 자막을 부지런히 바라본다. 거의 한 시간이 지나 녹화 테이프가 끝날 때쯤 김유라가 들어온다. 권준혁이 최창수에게 묻는다.

"최 상좌님은 브라이트의 설명을 어떻게 생각하세요?"

"미국 측의 일방적 생각이죠. 솔직히 말해 북에서 왜 남침을 합니까?"

"이유보다도 그럴 가능성이 있는가가 중요하죠."

"이강렬은 절대로 남침하지 않아요. 무슨 득이 있겠소? 그에게 가장 시급한 것은 남북한의 인민들에게 퍼져 있는 통일에 대한 미련과 집착을 깨뜨리는 거죠. 또 남과 북의 국방 전력을 비교해 보더라도 남이 결코 뒤지지 않는데 북의 승산을 장담할 수 있겠어요?"

"북에는 핵폭탄이 있잖아요?"

김유라가 끼어들어 반문한다.

"핵폭탄이 있다고 하지만 그건 실전에 함부로 사용하는 물건이 아니오. 혼자 죽지 않겠다고 엄포를 놓는 것도 따지고 보면 북을 벼랑으로 몰지 않으면 핵폭탄의 위험은 크지 않다는 뜻으로 해석할 수 있지 않겠소?"

최창수가 다소 목소리를 높여 열을 내자 권준혁이 맞받는다.

"이강렬이 체제 유지에 안간힘을 쓰고 있다는 건 알아요. 하지만 그의 그런 노력이 지금까지 남북 간에 추진되고 있던 통일에 장애물이 될까 봐 걱정이오."

"알고 있소. 이강렬의 속셈을 누구나 뻔히 알고 있지만 어떻게 이강렬로 하여금 통일의 길로 나서게 하는가가 문제인데 그게 정말로 가능할지도 아직은 의문이오."

"전에도 이야기했지만 이강렬의 통일 선언이 꼭 필요한 건 아닙니다. X가 고도의 작전을 구사하고 있으니까 통일은 꼭 이뤄질 겁니다."

"참, 답답한 노릇이네. 나야말로 통일이 꼭 필요한 사람이오."

"최 상좌를 위해서라도 통일은 꼭 될 거요."

"솔직히 얘기합시다. 현재와 같은 상황에서 정말로 통일이 가능하다고 믿어요?"

"물론입니다."

"그 근거를 들어 봅시다. 또 X 타령이겠지만."

"그건 결코 타령이 아닙니다."

"좋아요. 그런데 X, X 하는데 도대체 그분이 누구요?"

최창수도 X가 누구인지 모르는 것은 당연했다. 국무위원장이 X를 만나도록 가교 역할을 했지만 X의 신원은 그에게도 비밀이었기 때문이다.

"아주 미묘한 문제라 대답하기 어려운 질문이군요. 나도 신원은 모릅니다만……국무위원장과 대통령은 남북한 국민 모두가 X의 신원을 알면 승복할 것으로 굳게 믿고 이번 통일 프로젝트를 추진하고 있는 건 사실입니다."

권준혁이 얼버무리며 김유라를 쳐다보자 그녀가 재미있다는 듯 미소를 짓는다. 최창수와 함께 살면서도 X에 대해 이야기하지 않았다는 뜻이다.

"국무위원장이 통일조국의 수장으로 X를 추대한다는 뜻인데 그게 이상하단 말이오."

"뭐가요?"

"국무위원장이 자진해서 자신의 기반을 무너뜨릴 필요가 있느냐는 거요. 나부터라도 닭대가리 역할을 하지 소꼬리가 되지는 않겠소."

"비유가 매우 거칠지만 역사에 남을 기회란 많지 않으니까."

"역사적인 인물이 되고 싶다는 원칙론에는 나도 찬성해요. 하지만 현실성이 문제죠."

"여하튼 우리가 신원을 모르는 X가 존재하는 것은 틀림없습니다. 최상좌는 X가 누구일 거라고 추측해본 적은 있나요?"

권준혁이 약간 발을 빼며 오히려 역습을 하자 최창수가 다소 놀라는 눈치다. 일단 X의 존재가 확실한 이상 남북한의 국민이 호응하고 승복할 수 있는 인물이라는 것이 중요한 셈이다.

"왜 생각해보지 않았겠소."

"그럼 누구라고 생각하시죠?"

"어차피 해답이 나오는 것은 아닐 테니 내 생각만 이야기하겠소. 남북한 국민이 잘 아는 인물이라면 그는 적어도 현대인은 아니겠죠?"

최창수의 추리는 날카로웠다.

"현대인이 아니라면?"

"남조선에서 복제인간을 만드는 데 성공했다는 건 진 동무가 직접 말했기 때문에 잘 알고 있소. 나는 과거에 살아 계셨던 위인 중에서 한 분을 선택하여 복제했다고 믿고 있소."

"대단한 추리력이군요. 인간을 복제할 수 있다는 것은 이해되지만 옛날 사람의 기억을 살릴 수는 없어요."

더 이상 대화가 진전되면 문제가 많다는 사실을 잘 알고 있으므로 권준혁은 기억이 없는 복제는 의미가 없다고 강조한다. 최창수도 그 문제에는 수긍하는 눈치다.

"나는 그 해결 방법도 진 동무가 찾았다고 생각하고 있소."

"제가요?"

김유라가 최창수를 쳐다보며 반문한다.

"그렇소. 사람을 복제하는 것은 어렵지 않지만 진정한 복제인간이 태어나려면 복제된 사람이 과거 경력의 노하우가 기억으로 들어 있어야 한다는 데 동감하고 있소. 바로 그 문제를 진 동무가 해결했다고 믿는단 말이오. 나노 칩인가 뭔가를 사람의 두뇌에 삽입하면 과거의 기억을 완전히 살릴 수 있는 것 아니오, 진 동무?"

최창수가 김유라에게 묻자 권준혁이 짐짓 최창수에게 되묻는다.

"죽은 사람의 기억을 어떻게 주입하죠?"

"간단한 것 아니겠소. 복제될 사람을 잘 알고 있는 사람들의 기억을 모아 칩에 넣어주면 된다고 생각해요."

"그러니까 복제될 사람에 대해 아는 정보가 많으면 가능하다는 뜻이군요?"

"그렇소. 아주 오래 전에 돌아가신 분은 불가능하지만 비교적 근래에 돌아가신 분은 가능하다는 뜻이오. 그래서 나는 처음에 혹시 남반부의 박정희 대통령이 아닐까 생각했소."

"무슨 뜻이죠?"

"박 대통령은 남한에서 '한강의 기적'을 만든 장본인이잖소? 결국 박 대통령이 현재와 같이 강력한 대한민국을 만드는 견인차 역할을 했지만, 곰곰이 생각해보니 그는 아닐 것 같소."

"왜요?"

"박 대통령은 쿠데타로 집권하고 유신을 선포하는 등 독재자로도 알려져 있죠. 특히 남쪽에서 박 대통령에 대해 공감하는 사람이 많을지 몰라도 반대하는 사람도 많다고 들었소. 더구나 국무위원장이 공감하리라고는 생각할 수 없으니까요. 남북이 가장 첨예하게 대립하고 있던 시기의 남쪽 지도자를 국무위원장이 왜 지지하겠소?"

권준혁이 흥미 있다는 표정을 보이며 다시 묻는다.

"그럼 최 상좌님은 X가 누구라고 생각합니까?"

"나는 국무위원장이 선뜻 X에 대해 용납했다는 것을 듣고 국무위원장이 가장 존경하고 믿을 만한 사람이라고 생각했소."

최창수는 선뜻 누구라고 밝히지 않는다. 답답한 사람은 오히려 김유라와 권준혁이었고 결국 김유라가 다시 질문한다.

"그 사람이 누구죠?"

"국무위원장이 모든 것을 믿고 의지할 수 있는 사람은 딱 한 명 아니겠소. 나는 얼마 전에 돌아가신 김일성 수령이라고 생각해요. 김일성 수령이라면 국무위원장이 전격적으로 통일안에 합의하는 것이 어렵지 않았을 거요. 또 그분의 일거수일투족을 잘 알고 있는 사람들이 많으니까 칩에다 정보를 넣어 기억을 재생하는 문제도 해결할 수 있을 테고, 국무위원장이 남측과의 협상에서 결코 믿지는 장사를 하지 않았을 것이라는 추측에도 걸맞고."

그러면서 최창수는 만족한 웃음을 띤다. 권준혁과 김유라는 고개를 끄떡이며 최창수가 껄끄러운 X의 신원에 대해 나름대로 결론을 내린 데 대해 만족하며 우정 놀랍다는 표정을 짓는다. 적어도 X의 신원에 대해 더 이상 문제를 삼지 않을 것이 분명하기 때문이다.

"말씀을 들으니 그럴 수도 있겠다고 생각되는군요."

"정답이라는 뜻은 아니오."

"알아요. 뚜껑이 열리기 전에 단언할 수야 없겠죠. 하지만 북측 인물이지만 북측남측 모두 수긍할 수 있다면 나쁘지 않다고 생각되는군요."

권준혁은 재미있는 만남이었다고 생각하며 김유라와 최창수를 남겨두고 자리에서 일어난다.

남북통일의 가장 중요한 실무자인 최창수에게조차 X의 신원에 대해 비밀이 유지될 수 있다는 것은 진행 중인 통일 프로젝트가 실현 가능할 수 있다는 확신을 가지기에 충분한 셈이다.

제29장 통일진영의 분열

1.

잠실 롯데호텔 대회의실에서 열리고 있는 <남북통일 방안에 대한 심포지엄>은 그야말로 두 사람의 난상토론장이나 마찬가지다. 박민희 민족통일준비위원회 위원장은 남북의 완전 통일을 주장하는 반면 강승기 외교통상부 장관은 특유의 느릿느릿한 어조로 자신의 소신이랄 수 있는 점진적인 통일을 주장한다.

심포지엄은 급기야 완전히 양측으로 갈려 상대방이 발언하면 야유와 비난으로 범벅이 되는 지경까지 이른다.

두 발표자 모두 내각의 각료급이고 각료들 대부분이 참석한 중요한 모임이었지만 소용이 없다. 세미나가 끝나자 급기야 박민희가 원색적인 비난을 퍼붓는다.

"나는 장관님을 이해할 수 없어요. 정부가 국무위원장과 합의 하에 통일을 위해 모든 조치를 취하고 있다는 것을 잘 아시면서 이제 와서 점진적인 통일을 주장하다니 말이 됩니까?"

"나는 평소의 소신대로 말한 겁니다. 상황이 바뀌면 바뀐 상황에 적응하는 순발력을 갖춰야죠."

"무슨 상황이 변했다는 겁니까?"

"쿠데타가 일어나 국무위원장이 실각했습니다. 그런 판국에 통일이 가능하다고 생각하십니까?"

"이강렬이 통일을 반대한다고 한 적은 없어요. 오히려 그는 공식적으로 국무위원장이 약속한 것은 모두 지키겠다고 여러 번 확인했어요."

"그걸 진심으로 믿는단 말입니까?"

강승기가 비웃듯이 반문한다. 사실 북에서 통일안을 거부하는 조짐은 여러 곳에서 감지되고 있다. 가장 큰 증거는 바로 국무위원장의 처형 사진이라고 할 수 있다.

"북한에서 쿠데타가 일어났다고 해서 이제까지 진행된 통일 방안을 믿지 못할 이유가 뭐죠?"

"국무위원장이 총살당했습니다. 그리고 사진까지 버젓이 공개했는데 국무위원장이 추진하던 일을 단절한다는 의미가 아닐까요? 그런 상황에서 국무위원장의 통일 방안을 계승하리라고 보십니까?"

"이강렬은 북의 구조적인 문제를 해결하기 위해 나섰다고 했지 통일을 반대하기 때문에 나섰다고는 발표하지 않았어요."

"그건 사실이지만 통일을 원하지도 않습니다."

"이강렬이 통일을 반대하면 그의 집권에도 문제가 있다는 것은 잘 아시죠? 그는 통일에 반대하는 것이 아니라 북이 남에 항복하는 식의 통일에 반대하는 겁니다. 따라서 어느 정도 실리를 주면 그도 반대할 명분이 없는 셈이죠. 쿠데타 세력은 통일이 자신들에게 무조건 불리하다고 생각하지 않는다는 것이 여러 군데서 발견되고 있어요."

박민희가 회심의 반격을 한다.

"그게 환상이라는 것을 박 위원장이 더 잘 알잖소?"

"나도 통일이 어느 정도 연기될지 모른다는 점은 인정하지만 통일이 된다는 사실에는 의심의 여지가 없어요."

"오호, 이제야 어느 정도 현실을 파악하셨군요?"

"하지만 강 장관님은 통일안 자체를 다시 검토하자는 것 아닙니까? 나는 그 점을 이해할 수 없다는 거죠."

박민희와 강승기.

두 사람은 서로 한 발자국도 물러서려고 하지 않는다. 한 마디로 정부의 정책에 혼선이 있다는 것을 만천하에 노정시키는 셈이다.

2.

강승기와 박민희의 토론 장면을 녹화로 보고 있던 X가 대통령에게 한 마디 던진다.

"강 장관의 발언은 진담인 것 같소."

"사실은 강 장관에게 정부의 정책에 반대하는 의견일지라도 소신껏 발언해도 좋다고 했더니 정말로 소신껏 발언한 것 같습니다."

"잘하셨소. 강 장관의 발언은 우리의 작전이 누설되지 않는 데도 도움이 될 거요."

"그렇기는 하지만 일국의 외교를 담당하는 각료가 너무 앞서간다고 생각하는 국민들도 많은 것 같습니다. 다소 제동을 걸 필요는 있지 않을까요?"

대통령은 곧바로 있게 될 개각을 염두에 두는 듯하다. X는 제동에 대해서는 아무 말도 하지 않고 원칙적인 이야기만 한다.

"강 장관의 발언은 큰 문제가 아닐 거요. 오히려 정부 안에 있는 배신자가 문제지."

"죄송합니다. 여러 모로 배신자를 찾으려고 노력하는 중이니까 곧 결실이 있을 겁니다."

"지금까지 조사된 내용은 뭡니까?"

"특수수사팀의 보고로는 국가안보회의 위원들 모두 가능성이 있다는 겁니다."

"그들이 국가안보회의에 참석한 것만 가지고 의심할 수는 없지 않겠소?"

"배신자가 워낙 위장을 잘해서 증거를 잡기 전에는 누구라고 지목하기가 어렵다는 뜻입니다. 국방부장관과 법무부장관을 제외하고는 안

보위원 모두가 외국에서 공부한 사람들이라 누구든 북과 접촉할 기회가 있었다고 봐야 합니다."

"심각한 일이로군. 총리, 국가특수업무원장, 외교통상부장관까지도 가능성이 있다는 말 아니오?"

"그렇습니다. 범인을 찾으려면 혐의가 없는 사람부터 제외해 나가야 하는데 이번에는 어느 누구도 제외하기 어렵다는 문제를 안고 있습니다."

"그러나 정부 각료까지 첩자가 된다는 것은 설득력이 부족해요. 각 분야에서 최고의 지위에 올랐는데 무슨 욕심이 더 있겠소? 각료 중에 배신자가 있다면 뭔가 그럴 만한 필요충분조건이 있을 거요."

"그래서 대상자들의 주변 관계를 탐문하고 있습니다. 가족 중에 친일파가 있는지, 통일이 되면 결정적으로 불리한 요건이 있는지 등을 조사하는 중입니다."

"대통령은 안보회의 참석자들만 생각하는 모양인데 꼭 그런 것만은 아닐 거요."

"물론 실무 작업에 종사한 관리들도 있겠지만 그들이 북의 고위 당국자와 연결되어 있더라도 이번처럼 중요한 사항들에 접근하기는 어렵다고 생각합니다."

"어쨌든 배신자를 찾는 것이 대통령의 가장 중요한 업무라는 걸 잊지 마시오. 시간이 가면 갈수록 우리의 계획이 누설될 수 있어요."

"예, 잘 알겠습니다."

배신자 때문에 모든 일이 어렵게 된 것은 사실이다.

가장 큰 문제는 통일을 반대하는 시위가 점점 격해지고 있다는 것이다. 그들은 이강렬의 쿠데타로 통일이 물 건너갔으니까 통일 논의 자체가 국론을 분리시킬 뿐이라고 주장한다.

강승기 장관의 지론보다도 한 발 앞서가는 논리다.

"북과의 접촉은 어떻게 되었소?

"믿을 만한 통로를 이용해 국무위원장이 살아있다는 것을 여러 번 알려 주었습니다. 국무위원장이 직접 부하들을 만난 날짜와 당시의 대화가 녹음된 테이프를 들은 사람들은 믿을 수밖에 없을 겁니다."

"테이프를 들으면 당연히 놀라겠지. 통일 선언에 따른 후속 조치는 어떻게 진행되고 있어요?"

"전격 작전에 차질을 빚지 않도록 총력을 기울이고 있습니다."

"통일의 순간 인민군들의 발포가 가장 우려스러운데 그 문제는 어떻게 대처할 계획이오?"

"그 점이 가장 어려운 일이라 여러 모로 계획을 세우고 있는데 한 번 검토해 주시기 바랍니다."

대통령이 X에게 극비라는 붉은 도장이 찍혀 있는 X3817이라는 파일을 건네준다.

"내가 자료를 검토해본 다음 의견을 말하겠소. 그건 그렇고 이강렬이 보낸 핵폭탄 건은 어떻게 조사되었소?"

이강렬은 국무위원장의 처형 사진과 함께 미국 등 핵 관련 국가가 예상하던 것보다 훨씬 많은 수량의 핵폭탄을 보유하고 있다는 자료를 보내왔던 것이다.

"다소 과장이 있겠지만 그동안 거론되던 10~20개는 아닌 것이 틀림없는 듯합니다."

핵폭탄 전문가들의 예측은 북한이 적어도 10~20개의 핵폭탄을 보유하고 있으며 많게는 50개까지 확보했을 수 있다고 추정했다. 사실 북한은 핵폭탄을 보유하고 있느냐 아니냐의 궁금증을 미끼로 실속을 차린 당사자다.

윌리엄 페리 전 미 국방장관은 1994년 미북 간의 제네바 합의가 없었더라면 북한은 수십 개의 핵무기를 가졌을 것이라고 조선일보와의 인터뷰에서 말했다.

제네바 합의와 영변 핵사찰 덕분으로 북한의 대량 핵무기 보유를 방지할 수 있었다는 뜻이다.

북한은 미국의 요구 조건을 들어주는 대신 신포시에 100만 킬로와트 급 한국형 원자력 발전소 2기를 공짜로 얻었다. 그런데 북한은 원자력 발전소를 얻는 절묘한 줄타기에 성공하면서 한편으로 핵폭탄 개발 의지를 숨기고 핵폭탄 개발에 성공했던 것이다. 놀라운 것은 북한이 확보했다는 핵폭탄의 숫자였다.

"이강렬이 이 사실을 왜 우리에게 알려준 것 같소?"

"자기들 마음대로 남북 관계를 주물러 보겠다는 뜻이 아닐까요?"

"하지만 한반도에서 핵폭탄이 터지면 똑같이 피해를 입는다는 것쯤은 잘 알 텐데?"

"그걸 아니까 겁만 주자는 거지 만만하게 대들지는 못할 겁니다."

"만에 하나……이강렬이 정말로 발사 명령을 내린다면 어떻게 될지 생각해본 적은 있어요?"

"그 점은 걱정하시지 않아도 좋을 것 같습니다."

"왜요? 내 생각에는 명령을 내릴 가능성이 반반은 되어 보이는데?"

"우리 군 관계자들 얘기로는 북에서 핵탄두를 발사해도 아군이 요격해 버릴 수 있답니다."

"공중에서 말이오?"

"그렇습니다. 핵미사일은 대체로 속도가 초속 1킬로미터 정도인데 발사하는 곳이 서울에서 500킬로미터 후방이면 서울에 도착하는 데 500초, 즉 6분쯤 걸립니다. 그런데 우리 군이 이번에 개발한 '무지개 1호'는 저들의 핵탄두를 포착하여 요격하는 데 3분이면 충분합니다. 결국 핵탄두가 남한에 떨어지는 것이 아니라 북한에 떨어지고 맙니다."

"다행이오. 그렇다면 저들이 보란 듯이 시범을 보여주는 것은 어떻겠소?"

"시범을 보여주자는 말씀입니까?"

"그래요. 자신들이 먼저 피해를 입는다는 걸 알면 정말로 발사할 생각은 하지 못하겠지요."

"일 리가 있는 말씀입니다. 곧바로 준비하도록 지시를 내리겠습니다."

대통령의 공손한 말투에 X는 흡족한 표정을 지으며 고개를 끄떡인다. 그러자 대통령이 다시 계획서에 대해 거론한다.

"이강렬은 정상회담의 내용을 감지하고 쿠데타를 계획한 것 같습니다. 하지만 그도 이번만은 꼼짝없이 당할 겁니다. 우리의 계획서를 잘 보시고 문제가 있으면 지적해 주십시오."

"그래요. 다시 한 번 강조하지만 우리에게도 구멍이 뚫려 있다는 사실을 잊지 마세요. 배신자를 찾기 전에는 절대로 안심할 수 없습니다."

"잘 알겠습니다."

3.

북경의 비밀스러운 장소에서 중국공산당정치국 및 중앙군사위원회 상무위원인 왕이 손님을 맞고 있다. 미국의 국무부 아시아담당보좌관인 채드윅 특사, 일본 방위청장관인 다나카 특사다. 이들은 이번 만남에 대단한 비중을 두고 있음이 분명하다.

"어서 오십시오. 채드윅 특사, 다나카 장관. 오시는 동안 불편한 점은 없었습니까?"

"크게 나쁜 여행은 아니었습니다. 방문을 허락해 주셔서 감사합니다."

"별 말씀 다하십니다, 채드윅 특사. 서로 협력할 사항이 있으면 직접 만나서 이야기하는 것이 가장 효과적이지요."

사실 두 사람이 중국에 온 것은 공식 방문이 아니라 관광 목적이다. 그러나 한반도에서 일어나고 있는 긴장 상태에 대한 의견 조율이 방문의 진짜 목적이다. 왕이 먼저 운을 뗀다.

"나는 요즈음 한반도에서 벌어지고 있는 사태를 이해할 수가 없습니다. 어제 서울에서 열린 한반도 통일에 대한 공개 토론회 내용을 읽어 보니 정말 무슨 소리인지 하나도 모르겠더군요."

"결국 한반도의 전격적인 통일은 북의 쿠데타 때문에 불가능하게 되었기 때문에 점진적으로 통일 문제에 접근해야 한다는 의견이 득세하는 것 같더군요. 한 교수의 통일 비용에 대한 상세한 자료가 무척 인상적이었습니다."

다나카가 눈을 가늘게 뜨고 의견을 내놓자 채드윅이 뒤를 잇는다.

"당연한 이야기죠. 한국이 독일과 같은 경제대국이 아니니까 더욱 설득력이 있어 보이기는 했습니다만 점진적인 통일은 결국 미국이나 일본 등 주변국의 이익만 대변하는 것이라고 주장한 전격 통일론자의 지적도 날카롭더군요."

"통일 비용도 만만치 않지만 분단 비용도 엄청나다는 것을 지적한 대목을 읽을 때는 등에 찬바람이 다 나는 것 같았습니다."

채드윅의 말을 받아 다나카가 불만스러운 표정으로 운을 떼더니 계속한다.

"하지만 무슨 사건만 생기면 항상 대일 감정 등을 구호로 내세우며 일본의 한국 통치에 대하여 핏대를 세우는데 정말 속상합니다."

왕이 나선다.

"피지배 민족이 점령자에 대해 좋지 않은 감정을 갖는 것은 당연한 일이죠. 사실 일본은 중국에도 진출했던 적이 있는데 거기 살던 사람들이 좋은 감정을 가질 리야 있겠습니까?"

"과거에 대해서는 이미 저희 정부에서도 유감을 표시한 적이 있습니다. 요즘은 세상이 하루가 다르게 변하는데 과거에만 집착할 수야 없는 일이죠."

"물론입니다, 다나카 장관."

"제가 이야기하고 싶은 것은 중국과 한국을 동일한 맥락에서 보면 안 된다는 뜻입니다."

"그 점만 생각하면 그렇겠죠."

왕이 이번에는 두 사람의 대화에 귀를 기울이는 채드윅 특사에게 묻는다.

"이번에 긴급히 만나자고 하신 이유는 무엇입니까?"

"제가 드리고 싶은 말씀은 한반도의 통일이 주변국에 도움이 되지 않으니까 이강렬에게 힘을 실어주자는 겁니다."

"이강렬이 통일을 반대하는 데 미국도 반대하지 않겠다는 뜻이군요?"

"부정하지는 않겠습니다. 미국의 목표는 분명합니다. 어떤 일이 있더라도 통일한국이 동북아시아를 위협하는 세력이 되어서는 안 된다는 겁니다."

채드윅은 미국도 북한의 국무위원장과 정상회담 후 벌어지는 일련의 변화에 큰 만족감을 표시했다고 솔직하게 말한다.

사실 세계 언론들은 미국 대통령이 노벨평화상을 받게 될 것으로 보았으며 단지 미국 대통령 단독이냐 또는 북한의 국무위원장이나 한국의 대통령과 함께 받느냐 하는 문제만 남아 있다고 말했다.

그런데 그런 화해 무드를 이강렬이 깨면서 미국에게 현실적인 기회를 주었다고 말한다.

"현실적인 기회라고요?"

"솔직히 말해 미국은 그동안 한국에 엄청난 무기를 판매했는데 통일이 되면 미국 군수업자가 휘청거릴 것이라는 보도도 있었지요. 그런데 이강렬이 그들의 우려를 불식시킨 거지요."

채드윅의 말에 왕은 고개를 끄떡이며 슬쩍 화제를 돌린다.

"그런데 한국 측에서 아주 이상한 정보를 보내왔더군요."

"이상한 정보라니요?"

다나카가 솔깃한 반응을 보인다.

"국무위원장이 현재 한국에 살아있다는 겁니다."

"말도 안 됩니다. 국무위원장이 살아있다니요?"

"이상하긴 한데……국무위원장이 틀림없다는 겁니다. 북한에 물어 봤더니 그 쪽에서는 국무위원장의 처형 사진까지 보내왔고요."

"그렇다면 둘 중의 하나는 가짜란 말인데 누가 가짜란 겁니까?"

"한국 측의 설명으로는……국무위원장이 평소에도 대역을 쓰는데 쿠데타 세력이 그 대역을 체포했다는 겁니다."

다나카는 혼란스럽다는 듯이 말을 받는다.

"정상회담 후에 국무위원장이 서울에 남고 대역은 북한으로 돌아갔 다는 말인데……그렇다면 쿠데타를 예견하고 있었다는 얘기가 되는 겁니까?"

"그런 셈이지요."

채드윅이 끼어들었다.

"이거 점점 상황이 묘해지는군요. 한국 측 설명대로 국무위원장이 살아있다면 이강렬은 힘을 얻지 못하고……어쩌면 궤멸의 길을 걸을 수도 있지 않겠습니까? 어쨌든 아직 북한에서는 국무위원장의 카리스 마가 통하니까."

"그런 면이 있지요. 이강렬로서도 국무위원장의 후견인이자 북한 노동당의 창설자인 김일성까지 격하시킬 수는 없을 테니까."

채드윅의 솔직한 발언에 왕이 맞장구를 친다.

이심전심으로 한반도의 통일을 견제하려는 목표를 공유하고 있는 것은 사실이다. 다나카가 천천히 입을 열면서 이강렬의 입장을 정리해 보는 발언을 한다.

"국무위원장의 생존 여부는 바로 이강렬의 아킬레스건이 될 수도 있 겠습니다. 그가 쿠데타에 성공했다 하더라도 해방 후 북조선인민공화 국을 건국한 김일성의 존재를 함부로 건드리기는 어려운데 그의 후손을 처형했으니까요. 그래서 쿠데타의 명분도 국무위원장이 김일성의 유업을 제대로 지키지 못하고 남한의 간계에 빠져 항복문서에 서명하려는 것을 막기 위해서라고 하지 않았습니까? 어디까지나 김일성이 사랑하던 북조선 인민을 위한 거사라는 거지요."

왕이 말을 받는다.

"어버이 수령은 떠받들지만 권력의 계승자인 국무위원장은 인정할 수 없다는 논리인데 사실 그 점이 이강렬의 고민이겠죠. 그가 쿠데타를 일으킨 후 비밀리에 자신이 백두혈통이라는 것을 강조하고 있는 것도 그 때문이겠죠. 자신이 국무위원장을 처형했지만 자신도 백두혈통이므로 북조선을 지키는 데는 국무위원장보다 자신이 적격이라는 말이겠죠."

"그렇습니다. 자신의 권력 기반을 다지려면 김일성을 격하시키는 것이 급선무라는 걸 이강렬인들 왜 몰랐겠습니까? 우리가 수집한 정보로는 쿠데타에 성공한 후 곧바로 금수산기념궁전에 안치되어 있는 김일성의 시신을 어떻게 처리할 것인지 검토했다고 합니다. 영구 보존하도록 처리된 미라인 김일성의 시신을 그대로 둔다는 것은 차후의 행보에 걸림돌이 된다고 판단했을 테니까요. 그러나 이강렬은 김일성의 시신을 폐기하고 그를 격하시키는 것보다 자신이 백두혈통이라는 것을 강조하는 것이 더 유리하다고 생각했다는 거죠. 민족의 태양이요 위대한 수령이라고 신격화했던 사람을 하루아침에 보통 사람으로 만들어버리는 것이 아니라 백두혈통의 배신자를 제거하고 자신이 나서지 않을 수 없었다고 주장한 거죠. 하지만 국무위원장이 살아있다면 모든 것이 허사가 되겠네요."

다카나가 말을 마치자 채드윅이 답답하다는 듯이 묻는다.

"그러면 강 건너 불구경하듯이 하는 수밖에 없다는 말입니까?"

왕이 채드윅의 말을 받아 의견을 붙인다.

"손을 놓고 있는 것이 아니라 국무위원장의 실체를 파악하는 것이 중요하다는 거죠. 우리도 국무위원장의 신변에 대해 좀 더 자세히 알아보겠습니다."

다나카도 의견을 보탠다.

"그래요. 하도 남과 북의 주장이 엇갈려서 정확한 판단을 할 수 없었는데 미국과 중국이 함께 나서 준다면 진상을 파악할 수 있을 겁니다. 우리에게도 결과를 알려주십시오."

밀담을 나누고 일어서는 세 사람의 표정이 무척 대조적이다.

다나카와 채드윅의 표정이 어두운 데 비해 왕의 표정은 싱글벙글할 정도로 밝다.

국무위원장이 정말로 살아있다면 중국보다는 미국과 일본에게 결코 유리한 상황은 아니었기 때문이다.

제30장 친일파 후예

1.

박민희는 비서관인 권일수를 집무실에 불러놓고 괜한 넋두리를 늘어놓고 있다.

"권 비서관은 어떻게 생각해요?"

"무슨 말씀이신지?"

"강승기 장관이 어떻게 그런 식으로 나를 공박할 수 있어요?"

박민희가 씩씩거리며 떠들지만 권일수는 무슨 뜻인지 모르겠다는 듯 멀뚱멀뚱한 표정이다.

"강 장관이 나를 공박하는 이유가 딴 데 있는 게 아닐까 하는 생각이 든단 말이에요."

"강 장관은 입각하기 전부터 계속 같은 소리를 해왔습니다."

"그건 나도 마찬가지예요. 내 말은……부정의 부정은 긍정이지만 외교통상부장관이라는 위치에 있는 사람이 정부의 정책에 반하는 이야기를 할 정도로 그가 바보는 아니라는 거죠."

"그렇습니다."

"그러니까 강 장관이 통일 문제로 나를 직접 공격하는 것은 뭔가 감추어진 의도가 있다는 거예요."

권일수는 대답도 없이 입을 다문 채 박민희를 바라보기만 한다.

"한 마디로 뭔가 구린 데가 있을 거라는 뜻이에요."

"그러니까 그걸 알아보라는 말씀입니까?"

"그래요. 강 장관이 어떤 사람인지도 알아보고 국민이 원하는 통일을 그렇게 반대하는 이유가 뭔지도 알아봐줘요. 전격적인 완전 통일은 그렇다 하더라도 1국가 2체제의 느슨한 통일까지 반대하는 속셈을 모르겠다니까."

"그런 정도야 식은 죽 먹기니까 걱정하지 마십시오."

멀뚱멀뚱하던 표정과는 달리 권일수의 대답이 시원스럽다.

2.

점심 식사 후의 나른한 시간에 집무실로 들어온 권일수 비서관의 말에 박민희는 정신이 번쩍 드는 듯 자세를 바로잡는다.

"지난번에 말씀하신 대로 강 장관의 전력을 조사한 자료를 가지고 왔습니다."

"아, 그래요? 특별한 점이라도 있던가요?"

"조금 이상한 내용이 있습니다."

"이상한 내용이라고요?"

"예, 강 장관 본인이 아니라 부친의 전력이 좀……."

"부친의 전력이 어떤데요?"

"일제 강점기 때 친일분자 중에서도 아주 악질이었던 강인상이 강 장관의 부친입니다."

"그래요? 이리 줘 봐요."

박민희는 권일수의 말에 깜짝 놀라며 자료가 담긴 파일을 뺏다시피 하여 표지를 펼친다. 파일 안에는 몇 장의 사진과 신문기사를 복사한 내용 등이 차례로 정리되어 있다. 한동안 읽어나가던 박민희가 잔뜩 뜸을 들이며 묻는다.

"이 자료는 어디서 얻었죠?"

"사실 조금 고생을 했습니다. 처음에는 몰랐는데 강 장관의 부친이 이름을 바꿨다는 것에 착안해서 옛날 신문 등을 조사했더니 본명이 강인상으로 유명한 친일파 중 한 명이었습니다.”

박민희는 권일수가 고생한 데 대해 인정한다는 듯이 고개를 끄떡이며 자료를 읽어나간다.

강주봉이라는 이름이 강인상으로 바뀌어 있다.

강승기 장관의 아버지인 그는 황해도 신천군의 지주로 알려져 있지만 어렸을 때는 매우 불우했던 사람이다. 그의 할아버지가 구한말에 여러 가지 사건에 연루되어 관직까지 박탈당하고 몰락하는 바람에 그의 아버지는 향리에서 무척 어렵게 살아야 했다. 그럼에도 불구하고 아들인 강주봉만은 제대로 키워야겠다는 생각으로 신식 교육을 받게 한다.

민족적인 자긍심 따위와는 상관없이 새로운 세대에 맞는 신식 교육이 현실을 타개할 수 있는 새로운 기회를 만들어 주리라고 믿었기 때문이다. 그런 계산은 적중했고 강주봉은 마침 신천군 지역을 관장하는 일본인의 마음에 들어 그 일본인의 뒤치다꺼리를 전담하게 된다. 그가 몰락한 양반에서 지주로 등장하는 계기다.

그를 돌봐주던 일본인이 바뀌어도 새로 온 일본인이 인수인계를 받듯이 꼭 그를 찾곤 했기 때문에 그는 대동아전쟁이 한창일 때 신천군에서 가장 큰 방앗간을 네 개나 운영하며 스스로 친일에 앞장선다. 일본이 영원히 조선반도를 지배할 것으로 믿었고 만에 하나 일본이 대동아전쟁에서 패배하더라도 조선반도만은 계속 통치하리라고 믿었던 것이다. 그야말로 충성스러운 황국신민의 신념이었던 셈이다.

황해도 신천군은 안중근 의사가 태어나 자란 고장으로 애국심이 남다른 곳이다. 일제 강점기 말에 징용 대상자들을 선정하는 자리에 있었던 강인상은 그 자리에 앉자마자 미운 털이 박힌 사람들을 모두 징용으로 선발한다. 심지어는 말다툼을 벌였던 예순 넘은 사람까지 지원병이라는 명목으로 끌고 가게 했고 그런 와중에 자객의 습격을 받아 오른쪽 손목이 잘리기도 한다. 분기탱천한 강주봉은 신천군 주민들에게는 결코 잊을 수 없는 일을 벌인다.

자신을 습격했던 자객과 독립군들이 숨어 있다는 핑계로 일본군을 동원하여 한 마을을 송두리째 포위하고 마을 사람들은 남녀노소 구분 없이 모두 살해했다. 그때 사망한 사람이 무려 250명이나 되고 당시 산에 나무를 하러 갔던 3명만 겨우 목숨을 건진 사건이다. 집단 살육의 원흉이라는 사실이 알려지자 어지간한 그도 더 이상 신천군에서 살 수 없어 서울로 이주한다.

강주봉은 서울로 올라가자마자 곧바로 사업가로 변신하여 재산을 모으기 시작했지만, 그의 예견과는 달리 일본이 패망하고 한국이 독립하자 악몽이 시작된다. 신천군 주민들이 언제 습격할지도 모르는 데다 손목이 잘린 신체적 특징까지 너무 분명하여 전전긍긍했던 것이다. 그러나 하늘이 무너져도 솟아날 구멍이 있는 법. 해방 이후 한반도의 정황은 그의 고민을 말끔히 씻어준다.

남과 북으로 갈라진 한반도의 분단 체제로 인해 이승만이 남한 단독 정부의 대통령이 되고 김일성이 북한에 공산정권을 수립하자 점점 고착되더니 그에게는 더욱 다행스럽게도 신천군이 남한이 아니라 북한으로 편입되어 그가 사는 남한과는 완전히 분리된 세상으로 바뀌어 버린다. 더구나 이승만 대통령의 집권으로 남한에서 친일파에 대한 제재가 사라지자 강주봉의 돈은 위력을 발휘하기 시작하여 친일파에서 애국자로 돌변할 수 있었다. 그는 과거의 이름인 강주봉을 강인상으로 바꾸고 새로운 사람으로 태어나 국회의원에도 두 번이나 당선된다.

"시대의 흐름을 읽고 현명하게 처신해야 살아남는다."

강승기는 아버지 강인상의 유언을 철저히 지키며 어떤 일에 있어서도 경거망동하지 않고 현실을 직시하는 현실주의자가 된다. 그가 미국 등 외국에 유학하지 않고도 외교통상부장관에 발탁되는 배경이다. 대통령이 어려웠을 때 아버지가 물려준 유산과 남아도는 시간을 과감하게 투자한 것이 보기 좋게 들어맞았기 때문이다.

그럼에도 불구하고 아버지의 전력은 강승기에게 항상 멍에로 작용한다. 아버지의 전력을 아는 사람은 거의 없지만 친일파의 아들이라는 사실이 언제 노출될지 모르는 일이 아닌가. 그런 와중에 다시 한 번 행운의 여신이 강승기에게 미소를 보낸다.

호적 일제 정리 기간을 틈타 또 다시 아버지의 이름을 바꿀 수 있었기 때문이다. 두 번씩이나 이름을 바꾸었기 때문에 그가 외교통상부장관으로 지명될 때 부친의 전력이 전혀 문제가 되지 않았던 것은 말할 나위도 없다.

한 마디로 강승기는 아버지를 새로운 사람으로 탈바꿈시키고 그 자신도 새로운 가문의 자식으로 변신하는 데 성공했던 것이다.

"그러니까 통일이 되면 아버지의 전력이 문제될지도 모르니까 반대한다는 뜻이군요?"

박민희의 말에 권일수가 신중하게 대답한다.

"그럴 수도 있다는 겁니다. 북에서는 애당초 친일파가 발을 붙이지 못했으니까 통일이 되면 얼마든지 문제로 삼을 수 있겠죠."

"친일파였다는 것이 문제가 아니라 집단 살육의 원흉이라는 것이 더 문제네요."

"그렇습니다. 그런 사람의 아들이 외교통상부장관이라는 것도 문제라면 문제고."

"어쨌든 밉살스러운 구석이 있군요. 고마워요, 권 비서관."

"저도 강 장관의 이력을 보고 깜짝 놀랐습니다. 우리 위원회의 일이라면 눈에 쌍심지를 켜고 사사건건 물고 늘어지는 이유가 개인적인 문제 때문이라니 화가 나기도 하고요."

"화가 나는 사람이 어디 권 비서관뿐이겠어요? 어쨌거나 우리가 강 장관을 뒷조사했다는 게 누설되면 안 된다는 건 알고 있죠?"

"여부가 있겠습니까? 입을 꼭 다물겠습니다."

권일수가 나가자 박민희는 인터폰에 대고 비서에게 지시를 내린다.

"당분간 아무도 들여보내지 말고 전화도 연결하지 말았으면 좋겠어."

물론 강승기에 대한 파일을 다시 한 번 꼼꼼히 읽기 위해서다.

3.

X가 묵고 있는 안전가옥의 응접실.

대통령이 X에게 조심스럽게 묻는다.

"강 장관을 어떻게 생각하시는지요?"

"무슨 뜻이오?"

"강 장관이 배신자일지도 모른다는 생각이 들어서입니다."

"왜 그렇게 생각하시오?"

"그가 부친의 친일 행적을 은폐해온 것도 그렇고 소신이랍시고 통일에 반대하는 입장도 그렇고……하여간 좀 석연찮은 구석이 있어서요."

"그런 정도를 가지고 배신자로 단정하기는 좀 그렇지 않아요?"

"물론 확실한 증거는 아직 없습니다만……."

"혹시 통일에 반대하는 데서 더 나아가 쿠데타 세력을 비호하는 느낌이라도 듭니까?"

"아직 그런 단계는 아닙니다만……."

"자칫 헛짚기라도 하는 경우엔 엄청난 후유증이 뒤따른다는 건 알죠?"

"예. '국가특수업무원'을 통해 조사한 자료가 여기 있습니다."

X는 신중하게 대통령이 건넨 파일을 펼쳐 살펴보기 시작한다.

파일에는 강승기의 아버지인 강인상의 전력과 강승기가 장관으로 발탁되기까지의 과정, 그리고 그의 부인의 가족 사항까지 빈틈없이 조사되어 있다.

처가의 가족 사항을 살피던 X의 눈썹이 꿈틀하며 놀라는 눈치다.

아내의 이름은 반영은. 미국에서 태어난 교포 2세인 그녀의 부친 역시 유명한 친일분자였던 반우갑으로 일본경시청 고등계 형사였고 반우갑의 형은 친일단체인 대동(大東)동지회 회장으로 중추원 참의까지 지냈다는 것이다. 독립지사들에겐 눈엣가시였던 반우갑의 활약은 상상을 초월할 정도여서 그에게 걸려들어 형장의 이슬로 사라진 사람만도 부지기수였다.

그 후 반우갑은 언론사 기자라는 신분으로 위장하고 도미하여 악화된 대일 여론을 무마하는 데 총력을 기울이는 한편 총독부의 선전 자료와 필름을 가지고 총독 선정(善政)설을 퍼뜨리고 재미교포의 독립운동을 내사하여 일본 군부와 국회에 보고할 정도로 친일 행각에 몰두한다.

그러나 미처 예상하지 못한 미일 전쟁이 일어나자 미국의 일본인 억류 정책에 따라 수용소에 수용된다. 물론 '일본인이 아니라 한국인'이라는 그의 주장은 받아들여지지 않았고, 2차 세계대전이 끝난 다음에도 돌아오지 않고 미국에 주저앉는다. 이때 태어난 딸이 반은영이다.

"강 장관의 행동을 주목하고 있는데……저는 그가 배신자일 가능성이 가장 높다고 봅니다."

"자신도 그렇고 아내도 그렇고 모두 친일파를 아버지로 두었다는 공통점 때문에 그렇소?"

"꼭 그래서 그런 건 아닙니다만 왠지 찜찜한 구석이 있는 건 분명합니다.

"그도 소신 발언 때문에 내사를 받게 되면 부친의 친일 행각이 드러난다는 것쯤은 짐작할 텐데?"

"장관으로 발탁될 때 부친의 전력이 드러나지 않아서 안심하고 있는 건 아닐까요?"

"글쎄요, 그런 이유 때문에 더 소신껏 밀어붙인다고 볼 수도 있고 부친의 전력 때문에 통일에 소극적인 태도라고도 할 수 있겠지요. 그러나 나는 그가 배신자라고는 생각지 않아요."

"무슨 말씀이신지?"

"부친이 친일파라서 배신자가 된다는 것은 설득력이 부족해요. 자신이 친일을 한 것도 아니고 장관이야 그만두면 되지 않겠소? 배신자가 되려면 좀 더 확고한 배경과 이유가 있어야죠."

"멀쩡한 사람이 살인도 하는 판국인데 책상물림이야 어디로 튈지 누가 알겠습니까?"

"그래서 하는 말이오. 물론 가능성이야 충분하지만 좀 더 그럴 듯한 근거가 있어야겠지요."

"어쨌든 부친의 친일 경력을 조작한 것은 칭찬받을 일이 못 됩니다. 그래서 이번 개각에서 강 장관을 제외했으면 하는데 어떻게 생각하십니까?"

"나는 오히려 그대로 두는 것이 좋을 성싶습니다만……."

"왜 그렇게 생각하시죠? 조금이라도 의혹이 있다면 배제시키는 게 원칙일 텐데……."

"그렇게만 생각할 건 아니지요. 우선 강 장관이 배신자가 아니라면 계속 소신 발언을 하게 내버려두는 것도 나쁘지 않을 테고, 혹시 배신자라면 어떤 식으로든 북측과 연결되어 있을 테니 정보를 역으로 흘려보낼 수 있는 절호의 기회가 아니겠소?"

"아, 그렇기도 하겠네요. 아주 절묘한 아이디어로군요. 하지만 언론에서 부친의 경력을 조작한 것은 국무위원의 결격사유라고 집중적으로 추궁해대니까 모양새가 좋지 않습니다."

"그건 그래요. 그것도 두 번씩이나 바꾸었으니……. 하지만 언론이 계속 물고 늘어지면 결국 이강렬이 방심할 테니까 그것도 나쁠 건 없겠지요."

"그렇다면 우리는 통발을 대놓고 길목을 지키기만 하면 된다는 뜻이군요."

"물론이지요. 이제 통일이 될 때까지 강 장관이 소신 발언을 계속하고 언론이 강 장관을 공격하는 것이 우리 계획을 숨기는 데는 오히려 도움이 될 겁니다."

X의 말에 대통령이 고개를 끄떡이며 말한다.

"어쨌든 앞으로는 각료들일지라도 중요한 회의에 참석하는 경우 꼼꼼하게 지켜보겠습니다."

"그러세요. 강 장관뿐만 아니라 배신할 가능성이 있는 사람은 모두."

4.

강승기 외교통상부 장관의 소신 발언에서 비롯된 여론의 파장은 이미 상상을 초월하고 있다. 언론이 한 번 칼질을 해대기 시작하자 강승기가 그렇게나 숨기려고 애썼던 아버지 강인상의 전력이 백일하에 드러나고 신천군 집단 살육 사건에 대해 증언하는 사람까지 나타난다. 당시 산에 나무를 하러 가는 바람에 간신히 목숨을 건졌던 열다섯 살 소년이 단신 월남하여 살다가 할아버지가 되어 증언을 했다.

"산에서 내려오다가 사람들을 마구잡이로 죽이는 장면을 봤어요. 집에 불을 지른 다음 불구덩이에서 뛰어나오는 사람들은 일본군이 지키고 섰다가 일일이 사살했는데, 그 자리에서 당시 강주봉으로 불리던 강인상을 봤어요. 그는 당시 거들먹거리던 지역 유지였고 180센티가 넘는 거구라서 똑똑히 기억하고 있습니다. 더구나 손목이 잘려나가 한쪽 손이 없는 사람이었으니까요. 이 다음에 크면 복수하겠다고 다짐했지만 해방이 되자 행방을 감추어 버리는 바람에 지금까지 가슴 속에만 묻어두고 살았죠."

눈물겨운 증언이 아닐 수 없다.

그는 울부짖다시피 과거를 더듬어나간다.

"6.25 때 피난을 내려와 부산에 정착한 후에도 신천을 떠난 강인상이 남한에 살고 있을 것으로 믿고 틈만 나면 찾아다녀 봤지만 목구멍이 포도청이라 거의 포기하고 있었어요. 그런데 그놈이 바로 외교통상부 장관의 애비라니 백주 대낮에 이런 일이 있어도 되는 겁니까?"

비난이 쏟아지자 강승기는 결국 대통령에게 사직서를 제출한다. 소신이 어떻든 그의 주장은 모두 부친의 전력이 노출될 것을 우려한 발언이라고 매도되었던 것은 말할 것도 없다.

"권 비서관, 한 가지 물어볼 게 있어요."

"말씀하십시오, 위원장님."

박민희가 권일수에게 묻는다.

"강승기 장관에 관한 자료가 어떻게 언론으로 흘러나갔다고 생각해요?"

"무슨 뜻이죠?"

"내가 권 비서관에게 절대로 보안을 유지하라고 했을 텐데……?"

"위원장님은 제가 강 장관의 자료를 언론에 흘렸다고 생각하시는 모양이군요. 제가 왜요?"

권일수는 정말로 억울하다는 표정으로 되묻는다.

"나도 아니고 권 비서관도 아니라면 도대체 누가 언론에 불을 지폈죠?"

"모난 돌이 정 맞는다는 말처럼 소신껏 주장하다 보면 사방에 적을 만들 수도 있고, 주무장관이면서 정부 정책을 비판하는 입장이라면 언론기관에서 철저히 조사했을 가능성도 높지 않겠어요?"

"적어도 우리는 아닌 게 확실한 거죠?"

"물론입니다. 언론에서야 한창 주목받는 각료니까 누군가가 슬쩍 운만 떼어줘도 옳다구나 하고 달려들었을 걸요? 하이에나 같은 언론에 한 번 걸려들면 뼈도 못 추리는 셈이죠."

"어쨌든 잘 알겠어요."

"사실 누구라도 그런 사실을 알았다면 제보했을 걸요?"

"그랬겠죠. 하지만 선정적인 폭로주의는 옳지 못하다고 생각해요. 우리 사회가 건강하지 못하다는 증거니까. 따지고 보면 강 장관이 아니라 그의 아버지가 문젠데, 아들이 아버지의 잘못을 몽땅 승계할 수는 없지 않겠어요?

"그렇긴 하지만, 부친의 전력을 감추려고 이름까지 바꿨다고 하면 강 장관도 잘한 짓은 아니었죠."

"강 장관의 잘잘못이 문제가 아니라 내가 걱정하는 것은 감정적인 대응에 따르는 국론의 분열이에요. 자칫하면 본말이 전도되어 통일 논의에 나쁜 영향을 끼칠 수도 있고……."

"무슨 말씀인지는 알겠습니다. 그러나 당분간 강 장관처럼 사사건건 물고 늘어지는 일은 없을 테니까 우리 위원회로서는 잘 된 일인지도 모르죠."

"아무리 그렇더라도 남의 불행을 즐긴다는 건 말이 안 돼요."

"제 말은……순전히 개인적인 이유로 국가 정책을 좌지우지하는 것은 용서할 수 없다는 뜻입니다."

"이해해요. 하지만 우리 위원회가 앞장서서 강 장관을 비난한다거나 우리 주장만을 너무 강조해서는 안 된다는 사실을 꼭 명심하세요. 우리는 지금까지 해오던 대로 해야 할 일만 제대로 해나가면 됩니다."

"알겠습니다."

이때 박민희의 집무실에 놓인 텔레비전에서 뉴스가 나온다.

강승기가 청와대에 들어갔다가 나와 현관에서 승용차를 타는 장면에 이어 그가 걸어 들어오는 장관 집무실 복도를 연결 화면으로 비춘다. 수많은 보도진들이 진을 치고 있다가 그에게 마이크를 들이댄다.

"사임이 받아들여졌습니까?"

"아닙니다. 각하께서 사표를 반려하시면서 국정에만 매진하라고 하셨습니다."

"대통령께서는 부친의 친일 경력에 대해 어떻게 생각하고 계십니까?"

"부친의 전력 때문에 아들인 저까지 비난받을 이유는 없다고 하시더군요."

"국론 분열에 대한 책임 때문에라도 물러나야 한다는 말이 있는데……?"

"대한민국은 민주 국가이고 누구나 자신의 소신대로 말할 권리가 있습니다. 제 주장은 국론 분열이 아니라 올바른 국론 수렴의 과정이라고 할 수도 있지 않겠습니까? 물론 제 말에 대한 책임은 끝까지 지겠습니다만."

"부친의 이름을 바꾼 데 대해서는 어떻게 말씀하셨습니까?"

"솔직히 제 불찰이라고 말씀드렸고……, 저도 아버지의 전력 때문에 마음고생을 겪을 수밖에 없었던 점을 말씀드렸더니……자신의 잘못을 뉘우칠 줄 알면 됐으니까 이제 모든 짐을 내려놓고 국정에만 전념해 달라고 격려해 주시더군요."

"설사 잘못을 뉘우쳤다 할지라도 그것이 한 나라의 외교통상 문제를 총괄하는 외교통상부장관의 경우라면 보통 사람과는 달라야 하지 않을까요? 국민들이 분노하는 이유도 그 때문이라고 생각하는데……?"

"저는 책임을 통감하고 사표를 제출했습니다. 그런데 대통령께서 사표를 반려하셨기 때문에 저는 각하의 명에 따르는 것이 옳다고 생각합니다."

줄기찬 질문 공세에도 강승기는 꿋꿋하게 대답하고는 장관실로 들어간다. 비서관이 기자와 카메라맨들이 들어오지 못하게 하는 장면이 비친다. 박민희는 다소 복잡한 표정으로 텔레비전을 꺼버리고는 권일수에게 묻는다.

"대통령께서 사표를 반려하셨다……권 비서관은 어떻게 생각하세요?"

"일제 강점기의 잔재를 청산하고 통일의 길로 나아가려면 강 장관이 사라져야 합니다."

"내 생각은 좀 달라요. 어쨌든 강 장관은 통일에 대한 자신의 주장을 굽힌 적이 없는 사람인데, 만일 부친의 전력 때문에 낙마한다면 누가 올바른 소리를 하겠어요?"

"그렇다고 강인상의 죄가 사라지는 것은 아닙니다. 누군가가 책임을 져야죠. 더구나 부친의 전력을 감추기 위해 이름을 바꾼 잘못은 온전히 강 장관의 몫인데……."

"그 문제라면 나도 화가 치밀지만……그건 어디까지나 과거의 일입니다. 대통령의 의지도 과거에 매달려 현재와 미래를 소홀히 하지 않으려는 것으로 봐요. 우리가 일본의 식민 지배를 받지 않았다면 당연히 이런 일도 없었겠죠.

"그렇다고 잘못이 있는 사람을 굳이 고집하는 것은 이상하지 않습니까?"

"그렇게 볼 수도 있겠지만 대통령께서는 국정의 우선순위를 고려하셨겠지요. 통일이 최우선 과제고 강 장관은 주무장관이니까……어쩌면 아량을 베푸시는 것일 수도 있고."

대통령의 의중을 헤아리는 것일까. 박민희는 말끝을 흐리며 생각에 잠기는 눈치다.

"국정 운영을 위해 아량도 필요할지 모르지만 강 장관의 유임은 너무 심한 듯합니다."

"알겠어요. 이쯤 해둡시다. 강 장관의 일에 너무 신경 쓰지 말고 우리 맡은 일이나 잘하도록 하고."

제31장 단합대회

1.

시내 중심가의 팝 레스토랑.

권준혁과 김미은이 폭탄주를 마시고 있다.

"요즈음은 어떻게 지내?"

"군인이니까 매일 훈련이죠 뭐."

"707대대에 관한 자료를 읽어보니 젓가락까지도 살상무기로 사용할 수 있다고 하던데 미은이도 그렇게 할 수 있어?"

"못 할 것도 없죠. 하지만 평소에 누가 젓가락을 살상무기로 사용하겠어요?"

"어쨌든 든든해서 좋겠어."

"오빠는 그렇게 생각하세요? 한 번도 그런 적이 없었는데 지금처럼 군인들이 불쌍하다고 여겨진 적은 없었어요. 국무위원장 구출 작전에 참가했던 다섯 명의 여자 대원 중 배 중위는 전사했고 두 명은 부상을 당했는데……한 명은 아직도 병원에 있어요. 병상에 누워 있는 모습을 보면 젓가락을 살상무기로 사용한들 무슨 소용이 있을까 하는 생각이 들 걸요?"

김미은은 술이 취하는지 말이 많아지기 시작한다. 그러더니 급기야 울음까지 터뜨린다. 권준혁이 난감한 상황에 어쩔 줄 모르는데 그녀가 배신자 얘기를 꺼낸다.

"제 생각에는 배신자가 높은 사람들 중에 있는 것 같아요."

"왜 그렇게 생각하지?"

"곰곰이 따져보니⋯⋯작전 계획 수립 단계부터 인원을 철저하게 통제했기 때문에 우리 대원들한테서 정보가 누설될 가능성은 거의 없어요."

"일리 있는 얘기야."

"그렇다면 누구겠어요? 작전이 논의되고 결정되었던 최고위급 회의 참석자가 아니면 특공대 침투 정보를 알 수가 없잖아요?"

"당시 그 작전을 승인했던 국가안보회의는 대통령, 국무총리, 국방부장관, 외교통상부장관, 통일부장관, 국가특수업무원장, 민족통일준비위원회 위원장 등 안보 관련 각료들이 위원들이야. 설사 그들 중에 배신자가 있다고 해도 그걸 알아내기는 쉬운 일이 아니야."

"그렇다고 가만히 있어요? 나는 국무총리나 국가특수업무원장, 외교통상부장관까지도 의심스러워요. 하긴 악랄한 친일파의 아들이 재신임을 받는 상황이니 정부 수뇌부의 정신 상태부터 이상한 거죠."

"부하들이 전사하고 다쳤으니 억울해하는 미은이의 처지도 이해가 되지만 그렇다고 함부로 아무나 매도할 수는 없잖아?"

"오빠는 내가 아무나 붙잡고 함부로 매도하는 것 같아요?"

완연히 시비조로 나오는 김미은을 달래느라 권준혁은 안절부절못한다.

"그런 게 아니라⋯⋯그 작전이 결코 실패한 것만은 아니니까 울분을 삭이라는 거야."

"말도 안 돼요. 국무위원장은 구경도 못 하고 대원들만 잃었는데 실패한 작전이 아니라고요?"

"그래. 그 작전이 실패했기 때문에 다른 작전을 구사할 수 있는 계기가 되었거든."

"다른 작전이라니⋯⋯그러면 우리가 미끼였단 말이에요?"

"처음부터 미끼삼는 것을 전제로 했다면 모를까 실패하고 나서 준비한 작전이니까 미끼라고는 할 수 없지."

권준혁이 비밀리에 추진되는 계획을 간략하게나마 이야기해주자 김미은의 표정이 조금씩 풀린다.

"미은이도 김한룡 박사라고 알지?"

설명 끝에 권준혁이 지나가는 말로 묻자 김미은이 관심을 보인다.

"지난번 소탕 작전에서 체포했던, 영숙 언니의 전 남편이란 사람 말이에요?"

"그래, 그 김 박사가 그 작전을 위해 맹활약을 하고 있지."

"어떻게요?"

"확실히는 모르겠고……중요한 밀사 역할을 맡긴 것 같아. 이제 그만 마시고 나가는 게 어때?"

"아이고, 지금까지는 해장술이었지. 오빠가 주량을 늘려야 잘난 내가 줄일 수야 없잖아요?"

"그래도 여기선 그만 마셔. 2차는 노래방에서 내가 쏠게."

김미은은 노래도 한 가닥 하는 솜씨다.

"내가 사관학교 시절부터 노래 하나는 남들에게 빠지지 않는다고 자부해 왔거든요."

그러면서 마이크를 잡았다 하면 세 곡은 기본이다. 권준혁도 노래만큼은 자신이 있다고 생각했지만 그녀에겐 어림없다. 한 시간쯤 노래를 부르다가 나와 포장마차 촌으로 향하며 김미은이 묻는다.

"오빠, 오빠는 날 어떻게 생각해요?"

"어떻게 생각하다니? 내 생명의 은인이잖아?"

"어깨는 어때요?"

작심한 듯 뭔가 물어보려던 김미은이 권준혁의 심상한 반응에 한 발 물러서는 눈치다.

"붕대 풀어 버린 것 보이지? 완쾌된 건 아니지만 이제 움직이는 데는 지장 없어."

"대단하군요."

"그래서 다음에는 어깨에다 철판을 댈 생각이야. 그럼 총알이 튕겨져 나가겠지."

"거기 안 맞으면 더 중요한 곳에 맞을 수도 있는데, 그래도 어깨가 낫잖아요?"

"그런가? 그렇다면 철판은 취소하지."

"오빠 만날 때마다 내가 군복만 입으니까 여자처럼 보이지 않죠?"

"무슨 소리야? 예쁜 여자는 군복을 입든 수영복을 입든 예쁘게 보이는 거지."

"그래도 오빠가 만났던 여자들에 비하면 어림없죠?"

"바보야, 누가 얼굴만 보고 여자를 만난대?"

"그럼 뭘 보는데요?"

"사람마다 다르겠지. 얼굴만 보는 사람도 있을 거고, 몸매를 보는 사람도 있을 거고……톡톡 튀는 유머를 좋아하는 사람도 있을 거고, 똑똑한 여자를 좋아하는 사람도 있을 거고."

"오빠는 어떤 여자를 좋아하죠?"

"한 마디로 대답하기는 어려운데……그러니까 아직 결혼도 못 한 거지."

결혼이란 말에 김미은이 깜짝 놀라며 묻는다.

"결혼할 생각은 있고요?"

놀라는 모습이 뜻밖이라는 표정으로 권준혁이 장난스럽게 대답한다.

"그럼 내가 총각으로 늙어죽을 줄 알았어?"

"그건 모르죠. 요즘 독신주의자들이 좀 많아요. 더구나 오빠는 소문난 바람둥이라니까 더욱 그렇고……."

"세상에, 다정 마담의 말을 곧이곧대로 믿었단 말이야? 내 참, 총각 증명서를 달고 다닐 수도 없고……."

"바람둥이란 말을 내가 지어낸 건 아니잖아요?"

권준혁이 대답 대신 웃음으로 얼버무리자 그녀가 지레짐작으로 묻는다.

"마음에 맞는 여자를 만나면 결혼하겠다는 생각이군요?"

"그래야지. 나도 나지만 미은이 결혼이나 걱정하라고."

"왜요?"

"진급할수록 점점 어려워질 테니까. 누구든 먼저 결혼하는 사람에게 술 사기로 하면 어떨까?"

"아이고, 술 말고 다른 걸로 좀 해요."

"좋아. 그럼 뭐로 할까?"

"그건 나중에 정하죠. 그런 의미에서 한 잔."

마지막 술잔을 비우고 포장마차를 나온 두 사람은 호텔로 들어간다. 카운터에서 방을 예약한 권준혁은 김미은과 함께 엘리베이터를 타자 객실 열쇠를 흔들며 묻는다.

"오늘도 문을 닫아버릴 거야?"

"당연하죠. 오빠 같은 늑대를 들여놓지 않는 것이 방어 작전의 기본이거든요."

"알았어. 그럼 내가 문만 열어주지."

권준혁은 약속대로 객실까지 가서 방문만 열어주고 혼자 호텔을 빠져나온다.

2.

조용한 중국음식점.

권준혁과 김미은, 김유라가 박민희의 초대를 받고 식당으로 들어간다.

"드디어 진 박사도 나타나셨군."

"번거로운 일 때문에 밖으로 나다니지 않다가 위원장님이 초청하신다기에 나왔어요."

"대역이 살해되었다고 하던데 지금도 다른 대역이 있나요?"

384

"똑같이 생긴 대역을 밥 먹듯이 만들 수가 있겠어요? 더구나 대역이 살해되었는데 다시 대역을 만들기도 께름칙하고."

"그렇겠군. 김 대위는 외출이 어려운가 보지?"

"준혁 오빠가 전화를 걸어줘서 나오긴 했습니다만, 요즘은 좀 힘든 게 사실입니다."

"왜 그렇죠?"

"북의 도발 우려가 커진 거죠. 이강렬이 쿠데타에 성공한 후 여러 번 위협을 해왔거든요. 사실 이런 문제는 우리 군인들보다 위원장님 같은 정치인의 전문 분야 같은데요?"

"군사작전은 우리보다 국방부 소관이죠. 그러면 요즘은 훈련에 여념이 없겠네?"

"그렇습니다. 그런데 지난번에 말씀하신 일은 어떻게 되었습니까?"

"지난번에?"

"예. 배신자의 신원 말입니다."

"사실 오늘 만나자고 한 것도 그 일 때문이에요. 젊은 사람들의 의견을 듣고 싶어서……. 아직 배신자를 찾지는 못했지만 의심 가는 사람들은 여럿이 있거든요."

"그게 누구죠?"

의심 가는 사람들이 여럿 있다는 말에 권준혁이 즉각 반응을 보인다. 그러나 박민희는 짐짓 딴청을 부리듯 다른 얘기를 꺼낸다.

"강승기 장관의 일은 다들 알고 있겠죠? 권 팀장은 어떻게 생각하세요?"

"한 마디로 충격적인 일이죠."

"하지만 강 장관 개인을 비난하기에 앞서 그런 사람들이 예상보다 많다는 사실을 잊어버리면 안 된다고 생각해요. 또 기득권 가진 사람은 누구든 배신자가 될 수 있다는 게 더 큰 문제겠죠."

"배신자가 누구란 것을 알기만 하면 초전에 박살을 내버릴 텐데……

제발 위원장님이 배신자를 찾는 데 앞장서 주세요."

그러나 김미은의 말에 박민희는 고개를 내젓는다.

"우리 위원회 소관이 아니라서……만약 내가 그런 소릴 했다간 굴러온 돌이 박힌 돌 빼려고 한다는 구설수에다 너무 튄다고 된통 미움이나 받을 걸?"

"하지만 누군가는 그 일을 해야 되잖아요? 밉살스러운 사람이 어디 강 장관뿐이겠어요?"

"물론. 그런데 혐의를 둘 만한 사람이 한둘이 아니라는 게 문제예요. ……그건 그렇고 권 팀장도 지난번 작전에 참가했다면서?"

"예, 김 대위와 함께 갔죠."

"그런데 왜 전번에 만났을 때는 그런 얘기 없었죠?"

"실패한 작전인 데다 뭐 자랑할 만한 일도 아니고……."

권준혁이 슬쩍 발을 빼자 박민희가 펄쩍 뛴다.

"무슨 얘기예요? 내가 그 작전에 얼마나 신경을 썼는지 알아요?"

"그나저나 제가 그 작전에 참가했다는 건 어떻게 아셨죠?"

"실은 출동 전에 특전사의 전태진 사령관과 김 대위의 상관을 만났어요. 그때 다른 기관의 특수임무 팀도 몇몇이 합류한다는 말을 들었는데 나중에 알고 봤더니 권 팀장이지 뭐예요. 미리 얘기를 해주든가 나중에라도 얘기를 해줬으면 좋았을 걸 좀 섭섭하더라고요."

"죄송합니다. 다음에는 꼭 위원장님께 보고를 드리도록 하죠."

"아서요, 생사를 건 작전에 다시 투입되는 건 안 될 일이죠."

박민희가 손사래를 치며 질겁하는 표정으로 말하자 김미은이 다시 배신자 얘기를 꺼낸다.

"그러자면 꼭 배신자를 찾아내야 할 거예요."

"당연하지. 하지만 배신자를 공개적으로 찾을 수 없다는 게 문제야. 빈대 한 마리 잡겠다고 초가삼간 다 태우는 건 문제라고 생각해서 아마 정부에서도 비밀리에 조사하고 있겠죠. 어쨌든 강 장관 일도 그렇고 통일에 대해 다시금 중지를 모을 필요가 있어요. 그래서 보수 성향이 강한 나이든 사람들보다 젊은 여러분의 의견을 듣겠다는 거예요."

"저는 강 장관을 끝까지 추적하면 뭔가 꼬투리를 잡을 수 있을 거라고 생각해요."

"글쎄 과연 그럴까요?"

"이번에 대통령께서 강 장관을 재신임하셨는데 뭔가 이상하다고 생각지 않으세요?"

"뭐가?"

"상식을 깨고 사표를 수리하는 대신 반려한 걸로 봐서 저는 강 장관이 배신자일 가능성이 크다고 생각해요."

"어째서?"

"곁에 두고 철저히 감시하면 더 이상의 정보 누출은 막을 수 있다고 판단하지 않았을까요?"

"그렇게 생각할 수도 있겠네. 역시 김 대위는 젊은 사람이라 참신한 데가 있군요. 그건 그렇고 진 박사의 대역 살해 사건은 진전이 좀 있어요?"

박민희는 노련하게 화제를 돌려 권준혁에게 묻는다.

"아직도 오리무중입니다."

대답을 하면서 권준혁은 박민희가 권력의 핵심부에서 논의되는 일에 대해 잘 모른다고 생각하며 안도를 하면서도 정치적인 면에 매우 민감하다고 느낀다. 그러나 공연히 이것저것 캐물으면 대답을 할 수도 없고 하지 않을 수도 없지만 통일 관계 실무 책임자 중의 한 사람인 박민희 위원장이 권준혁과 김유라가 소속되어 있는 특수임무 팀의 존재를 모른다는 것은 그만큼 보안이 철저하게 유지된다는 뜻이기도 하다.

"아직도 오리무중이라고요?"

"경찰에서 열심히 수사를 하고는 있습니다만······제가 함부로 나설 수도 없는 일이고."

"어쨌거나 범인이 빨리 잡혀야 할 텐데?"

"그럼요. 한국 경찰의 수사 능력을 믿어봐야죠."

권준혁의 대답이 끝나기가 바쁘게 김유라가 한 마디 거든다.

"이건 다른 이야기지만 저는 위원장님에게 큰 희망을 걸고 있어요."

"그건 또 무슨 말이에요?"

"통일 후의 지도자를 묻는 여론조사에서 위원장님도 거론되더군요."

"여자니까 프리미엄을 주는 거겠지. 이름이 거론된 것만 해도 기분 나쁜 일은 아니지만."

"우리나라의 발전을 위해 위원장님 같은 분이 앞장서 주셔야 한다는 뜻이겠죠. 그래야 우리 같은 젊은 사람들도 희망을 가질 수 있고요."

김유라의 말에 박민희는 기분이 좋은지 선뜻 한 가지 제안을 한다.

"우리 이럴 게 아니라 적어도 한 달에 한 번씩은 만나기로 하죠."

반대하는 사람이 있을 리가 없다.

3.

"갑자기 무슨 일이에요?"

김유라가 자리에 앉기도 전에 김미은이 서둘러 묻는다.

"왜 내가 미은이와 단 둘이서 만나면 안 되나?"

"그럴 리가요? 언니가 만나자고 한 게 처음이라서 그렇죠."

잠실 롯데호텔의 커피숍에 두 사람이 앉아 있자 지나가는 사람들이 김미은의 군복 차림에 한 번씩 눈길을 보내곤 한다.

"미은이 인기가 보통이 아닌데?"

"내 인기가 아니라 군복의 인기겠죠."

김미은은 김유라를 진영숙으로 알고 있지만 실제 나이는 김미은이 김유라보다 한 살 많은 셈이다. 김유라는 김미은이 꼬박꼬박 언니라고 부르는데도 내색을 하지 않는다.

종업원이 와서 주문을 청하자 김유라는 커피를 시키고 김미은은 맥주를 시킨다. 김유라가 놀란 표정으로 묻는다.

"낮인데도 맥주를 시켜?"

"술이 센 건 아니지만 군인이니까 술을 거절할 처지도 아니고……그래서 찾아낸 딱 한 가지 방법이죠."

"딱 한 가지 방법?"

"예, 지구상에서 술을 없애 버리자는 거죠."

"지구상에서 술을 없앤다고?"

"언니처럼 술을 못 마시는 사람도 많은데 나라도 마셔서 없애야지 누가 그런 일을 하겠어요?"

"이야, 술 마시는 논리도 정연하네. 그럼 취해서 오바이트한 적은 없겠는데?"

"왜요. 처음엔 술 잘 마시는 척하다가 혼이 났고 그 후로는 조절하는데도 많이 마셔대는 바람에 혼이 나곤 했죠. 요즈음은 그럭저럭 요령껏 마시는 비법을 터득하여 잘 버티는 셈이고."

"지옥훈련도 받아내는 여장분데 어렵하겠어?"

"칭찬이 아니라 욕인 것 같은데요?"

"내가 왜 미은이를 욕하겠어?"

"그나저나 언니처럼 바쁜 사람이 하릴없이 전화를 한 것은 아닐 테고……왜 만나자고 했어요?"

"백화점 구경이나 가자고."

"백화점 구경을 가요?"

어쨌거나 김미은은 영 내키지 않았지만 진영숙인 줄 아는 김유라가 이끄는 대로 백화점으로 간다. 김유라는 대뜸 옷가게로 김미은을 데리고 들어가더니 한 마디 던진다.

"미은이가 한 번 골라 봐."

"내가 뭐 옷을 볼 줄 알아야 말이죠."

그러면서 옷을 살펴보던 김미은이 가격표를 보고는 깜짝 놀라며 묻는다.

"세상에나……옷 한 벌이 이렇게 비싸요?"

"우리나라에서 가장 유명한 디자이너가 직접 만든 옷이거든. 내가 한 벌 사줄 테니 걱정 말고 골라 봐."

김유라의 말에 김미은은 도무지 영문을 모르겠다는 표정이다.

"언니가 옷을 사주겠다는 것도 그렇고……또 내 월급보다 훨씬 비싼 옷을 어떻게 입어요?"

두 사람이 입씨름하는 것을 보고 판매원이 오더니 대화에 끼어든다.

"우리 가게 옷은 디자이너가 일일이 수작업을 해서 만든 작품이에요. 마침 세일기간이라 30%나 싸니까 입어보세요. 이 언니는 군복 대신 우리 브랜드를 입으면 일류 모델 뺨치게 아름답겠네요."

결국 김미은은 김유라와 판매원이 번갈아 권하는 바람에 마지못해 옷을 고른다. 물론 매장의 옷 중에서 가장 저렴한 것으로 골랐지만 그녀의 얼굴은 발갛게 물들어 있다. 그녀도 여자였던 것이다.

"와, 웬 영화배우가 나타난 것 같은데?"

탈의실에서 옷을 갈아입고 나온 김미은을 보고 김유라가 군복을 입었을 때와는 전혀 다른 모습에 감탄사를 내지른다.

"언니도 참, 놀리지 말라니까."

"진짜 예쁘다. 군복 속에 이런 미인이 숨어 있을 줄은 아무도 몰랐을 걸."

"언니, 제발……."

김유라는 쩔쩔매는 김미은을 데리고 이번에는 캐주얼 의류점으로 가더니 자기가 입을 옷을 고르면서 청바지를 두 벌씩이나 산다. 김미은은 왜 그렇게 하느냐고 물어보지도 못한다.

"학창시절에 청바지 한 번 못 입어봤거든. 나도 남들처럼 청바지 입어보는 게 소원이라고."

옷을 사고 백화점의 넓은 매장을 둘러보느라 어느새 저녁 시간이 된다.

"자, 이제 저녁 먹으러 가자. 오늘은 내가 근사하게 쏠게."

김미은은 뭔가 홀린 듯싶지만 조금은 들뜬 기분이라 말없이 김유라가 하자는 대로 한다. 김유라가 김미은을 데리고 들어간 곳은 호텔에 딸린 프랑스풍의 고급 식당.

김유라와는 안면이 있는 듯 안으로 들어가자 종업원이 반갑게 아는 체를 하며 맞는다. 김미은으로서는 어쩐지 주눅이 드는 느낌이다.

"우리 집에서 가장 좋은 자리로 모시죠."

매니저의 안내를 받고 자리를 잡자 금방 식사 메뉴가 순서대로 나오기 시작한다.

"나는 도무지 무슨 영문인지 모르겠어요."

다소 분위기가 가라앉자 김미은이 조심스럽게 입을 연다.

"내가 왜 미은이를 만나자고 했는지 모르겠다는 말이겠지?"

"그래요."

"사실은 오빠 때문이야, 준혁이 오빠."

"준혁이 오빠요?"

"그래, 단도직입적으로 말할게. 미은이가 준혁이 오빠 사랑하는 줄 아니까……오빠를 진정으로 사랑해 달라고 부탁하는 거야."

"오빠를 사랑해 달라니……그게 무슨 말이에요?"

"연구에 몰두하는 생활이 얼마나 삭막한지 미은이는 모를 거야. 더구나 대역이 살해되는 것을 보고 큰 충격을 받았어. 연구도 인간을 위한 것인데 사생활을 희생하고 심지어 생명의 위협까지 받는다면 무슨 의미가 있을까 하는 회의가 생기더라고. 그런데 타고난 운명은 거스를 수가 없나 봐."

"운명이라고요?"

김미은은 복잡한 심경으로 김유라의 이야기에 귀를 기울인다.

"그래, 운명이지. 한때 약혼까지 했다가 5년 전에 사라져 버렸던 남자가 다시 나타난 거야."

그러면서 김유라는 김미은에게 최창수와의 관계를 차근차근 설명한다.

"그러니까 오빠에게 잘 보이라는 뜻으로 내게 옷까지 사주었단 말이에요?"

김미은의 말투에 날이 선다.

"그런 건 아니고……늘 마음에 두고 있었던 일을 오늘 만난 김에 했을 뿐이야."

"그래도 너무 비싼 거라 좀 이상하게 생각했는데, 솔직하게 얘기해도 될까요?"

"그래."

"오빠와 나의 관계는 언니 말에 따라 가까워지거나 멀어지거나 할수는 없다고 봐요. 우리가 알아서 한다는 얘기죠."

"당연하지. 내 말은 오빠의 마음을 좀 더 잘 헤아렸으면 좋겠다는 거야."

"참고로 하죠."

"너무 고깝게는 생각하지 마. 두 번씩이나 함께 사선을 넘나든 경우는 많지 않아."

"어쨌든 언니 마음은 알았으니까 생맥주 한 잔 시켜도 되겠죠?"

"물론이지."

주문한 생맥주가 나오자 김미은은 시원하게 생맥주를 들이켰다.

제32장 꼬리잡기

1.

오랜만에 만난 권준혁과 오민우가 강승기의 유임 사실을 화제로 삼아 얘기를 나눈다.

"오 경감님은 어떻게 생각하시죠?"

"강 장관이 배신자인 것 같은데?"

그러나 권준혁은 머리를 가로젓는다.

"내 생각에는 강 장관이 배신자는 아닐 것 같습니다."

"어째서?"

"그가 배신자라면 그렇게 처신하진 않았을 걸요? 보란 듯이 정부 정책에 어깃장을 놓지는 않았을 거란 말이죠. 밉보일 경우 당연히 뒷조사가 따를 줄 알 텐데 그렇게 무모한 짓을 하겠어요?"

"그건 권 팀장 말이 틀려요. 그는 어디에도 증거를 남겨 놓지 않았을 테니까."

"여하튼 내가 강 장관이라면 그렇게 처신하진 않았을 겁니다. …… 잠깐만요."

권준혁은 이야기 도중 휴대전화가 울리자 말을 멈추고 전화를 받더니 장소를 알려준다.

"여기 프라자호텔 커피숍이니까 이리로 와."

권준혁은 전화를 끊더니 오민우에게 설명을 한다.

"김미은 대웝니다. 마침 휴가를 나와 이 근처에 있다고 해서 오라고 했습니다."

"김미은 대위? 참 대단한 여자지요."

"그래요. 군기가 세기로 유명한 707대대에서도 알아주는 모양입니다."

"달리 표현하면 아주 특별한 사람이라는 뜻도 되죠. 김 대위가 권 팀장을 좋아하나 보군요?"

"이거 왜 이러세요? 내가 김 대위 같은 군인과 어울릴 스타일인가요?"

"그거야 모르죠. 권 팀장 튀는 곳을 누가 알겠습니까?

"적어도 김 대위는 아니죠. 특전사 중대장을 마누라로 삼았다가 잘못하면 뼈도 못 추릴 걸요?"

"허허……정력 문제라면 할 수 없겠지요."

"정력이 문제가 아니죠."

"그럼 정력에는 자신이 있다는 뜻이오?"

"그걸 말이라고 합니까. 제가 한두 번 작전에 참가한 줄 아십니까?"

"그게 잠자리에서도 적용된다는 보장은 없지요."

"에이 참, 까 보일 수도 없는 일이고……."

"권 팀장이 결혼하고 나서 내가 권 팀장 부인에게 물어보지 뭐."

"정말 짜증나는 말만 골라서 하는군요."

마침 그때 김미은이 안으로 들어온다. 권준혁이 먼저 그녀를 발견하고는 화제를 바꿀 기회를 잡았다는 듯이 손을 번쩍 들고 소리를 지른다. 김미은은 군복이 아닌 사복 차림이다.

"어이, 여기야."

"우와, 사복 입은 걸 보니 정말 미인인데?"

오민우의 말에 권준혁도 새삼 김미은의 매무새에 놀란 표정을 감추지 못한다.

"으이그, 말도 안 돼. 그럼 오 경감님은 아직도 내가 미인인 줄 몰랐단 말이에요?"

"야, 직격탄까지 날리니 더욱 대단하군요. 설마 권 팀장 때문에 화장까지 하고 나온 것은 아니겠죠?"

"왜 오빠 만날 때 화장하면 안 돼요?"

"그게 아니라 군복 입은 모습과 너무나 달라서 그래요. 휴가라면서?"

"하지만 겨우 사흘인 걸요. 또 다시 잠복할 일이 있는 모양이죠, 오 경감님?"

"그건 아니고……김 대위가 궁금하게 여길 이야기를 하고 있었소."

"내가 궁금하게 여길 얘기요?"

김미은이 즉각 반응을 보인다.

오민우가 봉투에 넣어두었던 조그마한 노트를 꺼내 보여주자 내용을 훑어보던 김미은의 얼굴에 화색이 돈다.

"그래요. 뭔가 꼬리가 잡힐 거라고 생각했어요."

"뭔데 그래?"

너무나 달라진 김미은의 모습에 한 방 얻어맞은 듯 두 사람의 얘기만 듣고 있던 권준혁이 그제야 관심을 보인다.

"이걸 보면 강 장관을 배신자라고 할 수밖에 없을 거요."

자료에는 강승기가 배신자일 가능성을 보여주는 여러 정황들이 일목요연하게 적혀 있다. 김미은도 같은 맥락으로 이해한다.

"부친이 친일파니까 통일에 반대할 거라는 사실을 역이용하여 이강렬과 접촉할 수 있다는 거겠죠?"

김미은의 말을 가로막으며 권준혁이 핀잔을 준다.

"대단하시군. 하지만 그거야 소설을 쓰는 거고 현실적으로 가능하겠어?"

권준혁이 두 사람에게 몰리는 상황이라 화제를 돌리려고 하는데 김미은이 선수를 친다.

"좋아요. 결말도 나지 않는 이야기는 여기서 끝내죠. 제가 오늘 보너스 받았으니까 한 잔 내죠."

술자리는 3차까지 이어져서 새벽 1시가 되어서야 끝이 났다.

"유부남은 먼저 갈 테니까 처녀 총각끼리 잘해 보라고."

2.

오민우가 사라지자 김미은이 혀 꼬부라진 목소리로 따지듯이 묻는다.

"오빠, 내가 정말로 예뻐요?"

"그거야 본인이 더 잘 알겠지만 내 눈에는 탤런트 뺨칠 것 같은데?"

"피, 거짓말."

"거짓말이라니, 거울을 한 번 보라고."

"그런데 왜 나를 만나는 남자들은 나에게서 도망을 가려고만 하죠?"

"그거야……특전사 중대장인데 누가 감히 덤비겠어?"

"오빠도 그래요?"

"나도 남자지. 처음에는 미은이를 다소 이상한 여자로 보았으니까……."

"어디가 어떻게 이상한데?"

"훈련이면 훈련, 작전이면 작전……남자들 뺨치는 솜씨였으니까."

"그거야 당연히 군인의 임무잖아요?"

"알아봤더니 김한룡의 아지트를 칠 때는 미은이가 꼭 참가할 필요도 없었는데 앞장섰더군."

"내가 여자라는 이유로 빼려는 눈치라 대대장에게 항의하고 참가했죠."

"내가 참가하는 건 미리 알았던가?"

"전혀 몰랐어요. 오빠가 참가하는 것은 현장에서 처음 알았어요."

"그런 작전은 남자들도 겁을 낸다고. 영화도 못 봤어?"

"그거야 영화니까. 그렇게 얘기하는 오빠는 겁이 나지 않던가요?"

"왜 겁이 나지 않았겠어? 하지만 누군가가 해야 할 일이니까."

"그래요. 바로 그 이유 때문에 나도 참가하게 되었고 다행히 오빠의 생명도 구할 수 있었죠."

"그래. 미은이가 내 생명을 구하게 될 줄은 꿈에도 몰랐어."

"나도 오빠와 함께 작전에 참가하리라고는 생각도 못 했어요. 진작부터 인연이 있었나 봐요."

"인연이라……그럴 수도 있겠군. 지금은 처음과 달리 미은이가 이상하게 보이지도 않고."

"고맙군요. 왜 그렇게 변했죠?"

김미은의 말에 권준혁이 잠시 멈칫거리다가 이야기를 시작한다.

"주관이 뚜렷한 만큼 여자로서의 장점도 겸비하고 있다는 뜻이지."

권준혁은 그러나 두 번씩이나 함께 작전에 참가했고 생명을 구해 주기까지 했으니까 호감을 느낀다는 말은 빼놓는다. 다소 엉거주춤한 표정을 짓는데 김미은이 반문한다.

"내가 오빠 생명을 구해주어서 그런 건 아니고?"

"그런 점도 있겠지만, 꼭 그래서 그런 것만은 아니고……."

"그러니까 이제는 내가 보통 여자로 보인단 말이죠?"

"그래. 알고 보면 미은이도 부드러운 여자라는 뜻이야."

"오빠한테 그런 소리를 들으니 정말 기쁜데……이제부터 술을 조금 줄여야겠네요?"

권준혁은 쓴 웃음을 짓는다. 김미은은 이미 곤드레만드레가 되어 정신을 차리지 못할 정도였으므로.

3.

김미은이 갈증을 느끼며 깨어나 주위를 더듬자 옆에 누군가가 있다.

소스라치게 놀라서 벌떡 일어나 불을 켜보니 권준혁이다. 무척이나 곤한지 새우처럼 웅크리고 자는데도 기척조차 없다.

냉장고 문을 열고 생수 병을 꺼내 벌컥벌컥 들이켠 다음 다시 침대 속으로 들어가려는데 어느새 깼는지 권준혁이 입을 연다.

"술 좀 깼나?"

"아직도 머리가 어지럽네요. 오빠가 나를 데리고 왔어요?"

"그럼 누가 데려왔겠어? 하여간 고생깨나 했지."

"왜 내가 실수라도 했어요?"

"객실 방문을 여니까 갑자기 안 들어가겠다고 고래고래 소리를 질러댔잖아?"

"그런데 어떻게 들어왔죠?"

"어떻게 들어오긴? 버럭버럭 소리를 질러대더니 그대로 쓰러져 버리기에 둘러메고 들어와 침대에 눕히느라고 땀깨나 흘렸지."

김미은은 권준혁의 설명을 듣다가 문득 자신이 속옷만 입고 있다는 사실을 깨닫고 화들짝 놀라 손으로 아래를 가린다.

그러자 권준혁이 웃으며 한 마디 한다.

"걱정하지 마. 아직 손끝도 안 댔으니까."

"무슨 뜻이에요?"

"내가 정신 잃은 여자에게 흑심을 품을 남자로 보여? 깨어날 때를 기다려야지."

그러면서 권준혁은 김미은에게 몸을 돌려 두 손을 마주잡는다.

손목을 잡힌 김미은은 다소곳하다.

이윽고 권준혁이 가만히 얼굴을 가까이 가져가서 입을 맞추려 하자 김미은은 그제야 반응을 보이며 슬며시 손을 빼내더니 권준혁의 등 뒤로 팔을 두른다.

"바로 이런 시간을 기다렸단 말이죠?"

"그럼. 휴가가 2박 3일이라니까 시간은 많잖아?"

그것으로 두 사람의 대화는 일단 끝이 난다.

그 대신 한동안 목마른 사람들처럼 껴안고 서로를 탐색하기에 바쁘다. 허겁지겁 입을 맞춘 채 두 사람은 누가 먼저랄 것도 없이 상대방의 마지막 남은 옷가지들을 벗겨내고 더욱 장렬하게 타오르기 위해 자신을 내맡긴다.

입 맞추고 핥고 빨고 숨을 헐떡거리며 어느덧 고개를 넘자 두 사람은 제 풀에 나동그라져서 여운을 즐긴다.

지그시 김미은을 껴안은 채 나른한 만족감을 즐기던 권준혁은 그녀의 정열적이고 공격적인 움직임에 은근히 놀란 눈치로 한 마디 던진다.

"미은이는 침대 위에서도 선봉인 걸?"

"당연하죠. 특전사 교범에도 나와 있는 걸요."

"특전사 교범에 뭐라고 써놨는데?"

"접적 상황에서는 남녀를 불문하고 기선을 제압하라!"

"그건 전투교범의 내용이잖아?"

"후후, 이것도 전투죠."

"그거 말 되네."

잠시 껴안은 채 말이 없다가 권준혁이 몸을 일으키며 묻는다.

"줄곧 생각해 봤는데……미은이가 박 위원장에게 했던 말 어떻게 생각해?"

"아직도 배신자가 밝혀지지 않았다는 것은 앞으로도 찾아내기가 쉽지 않다는 뜻이잖아요?"

"그래, 더 이상 정보가 새나가지 않게 하는 것도 중요하겠지. 하지만 원인을 제거하지 않고 그런 정도로 보안이 유지될까?"

"하지만 꼬리가 길면 잡히겠죠. 오빠는 배신자가 누구일 거라고 생각했어요?"

"생각해본 적도 없어. 오직 어떻게 하면 미은이를 내 여자로 만들까 하는 데만 신경을 썼거든."

"피, 거짓말."

"거짓말이라니? 사실 처음에는 어떤 남자가 특공대 중대장을 만나 혼쭐이 날까 하고 걱정했지만 이제는 아냐."

"왜요?"

"그 남자가 바로 나니까. 어제 저녁에 오 경감과도 미은이 얘기를 했지."

"무슨 얘기를요?"

"특전사 중대장을 마누라로 삼았다가 잘못하면 뼈도 못 추릴 거라고."

"그래서요?"

"다른 건 몰라도 정력에는 자신 있다고 했지."

"그래서 오늘 실험해 본 거예요?"

"꼭 그런 건 아니지만 어쨌거나 대충 증명은 한 셈이지. 우리 오늘 어디로 갈까?"

"여기저기 돌아다녀요. 그래야 좋은 추억거리를 만들 수 있을 테니까."

"걷기 운동이라도 하자는 거야?"

"특공대 중대장과 함께 다니려면 걷기 운동도 필요할 걸요. 더구나 이제 오빠의 건강은 내가 챙겨야 하지 않겠어요?"

4.

"이제야 권준혁의 꼬리를 잡았습니다."

토드가 자판을 두들기자 모니터에는 김미은의 얼굴이 여러 각도에서 나타난다.

"이 여자는 누구야?"

피터슨이 묻자 토드가 대답한다.

"권준혁과 같이 다니는 특전사 중대장 김미은 대위입니다."

"김미은 대위? 여자가 특전사 중대장이라면 대단하군."

"리틀크리그의 DevGroup에서 훈련을 받고 국무위원장 구출 작전에도 참가했죠."

"대단하네. 그런데 이 여자가 권준혁과 자주 만나고 있다는 거야?"

"그렇습니다."

"하지만 우리는 권준혁이 아니라 진영숙을 추적하고 있어. 그는 중요한 표적이 아니야."

"적어도 권준혁은 진 박사의 행적을 알고 있을 텐데요?"

토드의 말은 어렵사리 표적을 추적해놨더니 섭섭한 얘기를 한다는 항변인 셈이다. 그가 잔뜩 볼이 부어서 덧붙인다.

"권준혁이 출퇴근하는 모습을 볼 수 없는 걸로 미루어 변장하고 다니거나 잠행을 하고 있는 게 분명합니다. 특히 국가특수업무원 내에서도 그가 무슨 일을 하는지 전혀 알려져 있지 않고요. 애당초 특수임무팀이라고 알려져 있었는데 지금은 그런 팀이 있는지도 불분명해요."

말하자면 토드의 이야기는 권준혁이 그들의 위치 추적 장치에 나타나지 않으니까 자주 만나는 김미은을 추적하면 그를 찾을 수 있고 결국 진영숙의 거취도 알 수 있다는 것이다.

"김미은은 군에 있을 것 아닌가?"

"그래도 그녀가 권준혁을 자주 만나는 눈치니까 지켜보고 있으면 쉽게 걸려들 겁니다."

"그럼 그렇게 해 봐."

피터슨의 말에 토드가 김미은의 위치를 확인하기 위해 추적 장치를 작동시킨다.

"에이, 이거 정말 속 썩이네요. 권준혁이 그녀에게도 추적 방지 장치를 달아주었는지 계속 '확인 불능'이라고 자막이 뜨는데요?"

"그래서 뭘 어쩌자는 거야?"

"뭘 어쩌자는 게 아니라……정말 약은 자식이에요."

"국가특수업무원의 팀장인데 그 정도로도 생각하지 않았나?"

"어쨌든 녀석이 약은 건 약은 거고 우리도 죽을 맛입니다."

"무슨 뜻이야?"

"진영숙, 권준혁, 최창수를 24시간 추적하느라고 대원들이 지칠 대로 지쳤습니다. 솔직히 말해서 몇 달 동안 실속 없는 추적만 계속하다 보니 정신이 돌아버릴 지경입니다."

"그래서 월급 주는 거지. 김미은의 소속 부대를 아니까 그녀를 미행하면 되잖아?"

"이미 요원들을 붙였습니다."

5.

토요일 오후 일찌감치 부대에서 퇴근한 김미은이 몇 가지 생필품을 사기 위해 슈퍼마켓에 들어가자 손목에 찬 추적방지장치가 갑자기 반짝인다. 누군가가 자신을 포착했다는 뜻이다.

김미은이 차고 있는 추적방지장치는 추적 사실까지 알려주는 것이 특징이다. 현재처럼 내비게이션이 보편화되기 전 자동차를 운전할 때 속도를 감지하는 레이더가 전방에 있을 경우 감시 장치가 있다는 것을 미리 알려주어 속도를 줄일 수 있게 하던 원리와 마찬가지다.

"나를 찾아내려는 놈들이 미은이에게도 접근할지 모르니까 추적방지장치를 꼭 차고 다녀."

권준혁의 말이 현실화된 셈이다.

김미은은 미행하는 놈들을 역이용하기로 마음먹고 함께 슈퍼마켓에 들른 권명철 상사에게 지시한다.

"권 상사, 나를 추적하는 사람이 있는데 내가 그를 유인할 테니까 결정적일 때 나타나세요."

영문도 모르고 고개를 주억거리는 권명철과 헤어진 김미은은 일부러 보란 듯이 자신을 드러내며 부대 뒷산으로 향한다. 부대가 있기는 하지만 소나무 숲이 울창하여 데이트 장소로도 유명한 곳이다.

김미은은 미행하는 놈들이 지근거리로 접근하여 자신을 납치할 것으로 예상했는데 그 생각은 그대로 맞아떨어진다.

김미은이 소나무 숲에 있는 의자에 앉아 책을 펴들자마자 권명철이 이미 10여 명의 특전사 요원들을 주위에 배치하여 감시하는 줄도 모르고 두 명의 외국인이 그녀 쪽으로 다가온다.

"저기 혼자 앉아서 책을 읽고 있는 여자야."

"이런 곳에 혼자 있다니 이상하지 않아?"

"이상하긴……데이트 장소로는 끝내주잖아?"

"후후, 자네를 기다리고 있다는 뜻이로군."

"그럼, 데이트 상대로 좀 거칠기는 해도 내가 괜찮은 남자지."

그들은 김미은이 납치하기 좋은 곳에 있는 것이 고맙다는 듯 그녀를 향해 곧장 걸어간다.

그러나 그들은 김미은과 대여섯 발자국 거리에 다가갔을 때 두 손을 들 수밖에 없다. 권명철 상사를 비롯한 10여 명의 특전사 요원들이 총을 겨누며 그들을 포위했기 때문이다.

6.

김미은이 유인하여 체포한 두 명의 외국인이 자신들에게 지령을 내린 사람을 전혀 모르고 있다는 데 대해 이번에는 권준혁도 별로 놀라지 않는다.

김미은 대위를 납치하려던 두 녀석은 러시아 국적의 외항선원들인데 출항이 늦어져 일주일 예정으로 부산에 상륙했다가 숙소로 찾아온 미국인을 만나 제안을 받았다는 것이 전부다.

"부산항에 상륙하니 한 사람이 접근하여 전방에 자신이 필요로 하는 여자가 있는데 그녀를 납치해 주기만 하면 1만 달러를 주겠다고 하면서 선뜻 선불 5천 달러를 주었는데, 그런 제의를 마다할 사람이 어디 있겠소?"

체첸 사태 때 전투에도 참가하여 훈장까지 받았다는 그들은 조그마한 동양인 여자를 납치하는 정도는 별로 어려운 일도 아니라고 생각했던 것 같다. 두 녀석 중에서 영어를 할 줄 아는 브레스키라는 녀석이 순순히 전말을 털어놓았다.

"납치한 여자를 자동차까지 데리고 와서 인계만 하면 된다고……소형 위치 추적 장치를 주면서 지시하기에 그대로 따랐을 뿐이오."

"부산서 철원까지는 꽤 먼 거린데?"

"부산서 서울까지는 고속버스로, 서울에서 철원까지는 시외버스를 탔는데 여자가 근무하는 철원 지방의 약도도 정확히 알려주더군요. 납치에 성공하고 나서 추적 장치의 버튼을 누르기만 하면 그들에게 준 휴대전화로 만날 장소를 알려주기로 했죠."

"휴대전화는 어디 있나?"

"체포될 때 압수당했소."

"다른 건 뭘 받았어?"

"현찰 5천 달러뿐이오."

휴대전화도 단서를 찾는 데 전혀 도움이 되지 않는다. 누군가가 부산에서 가명으로 신청한 전화로 러시아인들은 단 한 통화도 한 적이 없었다. 그들의 주장은 모두 사실인 듯했지만 권준혁이 알아낼 수 있는 것은 전혀 없었다.

다만 철저히 조직적으로 움직이는 거대한 배후 세력의 존재만 다시금 확인할 수 있었을 뿐.

"놈들이 미은이에게도 접근한다는 게 확인됐으니까 숙소부터 옮기고 출퇴근할 때도 외부 사람들이 모르도록 위장을 해야겠어."

"알겠어요. 솔직히 말하면 흥미가 생기네요."

"흥미라고?"

"죽기 전에 이렇게 스릴 있는 일을 누가 해 보겠어요. 잘 엮어서 후에 영화라도 찍어야죠."

"아서. 그러다 다치면 어떻게 해. 하지만 일단 무언가 움직이고 있는 것은 확실해졌으니 눈 똑바로 뜨고 다녀야 해."

제33장 무지개 1호

1.

이강렬의 집무실.

미사일 전문가인 계동민 중장이 윤동주와 함께 배석하고 있다.

"저게 우리를 겨냥했단 말이야?"

"그런 것 같습니다. 위원장 동지."

이강렬의 질문에 계동민이 대답한다.

"어떻게 된 건지 이야기해 보라우."

이강렬은 남쪽의 미사일 성능 시험 비디오를 보며 짜증 섞인 목소리로 내뱉는다.

"이번에 남반부에서 실험한 미사일은 자체적으로 개발한 '무지개 1호'로 과거 미국의 패트리어트(Patriot), 사드(THAAD Terminal High Altitude Area Defense)를 개량한 것 같습니다. 우리가 발사할지도 모르는 핵탄두 탑재 미사일을 요격할 수 있다는 것을 보여준 겁니다."

'무지개 1호'는 패트리어트와 사드를 개량한 미사일이다.

패트리어트는 걸프전에서 이라크의 스커드 지대지 미사일을 요격하여 미국의 자존심을 지켜준 지대공 요격 미사일이다.

그러나 패트리어트 미사일 자체만으로는 요격 능력을 갖고 있는 것은 아니다. 패트리어트의 체계는 위상 배열 레이더와 통제소, 발사대가 일체로 운영된다.

위상 배열 레이더는 수천 개의 작은 레이더를 평면상에 배열한 것으로 레이더가 회전하지 않고도 레이더파의 방향을 자유자재로 송수신할 수 있는 특성 때문에 동시에 많은 표적을 포착할 수 있다.

통제소는 위상 배열 레이더에서 보내온 데이터를 분석해 발사된 미사일이 적인지 아닌지를 우선 판단한 후 적일 경우 미사일 발사대에 미사일 발사 지령을 내리는 기능을 한다.

특히 미사일이 표적에 정확히 맞춰질 수 있도록 경로를 정확하게 계산하는 패트리어트 체계의 두뇌 역할을 한다.

그러나 패트리어트는 특정 지점을 공격하는 탄도미사일을 성공적으로 요격할 수 있지만 광범위한 방어가 불가능했다. 또한 패트리어트의 요격고도가 10~20km에 불과해 탄도미사일 요격 기회가 제한적일 수밖에 없다.

따라서 만일 높은 고도에서 탄도미사일의 핵탄두가 폭발할 경우 대응이 불가능하므로 패트리어트보다 높은 고도에서 적의 탄도 미사일을 요격하면서, 광범위한 지역을 방어할 수 있는 새로운 탄도미사일 방어체계로 개발된 것이 사드다.

적의 탄도미사일을 요격하는 사드의 요격미사일은 대기권 내의 성층권과 전리층 사이에서 탄도미사일을 요격한다. 사드의 요격미사일은 마하8 이상의 속도로 비행하며 탄도 미사일에 직접 충돌해 파괴하는 'Hit-to-kill' 방식을 사용한다. 사드 요격 미사일의 최대 사거리는 200km에 달하며 최대 고도는 150km이다.

'무지개 1호'는 패트리어트와 사드의 장점을 접목하여 엄청난 운동에너지로 탄도미사일의 탄두를 완전히 파괴해 파편으로 인한 피해, 핵이나 화학 오염물질에 의한 2차 피해를 대폭 줄일 수 있다.

사드는 패트리어트와 함께 탄도미사일의 종말단계(목표로 떨어지는 단계)에서 2중의 방어체계를 형성하게 된다. 사드가 100km 이상의 고도에서 탄도미사일을 먼저 요격하고, 마지막으로 패트리어트가 10~20km 고도에서 탄도미사일을 다시 한 번 요격한다. 겹겹이 보호되는 다중방어체계를 구축하고 있는 것이다.

이런 다중방어체계는 요격 기회가 대폭 늘어나, 대규모 탄도미사일 공격을 효과적으로 방어할 수 있다.

"우리가 개발한 미사일을 격추할 수 있다는 뜻이야?"

"그렇습니다, 위원장 동지. 무지개 1호는 300~500킬로미터 후방에서 서로 달리 발사한 5개의 미사일을 4분 내에 공해상에서 동시에 격파하는 데 성공한 겁니다."

"4분 내라면 아군이 쏜 미사일이 북에서 폭발한다는 뜻 아닌가?"

"그렇습니다, 위원장 동지."

"그러니까 남쪽 아새끼들은 우리가 보유한 핵폭탄을 쏘더라도 북에서 폭발되니까 주의하라는 뜻으로 이번 실험을 했단 말이군."

"그렇게 생각됩니다, 위원장 동지."

계동민은 뻘뻘 땀을 흘리며 이강렬의 질문에 대답하고 있다.

비디오에 나온 무지개 1호의 실험 장면은 정말로 놀랄 만했다. 동해 해상에서 서로 다른 방향으로 쏜 5대의 미사일을 한국이 건조한 구축함에 탑재한 미사일로 정확하게 격파시킨 것이다.

간담이 써늘할 정도로 정확성을 보여준 것은 북에서 발사되는 어떠한 미사일 공격도 퇴치시킬 수 있다는 사실을 암시적으로 알려준 셈이다. 초보자라도 알 수 있는 내용이다.

"좀 더 구체적으로 말해 보라우."

이번에는 윤동주가 나서서 대답한다.

"남쪽에서는 '무지개 1호'가 패트리어트와 사드의 장점을 접목하여 엄청난 운동 에너지로 탄도미사일의 탄두를 완전히 파괴함으로써 파편으로 인한 피해, 핵이나 화학 오염물질에 의한 2차 피해까지 대폭 줄일 수 있다고 선전하고 있습니다."

"거짓말 선전이야 남쪽 놈들의 장기잖아. 줄인다고 말하지만 피해가 엄청나다는 것은 그놈들이 더 잘 알아."

"그렇지요. 원래 남쪽 놈들은 사드와 패트리어트를 사용하여 탄도

미사일의 종말단계(목표로 떨어지는 단계)에서 2중의 방어체계를 형성했습니다. 사드가 100㎞ 이상의 고도에서 탄도미사일을 먼저 요격하고, 마지막으로 패트리어트가 10~20㎞ 고도에서 탄도미사일을 다시한 번 요격하는 것입니다. 겹겹이 보호되는 다중방어체계를 구축하고 있지만 이를 보다 업그레이드시켜 대규모 탄도미사일 공격을 효과적으로 방어할 수 있다는 설명입니다."

"윤 대장은 남쪽 놈들을 선전해주고 있는 것 같구먼. 남쪽 아새끼들이 경제력을 바탕으로 그런 정도의 무기를 만들었다는 것은 이해가 돼. 그러나 핵폭탄이 남쪽에서 터지든 북쪽에서 터지든 한반도 전체에 피해가 간다는 것쯤은 알고 있겠지?"

계동민이 쩔쩔 매며 대답한다.

"그럴 겁니다, 위원장 동지."

"여하튼 우리가 미사일을 쏘아도 북에서 터지니까 겁을 먹지 않겠다는 뜻이겠지?"

"그렇습니다, 위원장 동지."

"우리가 핵폭탄을 장착한 미사일을 300~500킬로미터 밖에서 발사할 것으로만 생각하는데 우리가 그렇게 바보인가?"

"물론이죠. 휴전선 부근에 있는 170㎜ 자주포와 240㎜ 방사포에서 핵폭탄을 발사한다면 아무리 성능이 좋은 백두산이라도 요격할 수 없습니다."

국무위원장은 남북한의 평화 무드에 힘을 실어주기 위해 휴전선에 배치되었던 자주포와 방사포 등을 후방으로 옮겨 배치했다. 그러나 이강렬은 집권하자마자 이들을 다시 휴전선 인근으로 이동시켰다.

"놈들은 우리가 이동식 무수단 미사일 등을 전천후로 사용할 수 있다는 것을 모르는 거죠."

일반적으로 발사된 미사일의 비행거리는 초당 1킬로미터 정도다. 그런데 '무지개 1호'의 경우 북에서 미사일을 발사하면 몇 초 내에 한국군에게 탐지되며 미사일이 어디에 떨어질지를 파악하는 데 1분 30초 정도 걸린다. 이후 이들을 요격할 미사일이 궤적에 따라 대응 미사일을 발사하므로 대체로 4~5분의 시간이 소요된다.

그런데 개성과 서울의 거리는 50킬로미터에 지나지 않는다. 미사일의 궤적을 분석하기도 전에 미사일이 1분 내로 떨어지는 것이다.

"남쪽 아새끼들이 사사건건 내가 하는 일에 훼방을 놓는데 이번에야말로 본때를 보여주어야겠어. 국무위원장이란 작자도 아직 살아있다고 억지를 부리질 않나……자네는 어떻게 생각하나?"

이강렬은 계동민의 옆에 앉은 윤동주에게 묻는다. 윤동주는 중장에서 대장으로 진급해 있다.

"당연한 말씀입니다. 속을 긁으려고 국무위원장의 녹음테이프까지 보내오질 않았습니까?"

"그 뭐라더라 음파 분석기로 분석하면 진짜인지 가짜인지 알 수 있잖아?"

"헷갈리는 것은 그 목소리가 국무위원장과 똑 같았다고 합니다."

"뭐가 어째? 음파까지 똑 같더란 말이야?"

"예, 남에서 보내온 테이프도 지난번에 처형당한 국무위원장의 목소리와 똑같습니다."

"국무위원장이 서울로 갔을 때 녹음을 해둔 모양이지?"

이강렬은 애써 부인해 보려고 하지만 윤동주의 대답은 기대를 벗어난다.

"저도 처음엔 그렇게 생각했습니다만 시간도 그렇고 장소도 그렇고 거론하는 내용도 그렇고 앞뒤가 맞습니다. 솔직히 말해서 뭔가 홀린 기분입니다."

"이거 공산주의자가 귀신을 믿는단 말인가?"

"그건 아닙니다만……."

"쌍둥이라도 목소리까지 똑 같을 수는 없겠지?"

"그렇지요. 남쪽의 이야기대로라면 국무위원장이 두 명이라는 뜻입니다."

"말도 안 되는 소리……똑같은 놈이 어떻게 두 놈이 있을 수 있어? 남쪽 아새끼들이 목소리까지 조작하는 기술을 갖고 있는 것 아닌가?"

"사실 그렇게밖에는 설명할 수 있는 방법이 없습니다."

"어쨌든 좋아. 목소리를 조작했든 죽은 사람을 살려냈든 우리 갈 길이나 가자고."

"알겠습니다, 위원장 동지."

"그건 그렇고……지금까지 몇 나라나 우리를 승인했지?"

"전통적인 우방이라고 하던 나라들이 대부분 중국의 눈치를 보고 있는데 중국이 아직 잠자코 있으니까 주저하는 것 같습니다."

"그래도 몇 나라는 승인했을 것 아냐?"

"정확하게는 아프리카에서 모두 다섯 나라, 곧 발표하겠다는 나라도 10여 개국이 됩니다."

"세계에 나라가 몇 개나 있지?"

"약 250개 정도 됩니다."

"250개 중에서 고작 열 나라뿐이란 말이지?"

"중국 같은 중요 국가가 팔짱을 끼고 있으니까 모두들 눈치를 보는 듯합니다."

"그래, 중국은 뭐라고 하나?"

"좀 더 시간을 달라고 합니다. 국무위원장이 살아있다는 소문에 섣불리 결정하기가 어렵다고."

"처형 장면을 보여줬는데도 그래?"

이강렬로서는 안달이 날 만도 하다. 사실 쿠데타 세력에게 가장 필요한 것은 세계 각국의 승인이라고 할 수 있다.

합법적인 정부로 승인을 받아야 외교적으로 국교와 조약에 관한 사항을 인수받는 셈이고 동상 문제에 있어서도 숨통이 트이기 때문이다.

외국의 승인 문제에 있어서 관건은 중국의 태도인데 중국이 계속 미적거리고 있는 것이다.

"국무위원장의 생사 여부가 확실하지 않은 마당에 새 정부를 승인하기는 어렵다는 우리의 입장을 이해해 주기 바랍니다."

언사는 완곡하지만 조건부로 거절하는 태도라고 받아들일 수밖에 없다. 남쪽에 있다는 국무위원장이 진짜인지 가짜인지 밝히는 것도 어디까지나 이강렬의 문제라는 데는 속이 뒤집힐 지경이다.

"A는 뭐라고 하는가?"

"A도 잘 모르겠다고 회신을 보내왔습니다. 직접 만나보지 못해서 확인할 수 없다는 겁니다."

"A도 확인할 수 없다고?"

"예. 국무위원장에 관한 한 자신도 예외가 아니라는 거죠."

"그렇다면 누가 관계한다는 거야?"

"남조선의 국가특수업무원에서 담당하는 모양입니다."

"자식들, 끝까지 속을 썩이는군. 우리가 편하려면 남쪽에서 농간을 부리고 있다는 증거를 잡아야 돼."

"알겠습니다."

"그럼 빨리 나가서 알아보라고. 아무리 남쪽에서 가짜를 내세우더라도 탄로가 날 수밖에 없어. 단지 시간문제일 뿐이지. 내가 있는 한 국무위원장과 대통령이 합의했던 식의 일방적인 통일 방안은 어림도 없는 일이야."

"A의 보고로는 남에서도 통일은 물 건너갔다고 생각하는 것 같습니다."

"당연하지. 남쪽 아새끼들에게 녹아난 국무위원장마저 죽어버린 판에 통일은 무슨 얼어 죽을 통일이야? 그래, 치과 의사 동무는 도착했나?"

"예, 기다리고 있습니다."

다소 여유를 찾은 이강렬이 치과 의사를 찾는다. 시간이 없다는 핑계로 이빨 치료를 미루던 이강렬이 끝내 항복 선언을 했던 것이다.

"내가 태어난 이래로 이날 이때까지 아파서 의사를 만난 적은 단 한 번도 없었어."

이렇게 고집을 부렸지만 나이 값을 하는 치통이 말만 가지고 치료될 수 있으랴. 잇몸 통증 때문에 볼이 붓고 관자놀이가 욱신거리자 결국 치과 의사를 부르라고 했던 것이다.

"조용히 치료를 받을 테니 그만들 나가 보라우."

2.

치과 의사가 치료를 마치고 떠나자 윤동주가 기다렸다는 듯이 이강렬의 집무실로 들어간다.

"치료는 잘 받으셨습니까?"

"그 이빨이란 게 조그마해도 만만치 않구먼."

"공연히 오복(五福) 중의 하나라고 했겠습니까?"

"오복이든 육복이든 숨 쉴 틈도 없는 판에 이빨까지 속을 썩이네. 앞으로도 서너 번은 더 치료를 받아야 한다니 원."

"조선반도의 정세를 책임지는 입장이 되셨으니까 신경을 많이 쓰셔서 그럴 겁니다."

"하긴 그렇기도 해. 이제 내가 통일 선언을 하지 않으면 효력을 발휘할 수 없다는 것은 누구나 아는 사실이잖나?"

"물론이죠. 하지만 장인어른께서 그렇게 하시겠습니까?"

"그럴 리가 있겠나. 내가 일어선 것도 남쪽 아새끼들에게 손 벌리지 않고 우리 식으로 살아보자는 뜻인데……."

"남에서 계속 국무위원장이 살아 있다고 거짓말하는 것도 장인어른의 집권을 인정하지 않으면서 저희들 마음대로 통일 선언을 하겠다는 뜻이 아니겠습니까?"

"바보 같은 놈들……가짜를 내세워 통일을 선언한다면 말이 되겠나?"

"그러기에 말입니다."

"그런데 자네 생각은 어떤가?"

사실 윤동주가 가장 고민하던 부분이다. 남에서 광복절을 기해 대통령과 가짜 국무위원장이 통일을 선언하고 비무장지대를 개방한다면 북에서는 어떻게 해야 할까?

핵폭탄으로 시위하며 문을 꼭꼭 걸어 잠그는 방법이 가장 간단한 대응이지만 그게 그렇게 간단하지 않다는 것이 고민이다. 어쩌면 걷잡을 수 없는 탈북 사태의 계기가 될 수도 있을 테니까.

"그 따위 선언은 싹 무시하는 겁니다. 우리가 지금처럼 꽉 막고 있는데 놈들이 어떻게 하겠습니까?"

"통일 선언 이후 혹시라도 탈북자들이 줄을 잇는다면 어떻게 하고?"

"당연히 발포해야죠."

"그런데 그게 문제란 말이야."

"문제라니요?"

"남쪽 아새끼들이 그걸 모를 것 같아? 놈들은 우리가 발포하면 더욱 좋아할 거야."

"무슨 말씀입니까?"

"민간인들뿐이라면 총 몇 방으로 해결되겠지. 그러나 그들 중에 무장한 군인들이 숨어 있다면 발포와 동시에 전투 상황에 접어들 거란 말이야."

"그건 미처 생각해보지 못한 일입니다만……."

윤동주는 할 말을 잃는다.

그가 입수했던 국무위원장과 대통령의 합의 내용에 대한 첩보에 따르면, 통일 선언과 함께 개방하는 곳은 판문점뿐만 아니라 육로, 해로, 항로에 모두 적용된다는 묵계가 이루어져 있다.

일단 통일 선언을 한 후 많은 사람들이 유동한다면 아무리 문을 걸어 잠근다고 해도 열리게 마련이다. 비행기는 통제할 수 있다 하더라도 선박으로 얼마든지 남북을 자유 왕래할 수 있다고 하면 도대체 몇 백만 명이 참여할지 종잡을 수 없는 상황이 아닌가.

더구나 남한의 잘 사는 모습을 동경하는 북쪽의 주민들이 더 동요할 것이 뻔한데 정말 이런 사태가 벌어진다면 인민군만으로 막을 수 없다는 것은 불을 보듯 뻔한 일이다.

"국무위원장이란 놈이 그런 엄청난 일을 꾸미고 있을 줄은 몰랐어. 때맞춰 처형해 버렸기에 망정이지 북조선을 고스란히 갖다 바칠 뻔했단 말이야."

"정말 아슬아슬한 순간에 제동을 걸긴 했습니다만……앞길이 험난합니다."

"그러게 말이야. 어쨌든 가짜 국무위원장이 통일을 선언하지 못하도록 막아야 해."

"그놈을 없애 버리면 되지 않겠습니까?"

"남쪽에 있다는 국무위원장?"

"예."

"바보 같은 소리……남쪽 아새끼들이 우리가 그렇게 하도록 내버려두겠어?"

이강렬의 힐난에 윤동주가 찔끔한다. '그럼 도대체 어쩌자는 겁니까?' 하는 표정으로.

"그러면……?"

"가짜라는 것을 집중적으로 알려야지."

"남쪽에서는 우리가 처형한 사람이 가자라고 계속 주장할 텐데요?"

"그러니까 선전에 더욱 박차를 가해야지. 선전선동이라면 어디까지나 우리가 한 수 위였잖아?"

"남쪽에 있는 국무위원장이 가짜라고 공식적으로 발표하면 어떻습니까?"

"이런, 이런……그걸 말이라고 해?"

"무슨 말씀이신지?"

"지금 남쪽에서 국무위원장의 생사를 공식적으로 발표하지 않고 빙빙 돌려가며 정보를 흘리는 이유가 뭐겠어? 아예 우리가 발표해주기를 기다리는 거야."

역시 이강렬이다. 북에서 국무위원장이 있다고 말하면 오히려 남쪽에 있다는 국무위원장을 공인하는 것이나 마찬가지라는 뜻이다.

"진짜로 국무위원장이 살아있고 그가 망명정부를 수립한다고 해도 우리는 눈 하나 깜짝하지 않으면 돼. 실권은 우리가 쥐고 있으니까."

"당연한 말씀입니다. 장인어른."

"그렇게 되면 꼭두각시 망명정부와 남한이 짜고 통일을 선언한들 허수아비와 춤을 추는 꼴인데 무슨 큰 의미가 있겠어?"

"그렇습니다. 장인어른."

"그러니 처형했다고 밝힌 이상 남쪽에 있다는 자가 가짜니 진짜니 하고 관심을 보일 필요는 없단 말일세. 아이고, 이빨이야."

이강렬이 열을 내다가 갑자기 이빨이 아프다고 턱을 감싸 쥔다.

"왜 많이 아프십니까?"

"이럴 때 꼭 이빨이 아프단 말이야. 치과의사 동무를 혼내 주어야겠어."

"치과의사가 일부러 아프게 하려고 했겠습니까?"

"그야 그렇겠지. 하지만 오늘만 해도 벌써 두 번째야. 자네 친구만 아니라면 그저……."

"장인어른이 워낙 치료를 받지 않아 여러 곳을 손보느라 그렇답니다. 그 친구 잘못은 아니죠. ……더 큰 문제는 북반부에도 국무위원장이 살아있다고 믿는 사람이 생각보다는 많다는 겁니다."

윤동주는 치과의사를 두둔하다가 슬쩍 화제를 바꾼다.

"알아. 우리에게 칼을 들어댈 놈들이지. 어쨌거나 가짜 국무위원장이 누군지 다시 한 번 은밀하게 알아봐. 정체를 알아야 적절한 대안을 세울 수 있을 테니까."

"알겠습니다."

"한 가지 명심할 것은 우리도 결코 통일을 반대한다고 해서는 안 된다는 사실이야."

"당연한 말씀입니다."

쿠데타 세력의 고민인 셈이다.

분단 이후 북의 체제는 시종일관 통일을 주장해왔기 때문에 쿠데타로 집권했다고 해서 완전 통일 합의까지 이뤄진 마당에 무조건 반대를 한다는 것은 자칫 자기 무덤을 파는 꼴이 되고 만다.

주민들의 열망과 기대감을 가로막는다면 어떤 사태로 발전할지 모를 일이다. 어디까지나 주민을 위해 결정을 한다는 입장을 납득시키는 일이 중요한 셈이다.

"그러니까 우리는 통일을 반대하는 게 아니라, 국무위원장이 남쪽의 주구가 되어 북조선을 팔아넘기려고 했다는 점을 강조하고 그것을 바로잡으려는 것이라고 주장하는 거야. 위대한 수령의 노선, 그러니까 주체사상을 강조하여 인민들의 자긍심을 높여줄 필요도 있고, 또 남쪽의 의도대로 북조선 인민들이 희생되어서는 안 된다는 점을 부각시키면 승산 있는 게임이야."

"기발한 생각이십니다."

윤동주가 맞장구를 치자 이강렬은 다소 거만한 자세로 명령을 내린다.

"그리고 인민군에 대해서는 특별 포상을 하고 대우도 파격적으로 해주도록 해."

"특별 포상입니까?"

"그걸 몰라서 물어. 통일되는 것보다 우리가 더 좋은 대우를 해줄 수 있다는 것을 보여주라니까. 인민군만 장악하면 남쪽이 아무리 까불어도 문제 없어."

"그렇겠군요."

"그럼 빨리 가서 인민군을 다독거릴 수 있는 방안을 준비해."

"알겠습니다, 장인어른."

윤동주는 밖으로 나가려다 말고 한 마디 던진다.

"국무위원장의 비밀을 알 수 있는 한 가지 방법이 있기는 합니다만……."

"그걸 왜 이제 이야기해. 그럼 빨리 말해 봐."

이강렬이 깜짝 놀라며 재촉한다.

"장인어른께서 거사하시기 전에 국무위원장이 남에 연락관을 파견한 적이 있습니다. 통일에 대비한 실무 작업을 위해서죠."

"그래서?"

"그를 소환하여 국무위원장이 누구인지 알아보는 겁니다. 그는 실무 작업에 깊숙이 참여했기 때문에 모든 것을 알 수 있을 겁니다."

"연락관이 누구야?"

"최창수 상좌입니다."

"최창수? 상좌 급이 어떻게 국가의 비밀을 알 수 있나?"

"그렇기는 합니다만……그만한 실무자가 없기 때문입니다."

"그렇다면 남에서 쉽게 보내주겠나?"

"최 상좌를 대좌로 진급시키고 위원장 동지께서 직접 계급장을 달아준다고 하면 보내지 않을 수 없을 겁니다."

"제법 쓸 만한 아이디어군. 하지만 나는 오지 않는 쪽에 걸겠네."

"만약 최 상좌를 보내지 않으면 뭔가 구린 데가 있다고 봐야죠. 그걸 계속 물고 늘어지면 결국 손을 들 겁니다. 우리로서는 일석이조인 셈이죠."

"알았어. 그럼 빨리 조치해."

윤동주는 밝은 얼굴로 발걸음을 재촉한다. 국무위원장과 대통령의 계획을 파악한 이상 그 반대로만 한다면 사전 협의 따위는 간단하게 무산시킬 수 있는 일이다.

잘하면 최창수를 통해서 국무위원장의 비밀을 알 수 있을지도 모른다. 어쩌면 X의 비밀까지.

"자네도 이제 슬슬 후계자 수업을 받아야지?"

언젠가 이강렬이 지나가는 말로 이렇게 언질을 주지 않았던가.

윤동주는 자신에게 국가의 운명을 좌우할 중대한 업무가 맡겨진 것이 무척 자랑스럽다.

어쨌거나 당장의 통일만 막는다면 언젠가 국가 권력을 장악하는 것도 어려운 일만은 아닌 셈이니까.

제34장 독극물 시술

1.

급히 찾는다는 전갈을 받고 권준혁은 신한수의 집무실로 들어간다.

"어서 오게. 우선 자리에 앉지."

권준혁은 심각한 이야기라는 걸 직감한다. 신한수가 먼저 소파에 앉으라고 한 건 처음이었기 때문이다.

상석에 앉은 신한수는 인터폰으로 미스 양에게 차를 가져오라고 한 다음 대뜸 묻는다.

"요즈음 지내기는 어떤가?"

"업무 말씀입니까? 아니면 사생활 말씀입니까?"

"둘 다."

"배신자를 찾는 일로 말씀드리면 아직 '아니올시다.'입니다. 국가안보회의 위원들을 비롯하여 가능성이 있는 개개인을 모두 조사해 봤지만 어느 누구도 그런 문제로 흠을 잡을 사람은 없습니다."

"그럼 배신자가 없다는 얘기야?"

"그게 아니라 다른 각도에서 조사해보고 있습니다."

"다른 각도라니?"

"체포한 국무위원장의 소지품을 조사하다가 알아낸 건 아닐까요? X께서 국무위원장에게 시계를 준 사실을 아는 사람은 X, 대통령, 국가특수업무원장과 저희 두 사람, 위치 추적 장치를 가동시키는 6명의 요원뿐이잖습니까?"

위치 추적 장치를 장착한 시계는 국방과학기술연구원에서 만들었고 국방부에 제출한 5개의 시계 중 3개가 국가특수업무원장을 통해 대통령에게 전달되었으며 그 중의 한 개를 X가 국무위원장에게 주었다. 상식적으로 국무위원장이 실토하지 않는 한 누설될 일이 아니다.

"하지만 통발을 놓고 기다릴 정도면 내막을 꿰뚫고 있었다는 얘기야. 국무위원장이 찬 시계에 대해 아무도 귀띔하지 않았는데 우연히 알아냈다고?"

"글쎄요, 그러니 머리가 뒤집어질 정도입니다."

"X가 국무위원장에게 시계를 준 사실에 대해 아는 사람은 없겠지만 시계의 용도는 국가안보회의 위원들이 모두 알고 있어. 국방부장관이 안보회의에서 설명한 적이 있거든. 더구나 언론에서도 대통령이 국무위원장에게 시계를 선물했다고 보도한 바 있고. 물론 곧바로 보도 중지를 요청하여 불을 껐지만 안보회의에 참석자라면 모두 어떤 시계인지 짐작했을 걸."

권준혁은 입을 다문다. 시계가 국무위원장의 위치를 실시간으로 확인시켜 주므로 구출 작전에 전격적으로 투입될 수 있었던 것은 사실이다. 김미은이 작전 중에 웬 시계냐고 물었던 바로 그 시계. 침묵이 길어지자 신한수가 목소리를 더욱 낮추며 운을 뗀다.

"내가 그 일 때문에 권 팀장을 부른 것은 아니야."

"그 일 때문이 아니라면?"

"어제 북에서 통지문이 왔어. 최 상좌를 돌려보내라는 거야."

"최 상좌를요?"

"그래……정말 고약하게 되었어."

권준혁은 신한수의 말뜻을 금방 알아차린다. 최 상좌야말로 실무자로서 통일의 진행 과정에 대해 하나부터 열까지 모두 알고 있는 것이다. X와 국무위원장의 존재에 대해서도.

"어떻게 하실 작정이십니까?"

"그를 돌려보내면 X와 국무위원장의 비밀을 누설할 수도 있다는 것이 마음에 걸려."

"정말 문제로군요. 이렇게 되리라고는 꿈에도 생각지 못했습니다, 차장님."

문제의 심각성 때문일까.

권준혁은 평소답지 않게 깍듯한 태도로 말한다.

"자네가 차장이라면 어떻게 하겠나?"

권준혁은 속으로 '차장이 돼봐야 알지. 그럴 왜 나한테 물어?' 하는데 그걸 그가 읽은 모양이다.

"지금 '차장이 돼봐야 알지.'라고 생각하는 거지?"

"족집게 장님 점쟁이시네요."

"자네 얼굴만 보면 알 수 있어. 그러니 미우나 고우나 내가 자네를 강력히 옹호하는 거지."

"감사합니다만……남의 머리에 든 생각을 엿보려고 하는 것이 고상한 취미는 아니죠."

"고상한 취미가 아니라도 손해 볼 거야 없잖아?"

"어쨌든 제 생각으로는……가장 좋은 방법이 최 상좌를 북으로 돌려보내지 않는 겁니다."

"나도 알아. 하지만 그를 돌려보내지 않을 묘안이 없단 말이야."

"최 상좌도 알고 있습니까?"

"지금은 모르겠지만 곧 알게 되겠지. 더구나 명분도 좋아."

"어떤 명분입니까?"

"대좌로 승진했다는 거야. 이강렬이 직접 계급장을 달아준다는 걸세."

"깐에는 제법 잔머리를 굴리는군요."

절차도 타당하고 명분도 있는 소환인 셈이다. 대좌라면 한국군 계급으로 대령에서 준장 사이니까 북한의 실력자인 이강렬이 직접 계급장을 달아준다고 해도 결코 무리는 아니다.

"문제는 최창수 상좌가 돌아갔다가 체포되어 세뇌를 당할 경우 뾰족한 대안이 없다는 거야."

"놈들이 노리는 것도 그거겠죠."

"이럴 때 그 쟁하는 머리를 써보란 말이야."

"솔직히 말해서 X도 이 문제에 대한 정답은 내놓기 어렵겠는데요?"

"그래서 골치란 말이야."

"최창수 상좌에게 직접 선택하라고 하면 어떨까요?"

"직접 선택하라고 해?"

"방법이 없지 않습니까? 이럴 때 차장님이 놓은 덫이 제대로 힘을 발휘할지도 모르죠."

"덫이라니?"

"김유라가 있지 않습니까? 어쨌든 이번 일은 본인이 직접 해결하는 수밖에 달리 방법이 없습니다."

"알겠어. 최악의 경우, 자네라면 어떻게 하겠는가?"

"그건 저보다 차장님이 더 잘 아실 텐데요?"

그러면서 권준혁은 자리를 털고 일어난다.

2.

김유라와 최창수가 묵고 있는 안가.

국가특수업무원으로 출근했다가 안가로 돌아온 최창수의 표정이 예사롭지 않은 걸 보고 김유라가 묻는다.

"무슨 일 있어요?"

"아냐. 일이 많아서 그런지 좀 피곤하군."

"막바지가 되어가니까 더욱 일이 많아지겠죠."

"글 쓰는 건 어때?"

"별로 진척이 없어요. 기발한 생각이다 싶어 막상 쓰려고 하면 앞뒤가 꽉 막혀버려요."

"처음이니까 그럴 테지. 소설이 말처럼 쉽게 써진다면 소설가 아닌 사람이 어디 있겠어?"

"괜히 시작했나 봐요. 시간 남는다고 함부로 소설 쓰겠다는 말을 하는 게 아닌데……."

어렸을 때 소설가가 되는 꿈을 가졌던 진영숙의 기억을 고스란히 간직하고 있는 김유라로서는 소설을 쓰겠다고 달려든 것이 어느 날 갑자기 시도하는 허황된 모험이라고 할 수는 없다.

그렇지만 그런 시도와 결과가 같을 수는 없는 법. 유라는 그것을 하소연하는 셈이다.

"너무 자신을 닦달하진 말라고. 학계에서 당신 별명이 마녀라며? 물꼬만 트이면 소문난 마녀 과학자가 소설쯤 쓰는 거야 어렵지 않을 테니까. 잠시 쉬면서 한 잔 하는 건 어때?"

최창수는 김유라의 대답은 듣지도 않고 지하실로 내려가 포도주를 들고 온다. 그러자 김유라가 쳐다보며 묻는다.

"당신, 오늘 무슨 일 있죠?"

"일은 무슨 일……."

최창수는 말끝을 흐리다가 가만히 쳐다보는 유라의 시선에 금방 울어버릴 듯한 표정을 짓는다.

김유라가 일어서서 그에게 다가가며 묻는다.

"무슨 일이에요?"

"사흘 후에 돌아오라는 훈령이 내려왔어."

"통일이 될 때까지 돌아가지 않아도 된다고 했잖아요?"

이번에는 김유라가 새파랗게 질리면서 묻는다.

"그랬지. 그런데 상황이 바뀌었다는 거야."

또 다시 헤어질 수밖에 없는 악몽이 현실로 다가오자 최창수는 참담

한 표정이 역력하다.

"북에서는 왜 돌아오라고 해요?"

"대좌로 진급했다고 진급 신고를 하라는 이유지만 진짜 이유는 따로 있겠지. 적어도 나에게 물어보고 싶은 게 두 가지는 될 테니까."

"X와 국무위원장의 비밀 말이군요?"

"그래, 그게 가장 중요하겠지. 북에서 대좌라면 군인으로서는 파격적으로 입신하는 자리인 데다 실력자인 이강렬이 직접 계급장을 달아 준다면 장래가 보장되는 셈인데……하나도 기쁘지가 않아."

"어떻게 하실 참이에요?"

"나도 모르겠어."

"가시면 안 돼요. 다시 헤어지기는 싫어요."

"하지만 내가 가지 않으면 남한 정부에도 엄청난 부담이 될 텐데……?"

"그래도 못 간다고 해요. 화약을 짊어지고 불 속으로 뛰어들 순 없잖아요?"

"그런 줄은 알지만……더 이상 비겁해지고 싶지는 않아."

"당신이 떠나면 나는 두 가지를 모두 잃어버릴 것 같아요."

"두 가지라니?"

"하나는 통일, 다른 하나는 당신이요."

그 말에 최창수는 포도주를 쭉 마시더니 다시 한 잔을 따라 마신다. 목이 타는 모양이다.

"한 가지만 물어봐도 될까?"

"뭔데요?"

"당신은 임신할 수 없나?"

"임신?"

"우리가 꽤 오랫동안 함께 살았는데 아직 소식이 없잖아?"

"나와 헤어질 생각을 하는군요?"

"무슨 소리야?"

"헤어질 생각을 하니까 아이를 거론하는 거죠. 당신이 없더라도 아이를 생각하라는 뜻 아니에요?"

"그런 게 아니라 복제된 사람도 임신이 가능한지 물어본 거야."

"나는 복제된 사람이 아니라니까요."

"알아. 어쨌든 그게 궁금하다니까."

"솔직하게 말하면 그동안 줄곧 피임약을 먹었어요."

"피임약을 먹었다고?"

"그래요. 또 다시 당신과 헤어지게 되면 어떻게 해야 할지 가늠이 되지 않아서요. 그래서 당신과 정식으로 결혼하기 전에는 아이를 갖지 않겠다고 생각했죠."

최창수는 고개만 끄떡이며 말이 없다가 지나가는 말로 김유라에게 한 마디 던진다.

"어쨌든 북으로 돌아가는 문제는 내일이라도 권 팀장과 의논해 봐야겠어."

이번에는 김유라가 침묵을 지키다가 쪼르르 침실로 달려 들어간다. 이불을 뒤집어쓴 채 침대에 누워 있는 그녀는 최창수가 들어와 껴안으려고 하지만 끝내 곁을 주지 않는다. 최창수는 김유라를 달랠 엄두도 내지 못하고 멍한 표정으로 앉아 있을 뿐이다.

3.

이튿날 아침, 권준혁이 최창수와 김유라가 묵고 있는 안가를 방문한다. 뜻밖의 일이지만 최창수는 얘기를 꺼내기가 수월해진 셈이라고 생각한다.

"대좌로 진급하신 것을 축하드립니다."

"진담이 아니란 건 잘 알고 있소."

최창수가 볼멘소리를 한다.

"그래도 진급 소식이야 항상 좋은 거죠."

"단도직입적으로 이야기하죠. 이런 경우 권 팀장이라면 어떻게 하겠소?"

"저라면……어떤 일이 있더라도 돌아가지 않을 겁니다. 누가 보더라도 불러들이는 이유가 빤하지 않습니까?"

권준혁이 단호하게 딱 잘라 말하자 김유라가 맞장구를 친다.

"맞아요. 북으로 가면 안 돼요."

그러나 최창수는 고개를 좌우로 내젓더니 김유라의 손을 만지작거리며 조용히 입을 연다.

"그렇기 때문에 나는 올라가야 한다고 생각해."

"무슨 뜻이죠?"

"북에서 원하는 바를 정확하게 알려주면 문제가 없다는 거지."

최창수의 말에 김유라가 놀란 표정으로 반문한다.

"북에서 원하는 바를 정확하게 알려준다고요?"

"생각해봐. 만약 내가 올라가지 않는다면 차후에 남쪽에서 이야기하는 것을 하나라도 믿겠어? 그러니까 내가 올라가서 그들이 원하는 정보를 주어야만 그나마 통일을 성사시킬 가능성이라도 열 수 있단 말이오."

"X와 국무위원장에 대한 정보를 넘겨주자는 뜻이에요?"

김유라가 묻는 말에 최창수가 고개를 끄덕이며 대답한다.

"그렇소. 물론 그들이 믿을 수밖에 없는 정보로 만들면 되지 않겠소?"

"어떻게 말입니까?"

이번에는 권준혁이 되묻는다.

"간단해요. 남쪽에서 이야기하는 내용이 사실이라고 하는 겁니다.

국무위원장의 경우는 남쪽에 있는 사람이 오히려 대역이라고 하면 되겠고……."

"그럼 X가 누구냐고 물으면 어떻게 얘기할 참입니까?"

"그거야 더 간단하지 않겠소? 권 팀장도 X의 신원을 모르는데 내가 모르는 거야 당연지사 아니겠소? 그러니까 X가 누구인지 모른다고 그럴 듯하게 추정해서 그들이 믿도록 이야기하기만 하면 되지 않겠소?"

"X가 누구라는 것을 믿도록 만든다고요?"

권준혁이 뭔가 구미가 당기는지 최창수의 말을 곱씹으며 생각을 굴리다가 다시 묻는다.

"대좌로 진급하시더니 아이디어가 샘솟는 모양인데……누구를 염두에 두고 계시는 겁니까?"

"이미 거론된 일이지만 혈액이나 잔존물을 시료로 하여 인간을 복제할 수 있다는 사실은 북에서도 알고 있어요. 단지 기억을 살릴 수 있느냐 없느냐가 문제 아니겠소?"

"그렇죠. 중국의 고 박사와 리 박사도 그 점은 분명히 이해하고 갔죠."

김유라가 나서서 의견을 보탠다.

"바로 그런 점을 북쪽에 이해시키자는 거요. 내가 직접 국무위원장을 보았다고 하면 일단 두 사람이 있다는 사실은 납득할 것이요."

"그렇겠죠. 하지만 X는 차원이 달라요."

"맞아요, 권 팀장. 그러니 정곡을 찌르자는 거요. 나는 북조선의 상좌에 지나지 않기 때문에 한국에서 X를 보여줄 급이 되지 않아 보지 못했다고 하는 거지."

대한민국 정부에서 극비 중 극비인 X를 상좌급인 최창수에게 보여준다는 것이 격에 맞지 않는 것은 사실이다. 그런 정도를 이강렬이 모를 리 없을 테지만 권준혁은 다시금 강조한다.

"문제는 국무위원장이 전격적으로 통일에 합의할 만한 인물이라는 것을 이강렬에게 납득시켜야 하지 않겠소? 그럴 분이 누가 있겠느냐 그 말이오."

권준혁의 말에 빙그레 웃음을 짓는 것으로 미뤄봐서 최창수는 대안이 있다는 눈치다.

"있죠. 적어도 북조선 사람이라면 말입니다. 전에 한 번 이야기한 적이 있잖소."

최창수는 낮은 목소리로 국무위원장과 북한 사람들이 납득할 X에 대해 말한다. 권준혁과 김유라가 깜짝 놀라면서도 곧바로 수긍한다. 그러자 최창수는 김유라에게 다짐을 두듯 말한다.

"북에서 납득할 수밖에 없을 거요. 내가 직접 보지는 못했지만 그렇다는 심증은 받았다고 하면 더 이상 추궁하지 않을 거요."

최창수의 제안은 권준혁을 통해 곧바로 신한수 차장에게 전달되었고 신한수도 흔쾌히 납득한다. 다만 한 가지 방안이 덧붙여진다. 신한수가 출근한 최창수에게 직접 이렇게 말했다.

"좋아요. 돌아가도록 하세요. 상황이 어려워질 경우를 대비하여 이빨 속에 독극물을 시술해 드리겠소. 주위에 사람들이 있더라도 간단한 조치만으로 시술한 청산가리를 깨트려 자살할 수 있는 방법이오."

제35장 전격 통일작전

1.

청와대 근처의 한 안전가옥.

국무위원장이 조선노동당 군수공업담당비서 겸 당정치국위원 한장석과 지도일 인민군 중장을 만나고 있다.

"아직도 나를 못 믿겠나, 한장석 동무?"

"솔직히 어떻게 말씀드려야 할지 모르겠습니다. 저는 북에서 쿠데타가 일어나기 직전에 국무위원장으로부터 직접 교시를 받았습니다."

"그가 뭐라고 하던가?"

"저더러 통일을 위해 매진하라고 지시하셨지요."

"그랬구먼. 그는 바로 내가 올려 보낸 대역이야. 그러니까 지금 여기서 내가 동무들을 만날 수 있는 거지."

한장석과 지도일은 남북 정상회담의 후속 실무 작업을 진행하기 위해 서울로 떠나기에 앞서 순안공항으로 가던 도중에 국무위원장을 접견했다. 북에서 쿠데타가 일어나던 날, 그러니까 국무위원장이 호위사령부로 떠나기 직전이다. 국무위원장이 한장석과 지도일을 비밀리에 접촉한 데는 까닭이 있다.

배석자 없이 이루어진 서울에서의 남북 정상회담에서 대통령과 국무위원장이 이심전심으로 합의한 완전통일은 실로 극적이었다. 그러나 남북이 공히 광복절인 8월 15일까지 어떻게 준비하여 전격적인 통일을 선언할 것인지에 대한 보안이 현안 문제로 떠오른다.

한장석과 지도일은 바로 북측에서 국무위원장이 대통령과 합의한 전격적 통일 선언 방안에 대해 알고 있는 두 사람이었다. 기밀을 유지하기 위해 양측의 실무 작업반도 구성하지 않았기 때문에 북에는 계획 자체가 알려지지 않았고 두 사람의 남측 방문이 비밀로 처리된 것은 두말할 나위도 없다.

두 사람은 국무위원장과 접견한 다음 순안공항을 떠나 서울로 왔는데 서울에 도착해서야 쿠데타 사실을 알게 된다.

통일 장정에는 행운인 셈이지만 이강렬에게는 가장 큰 손실이었던 셈이다. 국무위원장의 심복으로 통일에 관한 실질적인 실무자였던 한장석과 지도일을 체포하지 못했기 때문에 전격 통일 선언의 시나리오를 전혀 파악할 수 없었던 것이다.

"국무위원장이 여기 계시니까 함께 만나 보시지요."

이게 무슨 말인가? 한장석과 지도일이 불에 덴 듯 깜짝 놀란 것도 무리가 아니다. 만약 국무위원장이 정말로 살아있다는 사실이 확인되면 북의 수많은 주민들이 이강렬의 쿠데타를 인정하지 않을 테고, 또 전격 통일 선언에 따른 불상사도 미연에 방지할 수 있지 않겠는가? 한장석은 국무위원장을 만나자마자 믿기지 않는 표정으로 물었다.

"어떻게 북에서 탈출할 수 있었습니까, 위원장 동지?"

"그건 간단해. 쿠데타가 일어날 당시 나는 북조선에 있지 않았어."

"북조선에 안 계셨다고 하셨습니까?"

"물론이지. 정상회담을 위해 서울로 왔다가 북조선에 불온한 조짐이 있는 것 같아 대역을 올려 보냈어. 그런데 예상대로 이강렬이란 새끼가 쿠데타를 일으켰단 말이야."

'대역을 올려 보내다니?'

한장석은 이상한 생각이 들었지만 워낙 매끄럽게 설명을 하는 바람에 더 이상 반박하기가 어렵다.

그러나 그는 어려서부터 국무위원장과 함께 자란 사이로 일거수일투족 모르는 게 없다고 자부하는 데다 북에서 처형당했다는 국무위원장을 사실상 마지막으로 만난 처지라 헷갈리지 않을 수 없다.

"아직도 내가 진짠지 가짠지 모르겠다는 표정이군?"

"그건 아닙니다. 하지만 너무나……."

"나를 나보다 더 잘 설명할 사람도 함께 있으니까 만나보지. 자, 들어와."

국무위원장의 말이 떨어지기가 무섭게 스포츠형 머리의 젊은 남자가 들어오자 국무위원장이 한장석에게 묻는다.

"누군지 알겠나?"

"알고말고요."

"그래, 내 아들이야. 세 사람이 이야기해 보자고. 너는 지금부터 너자신이 국무위원장인 나의 아들이라는 것을 여기 한 동무와 지 동무에게 설명해 봐."

젊은 남자는 국무위원장 옆에 앉더니 유머를 섞어가며 자신의 어린시절을 술술 풀어간다.

"나는 당시 여기 계신 아버지와 재일조선인 어머니 사이에서 태어났지요. 그러나 두 분이 정식 결혼을 하지 않은 상태에서 태어났기 때문에 북조선 내에서도 드러내놓고 키우기가 어려워 바깥세상과 철저히 격리된 상태에서 자랐습니다. 정상적인 생활을 하지 못하는 손자의 장래를 걱정한 외할머니의 간청으로 나는 처음에 모스크바로 보내졌다가 제네바로 자리를 옮겼습니다만, '납치될지도 모른다.'는 공포 때문에 또 다시 모스크바로 갔지요. 모스크바에서 프랑스 학교에 들어가 프랑스어를 배웠고 그 후 다시 스위스 베른 국제학교에 다녔습니다. 나는 영어, 프랑스어, 러시아어, 일본어를 구사할 수 있고 유머 감각이 풍부한 데다 매우 정력적이며 아버지와 마찬가지로 예술적인 감각을 지니고 있다고 생각합니다."

젊은 남자는 거침없이, 그리고 자랑스럽게 자신의 과거와 현재에 대해 설명을 해나간다.

432

"그림 그리기를 좋아하고 특히 영화와 비디오 보기를 좋아해서 며칠 씩 온종일 영화만 보다가 혼찌검이 나기도 했지요. 아버지가 권총을 내주어서 권총 사격에도 자신이 있고요. 언젠가 한 동지와 평양 근처의 산으로 함께 사냥을 갔던 적도 있지 않습니까?"

"아, 그렇지. 한 방에 멧돼지를 쏘아 맞추기도 했지."

"호랑이도 눈앞에 나타났으면 한 방에 잡을 수 있었을 겁니다."

젊은 남자의 거침없는 이야기에 한 장석과 지도일은 고개를 끄떡인다. 틀림없는 국무위원장의 아들이다.

"나는 특히 베른 유학 시절에 접했던 컴퓨터 분야에 관심이 많아서 북조선의 IT분야에도 제법 관여를 했습니다. 여덟 살 때였던가, 내가 한 번은 한국의 한 코미디언을 좋아해서 직접 만나고 싶다고 조르자 아마 관리들이 곤란했던가 봐요."

국무위원장이 아들의 말에 끼어든다.

"그 임무를 맡았던 사람이 누군지 알아?"

"나중에 한 위원이 가짜 코미디언을 데려왔다는 것을 알았죠."

"그랬지. 그 당시 어떻게 남조선의 코미디언을 데려오겠어? 그래서 북반부 방방곡곡을 뒤져 가장 비슷한 사람을 찾아내서는 그대로 흉내를 내게 했지."

"그런데 제가 가짜인 줄을 금방 알아차렸잖아요? 어찌나 분하던지 한동안 밥도 안 먹었다고요."

"그때 심통을 좀 부려댔지."

젊은 남자는 자신이 한국에 체류하게 된 이유도 이야기한다.

"나는 조선민주주의인민공화국 컴퓨터위원회 위원장을 맡고 있기 때문에 자주 외국을 방문하는데 쿠데타가 일어날 때 마침 상해를 방문하고 있었습니다. 해외에 나가는 바람에 이강렬의 마수에서 벗어날 수 있었던 거죠."

"이제 모든 것을 사실로 믿겠습니다. 위원장 동지."

한장석은 그제야 이렇게 실토하며 표정이 밝아진다.

"당연하지. 고마운 것은 내 대역도 처형당할 때 의연하게 처신했다고 하더군. 내가 대역은 정말 잘 골랐던 셈이지."

"아무도 대역이라고는 생각지 못했을 겁니다."

"사실 이강렬은 나의 대역이 가짜란 걸 알았더라도 진짜라고 발표했을 거야."

"무슨 말씀이십니까, 위원장 동지?"

"만약 체포된 대역이 가짜라는 것이 알려지면 어떻게 되겠어? 내가 탈출했다는 사실이 알려지면 누가 이강렬을 따르겠냐고?"

"옳은 말씀이십니다, 위원장 동지."

"그러니까 억지로라도 내가 처형된 것처럼 만들어야. 그들에게는 다른 방법이 없었을 거야."

"그런 줄도 모르고 저는 영문을 몰라 가슴을 졸였습니다."

한장석은 가슴을 쓸어내리며 안도의 한숨을 내쉰다. 지금까지 짓눌러오던 의문이 모두 사라졌다는 뜻이다. 국무위원장은 자리를 비켜달라고 하며 아들을 밖으로 내보낸다.

2.

젊은 남자가 밖으로 나가자 국무위원장이 진지한 표정을 지으며 두 사람에게 말문을 연다.

"중요한 임무가 있어서 내가 두 사람을 불렀지."

"중요한 임무라면?"

한장석이 조심스럽게 반문한다.

"우선 설명부터 들어봐. 지금 북에서는 이강렬이 권력을 움켜쥐고 어떻게든지 우리가 계획한 통일 프로젝트를 방해하려고 하지. 그러나 계획은 예정대로 진행되고 있어. 그런데 북에서는 내가 정말로 살아있는지 아무도 모르고 있단 말이야."

"그렇습니다. 대다수의 인민들은 국무위원장이 이강렬에게 처형된 줄 알고 있을 겁니다."

그동안 한 마디도 꺼내지 않던 지도일이 말문을 연다.

사실 방송에서 수시로 국무위원장의 처형 장면을 내보내고 있기 때문에 북에서 처형에 대해 의심하는 사람은 없다.

"그러니까 두 사람이 북으로 가서 내가 살아 있다는 것을 인민들에게 알려주란 말이야."

"북으로 가서……?"

두 사람은 놀란 눈으로 국무위원장을 쳐다본다.

"두 사람이 북으로 가서 당과 군의 고위층에 있는 동지들에게 내가 살아있다는 것을 알려주고 통일 계획이 예정대로 진행된다는 것을 이해시키라는 거지."

한 마디로 목숨을 걸라는 명령이다.

두 사람은 선뜻 대답을 하지 못한다.

지도일 중장은 김일성이 항일 빨치산 시절의 전설적 부대로 선전해온 '오중흡 7연대'의 연대장을 역임했다. 오중흡 7연대는 1995년 초부터 인민군 육·해·공군의 각 병과별 최고의 군관과 하전사들을 험하기로 정평이 나 있는 평남 양덕과 맹산의 산악지대에서 1년 정도 훈련시킨 후 창설한 특수 부대다.

오중흡 7연대는 1938년 김일성이 항일 유격대 시절 일본군 토벌대에 쫓길 때 토벌대를 유인해 김일성의 안전을 지킨 부대로 선전돼 왔고 이후 국무위원장을 보위하는 임무를 갖고 있다.

오중흡 7연대는 부대 명칭과는 달리 사단과 군단 급의 편제이므로 부대장은 일반 연대장이 계급인 대좌가 아니라 중장이다. 연대장은 국무위원장의 특별한 신임을 받는 자가 아니면 임명될 수 없다. 연대의 임무가 국무위원장의 보위뿐만 아니라 그가 지시하는 극비 특수작전을 수행하기 때문이다.

오중흡 7연대의 위상과 국무위원장의 신임도를 알려주는 것은 연대장이 타는 자동차가 4대로 일반 사단장보다 2대가 많다는 사실이다. 연대장은 벤츠, 군용 벤츠(지프 형), 우아즈(러시아제 지프), 지휘 장갑차(통신시설 장착) 등 4대를 이용할 수 있는데 일반 사장단은 군용 벤츠와 지휘 장갑차만 이용할 수 있다.

"지금 북에서는 통일을 막기 위해 모든 수단을 강구하고 있어. 그것을 우리가 막아야 해."

"알고 있습니다, 위원장 동무."

지도일이 대꾸한다.

"내가 살아있다는 것을 알면 동지들이 결코 이강렬에게 동조하지 않을 거야. 통일을 합의한 마당에 남과 북이 유혈 사태를 일으키는 것만은 막아야지."

국무위원장이 두 사람에게 자신의 복안을 이야기하자 두 사람은 벌린 입을 다물 줄 모른다.

"이번 임무가 얼마나 중요한지 알겠지? 특히 지도일 동무에게 거는 기대가 커."

지도일은 국무위원장의 심복 중 심복이다.

"예, 위원장 동지."

"두 사람이 나를 직접 만났다고 알려주면 모두들 수긍할 거야. 물론 내가 살아있다는 것을 입증할 만한 몇 가지 증거도 주지."

"문제는 저희들이 그동안 남반부에 있었는데 어떤 방법으로 북조선에 들어갈 수 있느냐 하는 것입니다. 남조선에서 탈출했다는 것도 말이 안 되고요."

지도일이 난감하다는 듯이 이야기한다.

"사실 이강렬이 두 사람을 보내달라고 남쪽에 요청했어. 두 명이 남북통일 북측 실무자인데 남한에 있으므로 남북에서 벌어졌던 실무 내용을 잘 모른다는 뜻이야.”

지도일도 이강렬의 주장이 충분히 이해가 간다고 생각한다. 사실 그들이 북측 실무자로 국무위원장과 남측 대통령과의 실무 작업을 지휘했으므로 그들만큼 내용을 잘 아는 사람이 없는 것은 사실이다.

“아마 이강렬이 가장 궁금하게 생각하는 것은 내가 왜 전격적으로 통일에 합의했을까 하는 점이겠지.”

“그렇습니다. 북이 남쪽의 항복문서에 서명할 것이 아니라 남쪽이 항복문서에 서명해야 한다는 것이 이강렬의 주장입니다.”

“항복문서처럼 보일 수도 있었겠지. 그런데도 불구하고 내가 통일 합의에 찬성했던 것은 우리가 계획하고 있는 통일이 결코 북조선에 불리하지 않다는 것을 알기 때문이야.”

“저희들도 그렇게 생각하고 있습니다. 국무위원장 동지.”

지도일이 곧바로 맞장구를 친다.

“X에 대해서도 추궁하겠지?”

“그럴 것으로 예상됩니다만…….”

“두 사람이 X를 보지 못했다는 것은 사실이지.”

“그렇습니다, 국무위원장 동지.”

“그러므로 두 사람은 내가 이번 통일에 합의할 만큼 X에 만족하더라는 메시지만 전해주면 될 거야.”

“X가 누구냐고 질문하면 뭐라고 하죠?”

“내가 반대하지 않을 인물이라고 하면 될 거야. 계속 추궁한다며 X는 나와 특별한 관계, 즉 친족일지도 모른다는 선에서 끝내도 좋아.”

사실 지도일이 가장 궁금하게 생각하는 것이 그 점이다.

국무위원장이 어떤 사람인데 북측에 불리한 타협을 했겠느냐 하는 것이다. 적어도 국무위원장이 손해 볼 장사는 하지 않을 것으로 생각해왔기 때문이다. 그것이 무엇인지 알려지지 않은 것은 사실이지만, 이제 그 실마리를 내비쳐준 셈이다.

국무위원장이 말을 잇는다.

"그들에게 의문점을 확실하게 남겨주는 것은 중요해. 사실 X를 만나지 못했는데 누군지 100% 맞춘다는 것은 불가능한 일이 아니겠어?"

국무위원장이 사진과 녹음테이프를 두 사람에게 건네준다. 두 사람과의 대화 장면과 대화 내용이 담긴 것들이다.

"이 캡슐이 뭔지 알겠나?"

국무위원장이 조그마한 캡슐을 보여주며 묻는다.

"예, 위원장 동지."

"나도 이렇게 할 수밖에 없는 현실이 안타깝지만 명예로운 죽음을 위해서 다른 방법은 없어. 두 사람이 출발하기 전에 이걸 이빨에 시술해줄 거야. 두 사람이 지시된 내용대로 하지 않으면 절대로 터지지 않는다고 하더군. 물론 무사히 임무를 마치면 제거해줄 거야."

"알겠습니다, 위원장 동지."

"두 사람은 만고의 통일 영웅이 될 거야. 아무쪼록 이것이 통일을 위한 마지막 작업임을 명심하게."

"이런 중책을 맡게 되어 정말 영광입니다."

한장석이 크게 대답하고 일어선다.

"목숨을 걸고 임무를 수행하겠습니다."

지도일도지지 않고 외치듯 소리친다.

국무위원장이 두 사람을 차례로 포옹한 후 한 마디 덧붙인다.

"잘 가게. 살아서 만나지 못하면 저승에서라도 꼭 만나게 될 거야."

3.

대통령이 안가에서 X를 만나고 있다.

"북에서 희소식을 전해 왔습니다. 한장석 위원과 지도일 중장이 들어가 큰 성과를 거두고 있는 모양입니다. 사진과 녹음테이프를 보고 국무위원장의 생존 사실을 인정하고 있다는 겁니다."

"당연하겠지요. 그보다 인민군이 중요한데……그들의 동향은 어떻소?"

"간부들 대부분은 국무위원장의 사람들이기 때문에 국무위원장이 남쪽에 살아있다고 하자 대단히 고무되어 있다고 합니다. 이강렬이 아직 국무위원장의 심복들을 모두 제거하지는 못했으니까요."

"그럴 시간적 여유는 없었겠지?"

"맞습니다. 국무위원장의 충복 중 충복인 조동민 작전국장도 아직 손대지 못했으니까요."

"그래요? 아무리 그렇더라도 이강렬이 아직 그 사람을 제거하지 않았다는 건 이해하기 어려운데?"

"마음이야 굴뚝같겠지만 반발을 고려하여 시기를 보고 있을 겁니다. 일단 예하 장병들을 먼저 수습한 다음 작전국장을 쫓아낼 계획이겠죠."

북한은 김일성의 갑작스러운 사망 이후 인민군의 지휘 체계를 단순하게 만들었다.

국무위원장의 명을 받아 작전국장이 직접 명령을 내리기 전에는 어떠한 군사행동에도 들어갈 수 없도록 규정을 고쳤던 것이다. 그것은 국무위원장이 인민군을 일사불란하게 장악하기 위해서다.

작전국은 한국의 합동작전참모본부에 해당하며 정찰국과 함께 인민군 지휘본부의 핵심 중 핵심이다.

심각한 에너지난으로 모든 고위 장성들의 자가용 출퇴근을 금지했을 때도 작전국장은 예외로 허용했을 정도다.

이런 내용을 잘 알고 있었던 이강렬은 쿠데타에 성공하고 나서 가장 먼저 작전국장인 조동민 대장을 제거하고자 했지만 쉬운 일이 아니라는 걸 알았다.

조동민이 인민군 고위층에 워낙 뿌리 깊은 영향력을 행사하고 있어서 섣불리 그를 교체하려고 했다가는 오히려 역(逆)쿠데타가 일어날 수도 있다는 것을 감지했기 때문이다.

결국 이강렬은 천천히 시간을 벌며 때를 기다리다가 전격적으로 그를 제거하는 쪽으로 방침을 정한다.

이런 판단을 하게 된 데는 조동민이 윤동주의 군관학교 동기라는 배경도 작용한 셈인데, 당분간 자리를 지키게 하다가 어느 정도 인민군 지휘체계를 장악한 다음 한 계급 진급시켜 한직으로 쫓아버리면 문제가 없다고 생각했던 것이다.

"한장석이 조동민을 만났소?"

X가 대통령에게 물었다.

"지도일 중장과 함께 비밀리에 찾아간 모양입니다. 조동민은 국무위원장이 살아있다는 것을 직접 보여준다면 자신이 나서서라도 이강렬의 무모함을 막겠다고 했답니다."

"아주 잘 된 일이군요."

제36장 우주개발 고유권한

조선중앙TV는 특별중대보도에서 '최고령도자 이강렬 국무위원장 동지께서 정지궤도 위성(GEO : Geosynchronous Earth Orbit)의 발사를 친필 명령했다.'고 발표했다.

국무위원장 동지의 전략적 결단에 따라 '조선인민민주주의공화국 국방과학원'이 개발한 대륙간탄도 미사일 화성형의 개량 형이지만 언제 발사한다는 말은 하지 않았다.

북조선은 쿠데타가 일어나기 전 축출된 국무위원장이 개발한 대륙간 탄도로켓 화성 형으로 예정된 궤도를 따라 39분간 날아 조선 동해 공해상의 설정된 목표 수역을 정확히 타격하는 실험에 성공했다.

미사일은 최대 고각발사로 진행됐으며 정점고도 2,802km까지 상승, 933km를 날랐다. 화성 14호의 성공적 발사는 북조선이 미국을 포함한 전 세계 어디든 타격할 수 있는 공격 능력을 갖춘 ICBM을 북한이 자체적으로 개발했다는 의미다.

그러나 북은 미국과의 협상을 통해 그동안 거의 70년 가까이 유지되어 온 정전협정을 평화협정으로 전환하고 미국을 공격할 수 있는 ICBM을 폐기했다고 발표했다. 적어도 미국은 북조선의 핵 위협에서 벗어났고 북은 이에 따라 그동안 북에 부과된 경제제재와 체제의 안전을 확보할 수 있었다.

그런데 한반도를 둘러싼 평화 무드가 북조선에 불리하다며 이강렬은 쿠데타로 반기를 들고 집권했다.

그가 집권하면 남북통일을 반대하는 많은 주변 세력들로부터 절대적인 지지를 받을 수 있을 것으로 생각했지만 세계는 그의 생각대로 움직여주지 않았다.

이강렬은 국내외 정황이 자신의 말대로 이루어지지 않자 세계에 보여줄 그 무엇인가가 필요했다. 그는 축출된 국무위원장이 그 많은 군사적 자산을 갖고 있음에도 경제개발, 즉 인민에게 밥을 줄 수 있다는 명분으로 남측에 항복문서를 제시했다고 주장했다.

그동안 북조선은 여러 번 어려움을 겪었음에도 북조선 방식대로 국가를 유지했고 핵폭탄은 물론 ICBM도 개발했으므로 한국의 경제가 북조선보다 월등히 우수하다고 하여 그들 방식으로 살아야 한다는 의무는 없다고 생각했다.

문명을 전혀 접하지 못하는 남아메리카나 태평양 인근의 원주민들이 행복한 삶을 갖고 있다는 사실이 그 증거라는 것이다. 자본주의의 부작용 역시 만만치 않다는 사실은 그동안 자본주의의 폐해만 보아도 알 수 있다고 역설했다.

북조선에서 정지궤도 위성을 발사한다는 것은 그동안 북한과 미국이 체결했던 비핵화 협상과는 전혀 다른 문제다.

우선 정지위성은 대부분의 위성이 작동하는 저궤도가 아니라 36,000km에서 움직인다. 지구의 자전 속도와 같은 속도로 지구와 함께 궤도상에서 회전하기 때문에 지구의 특정 지역에 대해 1개의 위성으로도 서비스가 가능하다.

반면 저궤도 위성은 200~6,000km 상공에 떠 있는 위성으로 정지궤도 위성보다 훨씬 낮은 고도에 위성을 수십 개 또는 수백 개씩 쏘아 올려 지구 전 영역을 담당, 멀티미디어 통신 서비스를 제공하는 목표를 갖고 있다. 이런 비정지위성은 위성의 고도에 따라 저궤도, 중궤도, 고궤도로 나뉘지만, 일반적으로 저궤도 위성이라고 통칭한다.

저궤도위성은 지구의 자전 속도보다 훨씬 빠르며 높이에 따라 차이가 있지만 지구를 한 바퀴 도는 데 약 90~100분이 소요된다.

지구의 중력과 대기의 마찰로 인하여 저궤도위성은 지상 200km 이상에서 사용되고 있으며(우주왕복선 스페이스 셔틀은 190~207km 사이에서 선회), 위성의 속도 감쇄와 우주 입자선의 영향으로 정지궤도위성에 비하여 사용 수명이 짧다는 단점이 있다. 사용 목적에 따라 위성의 수명은 수 시간에서부터 3년 정도까지다.

정지궤도 위성은 고도의 발전된 로켓 기술을 의미한다.

정지궤도 위성 발사를 위해서는 높은 궤도에 닿을 수 있는 강력한 로켓과 일정 궤도에서 약 6시간 무동력 상태로 머물다가 다시 한 번 발사돼야 하는 로켓이 모두 필요하기 때문이다.

북조선에서 이미 저궤도 위성인 대륙간탄도미사일(ICBM)급 화성형을 발사했지만 이를 정지궤도 위성 발사 급으로는 간주하지 않았는데 이강렬의 말처럼 정지궤도 위성을 발사하겠다는 것은 차원을 달리하는 발사체를 확보했다는 뜻과 다름없다.

북조선의 노동신문은 계속 우주개발의 합법적 권리를 주장해왔다.

사실 북조선의 우주개발은 핵폭탄 및 ICBM 개발과 연계되는데, 북의 ICBM 개발을 반대해온 서방측의 아킬레스건이나 마찬가지다. 국제 관례상 우주개발은 주권국가의 합법적 권리로 인정하기 때문이다. 다시 말해 우주조약에는 우주공간의 평화적인 이용이 유엔 구성국들의 보편적인 권리라고 규정하고 있다. 세계 어느 국가도 국제기구의 감시 하에 '평화적 우주개발 권리'를 가질 수 있다는 뜻이다.

우주는 특정 국가의 소유 재산이 아닌 인류의 공동 자산이자 미래의 개척지로 인식한다.

우주개발은 통신, 지구관측, 항법, 기상예보, 우주과학연구 등과 같은 특정 임무를 수행하는 인공위성 개발, 이들 위성을 우주에 올리는 운반수단인 우주발사체 개발, 그리고 지상에서 위성과 교신을 주고받을 수 있는 지상국 개발 등을 포함하므로 우주발사체를 발사한다는 사실 자체를 반대할 명분이 사라진다.

그러나 이강렬의 우주개발에 미국 등은 곧바로 반발했다.

북의 우주개발은 군사적 목적의 탄도미사일 성능과 사거리를 증진시키는 목적에 불과하며 한국과 국제사회를 위협하므로 이를 인정할 수 없다고 주장했다.

특히 북한 장거리 미사일의 경우 중·단거리 미사일과 다르게 지정학적인 위치에 기인하여 비행시험에 한계가 존재한다. 동서남북이 일본, 중국, 한국 그리고 러시아 등에 가로막혀 장거리 미사일 시험발사 시에 정치·외교적인 분쟁을 겪을 수밖에 없기 때문이다.

따라서 북은 장거리 미사일보다 상대적으로 견제가 적은 평화적 목적의 인공위성 발사체라는 점을 부각시키는 것에 지나지 않는다고 평가 절하한다.

북이 위성을 탑재하는 우주발사체의 발사는 모든 국가가 동등한 권리를 가진다는 점을 악용하여 장거리 미사일로 개발한 후 우주발사체로 일부 개조한 것으로 ICBM 등 대륙간탄도탄 발사에 대한 국제사회의 비난을 회피하기 위해 평화적 목적의 우주개발 의지를 가지고 있다는 식으로 포장한다는 것이다.

사실 이를 구분하는 것은 간단한 일이 아니다. 인공위성을 우주궤도에 올리는 경우 로켓(미사일) 성능, 로켓 단 분리기술, 탑재물 분리기술 및 로켓(미사일) 제어기술 등을 시험하는 데 문제는 없다.

다만, 원하는 우주궤도에 위성을 정확하게 진입시키는 우주발사체의 3단 로켓과 우주고도에 오른 후 지상 타격을 위해 포물선의 궤적으로 지구에 재진입하는 장거리 미사일(대륙간탄도미사일) 3단 로켓의 기능이 상이할 뿐이다.

그러므로 북이 우주개발이라고 포장하여 미사일 등을 개발하기 때문에 미국은 북의 평화적인 우주개발을 인정할 수 없다고 주장했다. 북이 핵무기를 개발하면 이를 투발할 수 있는 수단이 필요하다.

핵무기와 투발 수단으로서의 탄도미사일은 수레의 앞바퀴와 뒷바퀴처럼 서로 떨어질 수 없는 관계로 북의 평화적 우주개발 권리는 핵 문제와도 떨어질 수 없다는 것이다.

북이 핵무기를 개발하지 않았다면 우주개발을 목적으로 하는 탄도미사일 개발과 발사에 대해 어느 누구도 지적하거나 불신감을 보이지 않는다고 강조했다.

특히 북은 미국을 상대로 한 ICBM을 원천적으로 파기했다고 했는데 북측에서 우주개발용이라고 내세우는 것은 ICBM을 파괴하지 않았다는 증거라고 반박했다.

다시 말해 북이 인공위성을 탑재한 우주발사체를 발사한다고 해도 여전히 장거리 탄도미사일 개발기술의 제고를 위한 비행시험에 불과하므로 북의 평화적 우주개발 권리도 용인할 수 없다는 주장이다.

제37장 ICBM

1.

중국의 왕과 미 국무부 아시아담당보좌관 채드윅, 일본의 방위청장관 다나카가 북경의 비밀스러운 장소에서 만나고 있다. 그들은 한반도 문제로 이미 만난 적이 있기 때문에 곧바로 주제로 들어간다. 왕이 예의 느릿느릿한 말투로 말문을 연다.

"이강렬이 통일을 원하지 않는 인물이라는 것은 잘 알려진 사실입니다. 사실 통일에 대해 북조선이 남한에 항복하는 거라는 주장이 어느 정도 잘 먹히고 있는 것도 사실이죠."

다나카가 반색을 하며 대꾸한다.

"반가운 일이죠."

"이강렬이 있는 한 통일은 어려울 겁니다. 그런데 이번에 급히 만나자고 한 이유는 무엇입니까?"

왕은 다나카에게 물었지만 대답하는 사람은 채드윅이다.

"이강렬이 쿠데타를 일으켰을 때 한반도의 통일은 주변국에 도움이 되지 않으니까 그에게 힘을 실어주자는 것이 우리 생각이었습니다. 어떠한 일이 있더라도 한반도가 동북아시아를 위협하는 세력이 되어서는 안 된다는 뜻이었죠."

"일본의 생각도 마찬가지입니다."

"그런데 정도를 지나쳤어요. 우리는 어떤 일이 있더라도 북한이 더 이상은 핵폭탄으로 미국을 포함한 어떤 나라도 위협해서는 안 된다고 강조했지요. 북한이 이것을 수긍하여 풍계리 핵실험장도 파괴하고 또 미국까지 도달할 수 있는 ICBM 폐기에도 동의했던 겁니다."

"그걸 명분으로 종전협정을 평화협정으로 바꾸게 된 거죠."

중국이 종전협정의 당사자라는 사실을 강조하듯 왕이 말을 보탰다.

"맞아요. 그런데 그들은 우주계획을 명분으로 달에 우주인을 보내겠다고 말했습니다."

"그래서 우리 중국도 골머리가 아픕니다. 북에서 우주인을 보내겠다고 하는데 그게……."

"그래요. 정지궤도 위성은 물론 달에 우주인을 보내겠다는 겁니다."

왕의 말에 채드윅이 고개를 끄떡이며 수긍한다.

채드윅은 미국이 부단히 지적해온 내용, 즉 북한 우주인의 달나라 도착 실험이란 것이 그동안 북한이 폐기했다고 설명해온 ICBM을 개조한 것이 틀림없다고 말하며 몇 마디 덧붙인다.

"북한 기술이 대단하다는 것은 잘 알려져 있습니다. 그러나 이강렬의 본심은 달나라 우주인을 포장하여 미국을 공격할 수 있다는 것을 보여주자는 속셈이죠. 미국은 이 사건을 절대로 좌시하지 않을 것입니다. 그동안 이강렬을 지지하는 것이 오히려 좋을지도 모르겠다고 생각했던 적이 있지만 그의 돌출 행동으로 미국은 한반도 정책을 다시 검토할 수밖에 없었습니다."

채드윅의 말을 약간 비켜가며 왕이 입을 연다.

"우리도 북한이 정말로 달나라에 사람을 보낼 정도의 실력을 갖고 있다는 사실을 처음 알았습니다. 그런데 북한의 주장처럼 우주계획이 사실이라면 뭐가 문제죠?"

"북한의 국무위원장이 미국을 겨냥한 ICBM을 모두 포기했다고 했는데 그게 거짓으로 드러난 거죠. 우리는 이번 기회에 어떤 식으로든 북한을 응징하겠다는 겁니다."

채드윅의 단호한 말투에 왕은 입을 다문다 왕의 침묵이 오래가자 다나카가 말문을 연다.

"우리도 이번 미국의 결단에 적극 찬성한다는 것을 알려드립니다."

"미국이 북한을 직접 공격하더라도 일본은 반대하지 않는다는 뜻입니까?"

"그렇습니다."

다나카가 공손한 말투로 대답하고 미소를 띠자 채드윅이 한 걸음 더 나아간다.

"우리가 북한을 공격하더라도 중국 역시 눈을 감아주시기 바랍니다."

"중국은 미묘한 한반도 상황에 개입할 생각은 추호도 없습니다. 그러나 북한의 이강렬이 주장하는 것처럼 달에 우주인을 보낸다는 것이 왜 다시금 문제가 되는지 이해가 되지 않습니다."

"그것이 위장 선전이라는 것은 어린아이도 잘 알고 있습니다."

"제가 어린아이란 말씀입니까?"

왕의 반격에 다나카가 당황한다. 그가 말한 의미는 북한이 결코 통일에 동의하지 않을 것이라는 뜻인데 어린아이란 말에 냉랭한 상황이 되었기 때문이다.

"죄송합니다. 제 말은 북한이 결코 통일을 바라지 않는다는 뜻입니다."

"그렇다면 뭐가 문제입니까? 미국은 이를 빌미로 한국에 많은 무기를 팔 수 있고 일본은 통일한국을 보지 않으니 좋을 텐데요?"

"바로 그 점을 의논하려고 온 겁니다. 우리는 북한이 우주계획을 빙자하여 미국을 공격할 힘을 갖고 있다는 것도 반대하고 그동안 거론되어 왔듯이 한반도가 통일되는 것도 반대합니다. 한반도 통일이 미국에 이롭지 못하다는 것을 이번에 확실히 이해했습니다."

채드윅의 말에 다나카가 곧바로 동조한다. 왕을 만나기 전에 서로 조율이라도 했던 것이 분명해 보인다.

"한반도의 긴장을 조성한 것은 이강렬이므로 이강렬은 응징하되 통일은 막아보자는 겁니다."

왕이 다소 의아하다는 표정으로 채드윅을 똑바로 바라보며 묻는다.

"그러나 남한의 막강한 군대를 동원하지 않고 북한을 어떻게 공격합니까? 그들의 전략 기지들은 모두 땅굴로 되어 있고 인민군의 숫자는 백만 명이 넘습니다. 북한의 지하시설단지, 소위 땅굴들은 하나 당 몇 에이커에 달하며 몇 개월 동안 수천 명 이상의 장병을 주둔시킬 수 있습니다."

"알고 있습니다."

"더구나 지대공 미사일로부터 보호를 받고 있을 뿐 아니라 시설 일부가 공격받아 파손되더라도 즉각 가동될 수 있는 환풍 시설과 통신, 전력 시스템을 갖추고 있다고 들었습니다. 특히 북한은 휴전선을 넘을 수 있는 항공기와 전차, 병력, 대포 등을 숨기기 위해 비무장지대(DMZ) 인근의 화강암 산악 지역을 파냈다고 하지 않습니까?"

채드윅은 여유 있게 미소를 지으며 대답한다.

"그런 정도는 기본으로 알고 있습니다. 그래서 우리는 이번에 개발한 미니 핵폭탄의 사용도 배제하지 않습니다. 미니 핵폭탄은 지하 벙커 침투용으로 파괴력은 5킬로톤 정도입니다."

왕이 곧바로 되묻는다.

"미니 핵폭탄이 5킬로톤이라 해도 히로시마에 투하했던 초기 원폭의 3분의 1 정도나 되지 않습니까?"

"그러니까 정말로 조그마한 원폭이죠. 지금 강대국이 갖고 있는 핵탄두는 보통 1메가톤 정도가 되는데 미니 핵폭탄은 그것의 200분의 1에 지나지 않습니다."

"히로시마 원폭은 15킬로톤에 미치지 않았음에도 거의 15만 명이 사망했고 방사능이 만만치 않았다는 것은 잘 아시죠?"

"핵폭탄이니까 방사능이야 당연하죠. 그러나 방사능 걱정은 할 필요가 없습니다."

"방사능 걱정은 할 필요가 없다니요?"

"생각해 보십시오. 일본에 핵폭탄을 투하한 것은 1945년입니다. 당시 일본의 항복을 받아내기 위한 고육지계로 2개의 원폭을 투하했는데, 원폭이 아니었다면 일본은 절대로 항복하지 않았을 테고 그렇게 되었다면 더 많은 인명이 피해를 입었을 것입니다. ……생각해 보세요. 원폭 투하 후 70년 남짓 지났지만 지금은 전혀 문제가 없지 않습니까?"

"무슨 말인지……?"

"일본이 원폭으로 많은 어려움을 겪었지만 세계 최고의 경제대국으로 완전히 복구되지 않았습니까? 미니 핵폭탄이 떨어진다고 해서 지구가 멸망하는 것은 아니라는 거죠. 하하하."

채드윅은 다나카가 떨떠름한 표정을 짓고 있는데도 웃음까지 터뜨린다.

"이상한 논리로군요. 그러니까 70년 후에는 방사능을 걱정할 필요가 없으니까 북한에 터트리는 방사능이 중국에 영향을 미쳐도 가만히 있으란 말입니까? 더구나 하나를 터트리는 것도 아니잖습니까?"

왕이 강력히 반발하면서 의문을 제기하자 채드윅도 기세를 누그리지 않고 말한다.

"그렇죠. 작전상 한 개만 투하할 수야 없죠. 북한이 워낙 폐쇄적인데다 수없는 땅굴로 연결되어 있으니까 그들을 원천적으로 분쇄하려면 여러 개의 폭탄이 필요하겠죠."

"그걸 북한만 부담해야 한다는 뜻입니까? 미니 핵폭탄의 파괴력으로는 북한처럼 철저하게 지하시설을 구축한 곳은 별 효과를 보지 못할 수도 있습니다. 아무리 콘크리트나 바위를 뚫고 폭발하는 폭탄을 사용하더라도 지하를 충분히 뚫고 들어가기 어렵다면 투하 지역에 치명적인 방사능 낙진만 남길 수도 있지 않겠습니까?"

어쨌든 왕은 채드윅의 말에 반대한다는 뜻을 취한다.

"저도 상무위원님의 군사 전문가다운 지적에는 공감합니다. 그렇지만 남한을 끌어들이지 않고 이강렬을 응징할 다른 대안이 있겠습니까? 저는 미니 핵폭탄이 유일한 방법이라고 생각합니다."

채드윅의 말에 왕이 실무적인 문제를 거론한다.

"미국의 군사적 승리를 의심하지는 않지만 미니 핵폭탄 투하는 분명히 반대한다는 뜻을 전합니다. 우리 중국은 남북한의 석연치 않은 통일에도 반대하지만, 그렇다고 북한을 무조건 붕괴시키는 것도 반대합니다."

왕이 생각보다 크게 반발하자 채드윅이 다소 놀란 눈치다. 왕이 채드윅을 비스듬히 쳐다보면서 말한다.

"이강렬이 졸렬한 행동을 하니까 그에게 주의를 준다는 말에는 반대하지 않습니다. 그러나 북은 중국과 혈맹의 나라로 붕괴를 그냥 보고만 있을 순 없습니다. 오히려 이강렬을 대체할 수 있는 사람을 내세우는 방안을 강구하는 것이 더 좋을 듯합니다."

분란을 일으키고 있는 이강렬을 제거하는 것이 급선무가 아니겠느냐는 뜻이다.

왕의 말에 채드윅이 다소 꼬리를 내리며 말한다.

"북한에 대한 공격 문제는 사실 제 차원의 일이 아니므로 상부에 그대로 보고하겠습니다. 하지만 우리는 이강렬 이후의 카드도 이미 준비했습니다."

"이미 생각해둔 사람이 있다는 말이군요?"

"그렇습니다. 그 사람을 편의상 A라고 부르죠. A라면 우리의 기대를 저버리지 않을 겁니다."

채드윅이 거론하는 사람의 이름을 듣고 왕이 깜짝 놀란다.

2.

북경의 왕 상무위원 집무실.

김한룡이 찾아가자 왕이 반갑게 맞는다.

"어서 오시오, 김 박사."

"면담 신청을 곧바로 허락해주셔서 감사합니다."

"무슨 소리요. 내가 김 박사에게 얼마나 감사하게 생각하는지 알고
나 있소?"

의전적인 제스처가 아니라 친밀하게 맞이하는 모습이 역력하다.

"앉으시오. 그래 무슨 일이오?"

"제가 상무위원님과 개인적으로 친분이 있다는 것을 한국에서도 매
우 다행스럽게 생각하고 있습니다. 바쁘신 분이니 간략하게 설명을 드
리죠."

"김 박사라면 하루 종일 이야기해도 상관이 없어요. 비서들에게 내
가 직접 연락하기 전에는 방해하지 말라고 했소."

"감사합니다. 우선 작금의 한반도 긴장 상태에 대해 말씀드리겠습니
다. 이강렬이 엉뚱하게 달나라에 사람을 보내겠다는 불장난을 저지
르는 바람에 한반도를 둘러싼 국제정세가 매우 미묘해졌습니다. 중국
으로서도 그 일로 무척 난처한 지경에 처하지 않았습니까?"

"솔직하게 말하면 이강렬 때문에 아주 골머리가 아파요. 그가 미국
과 타협하여 ICBM을 모두 파기하여 정전협정을 평화협정으로까지 받
아내더니 아닌 밤중에 홍두깨처럼 달나라에 우주인을 보낸다고 떠들
어댔기 때문에 미국과 일본이 벌떼처럼 일어나는데 그들을 무마시킬
방법이 묘연합니다."

"한국 정부도 이강렬의 모험에 대해……결국은 자기 무덤을 파는 짓
이라고 생각하죠. 제가 전해드릴 말씀은 간단합니다. 그렇다면 또 다른
방법이 있지 않겠습니까?"

"또 다른 방법, 그게 뭐지요?"

"북한이 붕괴되면 중국에도 문제가 만만치 않죠. 특히 북한에 미군이 진주하면 중국과 미국이 직접 대면하는 상태가 되지요?"

중국으로 보아 가장 끔찍한 상황을 김한룡이 지적한다. 미국과 국경선 하나로 마주하지 않는 것이 전략적·전술적으로 중요하다는 사실은 말할 나위도 없다. 남한에 미국이 주둔하고 있지만 그것을 북한이 완충지대로 막아준다는 사실이 대단히 중요한 일인데, 미국의 공격으로 북한이 붕괴한다는 것은 미군의 진주를 의미한다. 바로 그 점을 김한룡이 지적하는 것이다.

"방안은 간단하죠. 북한이 미국의 공격으로 지구에서 사라지도록 놔두어 화를 키우지 않으면서 이강렬도 제거하자는 거죠."

"그렇게 될 수 있다면야……."

"이런 골머리 아픈 상황은 통일한국이 해결할 수 있습니다. 다시 말해 통일이 중국에 더 유리하다는 뜻이죠."

왕이 남북한의 통일을 지지하는 것은 아니지만 이강렬의 변수를 그대로 방관하기도 어렵다. 김한룡은 통일한국이 중국에 제시하는 조건들을 조목조목 거론하며 설명을 해나간다. 왕은 침묵을 지킨 채 김한룡의 이야기에 귀를 기울인다.

"한 마디로 미국이 북한을 공격하기 전에 통일한국이 가시화되면 미국이 공격할 빌미도 사라지죠. 공연히 이강렬을 감싸지 말고 통일한국을 도와주면 중국에 상당한 이점이 있을 거라는 말씀입니다."

김한룡은 다시금 결코 손해나지 않는 거래라고 강조한다.

"북한과 중국이 특별한 관계라는 것은 저도 잘 알고 있습니다. 그러나 그 긴밀한 관계는 중국과 혈맹을 맺은 김일성 세대를 뜻하는 것이지 세계와의 약속을 어기면서 골머리 아픈 일을 계속 만들고 있는 이강렬을 뜻하는 것은 아닐 테지요."

"물론이오. 계속 얘기해 보시오."

"북한이 한국에 비해 경제적으로 열세인 것은 분명합니다. 그것을 이강렬이 핵폭탄으로 버티려고 하는데 그대로 놔두면 중국도 그를 섣불리 다루기가 어려워집니다. 그런데 미국과 일본은 이것을 북한에 대한 공격의 빌미로 생각하고 있습니다. 한 마디로 중국의 코앞에서 일을 저지르면서 중국은 가만히 두고만 보라고 합니다. 현재 상황이 그렇지 않습니까?"

김한룡의 지적에 왕은 아무 말도 하지 않지만 공감하고 있는 게 틀림없다. 중국으로서는 전통적인 우방인 북한의 붕괴를 지켜볼 수만도 없지만 이강렬을 대놓고 마냥 지지할 수만도 없다. 김한룡이 왕의 얼굴을 쳐다보며 말을 이어간다.

"통일이 이루어지는 즉시 통일한국이 중국에 제시할 여러 가지 조건은 이미 말씀드린 대로입니다. 아마 중국으로서도 결코 나쁜 제안은 아니라고 생각합니다."

"나쁘지 않다는 건 알겠소. 하지만 우리가 이강렬에게 취할 수 있는 방법이 많지 않아요."

"잘 압니다. 한국은 중국이 이강렬에게 압력을 행사해 달라고 요구하는 것이 아닙니다. 오히려 그 반대입니다."

"그 반대라면……?"

"그렇습니다. 한국 정부는 중국이 북한의 쿠데타 세력을 승인해 주기를 바랍니다. 바로 그런 뜻을 전해달라고 제게 심부름을 시켰습니다."

김한룡의 말을 듣고 왕은 깜짝 놀란다.

"한국 정부가 우리에게 이강렬을 승인해 주도록 부탁했단 말이오?"

"그렇습니다."

"그렇게 되면 그의 체제가 더욱 공고해질 텐데?"

"한국 정부는 이강렬 체제가 안정되는 것이 오히려 통일에 도움이 된다고 판단합니다. 특히 중국이 이강렬의 북한을 승인하면 미국이 섣

불리 북한을 공격하지 못할 겁니다."

"정말 놀랍소. 무슨 계획인지 모르겠지만 전혀 상상도 못 했던 일이오."

"그러실 겁니다. 하지만 한국 정부의 계획이 실패하더라도 중국 정부나 상무위원님께 결코 누가 되지는 않을 것입니다.

"그야 그렇겠죠. 우리는 이강렬을 승인함으로써 큰 선심을 쓰는 셈이고 한국의 의견도 들어주는 셈이니까 손해는커녕 도랑치고 가재 잡는 격이겠죠."

"또 한 가지……중국은 이것으로 한반도에서 주도권을 잡을 수 있습니다. 한반도 통일이 궁극적으로 중국에 부담이 되지 않는다는 사실만 인정하시면 한국 정부의 제안이 결코 나쁘지는 않겠지요?"

"그렇소. 솔직히 말하면 그래서 갈등이 생기는 거요. 더구나 미국은 북한 공격을 결코 단념하지 않을 거요."

"그 문제도 지적했는데……미국이 북한을 공격하더라도 결코 성공할 수 없다는 사실을 한국에서 보장한다고 했습니다."

"보장을 해요?"

미국이 막강한 인도태평양 함대를 동원하여 북한을 공격하는 데도 성공할 수 없고, 그것을 보장까지 한다는 말에 왕이 놀란다.

"그렇습니다. 하지만 제가 그것이 뭔지는 알지 못합니다. 저는 군사 전문가가 아니니까요? 그렇지만 한국 정부가 어떤 일이 있더라도 한반도에서 핵폭탄은 물론 무차별 공격을 막을 수 있는 대안을 가지고 있다는 사실만은 확실합니다."

"인도·태평양사령부의 막강한 함대 공격을 막을 수 있단 말이오?"

"그렇습니다. 한반도에서의 전쟁은 한국은 물론 중국에도 엄청난 피해가 미치겠죠. 일본이야 남북한, 중국이 피해보는 것이야말로 대단한 호재인 데다 미국은 그동안 전쟁이 없어 무언가 빌미를 만들어서라도 전쟁터를 만들어야 하는데 북한이 딱 알맞은 먹이죠. 하지만 그대로 두고 볼 수만은 없지 않겠어요?"

지구 표면의 절반 이상을 관할하는 세계 최강의 함대 '인도·태평양사령부(구태평양사령부)'가 이강렬을 공격해도 한국이 막아낼 수 있다는 말에 왕은 놀라지 않을 수 없다.

사실 미국이 태평양사령부를 인도·태평양사령부로 바꾼 이유는 미국이 대중(對中) 견제의 기존 파트너인 일본에 더해 인도와 호주를 포함하는 대연맹을 구축해 중국을 더 강하게 견제·압박하겠다는 전략 구상이 담겨 있다. 미국 정부가 인도양이야말로 중국의 남진정책과 아프리카 해상 진출을 견제할 수 있는 곳이라고 판단했기 때문이다. 인도·태평양사령부는 관할 지역 안에는 36개국이 있고, 세계 인구의 50% 이상이 살고 있다.

병력 37만 5천 명으로 숫자로는 중국과 한국에 못 미치지만 대부분 해군과 공군이라는 특징이 있다. 5개 항공모함 전단(戰團)을 지휘하며, B-52, B-2 등 핵무기 공격이 가능한 전략폭격기와 세계 최강 스텔스 전투기 F-22도 보유하고 있다.

사실 미국이 인도·태평양사령부로의 이름을 바꾼 것은 남중국해를 중심으로 노골적으로 태평양 패권을 추구하는 중국을 더 이상 좌시하지 않겠다는 뜻이라 중국으로는 껄끄럽기 짝이 없다.

중국이 남중국해 내의 섬과 암초를 자국 영토나 영유권 구역이라고 주장하며, 곳곳에 군용 활주로를 만들고 미사일을 배치하자 이를 견제하기 위한 조치라는 것을 중국이 모를 리 없다.

미국이 이강렬을 빌미로 무작정 북한을 공격한다고 해도 막을 방법이 묘연하던 차에 한국에서 미국의 공격을 물거품으로 만들 수 있다니 놀라운 일이 아닌가.

김한룡은 자신이 군사 전문가가 아니라며 슬쩍 발을 빼지만 정통 군인으로 상임위원에 오른 왕을 상대로 한국 정부가 헛소리를 할 일은 그야말로 만무다.

"정말 놀랍소. 김 박사의 말이 사실이라면 미국은 물론 다른 어떤 나라의 공격도 막을 수 있다는 거요?"

"제가 알기로는 그렇습니다. 미국이 북한을 공격하기 위해 인도·태평양사령부의 함대를 발진시키더라도 단 한 발의 미사일이나 핵폭탄도 한반도에 떨어지지 않을 것이라는 뜻을 분명히 전달해 달라고 했습니다."

"도무지 이해하기가 어렵군요?"

왕이 믿지 못하겠다는 표정을 짓자 김한룡은 차를 마시며 숨을 고른 다음 설명을 덧붙인다.

"서류로 작성하지 않고 제가 직접 이 말을 전해 드리는 것은 한국 정부에서 충분한 대안을 강구했다는 뜻입니다. 상무위원님께서 한국 정부를 믿어달라는 말도 하였습니다."

"그게 사실이라면 믿지 않을 사람이 누가 있겠소? 그런데 한국 정부의 대안이란 것이 군사적인 무기란 뜻이오, 아니면 정치적인 결단이란 뜻이오?"

"제가 그것까지는 알 수 없습니다. 솔직하게 말씀드려 저는 나노테크를 연구하는 공학자일 뿐인데 한국 정부가 저와 상무위원님의 친분을 고려하여 심부름꾼으로 선택한 거죠."

"알겠소. 어쨌든 우리에게 항상 희소식만 가져오는 김 박사의 노고를 고맙게 생각합니다. 저녁에 호텔로 연락할 테니 식사나 함께 합시다."

제38장 일본의 독도 침공

1.

다나카 방위청장관의 자택.

눈매가 날카로운 30대 초반의 이시이가 대청에 무릎을 꿇은 채 다나카의 말을 듣고 있다.

이시이는 해상자위대 시절 다나카의 부관이다.

"내가 말하는 뜻은 잘 알겠지?"

"예, 장관님."

다나카는 자위대의 무장 강화를 주장하는 일본 강경세력의 핵심인사다. 그는 미국이 주도 아래 인도·태평양함대까지 동원하여 북한을 공격하면 한반도에서 공황이 생길 것으로 생각한다. 북한은 미국의 공격에 결사 항전을 표명할 것이고 한국은 북한에 대한 공격과 차후에 일어날 정세 변화에 어떻게 대처해야 할지 고민할 것이다. 바로 이런 순간을 잘 이용해야 한다는 것이 그의 지론인 셈이다.

다나카는 며칠 전에 이미 주한 일본대사인 마에다를 비밀리에 만나 인도·태평양함대가 북한을 공격한 이후의 한반도 정세에 대해 상의한 바 있다.

"반도의 통일은 물 건너가고 남한에서 정부의 무능에 대해 극도로 비난하는 여론이 제기될 것입니다."

마에다의 예상이 아니더라도 충분히 예견되는 상황이다. 다나카는 입을 굳게 다문 채 마에다 대사의 얘기를 경청한다.

"공산체제인 북한과의 통일이 원래부터 불가능한 상황임에도 불구하고 무리하게 통일을 추진하려다 결국 이강렬의 쿠데타를 자초하고 미국의 북한 공격을 앞두고 있으므로 남한 정부라고 온전할 리 없을 것입니다. 미국의 막강한 화력이 북한에 집중되면 북한은 꼼짝없이 포위 상태가 될 수밖에 없습니다. 한국경제 역시 심각한 타격을 받아 곤두박질칠 것은 불을 보듯 뻔한 일입니다."

마에다는 남의 불행은 나의 행복이라는 듯이 웃음을 흘린다.

"우리 일본에게는 절호의 기회가 될 수도 있다는 뜻이오?"

"물론입니다. 우리로서는 한국의 추격을 완전히 뿌리치면서 아시아의 맹주 자리를 굳히는 셈이죠."

"다께시마에 대해서는 어떻게 생각하시오? 한국이 무단 점령하고 있는 우리 영토를 이런 기회를 이용하여 회복시켜야 하지 않겠소?"

"당연한 말씀입니다. 미국의 인도·태평양함대가 북한을 공격하기 전에 사건을 만들고 시간을 끌면 결국 우리 의도대로 될 것입니다."

다나카는 마에다 대사를 만나고 나서 나름대로 결심을 굳히고 이시이를 부른 것이다. 다나카가 대청에 무릎을 꿇은 이시이에게 명령을 내리듯 이야기한다.

"대일본의 위용을 다시 한 번 떨칠 수 있는 기회다. 미국이 곧 북한을 괴멸시킬 테니까 우리는 이 기회를 이용하여 다께시마 문제에서 유리한 고지를 차지해야 한다."

"예, 장관님."

"한국이 안정되더라도 다께시마가 우리 영토란 걸 주장하려면 이번 작전이 매우 중요하다."

"잘 알고 있습니다."

"대원들의 선발에는 문제가 없겠나?"

"전혀 문제가 없습니다. 평소부터 대일본을 위해 몸을 바치겠다고 다짐해온 동지들입니다. 모두들 기꺼이 이번 작전에 자원하고 있습니다."

이시이가 말을 마치자 다나카가 일어나서 벽에 걸린 일본도를 벗긴다. 칼집에서 칼을 뽑자 예리하게 날이 선 칼날이 불빛을 받고 검광(劍光)을 뿜는다.

다나카는 심호흡을 하면서 지긋이 칼을 응시하다 칼집에 도로 집어넣은 다음 이시이에게 건네주며 말한다.

"우리 집안 대대로 전해 내려오는 가보일세. 자네가 가지고 가서 대일본을 위해 써주게."

"감사합니다, 장관님."

"내가 자네만큼만 젊었더라도 가장 먼저 자원했을 거야. 자네가 정말 부러우이."

"과찬이십니다."

"자네 이름이 천추(千秋)에 길이 빛날 것이라는 뜻이야. 사나이가 한번 태어나서 자네처럼 역사에 이름을 남긴다는 것이 얼마나 자랑스러운가?"

"모두 장관님 덕분입니다."

"자네와 대원들의 가족은 내가 보살펴줄 테니까 걱정 말게. 대원들이 모두 모인 자리에서 격려하고 싶지만, 그럴 수 없는 것이 안타깝네."

"대원들 모두 장관님의 뜻을 잘 알고 있습니다."

"이시이 군, 잘 가게. 자네가 내 곁에 있었던 날들을 결코 잊지 않겠네."

다나카가 이시이에게 막중한 임무를 부여하고 방으로 들어가자 이시이는 그의 뒷모습에다 대고 절을 한 다음 칼을 품고 그의 집을 나선다.

한반도를 무단 점거하여 통치했지만 2차 세계대전의 종전과 함께 한국이 해방을 맞이하자 일본인들의 아쉬움과 미련은 상상을 초월할 정도다. 미국과 전쟁을 했다는 자부심을 갖고 있는 많은 일본인들이 그동안 한국과 인근 국가들에 대해 지껄였던 발언이 이를 뒷받침한다.

"대만을 관리하고 한국을 합병하며 만주의 5개 종족들 사이의 협력을 꿈꾸는 것. 만약 이것이 일본 제국주의라면 그것은 영예로운 것이다."

일본의 수상 이케다 하야토도 이런 망언을 일삼았다.

"혹자는 일본이 한국에 대해 과거의 식민지 통치에 관해 사과해야 한다고 말한다. 그러나 일본은 용서를 빌 것이 없다. (중략)보다 분명히 말한다면 일본이 한국을 통치했으나 그것은 한국에게 이득이 되었다. (중략) 만약에 일본이 한국을 20년만 더 다스렸다면 훨씬 더 나아졌을 것이다."

일본이 아시아의 지도자라는 특별한 사명의식과 이웃 나라들은 일본에 복종해야 한다는 식의 사고방식은 전후 일본을 주도해온 모든 보수적 지도자들에게 공통된 것이다.

이런 의식을 고수하는 것을 자신의 사명으로 알고 있는 다나카는 미국의 인도·태평양 함대가 북한을 공격하기 전에 다께시마를 점령하여 전 세계에 다께시마가 일본 땅이라는 것을 알리자는 것이다. 한국이 영유권을 주장하며 독도라고 이름 붙인 다께시마는 20여 명의 한국군 수비대가 지키고 있다.

다께시마를 점령하려면 그들과 부딪칠 수밖에 없겠지만 해상자위대도 세계적인 수준이니까 어려움은 없을 것이다.

어쨌든 다께시마를 점령한 후 어느 정도 시간을 끌면 인도·태평양 함대의 북한 공격으로 시끌시끌할 테고 결국 다께시마 문제는 세계의 이목에서 벗어나게 마련이라는 것이다. 이것이 다나카의 다께시마 확보 시나리오다.

다나카는 바로 그런 우익을 대표하는 일본인이자 군부의 강경세력으로 다께시마의 중요성을 너무나 잘 알고 있다. 그는 한국 수비대가 주둔하고 있기는 하지만 독도를 점령하는 것은 손쉬운 일이라고 생각한다. 그래서 열혈청년들로 구성된 특공대를 파견하여 다께시마를 점령할 계획을 세우고 그 임무를 이시이에게 맡긴 것이다.

명분도 좋았다. 한국은 대한민국 영토인 독도를 방어하기 위한 정례 훈련이라며 독도방어훈련을 2일에 걸쳐 실시했다. 3,200t급 구축함을 포함해 함정 6척이 투입되었고 P-3C 해상초계기, F-15K 전투기, UH-60 '블랙호크' 헬기 등도 참여한 수준급 훈련이었다.

일본이 곧바로 훈련 중단을 요구하자 한국 정부는 독도 방어훈련은 대한민국 영토인 독도에 외부세력이 침입하는 것을 막기 위해서 실시되는 정례적인 훈련이라고 잘라 말했다.

그동안 독도가 일본 땅이라고 교과서에도 게재되어 세뇌가 된 일본인들은 독도가 일본 땅이라며 한국에 대한 분노를 표출하는 데 주력했다. 한 마디로 일본이 한국의 행동에 대해 경각심을 올려주는 실질적인 조처가 필요하다는 것이다.

2.

이시이가 물속으로 다시 잠수하면서 대원들에게 명령을 내린다.

"내 뒤를 따르라."

칠흑 같은 밤이라 이시이를 비롯한 일본인 다섯 명이 접안 시설로 다가오는 것을 독도의 보초는 모르고 있다. 보초들은 뭔가 얘기를 나누고 있었기 때문에 표적으로는 안성맞춤이다. 물속에서 접안부두에 있는 보초들을 향해 소음총을 쏘자 두 사람 모두 낙엽처럼 쓰러져 버린다.

이시이는 초장부터 재수가 좋다고 생각한다. 좁은 이마에 날카로운 눈매를 가진 그는 이스라엘의 특수전투단인 사이렛 매티칼의 외인부대에서 근무한 경력도 있다. 이스라엘이 자랑하는 대테러 대원으로 선정되어 숱한 전투에 참가했던 그는 이번 임무에서 자신보다 더 적합한 일본인은 없다고 자부심을 느낀다.

"계획대로 출발하라."

이시이는 재빨리 접안 부두로 올라가 잠수복을 벗고 무전기를 꺼내 해안에서 1킬로미터 지점에 대기하고 있는 상륙정에 명령을 내린다.

"한 명은 아직도 살아 있습니다."

쓰러진 보초 중 한 명이 아직 살아있다는 대원의 보고를 받고 이시이는 말없이 고개를 끄떡인다. 대원은 씩 웃으며 대검으로 부상병의 가슴을 깊숙이 찔러 명이 끊어지는 걸 확인한 다음 두 구의 시체를 바다에 던져 버린다.

이시이는 접안부두를 향해 다가오는 세 척의 상륙 보트를 만족스러운 눈으로 바라보다가 그들이 도착하자마자 타고 온 상륙 보트를 은폐시킨 다음 인원 점검을 실시한다. 잠시 후 그는 유창한 영어로 무전을 날린다.

"여기는 드래건. 여기는 드래건. 들리는가?"

즉각 무전 목소리가 들린다.

"잘 들린다."

"모두 상륙했다. 계획대로 진행한다."

"알겠다. 무운을 빈다."

이시이는 소형 무전기를 품속에 집어넣으며 크게 한 번 심호흡을 한다. 진짜 작전은 이제부터. 20여 명의 특수 요원들은 그의 명령에 따라 독도경비대 막사로 올라가는 계단을 피하여 가파른 절벽을 올라간다. 대원들은 등에 중화기를 짊어지고도 마치 거미가 거미줄을 타고 오르는 듯이 쑥쑥 위로 올라간다. 독도의 지형지물을 완전히 파악하고 있는 듯 거리낌이 없다.

"이상 징후는?"

"없습니다."

그들은 곧장 독도경비대 건물로 다가간다. 보초 두 명이 막사 입구에서 지키고 있는 모습이 보이자 이시이는 대원들에게 명령을 내린다.

사전에 치밀하게 계획되어 있었다는 듯이 그의 명령을 받은 대원들은 다섯 명씩 옆으로 사라진다. 나머지 대원을 이끌고 수비대 건물로 다가 간 이시이는 예정된 공격 지점에 이르러 무전병에게 손짓으로 전자 장 비를 작동시키게 한다. 무전병이 민첩하게 적외선 조준경을 수비대 건 물로 향하게 한 다음 계기를 조작하자 계단 중간에 2명, 막사 입구에 2 명의 보초를 비롯하여 막사 안에 있는 경비대원을 포함하여 생명체의 숫자가 전자 장비에 선명하게 나타난다.

"각 소재별 인원은 확인되었나?"

"막사에는 22명이 있습니다."

"나머지 인원은?"

"보초가 6명이니까 한 명이 보이지 않습니다."

"어디에 있을까? 아사라에게 한 명이 행방불명이라고 알려 주게."

"알겠습니다, 대장님."

무전병은 즉시 무전기를 꺼내 막사 뒤편으로 이동한 아사라에게 신 호를 보낸다. 그들의 대화는 모두 영어를 사용하고 있다.

"여기는 드래곤. 여기는 드래곤. 베지타 나와라."

베지타라고 불린 아사라가 응답한다.

"여기는 베지타, 듣고 있다."

"지금 어디 있는가?"

"목적지에 도착했다. 공격 시간을 기다리고 있다."

"도중에 아무도 보지 못했는가?"

"아무도 보지 못했다. 무슨 일이 있는가?"

"경비대원 한 명이 보이지 않는다."

"알았다. 작전을 완료한 뒤 그를 찾으면 곧 연락하겠다."

"그를 발견하면 즉시 제거하고 보고하라."

"알겠다. 행운을 빈다."

이시이가 시계를 들여다본다. 세 명의 대원이 적외선 망원경이 장착된 장총을 보초에게 겨냥하고 다른 대원들은 견착식 미사일 두 대로 수비대 건물을 조준하고 있다.

너무나 수월하게 작전을 마칠 수 있다는 생각이 들자 이시이는 다소 흥미가 반감되는 것을 느낀다.

스릴을 위한 스릴을 찾아다녔던 그에게 한국의 독도수비대 제거는 너무나 간단한 임무지만, 자기의 이번 행동이 이제까지 자신이 겪어왔던 어떤 전투보다 더 중요하다는 사실을 그는 너무나 잘 알고 있다.

"공격!"

이시이는 예정된 시간이 되자 나지막하게 중얼거리며 고개를 끄떡인다. 대원들의 사격은 더없이 정확하다. 보초 4명은 즉시 쓰러졌고 건물은 두 발의 미사일을 맞고 완전히 파괴된다. 저공으로 기습하는 적기를 요격할 수 있는 견착식 미사일로 정지된 건물을 공격하는 것은 식은 죽 먹기나 마찬가지다. 건물이 폭파되자 대원들이 파괴된 건물로 잽싸게 뛰어갔지만, 그들이 할 일은 아무 것도 없다. 독도경비대가 모두 사망한 다음이었기 때문이다.

"나머지 한 놈을 찾아봐."

행방이 묘연한 수비대원 한 명에 대한 대대적인 수색이 벌어졌지만, 동도와 서도 어디에서도 흔적을 찾을 수 없다. 이시이는 애당초 수비대는 29명이 아니고 28명이라고 결론을 내린다. 사상자 한 명 없이 수비대원들을 모두 살해하고 섬을 점령한 것은 만족할 만하다.

날이 밝아오기 시작하자 헬리포트 앞에 있는 게양대에 일장기를 올리고 이시이는 다께시마에 휘날리는 일장기를 감개무량하게 바라보며 대원들과 함께 기미가요를 힘차게 부른다.

간단한 아침 식사가 끝난 후 곧 철수작전이 시작된다. 이시이를 비롯한 열 명만 섬에 남고 나머지 대원들은 계획대로 그들이 타고 왔던 상륙 보트를 타고 섬을 떠난다.

그들은 다께시마에서 1킬로미터 떨어진 바다 속에 있던 시가형의 잠수함으로 옮겨 탄다. 이 잠수함은 스텔스 전투기에 응용된 것과 똑같은 전파 방해 장치를 탑재한 스텔스 잠수함이다. 한국인 수비대가 그들의 접근을 알아차리지 못했던 것은 당연한 일이다.

3.

보초 교대 시간. 경비대에서 가장 나이 어린 김명호가 마인식과 교대하기 위해 다가온다.

"탁 선배님, 보초 교대하시죠?"

"벌써 교대 시간 됐나? 시간이 정말 총알같이 지나가네."

"탁 선배님이야 내일 출발하시니까 시간 가는 줄 모르시겠지만, 저는 앞으로도 여기서 1년을 더 근무해야 하니까 죽을 지경입니다."

"왜 후회 되나? 그럼 나하고 같이 철수할래?"

"꼭 그런 것은 아닙니다만, 너무나 조용해서……."

"그래도 독도를 지키는 것이 얼마나 뿌듯하고 자랑스러운가?"

"그걸 아니까 독도경비대에 자원했지요."

"그럼 됐지, 또 뭘 바라나? 자, 수고하게."

"예. ……그런데 막사로 안 들어가고 어디로 가십니까?"

"응, 오늘이 독도에서 마지막 날이니까 섬을 한 번 둘러보고 싶어. 내일 오전에 연락함이 온다고 했으니 더 이상 구경할 시간도 없잖아? 내 돌아보고 올 테니 보초나 잘 서."

보초교대를 한 마인식은 섬을 둘러보기 위해 수비대 건물을 떠난다. 시원한 바다 바람이 그의 얼굴에 기분 좋게 간지럼을 태운다. 섬을 돌아보면서 그는 지난날들을 돌이켜본다.

마인식은 K대 법대 3학년으로 재학 중 군에 입대했다.

졸업한 다음에 입대하려고 했지만, 로스쿨에 들어가 사법시험에 합격하려면 일찌감치 군대에 갔다 온 다음 복학하여 고시를 준비하는 것이 유리하다는 조언에 재학 중 입대했다.

마인식은 군에 입대하자마자 고참들로부터 귀여움을 받았다. 얼굴이 예쁘장하게 생기기도 했지만, 술도 잘하고 노래도 일품이었던 것이다. 특히 대학시절 응원단이었던 것이 대인관계에 자신감을 갖게 했고, 더구나 명문인 K대학 법대에 재학 중이라는 사실은 더욱 그의 성가를 높여 주었다.

마인식이 군에 들어갈 무렵 독도에 대한 일본인들의 망발이 더욱 거세어지기 시작한다. 그간 독도에 대한 일본의 주장이 거셌지만 이번에는 그야말로 태풍 급이었다.

"독도는 일본 땅이기 때문에 한국으로부터 되돌려 받아야 한다."

날마다 주일 한국대사관 앞에서 항의 데모를 벌였다. 독도가 자기네 땅이라고 우기는 일본의 억지 주장에 분개한 마인식은 독도경비대에 자원한다. 자신이 민족주의자나 애국자라고는 생각지 않았지만, 자부심 강한 마인식은 독도를 직접 지켰다는 사실이 나중에는 큰 자랑거리가 될 거라고 생각했기 때문이다.

"이제 외로운 섬 독도도 마지막이로군."

그날은 바로 그가 독도에 머무르는 마지막 날이다.

전역을 위해 다음날 독도를 떠나는 그는 최고참으로서 보초 근무가 면제되었지만, 그날만은 자진하여 보초를 서겠다고 했다. 독도에서의 마지막 날 보초를 서면서 지나온 나날을 되새겨 보겠다는 뜻으로. 마인식은 김명호와 교대한 다음 천천히 추억거리를 만든 장소로 향한다.

경사가 가파른 섬의 정상 바로 밑에 있는 조그마한 동굴은 오직 한 사람만이 알고 있다. 바로 마인식 자신뿐이다. 한 사람이 겨우 기어 들어갈 수 있는 구멍을 지나 동굴로 들어가면 서너 평의 넓은 공간이 나오고 독도의 전경이 한 눈에 들어온다.

'이 보금자리를 누구에게 물려주고 떠날까?'

우연히 발견한 동굴이지만 정이 들 대로 든 장소다. 마인식은 동굴을 발견하고 나서 그 비밀을 누구에게도 알리지 않았을 뿐만 아니라 오히려 동굴이 있다는 사실을 은폐하기 위해 자신이 옮길 수 있는 돌덩어리로 입구를 막아 아무도 출입할 수 없도록 만들었다.

그곳에다 비상식량과 식수까지 챙겨다 놓고 가끔씩 혼자 출입하며 명상에 잠기곤 하는 일이 그가 독도에서 누리는 즐거움 중의 하나였던 셈이다. 그가 혼자 어디론가 잠적했다가 몇 시간 뒤에 돌아와도 동료들은 어느 한적한 곳에 있었으려니 해서 묻지도 않았다.

갑자기 근처에서 인기척이 들린 것은 마인식이 동굴로 들어가 막 자리를 잡았을 때다. 누굴까? 그는 자신의 귀를 의심했다. 인적이 있을 리가 없었기 때문이다. 그는 적외선 보안경으로 바깥의 동정을 살폈다. 중화기로 무장한 여러 사람이 발걸음을 죽이며 경비대 건물 쪽으로 향하고 있는 것이 보인다.

마인식은 자신의 소총으로 정체불명의 침입자들을 공격하고 싶었지만, 일단 상황을 좀 더 지켜보아야겠다고 생각하며 스마트폰으로 촬영을 시작한다. 경비대 건물이 바라보이는 곳까지 다가간 침입자들이 집합했다가 흩어지는 모습이 보이더니 방금 자신과 보초 교대를 했던 김명호가 쓰러지고 이내 숙소 건물도 순식간에 폭파되고 만다.

침입자들은 건물이 폭파되자 총을 쏘아대며 뛰어 들어가더니 건물에 생존자가 한 명도 없다는 것을 확인했는지 이번에는 수색 작업을 펼치기 시작한다. 아마도 자신을 찾으려는 모양이라고 생각하니 소름이 쫙 끼친다. 그들은 독도경비대원들을 모조리 살해하고 독도를 점거하는 임무를 띠고 있는 것 같았다.

곧 동굴 쪽으로도 침입자들이 다가왔지만 돌로 입구를 막아둔 동굴을 찾지는 못한다. 그는 동굴에 숨은 채 계속 그들의 동태를 관찰했다. 그들은 수색을 끝마치고 다시 파괴된 건물 앞의 헬리포트에 모이더니 일장기를 게양하고 기미가요를 불렀다. 동해 바다의 수평선으로 해가 부옇게 떠오를 무렵이다. 그리고 침입자들 가운데 10명만 남고 모두 철수하기 시작한다.

마인식은 결국 일본이 일을 저지르고 말았다는 생각에 울분이 치밀었지만, 자신이 어떻게 해야 할지 도대체 판단을 내릴 수가 없다. 자기 혼자만 천운으로 살아남을 수 있었다고 생각하니 온몸이 부르르 떨린다. 보초 교대를 하고 나서 곧장 막사로 들어갔더라면 자신도 동료들과 마찬가지로 꼼짝없이 살해되었을 것이 뻔하지 않았던가?

마인식은 자신이 살아남았다는 사실보다는 동료들이 모두 죽었다는 사실이 더욱 믿어지지 않는다. 두 손을 불끈 쥐고 어금니를 꽉 다물어 봤지만, 그에게 남은 방법은 별로 없다. 유일한 화기인 소총으로 독도에 남아 있는 열 명의 침입자들과 맞서서 한두 명은 없앨 수 있다고 해도 어차피 자살 행위일 뿐이다.

'어떻게든 살아 돌아가서 저들의 만행을 만천하에 알려야 한다.'

마인식은 이런 생각을 하며 시계를 보고 스마트폰에 바닷물이 들어가지 않도록 비닐로 겹겹이 싼 후 동굴에서 몰래 빠져 나와 바닷물 속으로 들어간다. 그를 태울 연락함이 다음날 나타난다고 해도 그가 구출될 수 있다고 보장할 수는 없었기 때문이다.

그나마 마인식은 고등학교 때 수영반에 있었기 때문에 수영만은 자신이 있다. 더욱이 수비대로서는 오로지 자신만이 본 내용을 다른 사람에게 알리기 전에 죽을 수도 없었다. 다행히 1킬로미터쯤 수영을 하고 있을 때 인근을 지나가던 어선에 구출될 수 있었다.

4.

일본의 우익을 자처하는 이시이의 독도 점령은 세계를 놀라게 한다.

양국 국민들의 여론은 그야말로 죽 끓듯 한다. 한국에서는 '독도는 우리 땅!', '독도를 탈환하자!'라는 구호와 독도를 점령한 일본인들을 무력으로 응징해야 한다는 여론이 거세게 일어났고 일본에서는 '다케 시마(竹島)를 절대로 돌려줄 수 없다.'고 전의를 불태운다.

일본은 한국군이 공격해올 것이라는 정보에 따라 일본이 자랑하는 이지스함 등 최첨단 함선들을 인근 해역으로 급파하여 한국의 어떠한 공격도 저지하겠다고 천명하기에 이른다.

그러나 미국의 인도·태평양함대가 출동하는 데 대해 러시아가 반대 하지 않는다는 발표와 함께 영국과 프랑스 등이 미국의 북한 공격에 찬 동한다는 성명을 발표하자 상황은 급변하여 독도 문제는 다나카의 의 도대로 끌려가기 시작한다.

"X, 일본의 만행을 이대로 두고 보아야 합니까?"

"대통령의 울분을 내가 왜 모르겠소? 일단 준비를 한 다음에⋯⋯."

"저들의 수작이 너무나 야비합니다."

"스물아홉 명의 꽃다운 영령이 안타깝구려. 오메가는 어떻게 되어 가고 있소?"

"이미 3대가 완성되어 스텔스 피라미드에 장착되었습니다."

"정말 좋은 소식이오. 오메가가 완성되었다면 독도 문제도 자동적 으로 풀릴 테니 조금만 기다립시다."

"시간이 문제입니다. 국민들 소요가 심상치 않습니다. 실효성이 없 는 통일 반대 운동이 힘을 얻고 있는 데다 독도 문제까지 겹쳐⋯⋯이러 다가는 정권 유지조차 어려울지도 모릅니다."

"이제 얼마 남지 않았소. 오메가가 완성되면 모든 상황을 극적으로 반전시킬 수 있소."

X가 대통령에게 다가와 어깨를 어루만져 주며 위로한다.

"조만간 일본은 자신의 실수를 뼈저리게 느낄 거요. 독도도 반드시 다시 찾을 수 있고요."

"저도 그렇게 생각합니다만……."

"배신자 문제는 어떻게 되었소?"

"아직 정체조차 파악하지 못했으니 정말 죄송합니다."

"정말 고약한 일이오. 이 중요한 때에 배신자까지 속을 썩이니……."

"워낙 위장을 잘해서 정말로 배신자가 있는 걸까 하는 의구심까지 들 정도입니다."

"배신자는 분명히 있소. 그러나 배신자의 신원을 알지 못해도 통일에는 지장이 없으니 너무 걱정하지 마시오. 오히려 나는 이번 일 때문에 대통령이 건강을 해칠까 염려되오."

"건강이라면 걱정 마십시오. 아직도 젊을 때와 마찬가지로 건강만은 자신하고 있습니다."

"다행이오. 막중한 임무를 앞두고 건강을 해치면 큰일이지."

대통령은 X의 말에 안도하면서도 자신이 정말로 스트레스 때문에 갑자기 쓰러지는 것은 아닐까 하고 걱정하며 밖으로 나간다.

제39장 배신자의 신원

1.

철원의 한 커피숍, 권준혁이 몇 시간째 몸살을 앓고 있다.

토요일 오후의 나른한 시골 다방 분위기는 젊은 사람에게는 견디기 힘든 인내를 요구한다.

그런 와중에 군복 차림의 여군 장교가 허겁지겁 다방으로 달려 들어오자 그 쌩한 기운에 지금까지의 실내 분위기가 확 바뀐다.

"죄송해요, 오빠. 너무 늦었죠?"

"그래도 나올 수 있었으니까 다행이지. 무슨 일이라도 있었어?"

"요즈음 분위기가 뒤숭숭해서 항상 부대에서 대기 중이에요."

"그런데 어떻게 나왔어?"

"오빠 왔다고 하니까 비상이 걸리면 즉각 귀대하는 조건으로 부대장이 외박 허락하던데요?"

권준혁은 김미은이 철원에서 근무하기 시작한 후로 토요일이면 찾아와 함께 밤을 보내고 일요일에 서울로 돌아간다. 김미은의 활약으로 러시아인들을 체포하고 한동안 조심하다가 더 이상 위해의 조짐이 나타나지 않아 정상적으로 출퇴근하게 되었지만 그날따라 토요일인데도 저녁 10시가 지나서야 부대에서 빠져나올 수 있었던 것이다.

"오빠, 오늘은 호텔로 가지 말고 숙소로 가요."

"숙소로 가는 걸 한사코 반대하더니 오늘은 웬일로?"

"너무 오래 기다리게 해서 미안하기도 하고……또 오빠에게 못 보여 줄 것도 없잖아요?"

자리를 차지하고 있었던 대가로 서둘러 커피를 마시는 둥 마는 둥 하고 옮겨간 김미은의 숙소는 몇 개 동으로 된 5층 아파트의 조그만 방이다. 스튜디오 형태의 원룸 식 방으로 입주자는 직업군인들이 대부분이고 유흥가 아가씨들도 더러 있다고 한다.

"야, 이거 더블베드잖아?"

"이왕 사는 김에 더블베드를 샀는데 부대에만 있어서 침대에서 자보긴 오늘이 처음이에요."

"미은이를 술집 아가씨로 보는 사람도 있겠는데?"

"그래서 꼭 군복을 입고 다니잖아요?"

김미은이 냉장고에서 맥주를 꺼내고 안주거리를 만드는 동안 권준혁은 텔레비전을 본다.

"어떤 일이 있더라도 독도 문제를 내팽개쳐둘 수 없으며 독도를 일본에 빼앗긴다면 현 정권도 물러나야 한다는 여론이 지배적입니다."

텔레비전은 온통 독도 문제로 죽 끓듯 한다. 극우단체에서는 독도경비대가 아니라 독도탈환결사대까지 조직했다는 소식을 아무렇지도 않게 전할 정도다. 경비대원들이 쥐고 새도 모르게 죽음을 당했다는 사실이 공분을 자아냈던 셈이다.

"명령만 내려지면 언제든지 독도를 탈환하겠습니다. 수중으로 침투한다면 일본의 함대 공격도 피하면서 독도에 접근할 수 있습니다."

특수부대에서 근무했다는 결사대 대원이 기염을 토한다.

"어, 저 사람은 도승우 대령 아냐?"

권준혁의 말에 김미은이 술상을 차려 가지고 오다가 텔레비전을 보면서 대답한다.

"맞아요. 한 달 전에 예편했다고 들었는데……?"

"예편이라고?"

"예, 국무위원장 구출 작전이 실패한 데 대한 책임을 물었다고 했어요."

"말도 안 돼. 그건 도승우 대령의 책임이 아니잖아?"

"모두들 알고 있어요. 하지만 군에서 그걸 인정할 수가 없었던 거죠."

"그렇다고 일선 지휘관에게 책임을 물어?"

"전사자에, 부상자에……누군가가 책임을 져야 하는데 도 대령이 모두 뒤집어쓴 거지요. 이번 가을에는 장군 진급 대상이었는데 날벼락을 맞은 셈이죠."

"아까운 사람만 물러난 셈이군. 미은이에게는 영향이 없어?"

"저야 행동대원이니까 그냥 넘어가더군요. 하지만 앞으로 진급에 영향을 받을지도 모르죠."

솔직한 김미은의 말에 권준혁은 독도탈환결사대에 자원하겠다는 도승우 대령의 말이 이해된다고 생각하는데 김미은이 묻는다.

"그런데 배신자 색출은 어떻게 되었어요?"

"오리무중이야. 감조차 잡을 수 없을 정도로…….."

"그만큼 처신을 잘했다는 뜻이겠지만 배신자는 분명히 가까운 데 있어요."

"그렇다고 공개수사를 할 수도 없는 처지잖아?"

"하긴……내일은 일찍 부대로 들어가야 하니까 오늘은 조금만 마셔요."

"웬일이야, 미은이가 술을 다 마다하고?"

"웬일은 무슨……술 덕분에 오빠를 만났지만 이젠 그럴 일도 없고. 먼저 샤워하실래요?"

"미은이가 먼저 해. 나는 TV토론 좀 더 보고."

채널을 여기저기 돌리다보니 한 방송국이 독도 문제가 아닌 미국의 북한 공격에 대한 토론 프로그램을 방영하고 있다.

"미 국무장관의 발언으로 미뤄보면 북한에 대한 공격이 임박한 것으로 보입니다. 오늘은 미국이 북한을 공격할 경우 한국은 어떻게 대처해야 할 것인지에 대해 토론해 보겠습니다."

토론이 진행되는 동안 김미은이 욕실에서 나오자 권준혁이 욕실로 들어갔고, 그가 타월로 몸을 가리고 욕실에서 나왔을 때도 토론은 진행되고 있다.

미등으로 바뀐 실내 분위기만 들어갈 때와 달라져 있는 셈이다.

"미국이 정말로 북한을 공격할까요?"

"틀림없이 그렇게 할 걸. 미국으로선 손해가 없으니까."

"손해가 없다니요?"

"전쟁비용을 모두 일본이 떠맡겠다고 나섰으니 무슨 부담이 있겠어?"

"일본의 속셈은 뭐고요?"

"약삭빠른 판단을 한 셈이지. 재선에 목을 매고 있는 미국 대통령은 전쟁으로 국론이 분열될 수도 있을 텐데 경제적 부담이 없다니까 반대론이 맥을 못 추는 형편이야."

미국의 북한 공격에 대한 논의는 집요했지만 그동안 미니 핵폭탄으로 북한을 초토화시키겠다는 계획은 취소했다. 미니 핵폭탄이지만 방사능이 중국과 한반도는 물론 일본에도 미친다는 분석 때문이다.

미국은 인도·태평양함대 소속의 3개 항공모함을 포함하여 25만 명의 병력을 동원하여 동해로 급파했고 D-day는 한국과 북한의 전격 통일이 예정되는 8월 15일 전이라고 못 박았다. 한 마디로 북한을 초토화하여 남북통일도 저지하겠다는 뜻이다.

"중국의 맹방인 북한을 공격하면 중국이 자동 개입한다고 알려졌는데요?"

"그건 사실이지만 이강렬이 미국을 공격하겠다고 선언하는 판에 중국의 입지도 작아졌어. 미국은 이강렬과 핵폭탄 등 미국을 공격할 수단을 제거하자마자 철수한다고 주장하므로 진퇴유곡이야. 일본은 이번 기회에 자위대를 강화하여 아시아에서 패권을 차지하려는 속셈인데……그래서 이번에 독도를 점령하여 사건을 확대시키는 거야."

"일본은 정말 밉살스러운 존재네요?"

"더구나 미국으로서는 장기간 전쟁이 없어 처치 곤란할 정도로 쌓여 있는 재고무기들을 이번에 싹 교체할 수 있으니 꿩 먹고 알 먹기 아니 겠어."

"재고무기들을 처치하기 위해서라도 전쟁은 정말 딱 필요한데 하필이면 왜 한반도죠?"

"명분이야 만들기 나름이지. 세계를 괴롭히는 '악의 축'을 제거한다는 거잖아."

"이번 사태를 보면서 정말 답답하다는 느낌이 들어요. 한반도 문제를 미국을 비롯한 다른 나라들이 떡 주무르듯이 하는데 정작 한국으로서는 대안이 별로 없으니까요. 그렇다면 통일은 물 건너 간 것 아니에요?"

"아무리 그렇더라도 이번에는 반드시 통일이 이뤄질 거야."

"너무 낙관적인 것 아니에요? 어떻게요?"

김미은이 의아스럽다는 표정으로 반문하자 권준혁은 그녀의 손을 잡고 넙죽 키스를 하더니 다독거리듯 말한다.

"이번 8월 15일에 통일은 반드시 성사돼."

"오빠가 요즘음 이상해졌어. 통일, 통일……하더니 꿈까지 꿔요?"

"두고 봐. 우리 정부가 외세의 간섭을 물리칠 수 있는 대안을 마련했으니까."

"대안이라고요?"

"그래. 지금 밝힐 수는 없지만 분명히 통일은 된다니까. 물론 전쟁 같은 것도 없을 테고."

"전쟁도 막고 자력으로 통일도 하고……'통일 돼라, 뚝딱!' 하는 마술방망이라도 있어요?"

"맞아, 마술방망이지. 미은이와 함께 있는 것도 마술방망이 덕분이고."

"어쨌든 듣기는 좋은데……독도 문제도 해결될까요?"

김미은의 질문을 받자 권준혁은 정말로 어려운 질문이라고 생각한다.

사실 지구상에서 가장 많은 분쟁을 불러일으킨 것은 영토 문제다. 수많은 나라들이 조그마한 영토를 확보하거나 지키기 위해 인접 국가와 전쟁을 일으키다가 역사 속에서 사라졌다.

독도가 한일 간에 첨예한 문제가 되는 것도 땅덩어리야 크지 않지만 국가 간의 자존심이 걸린 영토라는 특이성을 가지고 있기 때문이다. 영토 싸움은 인간뿐만 아니라 다른 동물에 있어서도 마찬가지다.

"대답하기 어려운 질문인 걸. 정말 골치 아픈 일이야."

"일본이 한반도 정세가 어지러운 틈을 타서 독도를 점령한 것을 그냥 둘 순 없잖아요?"

"그래. 일본은 한국이 독도 문제로 도발해주기를 바란다는 게 더 큰 문제야."

"무슨 뜻이죠?"

"TV를 봐. 지금 전 세계는 북한 때문에 온통 신경이 곤두서 있는데 한국이 정식으로 독도 문제를 해결하기 위해 일본과 다투는 것은 일본의 입지만 높여주는 셈이 된다는 거야. 그들로서는 어떻게 해서든지 독도 문제를 부각시키려고 하는데 한국이 강경노선으로 대처하면 그들의 꾀에 말려드는 꼴이지."

"문제를 먼저 만든 것도 일본이고, 지금 일본이 독도를 차지하고 있다는 게 큰일이잖아요?"

독도에 대한 강경론자들은 이 판에 일본과 전쟁이라도 불사해야 한다고 주장한다. 그들의 논거는 한국이 일본과 전쟁 상태에 들어간다면 적어도 미국이 일본과 연합하여 북한을 핵폭탄 등으로 공격하지는 못한다는 것이다.

반면에 일본과의 전투는 오히려 사건을 악화시킨다는 주장도 만만치 않다. 한국과 일본이 다툰다고 하지만 그것은 경제대국의 일이고 '악의 축'인 북한을 응징하는 것은 다른 차원이며 제3국으로 보아서는 남한과 북한에 치명상을 주는 것이 불리할 까닭이 없다는 논리다.

결국 한반도가 초토화되면 일본 등 경제대국들이 다시 경제를 활성화시킬 수 있는 기회가 된다. 일본과의 전쟁이 군사작전까지 이어지지 않는다고 하더라도 한국경제가 심한 타격을 받는 상태에서 전쟁이 끝나게 된다. 곧바로 엉망이 된 한반도를 재건하기 위해 수많은 물자가 필요하게 되며 그것은 결국 선진국이 공급하게 되니까 그들만 배를 불리게 된다는 말이다.

"솔직한 이야기를 할까."

"솔직한 이야기요? 해 봐요."

"지금은 일본이 잔꾀를 부려 어느 정도 효과를 얻고 있어. 하지만 일본은 자신들이 얼마나 어리석은 일을 했는지 후회하게 될 거야."

"성인군자 같은 말씀이군요. 독도 문제로 후회할 일본이 아니에요."

"알아. 하지만 일본은 자신의 실수를 꼭 느끼게 될 거야. 내가 한반도가 통일된다고 장담했듯이 독도 문제도 틀림없이 해결될 테니까, 오빠를 믿어 봐."

"결론을 알고 있다는 뜻으로 들리는데 어디서 그런 자신감을 갖게 되었죠?"

"지금 한반도에서 진행되고 있는 흐름이 결코 나쁘지 않기 때문이야."

"행여나 다른 데 가서 그런 소린 마세요. 살짝 미친 사람으로 몰리기 십상일 테니까."

"알아. 그런 소리를 미은이 말고 누구 앞에서 하겠어?"

"이제 자요. 6시까지는 들어가야 하니까……."

"그러지 뭐, 벌써 자정이 넘은 것 같으니까."

그러나 두 사람 모두 새로 산 침대에서 처음 자보는 날이라 말처럼 금방 잠들지는 못한다.

2.

김유라가 살고 있는 안가.

권준혁이 들어가자 김유라가 잠옷 차림으로 맞이한다.

"오래간만에 오셨네요?"

"소설씩이나 쓴다는데 방해할 수야 없지."

"마실 것 드려요?"

"맥주면 좋고. 안주는 필요 없고."

권준혁의 대답이 다소 퉁명스럽게 들린다.

"곧바로 나가야 하는 모양이죠?"

"그래. 미은이와 만나기로 했어."

"미은이 만나니까 오빠 자랑하느라 정신이 없던데……?"

"나를 만나고 나서 자랑하지 않는 여자가 있다면 그게 이상한 일이
지."

"아이고, 저 왕자 병……그렇게 대단하신 분이 오늘은 웬일로 들르
셨죠?"

"최 대좌가 온다고 연락이 왔어."

"최 대좌가요?"

"그래. 사흘 후에 내려온다는 거야."

"갔던 일은 잘 됐고요?"

"그런 모양이야. 그러니까 국가특수업무원에 다시 파견되어 내려오
는 거지."

"그 반대가 아니고?"

"아냐. 그렇다면 내려올 이유가 없겠지. 이강렬은 최 대좌를 통해 자

신의 통일의지를 위장하려는 거야."

"고도의 정치 수단이로군요?"

"그래. 최 대좌의 도박이 승리한 거지. 물론 유라에게도 큰 승리가 되겠지만."

권준혁의 말에 김유라가 다가와 그의 볼에 키스를 하자 권준혁이 슬며시 화제를 돌린다.

"책은 잘 돼 가나?"

"거의 탈고했는데 갑자기 좋은 아이디어가 떠올라서 고치고 있어요."

"그 좋은 머리에 고치기까지 하면 베스트셀러가 되겠군?"

"통일만 된다면 그럴 수도 있을 걸요? 오빠는 증정본 드릴 테니 구입하지 않아도 돼요."

"액자에다 넣어둘게. 그나저나 꿈에 그리던 낭군님 오시니까 목욕 재계하고 분단장해야지?"

"화장 같은 거 안 해도 매력이 철철 넘치니까 그런 걱정은 붙들어 매세요."

갑자기 활기를 찾는 김유라를 남겨두고 권준혁은 안가를 떠난다.

3.

김유라와 최창수가 거실의 소파에 앉아 있다.

"오늘은 왜 그렇게 계속 싱글벙글거려?"

"솔직하게 당신이 내려왔다는 사실이 믿어지지 않아서 그래요."

"믿어지지 않는 것이 그렇게 즐거워?"

"그게 아니라 너무 행복하다는 거죠. 당신이 정말 내려올 줄은 몰랐거든요."

"내가 약속했잖아? 꼭 내려온다고. 더구나 내가 큼직한 선물도 갖고
왔어."

"큰 선물이라고요?"

"그래. 통일에 결정적인 걸림돌이 남측에 있는 배신자 아니겠어?"

"그래요. 그것 때문에 정부에서 곤욕을 치르고 있죠. 누구를 믿어야
할지 문제라고 권 팀장이 여러 번 이야기했어요."

"내가 그 해답을 갖고 왔지."

최창수의 이야기에 김유라는 깜짝 놀라면서도 더 이상 캐묻지 않는
다. 자신이 꼭 알아야 할 성질이 아닌 데다 그가 가장 현명한 방법으로
정보를 제공할 것이라고 믿기 때문이다. 김유라는 다소 흥분된 목소리
로 화제를 바꾼다.

"요즘은 하는 일마다 잘 풀리는 것 같아요. 오늘 출판사에서도 연락
이 왔거든요."

"출판사에서는 뭐래?"

"통일에 맞춰 출간하겠다고 했어요."

"잘 됐네. 제목은 뭐로 할 거야?"

"아직 안 정했는데……당신도 한 번 생각해 봐줘요."

"내 이야기도 나오나?"

"물론이죠. 당신도 나오고 준혁 씨도 나오지만 실제와는 매우 다르
게 설정하고 있어요."

"그렇겠지. 도대체 어떻게 써놨을까?"

"기대하세요, 왕자님. 당신에게는 덤으로 선물도 준비했어요."

"선물이라고?"

김유라는 다소 들뜬 상태로 얼굴에 홍조를 띠며 말한다.

"이제부터 피임은 하지 않을 거예요."

"그게 정말이야?"

최창수가 반색을 한다.

"그럼요. 당신이 다시 내려왔으니까 이제 피임할 필요는 없겠죠?"

김유라는 슬며시 최창수의 무릎을 베고 누워 배를 가리키며 말한다.

"여길 좀 만져보세요. 이 배 안에 당신 아기를 갖고 다닐 거예요. 내일 준혁 씨와 함께 외식을 하는 건 어때요?"

"갑자기 외식이라니?"

"내일 준혁 씨 생일이거든요."

"그럼 김 대위도 나올 수 있나?"

"그럼요, 토요일이잖아요. 또 우리 아기 입힐 옷도 미리 구경해 두자고요."

"우물에서 숭늉 찾겠네. 적어도 남잔지 여잔지는 알아야지?"

"그러니까 빨리 들어가요."

김유라가 최창수를 이끌고 방으로 들어간다.

4.

피터슨이 토드 옆으로 급히 다가가자 손가락으로 펜을 뱅글뱅글 돌리고 있던 토드가 어느새 펜을 손에 쥐고 번쩍 치켜들어 보이며 외친다.

"진영숙의 위치를 찾아냈습니다."

"어딘가?"

"강남에 있는 현대백화점입니다."

"함께 있는 사람은?"

"권준혁이나 최창수겠죠."

"그들은 잡히고 있나?"

"아뇨. 전파방지장치를 갖고 있다면 잡히지 않을 겁니다. 계속 추적해도 전혀 반응이 없다가 갑자기 신호가 나타난 걸 보니 아마도 진영숙이 전파방지장치를 잊고 외출한 모양입니다."

토드의 말에 피터슨이 미소를 지으며 한 마디 한다.

"계속 추적하면 걸린다고 했지?"

"정말로 밤낮없이 추적한 보람이 있습니다."

"인간의 약점은 언제든지 방심한다는 거야. 그것이 이렇게 우리를 살려주는 셈이지만……."

모니터에 김유라의 위치가 계속 추적되자 피터슨이 묻는다.

"백화점에 들어간 지 얼마나 되었나?"

"20분도 채 안 됩니다."

피터슨이 핸드폰으로 어딘가에 전화를 한다.

"진영숙이 압구정동의 현대백화점으로 들어갔다. 거기까지 출동하려면 몇 분쯤 걸리나?"

"압구정동이라면 15분 안에 출동할 수 있습니다."

"당장 출동해. 가능한 한 진영숙을 살려서 데려오고 만약 문제가 생기면 사살해도 좋아."

5.

백화점 안에는 적잖은 사람들로 붐빈다. 최창수, 김유라, 권준혁, 김미은이 앞서거니 뒤서거니 의류점을 지나가면서 옷들을 구경한다.

"고양이가 참 예쁘네요."

최창수가 어떤 여자 손님이 안고 온 고양이의 볼을 톡톡 쳐주며 칭찬을 하자 여자 손님은 말없이 미소로 답한다. 김유라는 세 사람보다 뒤처져서 혼자 유아용품점의 쇼윈도에 전시된 갓난아기 옷에 정신이 팔려 있다. 이때 남녀 두 사람이 김유라의 곁으로 다가서더니 남자가 권총으로 그녀의 옆구리를 쿡 쑤시며 말한다.

"조용히 우리를 따라와."

"누구시죠?"

"진 박사를 잘 알고 있는 사람이오."

김유라는 침착하게 고개를 끄떡이며 몰래 손목시계의 버튼을 누른다. 동시에 앞서 걸어가던 권준혁의 손목시계에서 불이 반짝이자 깜짝 놀라며 주위를 돌아본다.

"진 박사가 비상 신호를 눌렀소."

"진 박사가?"

최창수도 놀란 표정으로 묻는다.

"되돌아갑시다. 방금 눌렀으니까 아직 이 층에 있을 거요."

"비상벨을 울리면 어떨까요?"

김미은의 말에 권준혁이 손사래를 치며 말한다.

"사람들이 많으니까 혼란만 줄 수 있어. 최 대좌는 계단으로 내려가서 입구를 봉쇄해요."

최창수가 계단을 찾아 뛰어 내려가고 권준혁과 김미은은 오던 길로 뛰어간다. 저만치에서 김유라가 남녀 두 사람에게 붙잡힌 채 에스컬레이터를 타려는 것이 보인다. 권준혁이 권총을 겨누며 외친다.

"손들어!"

권준혁이 외치는 소리를 듣고 남자 납치범이 뒤로 몸을 돌리며 권총으로 김유라의 머리를 겨눈다.

"서툰 수작하면 이 여자의 머리를 날려 버리겠어."

겨우 상황을 파악한 손님들이 소리를 지르면서 빠져나가려고 하는 바람에 매장은 순식간에 아수라장으로 변한다.

"너희들은 여기서 무사히 빠져나갈 수 없다. 항복해라."

"항복 좋아하네. 우리는 아래층으로 내려갈 테니 쏠 테면 쏘아봐."

남자 납치범은 권준혁의 존재는 아랑곳하지 않고 김유라의 허리를 잡은 채 머리에 권총을 조준한 후 에스컬레이터로 내려간다. 김유라와 납치범들이 1층으로 내려가자 이미 수많은 경비원들이 총을 겨누고 있다. 그런데도 납치범들은 전혀 두려워하는 기색이 없다. 경비반장이 권총을 겨누며 큰 소리로 외친다.

"당신들은 포위되었다. 항복해라."

"항복하라고? 후후후, 이 여자를 죽이고 싶으면 언제든지 쏘아봐."

"이곳을 빠져나갈 수는 없다. 여자를 풀어주고 순순히 항복해라."

"아직도 무슨 소린지 모르나 본데 우리를 무사히 보내주지 않으면 이 여자는 죽어. 누가 경비 책임자야?"

경비반장이 나선다.

"책임자는 나다."

"이 여자가 누구인지 모르는 모양인데 경비원들이 건물에서 철수하지 않으면 이 여자는 죽어. 모두 철수하도록 해."

남자 납치법의 말에 경비반장은 순간적으로 결정을 내린다. 여자가 다쳐서는 안 된다는 뜻이다.

"좋다. 일단 철수시키겠다. 모두 철수하라."

경비원들이 정문을 통해 물러난다. 경비원들이 모두 나가고 경비반장만 혼자 남자 여자 납치범이 그에게 총을 겨누며 말한다.

"10분 내로 입구에 차를 대기시켜라."

"나에게는 그런 권한이 없다."

"우리가 장난하는 줄 알아? 10분 내로 차를 대기시키지 않으면 이 여자는 죽는 줄 알아."

여자 납치범이 천장으로 두 발의 총을 발사한다.

이때 권총을 든 최창수와 권준혁이 바닥으로 몸을 숙이며 쇼 케이스를 방패삼아 납치범들 뒤로 다가가는 것이 보인다. 그들과의 거리가 가까워지자 최창수가 권준혁에게 눈짓을 한 다음 안고 있던 고양이를 납치범들 쪽으로 달려가게 한다.

'야옹' 하고 고양이가 달려가면서 목에 걸려 있는 방울 소리가 들리자 여자 납치범이 고양이 쪽으로 머리를 돌리고 남자 납치범도 잠시 방심하는 순간, 권준혁과 최창수가 일어서면서 그들을 향해 총을 쏜다. 두 사람이 쓰러지자 최창수가 뛰어나와 김유라에게 다가가는데 쓰러졌던 여자 납치범이 최창수의 가슴을 향해 권총을 발사한다. 최창수는 그녀를 향해 응사를 한 다음 그 자리에 쓰러진다. 김유라가 그에게로 다가가자 그의 배에서 피가 흐른다. 김유라가 절규하듯 외친다.

"안 돼요. 이건 아니야."

"진 동무, 이제 행복을 찾았다고 생각했는데……이렇게 헤어지다니 정말로 안타까워."

"당신은 죽지 않아요. 저와 함께 오래오래 살 수 있어요."

"알아. 잠시 잠을 자고 싶어."

"눈을 감지 말아요. 곧 앰뷸런스가 올 거예요."

최창수가 권총을 들고 서 있는 권준혁을 바라보며 작은 목소리로 말한다.

"권 팀장, 내 가방 속의 USB를 잘 살펴봐요. 비밀번호는 내 지갑 속에 있소."

최창수는 오열하는 김유라의 품에서 끝내 머리를 떨구고 만다. 김유라가 최창수를 부둥켜안고 소형 시험관을 꺼내 피를 받으면서 말한다.

"우린 또 다시 만날 수 있어요."

6.

권준혁의 국가특수업무원 집무실.

권준혁이 책상에 앉아 최창수가 알려준 USB를 컴퓨터에 넣고 작동시킨다. 파일을 찾아가면서 내용을 조사하던 권준혁이 깜짝 놀라며 전화기를 잡는다.

"신 차장님. 배신자가 누군지 알아냈습니다."

제40장 파일명 X3817

1.

파일명 X3817.

X는 대통령이 건네준 파일을 꼼꼼히 읽어본 다음 다시 건네준다. 대통령은 X가 자료를 읽어보고도 아무 말이 없자 조심스럽게 묻는다.

"배신자를 어떻게 처리하는 것이 좋겠습니까?"

"나에게 좋은 생각이 있소. 이강렬에게 보내도록 합시다."

X의 말에 대통령이 깜짝 놀라며 반문한다.

"혹시 귀순이라도 해버리면 어떻게 됩니까?"

"그렇지는 않을 거요. 자료를 보니까 철저한 자유민주주의 신봉자던데?"

"그렇긴 합니다만……."

"자유민주주의 신봉자는 아무리 형편이 달라져도 공산주의자가 될 수는 없지요."

"그래도 너무 위험합니다."

대통령의 지적에 X는 빙그레 미소를 지으며 말한다.

"나는 오히려 그 반대라고 생각해요."

"그 반대라니요?"

"아무리 권력욕이 강하더라도 자유민주주의 신봉자가 인륜을 거스르는 일을 할 수 있겠소?"

"권력은 부자간에도 나누지 못한다는 말까지 있지 않습니까?"

"권력을 나누는 게 문제가 아니라 이강렬을 편드는 게 문젠데……그렇게 되면 결국 둘 다 파멸로 빠진다는 것을 누구보다 잘 알 거요."

"그렇긴 하겠네요."

"8월 15일에 이강렬이 판문점으로 오게 해야 하는데……바로 그 일을 맡겨보겠다는 거요."

"반역자에게요? 저는 X의 뜻을 이해할 수가 없습니다."

"알아요. 하지만 내 말을 들으면 반역자가 되기보다 만고 영웅이 되는 길을 선택할 거요."

"그래도 핏줄이라는 것은 너무 변화무쌍하여 예측하기 어렵습니다."

"설사 이런 계획이 실패하더라도 대안은 있으니까 걱정하지 마세요."

2.

한국의 국론은 점진적인 통일론과 소위 적극적인 통일론으로 양분되어 타협점을 찾지 못한다. 서울시청과 광화문, 파고다공원 앞은 연일 시위행렬로 법석댔고 광화문 광장은 아예 텐트촌으로 변한 상황이다.

이날도 양쪽의 시위는 더없이 팽팽하다. 여의도 국회의사당 앞의 점진적인 통일을 지지하는 시위 행렬에 강승기 장관이 직접 참가하자 박민희 위원장도 파고다공원에서 열리고 있는 적극적인 통일론자들의 시위 집회장으로 달려간다. 그녀는 통일을 상징하는 한반도기를 머리에 두르고 시위 행렬의 맨 앞에 서서 핸드 마이크를 들고 외친다.

놀라운 것은 박민희의 지지자들이 입고 있는 옷이었다. 점진적인 통일을 지지하는 측은 일반 시위대와 마찬가지로 구호를 적은 플래카드를 들고 몇몇 사람들이 머리에 띠를 두르고 있었지만 적극적인 통일을 주장하는 쪽은 소위 2002년 6월에 한국과 일본에서 열린 월드컵 때 세계를 놀라게 한 바로 그 '붉은 악마' 복장이었다.

시위대들은 '붉은 악마' 유니폼과 호각, 태극기로 온 천지를 도배했다. 시위에 참석한 군중들은 어른이고 아이고, 젊은이고 노인이고, 회사원이고 학생이고 구별도 없는 붉은 티셔츠 하나만 입고도 누구라 할 것 없는 구호에 따라 모두 같은 목소리로 합창했다.

'아, 대~한민국!'

2002년 월드컵을 통해 한국인들조차 놀란 것은 소위 '무책임한 세대'라고 일컬어지는 20대가 어느 누구의 말을 들은 것도 아닌데 스스로 태극기를 몸에 두르고 '대~한민국'을 목청껏 외쳐 부르는 독자적 문화 코드를 선보여 주었다는 점이다.

이들은 한국에서 지금까지 거창한 정치적 이념에 목숨을 걸었던 관제 스포츠의 틀에서 탈피하여 스포츠 경기를 즐기는 놀이와 게임으로 변화시킬 수 있다는 사실도 직접 보여 주었다.

신성시하던 태극기를 패션으로 만든 파격은 상상력 부재에 시달리던 우리 사회에 충격을 주었고 이들을 'W(월드컵)세대', '대~한민국세대'라고 부르는 데 주저하지 않았다. W세대뿐만이 아니다. 남녀노소 할 것 없이 국기로 옷을 만들어 입거나 몸에 걸치고, 국기를 얼굴이나 몸에 그리거나 붙이고 길거리 응원에 참가했다.

길거리 응원의 특징 가운데 하나는 한국 사회에서 그동안 금기시해 온 갖가지 '상징'에 도전장을 내밀고 권위와 획일주의를 거부했다는 점이다.

가장 대표적인 경우가 '붉은색=공산주의'로 해석되는 레드 콤플렉스가 레드 신드롬으로 바뀌었다는 것이다. 붉은색에 대한 콤플렉스는 한국인에게 유별났다. 우선 같은 민족의 골육상쟁이었던 '한국전쟁'을 겪으면서 우리는 '빨갱이'를 공산당원과 동의어로 사용했다.

비록 태극기에 빨간색이 들어가 있지만 축제의 마당인 운동회에서 청군·적군이 청군·백군으로 바뀔 정도였다.

그럼에도 불구하고 세계에서도 빨간색에 대한 알레르기가 가장 심한 국가로 볼 수 있는 한국에서 월드컵 경기의 잇단 승전보가 터질 때마다 붉은색의 응원단이 온통 대한민국을 도배했다. 뿐만 아니라 아무도 그 빨간 물결을 보면서 공산당을 연상하지 않았다.

원래 열정의 색이라는 빨간색은 삼원색 중의 하나다.

이 말은 우리가 사용하는 대부분의 색깔에서 빨간색을 첨가하지 않고 사용할 수 없다는 의미다. 그럼에도 불구하고 한국인들은 체제와 이념에 의해 우리의 뇌리에 부정적으로 각인되어 있던 빨간색을 무의식적으로 거부했다.

그러나 월드컵이라는 축구 제전은 이와 같은 국민들의 거부감을 단숨에 타파해 버렸다. 혐오와 금기의 색깔에서 빨간색이 제외되고 오히려 환희와 성원의 상징으로 빨간색이 이용되었다. 빨간색 홍수 속에서도 자랑스러운 한국인임을 떳떳이 말할 수 있을 만큼 우리도 모르는 사이에 한국인들이 성장하고 변한 것이다.

길거리 응원에서 충격을 준 것은 이것뿐만이 아니다.

'태극기=신성불가침'에서 태극기가 응원용 치마와 망토, 두건으로 거침없이 사용되기 시작했다. 권위적 억압기구의 전유물이었던 국가의 표상이 거리 응원을 통해서 국민 개개인의 '몸'으로 물 흐르듯이 자연스럽게 옮겨진 것이다.

다른 나라나 민족들도 국기에 대해 특별한 감정을 느끼며 소중히 여기는 것은 우리와 다를 바 없다.

그러나 외국 특히 유럽과 미국에서는 엄숙한 순간뿐 아니라 기쁜 감정이 고조에 달할 때도 국기가 자주 등장한다. 더욱이 국민들은 일상생활에서 국기를 친근한 존재로 여기며 패션뿐 아니라 많은 제품에서 국기를 형상화한다. 미국인들에게 성조기는 생활용품이지 전시해야 할 장식품은 아니다. 그런데 한국에서도 2002년 월드컵을 통해 이런 금기를 단숨에 타파해 버렸던 것이다.

한국인들의 함성으로 분출된 에너지가 우리도 할 수 있다는 의욕을 북돋웠고 그런 자신감이 강대국이나 약소국 모두를 한마음으로 포용할 수 있는 아량을 보여주었다.

세계를 깜짝 놀라게 만든 거리의 응원이 얼마나 대단한가에 대해 <통일한국의 지도자를 찾는다>라는 세미나에서 「고구려가 세계 최강의 군사력을 보유하게 된 이유」를 발표했던 이종두 박사가 수치로 풀었다.

2002년 6월 25일 한국의 거리에는 800만 시민이 전국 곳곳에 모였는데 이는 4700만 국민의 거의 17%나 되는 숫자다. 이들이 거리 응원에서 내뿜은 에너지는 얼마나 될까? 한 마디로 가히 천문학적이라고 볼 수 있다.

1인당 1일 발산 에너지는 대략 2500kcal가 되는데 이날 많은 사람들이 정오부터 축구가 끝난 자정까지 쉬지 않고 '대~한민국'이나 '오, 필승 코리아'를 외쳐댔다. 거의 12시간에 걸친 열띤 응원이었으나 이를 6시간으로 줄여 계산한다면 1인당 625킬로칼로리를 발산했다는 뜻으로 이날 한국인들이 거리에 분출한 에너지는 5,000,000,000kcal이다.

이 에너지를 태양 에너지로 흡수하려면 한국의 경우 집열기 1㎡당 평균 2500kcal를 획득할 수 있으므로 무려 2,000,000㎡, 다시 말해 606,060여 평의 집열기가 하루 종일 태양열을 흡수한 양이 된다. 태양 에너지를 집열하는 집열기의 가격을 400,000원/㎡으로 산정하더라도 무려 8,000억 원이 소요된다.

인간이 이와 같은 에너지를 방출하려면 음식으로 흡수해야 하는데 이를 계산한다면 어지러워질 수밖에 없다. 달걀은 66,667,000개, 짜장면은 무려 11,363,000그릇에 해당한다. 이를 소고기로 환산하면 3,731,343킬로그램(134kcal/100g)이 소요되며 돼지고기로 환산할 경우 3,546,099킬로그램(141kcal/100g)이 필요하다. 황소 한 마리를 400킬로그램으로 볼 때 9,328마리, 돼지 한 마리를 150킬로그램이라고 볼 때 무려 23,640마리가 소요되어야 하는 양이다.

길거리 응원에 나섰던 엄청난 국민들의 함성도 제시했다.

인간이 들을 수 있는 가장 큰 소리의 세기는 들을 수 있는 가장 작은 소리의 세기의 1,000,000,000,000배까지다. 그러나 소리의 크기의 차이는 이보다 훨씬 적다.

귀가 듣는 상대적 소리의 크기를 음량이라 하고 데시벨(db) 단위로 측정한다. 데시벨은 로그눈금을 사용하므로 10데시벨은 우리가 들을 수 있는 가장 작은 소리인 0데시벨보다 10배, 20데시벨은 100배다. 일반적으로 집에서의 라디오 소리를 40데시벨, 집에서의 대화소리를 65데시벨, 귀에 장애를 주는 소리를 85데시벨, 매우 혼잡한 교차로는 90데시벨, 도로공사 시 굴착기의 소음은 100데시벨이다. 일반적으로 가장 큰 소음은 제트기 이륙 때 나는 소리로 140데시벨로 본다.

인간은 120데시벨에서 고통을 느끼기 시작하고 140데시벨에서 고막에 통증을 느끼며 방향 감각을 일시 잃는다. 이들 소음이 얼마나 큰 수치인가는 일반 소음계(sound level meter)의 측정 범위가 30~130데시벨인 것으로도 알 수 있다.

한 학자가 2002년 6월 25일 광화문에서 국민들이 한꺼번에 터뜨린 함성을 150데시벨로 보았다. 그러나 이종두 박사는 800만 명이 한 장소에서 한꺼번에 소리를 질렀다면 200데시벨도 큰 것은 아닌 것으로 생각한다고 다소 과장하여 발표했다. 전 세계에서 아직 이와 같은 일이 일어나지 않았다는 사실을 감안하면 프리미엄까지 붙여 적어도 제트기의 소음보다 100만 배는 된다고 가정했다는 것이 그의 설명이다.

미국의 시사주간지 〈뉴욕타임스〉는 한국인들이 월드컵을 통해 '혁명적인 의식의 변화'를 겪었다고 썼다. '대한민국'이 출범한 이래 전쟁과 피난, 민주화 시위와 항거는 있었지만 이처럼 전 국민을 들뜨게 만들고 즐겁게 만든 사건은 없었다. 이제까지 정치판에서 기승을 부리던 지역주의라는 말이 한 순간에 사라질 정도로 한국인이 하나라는 것을 느끼게 만들었다는 점도 엄청난 소득이다.

바로 그와 같은 열정이 적극적인 통일을 원하는 국민들에게 전달되고 있는 것이다. 박민희 위원장도 한 시민이 전해주는 붉은 악마 티셔츠를 입었다.

'전격 통일만이 살길이다.'

그러자 운집한 시위 대열이 따라 외친다.

'전격 통일만이 살길이다.'

이윽고 시위 대열이 파고다공원을 벗어나 종로로 접어들자 하나의 거대한 물결이 된다.

'이강렬은 국민의 여망을 짓밟지 말라.'

선창하고 복창하는 구호 소리에 주변의 시민들이 합세하고 박민희가 직접 시위 행렬을 이끈다는 소식이 들리자 수많은 군중들이 몰려들기 시작하여 파고다공원에서 시작한 행렬의 선두가 광화문의 이순신 장군 동상 부근에 도착했을 때는 시청과 종로2가까지 사람들로 꽉 채워져 월드컵 당시 모였던 군중과 맞먹을 정도로 국회의사당의 시위 행렬과는 비교도 되지 않는 인파다. 박민희는 주위의 권유에 따라 이순신 장군 동상 앞에서 즉석연설을 한다. 적극적인 통일만이 살아남을 수 있는 이유에 대해 조목조목 얘기했다.

그녀가 가장 크게 공격하는 것은 통일비용 문제다.

"통일비용 때문에 통일을 미루자는 주장은 말도 안 됩니다. 독일이 통일비용 때문에 많은 어려움을 겪었다고 하지만 지금 통일된 독일의 상황은 어떻습니까? 유럽의 맹주 자리를 노릴 만큼 호전되었다는 걸 보지 못한단 말입니까? 초기에 다소 어렵더라도 제3공화국 시절 우리 국민이 모두 허리띠를 졸라맬 때와 마찬가지로 내핍을 한다면 통일비용은 얼마든지 우리 힘으로 마련할 수 있습니다."

이윽고 평소의 소신대로 적극적인 통일의 당위성을 조목조목 거론하는 그녀의 연설이 끝나고 요란한 박수 소리가 들리는 가운데 비서관인 권일수가 다가와 그녀를 군중들 틈에서 불러낸다.

"국가특수업무원장이 급히 만나야 한다고 했어요?"

"예. 지체 없이 모셔오라고 해서……차를 대기시켰습니다."

"행진을 여기서 끝내야 하다니 아쉽군요."

"위원장님께서 참석하신 것만 해도 모두들 뿌듯하게 생각할 겁니다."

박민희는 시위대를 이끄는 사람들에게 가서 일일이 악수를 한 다음 대열을 빠져나온다.

3.

국가특수업무원 원장실에서 남성우 원장이 박민희를 맞이한다.

"어서 오십시오, 위원장님. 바쁘신데 오시라고 해서 죄송합니다."

"저보다야 원장님이 더 바쁘시겠죠. 그런데 갑자기 무슨 일이라도 있어요?"

"오는 8월 15일에 남북 정상이 전격적으로 통일을 선언하기로 했는데 쿠데타를 일으킨 이강렬이 어떻게 나올지가 걱정이시죠?"

"그래요. 완전 통일의 막바지에 이르러 이강렬이 장애물로 등장하다니……방금 시위 행렬에 참가해 보고 정말로 우리 국민들의 통일 열망이 대단하다고 느꼈어요."

"국무위원장이 현재 대한민국에 계시니까 이강렬 문제는 별 게 아닙니다. 그 점이야 저보다 더 잘 아시겠죠?"

박민희는 의아한 생각이 든다. 국가특수업무원장이 왜 자꾸만 이강렬의 쿠데타 얘기를 거론하는지 알 수가 없었기 때문이다. 그러나 보조를 맞추기 위해서라도 화제를 벗어나지 않으려고 신경을 쓴다.

"하지만 북에서는 국무위원장이 분명히 처형되었다고 주장하는데, 우리는 한국에 있다고 하니 국민들이 혼동하는 것은 사실이죠. 사실 저도 직접 만나보지 못해서 어떤 게 진실인지 헷갈려요."

"위원장님도 아직 만나보지 못하셨습니까?"

"그래요. 얼마 전에 각하께 넌지시 만나보고 싶다고 했더니 날짜를 잡아서 알려주겠다고 하시더니 아직 소식이 없군요."

"담배 피우시겠습니까?"

박민희가 골초라는 것을 알고 있다는 듯 응접 테이블의 담배 갑을 가리키며 묻자 그녀는 고개를 좌우로 내젓는다.

"아뇨, 얼마 전부터 끊었습니다."

"저런……위원장님이 공개석상에서 담배를 피우는 장면을 보고 담배인삼공사에서 무척 좋아했다는 얘기도 들리던데요?

"사실 담배는 어려서부터 피웠는데 이번에 검진을 했더니 의사가 담배를 끊지 않으면 통일을 보지 못할 수도 있다고 협박하더군요."

"저도 이젠 담배를 끊었어요. 처음에는 금연이 얼마나 어렵던지……."

"알 만해요. 담배 끊기가 무엇보다 어렵다는 것을 실감하고 있어요. 아직도 고생하는 중이니까."

"막상 손에 아무 것도 없다고 생각하니 왠지 허전하고 어쩔 줄을 모르겠더군요."

"그런 기분이야 담배 끊어본 사람만이 알 수 있죠. 그런데 원장님이 무슨 일로 급히 만나자고 하셨죠?"

담배 끊는 얘기나 하자고 부르지는 않았을 테니까.

"위원장님에게 몇 가지 부탁이 있다고……모셔오라고 했습니다."

"누가요?"

"누군 누굽니까? 각하죠. 우리가 정부 내의 배신자들을 찾고 있다는 것은 잘 아시죠?"

"얘기는 들었어요."

"교묘하게 통일을 방해하려는 사람들이죠. 그들은 심지어 북에 우리 정보를 알려주어 이강렬의 집권을 돕기까지 했더군요."

"놀랍군요. 그런 사람이 정부 고위층에 있단 말이에요?"

"그렇습니다. 암호명 A라는 사람에 의해 우리가 시도한 몇몇 작전이 북에 누설되는 통에 실패하기도 했습니다."

"고약한 일이군요. 그 사람이 누군지 알아냈어요?"

"물론입니다. 아주 깜짝 놀랄 만한 인사더군요."

"그 사람이 누구죠?"

남성우가 박민희의 질문에는 대답도 없이 깊은 침묵에 빠져들자 그녀는 계속 시계를 본다. 남성우와 쓸데없는 이야기를 나누기보다 이제라도 가두 행렬에 참가하는 것이 더 낫겠다는 생각이 들었기 때문이다. 남성우는 그녀의 속마음이라도 읽은 듯 갑자기 정색을 하며 말한다.

"솔직하게 말씀드려 우리는 박 위원장님에 대해 모든 것을 알고 있습니다. 명예로운 퇴진을 말씀드리기 위해 오시라고 한 겁니다."

"명예로운 퇴진이라고요?"

"예. 장관급인 민족통일준비위원회 위원장직의 명예로운 퇴진이죠. 이미 각하께서 사표를 수리하셨지만 통일의 그날까지 발표는 하지 않겠다는 말씀을 전해달라고 했습니다."

"사표 수리라고요?"

"공식적인 절차일 뿐이죠. 대한민국 정부가 위원장님께 최대의 성의를 보여드리는 겁니다."

"사표를 내지 않았는데도 사표가 수리되었다는 것이 이상하네요."

"모든 것을 알고 있다는 뜻입니다. 저는 다만 각하의 뜻을 통보해드릴 뿐입니다."

남성우는 캐비닛으로 걸어가더니 파일을 꺼내 와서 보여준다. 자료는 박민희의 할아버지 박동민의 친일 행각에 대한 것이다. 그녀는 자료를 읽어가면서 자신도 모르는 할아버지의 행적을 철두철미하게 조사해 놓은 데 대해 혀를 내두른다.

박동민은 한일합방 직전 평양에서 대부호의 맏아들로 태어났다. 그의 아버지가 기독교 장로였기 때문에 집에는 당대의 개화파 인물들이 많이 모여들었다. 그러니까 박동민은 상당한 재산과 함께 어려서부터 근대사상을 접할 수 있는 기회까지 물려받은 행운아였던 셈이다.

박동민은 스무 살 되던 해에 일본으로 건너가 메이지 대학에 입학했다. 병이 나서 학업은 중도에 포기해야 했지만, 안창호의 실력 양성론과 인격 수양론을 접하며 나라와 민족을 위해 뭔가 해보겠다는 선각자적인 의지를 다졌다. 그래서 실력 양성의 두 축인 교육과 산업 중에서 교육 대신 산업을 택하고 상공업 분야로 진로를 잡았다.

박동민이 처음 손을 댄 분야는 목재업이었다. 워낙 장사가 잘 되고 이재에 밝아서 금방 고무신 제조공장까지 세웠다. 그의 고무신 공장은 조선인이 세운 고무신 공장 중에서는 최대 규모였다. 그때 벌어들인 돈으로 교육 분야에 투자하여 상업학교와 전문학교를 세움으로써 박동민은 자타가 공인하는 경제계와 교육계의 실세 중 실세가 되었다.

그러나 박동민은 일제 강점기 때의 최대 시국(時局) 문제인 민족운동은 수수방관했다. 민족성 개조와 인격 수양이라는 비정치적 운동이야말로 민족운동의 요체라는 나름대로의 이론에 충실하겠다는 이유였다. 그의 민족성 개조론은 관념적 차원에서 사실상 독립을 유보하자는 '선 민족 개조 후 독립'의 논리라고 할 수 있었다.

실제로 식민 지배가 실시되고 있는 모순 구조를 도외시한 채 개인의 도덕적 인격 수양과 민족성 개조를 강조하는 그의 주장이 일제의 위정자들에게는 가장 입맛에 맞는 논리였다. 자주독립이라는 큰 명제를 털어내 버림으로써 일제가 원하는 틀에 맞출 수 있었기 때문이다.

결국 박동민은 친일파의 거물이 되었다. 일제는 친일 인사들을 동원하여 전쟁 준비와 한민족 말살 정책에 이용했고, 그는 황도(皇道) 사상 보급을 위해 설립된 황도학회(皇道學會)라는 단체에 가입했다.

황도학회는 바로 당시 조선의 친일세력을 총망라하여 국민생활 쇄

신, 근로 의욕 고취, 전시 협력 및 국방사상 보급 등을 선전하는 일제의 전시(戰時) 도구였다.

그러나 일제가 패망하고 새로운 세상이 되자 박 동민의 변신도 시작되었다. 그는 해방이 되자 과거의 친일파 패거리들과 함께 새로운 숙주인 미군정에 적극 협조했다. 토지와 자본을 근거로 경제적 특권을 누리며 일제 강점기를 보냈던 그는 해방된 조국에서 다시 자신의 부를 이용하여 정치가로 변신하는 데 성공했다. 서울에서 제헌 국회의원에 당선되었던 것이다.

특히 자본가, 관료, 지식인 등의 친일파를 정권의 기반으로 끌어들인 이승만 대통령은 박 동민의 든든한 울타리가 되어 주었다. 그가 친일파 숙청을 내걸고 설치된 반민특위를 완강하게 저지하여 무력화시키는 데 앞장섰던 것은 두말할 나위도 없다. 6.25가 일어나자 그는 천부적인 적응 능력을 발휘하여 재빨리 반공 투사로 변신했다. 박동민이 사망하자 정부는 그를 독립유공자로 선정하여 건국훈장 국민장을 추서(追敍)하고 국립묘지 안장을 허가했다.

하지만 독립운동을 했던 공적이 전혀 없는 가짜 유공자와 친일파가 독립유공자 속에 포함되어 있다는 시민들의 진정이 잇따랐고, 그 중에는 박동민의 이름도 오르내렸다. 자신의 아버지가 가짜 독립유공자 문제로 시끄러워지자 박동민의 첫째 아들인 박민각은 한국에 남아서 정치를 계속했지만 한국에서 더 이상 살기 어렵다고 판단한 둘째 아들 박민철은 가족을 모두 데리고 미국으로 이민을 갔다.

박민철이 바로 박민희의 아버지였기 때문에 대표적인 친일파였던 박동민은 바로 박민희의 할아버지인 셈이다.

"결국 할아버지의 행적을 찾아냈군요?"

"하지만 할아버지가 친일파였다는 얘기를 전하기 위해 박 위원장님을 만나자고 했던 것은 아닙니다."

"그럼 무엇 때문이죠?"

박민희가 의아한 표정으로 묻는다.

"우리는 박민희 위원장이 A라는 결론을 갖고 있습니다."

"제가 A라고요?"

"그렇습니다. 사실 박 위원장을 A라고 한다면 누구든 억지 부린다고 하겠죠. 저 역시 며칠 전까지만 해도 그랬으니까.

"그런데 왜 마음이 바뀌었죠?"

이때 남성우가 진동으로 조작된 휴대전화를 꺼내 전화를 받더니 갑자기 목소리가 경직된다.

"예, 예…… 예, 알겠습니다."

남성우는 조용한 목소리로 대답한 후 박민희에게 이야기한다.

"저와 급히 좀 가셔야 할 곳이 있습니다."

"그렇게는 할 수 없어요. 저를 A라고 지목하면서 그 이유도 말하지 않았잖아요."

"그건 곧 아시게 될 겁니다. 우선 저와 함께 나가시죠."

"저를 강제로 끌고 가겠다는 거예요?"

"아닙니다. 국가특수업무원장이라도 일국의 각료급 인사를 임의로 모실 수 없다는 것은 누구보다도 잘 아실 겁니다."

"그렇다면 대체 무슨 일이죠?"

"방금 전화를 거신 분이 누구인지 감을 잡지 않으셨습니까? 자, 나가시죠."

다소 딱딱한 어조로 남성우가 재촉하자 박민희는 영문도 모르는 채 일단 그의 말에 위축되는 기분을 느끼면서 곧바로 핸드백을 챙긴다.

4.

박민희와 남성우가 밖으로 나가자 새까만 대형 승용차가 문을 연 채 대기하고 있다.

"대체 어디로 가는 거죠?"

"박 위원장을 급히 모셔 오라는 분부였습니다. 다만 그 장소는 말씀 드릴 수 없습니다."

대체 어디로 가는지 전혀 감을 잡을 수 없지만 그 문제로 계속 실랑이를 할 수도 없는 노릇이라 잠자코 있는 사이에 자동차가 정지한다. 30분쯤 자동차를 탄 셈이다. 박민희는 자동차에서 내려 남성우와 함께 잘 가꾸어진 정원이 있는 나지막한 건물로 들어간다.

"이쪽으로 오십시오."

의전관인 듯한 두 사람이 박민희를 안내한다.

"원장님은 안 들어가세요?"

"예, 저는 여기서 기다리겠습니다."

박민희가 두 사람을 따라가자 그들은 그녀에게 핸드백을 맡겨두게 한다.

"여기서 잠시 기다려 주십시오."

박민희는 남성우 원장이 마지막으로 자신에게 했던 말을 곱씹어보며 주위를 둘러보는데 방문이 열리면서 한 사람이 들어온다.

"어서 오시오, 박 위원장."

"아니, 각하?"

"내가 박 위원장을 긴히 만날 일이 있어 이렇게 자리를 만들었소. 이곳은 특별히 보안을 유지해야 할 때 내가 가끔 이용하는 장소니까 허심탄회하게 무슨 이야기든지 할 수 있소."

"예, 각하."

박민희가 대통령의 말에 다소 긴장하며 꼿꼿하게 서 있자 대통령이 자리를 권하며 입을 연다.

"남 원장이 내가 박 위원장을 보자고 한 이유를 설명했소?"

"아닙니다, 각하. 남 원장을 만나서 제 할아버지에 대한 자료를 봤습니다. 사실 제가 그렇게도 감추고 싶었던 일인데…….”

대통령은 묵묵히 박민희의 이야기를 듣고 있다가 한 마디 한다.

“박 위원장도 강승기 장관과 똑같은 일을 당하다니 안타깝소. 자신의 잘못도 아니면서 선조의 실수로 멍에를 지는 일은 없어야 할 텐데…….”

“죄송합니다, 각하.”

“죄송할 게 뭐 있겠소? 그보다 내가 왜 박 위원장을 이런 식으로 보자고 했는지 짐작이 가요?”

“아닙니다, 각하.”

“아주 긴요한 일을 부탁하기 위해서요.”

“부탁이라니요, 간단하게 지시를 내리시기만 하면 될 텐데……?”

“그렇기는 하지만 좀 묘한 일이 있어서요. 나는 그동안 정부에서 비밀리에 찾던 A라는 배신자가 박 위원장이라는 확신을 갖고 있소.”

“제가 A라고요? 그건 모함입니다.”

박민희가 펄쩍 뛰면서 모함이라고 하자 대통령은 미소를 지으며 입을 연다.

“박 위원장은 모르고 있겠지만 북에도 우리를 돕는 자가 있소. 내가 국무위원장과 진정한 통일에 합의했다는 것은 잘 알고 있겠죠? 그런데 바로 그것을 반대하는 이강렬이 국무위원장을 축출하고 정권을 잡았소.”

“예, 각하.”

“우리는 국무위원장의 신병 확보가 통일을 위해서 가장 중요하다고 생각하여 곧바로 특공대를 출동시켰소. 그런데 그 작전이 실패한 것은 A라는 배신자가 정보를 알려주었기 때문이오.”

“그래도 대부분의 장병들이 돌아왔어요. 그 정도로 위험한 작전이 100% 성공할 수는 없지 않겠습니까?”

“물론 그 정도의 희생도 다행한 일이지만 그 작전이 배신자에게 노출되었던 것만은 사실이오."

"그것이 제가 한 짓이라는 겁니까?"

"그렇소."

"각하께서 저를 배신자라고 말씀하시는데 그건 모함입니다. 확실한 증거도 없이 추측으로 저를 배신자라고 지목할 수는 없습니다."

"물론이오. 민족통일준비위원회 위원장을 증거도 없이 매도할 수야 없지."

대통령이 담담하게 말하자 놀라는 쪽은 오히려 박민희다. 대체 대통령이 어떤 이유로 자신을 A로 생각하는지 도저히 감이 잡히지 않는다는 표정을 짓자 대통령이 다음 말이 이어진다.

"나도 처음에는 박 위원장이 A라는 것을 믿지 않았소. 그런데 우리에게 보내진 증거로 박 위원장의 실수가 알려졌다는 거요."

"제가 실수를 했다고요?"

"그렇소. 박 위원장이 일본의 쓰쓰무와 미국의 채드윅을 만났을 때 했던 말 한 마디가 바로 결정적인 증거가 된 거요."

"……."

"그때 박 위원장은 두 사람에게 이강렬이 쿠데타를 도모하는 데 남한에서도 지원하고 있다고 했소. 일본과 미국이야 한반도의 통일보다도 북측에 독자 노선을 걷는 세력이 등장하는 것을 반대할 이유가 없었소. 그 사실을 두 사람은 중국의 왕에게 알려주었소. 물론 중국도 북한에서 쿠데타가 일어나는 것을 반대하지 않았소."

박민희는 이제 입을 굳게 다문 채 듣기만 한다.

"모든 것이 제대로 돌아갔는데 두 가지 면에서 이강렬은 중국의 지지를 받을 수 없었소. 첫째는 국무위원장이 사망했다는 것을 증명하지 못했고, 둘째는 그동안 폐기하였다고 주장한 ICBM을 달에 우주인을 보내겠다는 명분으로 호도했소. 미국을 강타할 수 있는 ICBM 능력을 과시한 것인데 중국으로 볼 때도 이강렬이 오히려 더 위험한 인물임을 간파한 거요."

"각하, 죄송하지만 무슨 뜻인지 모르겠군요?"

박민희는 자신에게 씌워진 누명이 이해가 되지 않는다는 듯 도도한 표정으로 반문한다.

"내 말은 우리가 중국의 왕을 만나 남북 통일정권이 이강렬의 쿠데타 세력보다 더 유리하다는 것을 이해시킬 수 있었다는 뜻이오. 그러자 왕이 일본의 쓰쓰무, 미국의 채드윅과의 회의 내용을 녹음한 테이프를 주었소. 불행히도 그 테이프에 채드윅이 왕에게 박 위원장이 A라고 확인하는 말까지 곁들여 있었소.

"테이프라고요?"

"그렇소. 그 테이프를 들어 보겠소?"

"아니에요, 그만 두시죠."

박민희는 손까지 내젓고 말리며 만감이 교체하는 표정을 짓는다.

"이제 막바지까지 왔군요. 사실 저는 통일론자인 동시에 반대론자이기도 합니다."

"알고 있어요. 할아버지가 친일파라는 것을 굳이 감추려고 한 것이 문제였지."

"그래요. 제가 선택한 것은 아니지만……. 그리고 각하께서 통일이 될 때까지 사표 수리한 사실을 밝히지 않겠다고 하셨다는데, 제게 부탁할 일이란 무엇입니까?"

박민희는 이해가 되지 않는다는 표정으로 묻는다.

이중간첩이 되라는 부탁이 아니라면 배신자로 판명이 난 사람에게 무슨 부탁을 한단 말인가?

"매우 고도의 작업이오."

대통령은 간단하게 박민희가 해야 할 일을 알려준다. 그러자 그녀의 눈이 크게 벌어지며 경악하는 표정을 감추지 못한다.

"국무위원장이 정말로 한국에 있나요?"

"그렇소. 틀림없이 여기 있소."

"그렇다면 북에서 처형되었다는 국무위원장은 어떻게 된 거죠?"

"그도 틀림없는 국무위원장이오."

"그럼 국무위원장이 두 사람? 도무지 이해가 안 되는군요."

"곧 이해할 수 있을 거요. 자, 함께 나갑시다."

박민희는 엉거주춤 대통령을 뒤따라 나선다.

5.

대통령은 같은 집안에 있는 다른 방으로 박민희를 데리고 간다. 별채처럼 떨어진 곳이다. 방안으로 들어가자 한복을 입은 거구의 남자가 창밖을 바라보고 있다.

"박 위원장을 데려왔습니다. 여기 앉으세요."

대통령이 박민희에게 자리를 권해 두 사람이 소파의 좌우에 앉자 X가 상석으로 걸어와 앉더니 박민희를 똑바로 바라보며 말문을 연다.

"한 마디로 말해 박 위원장은 개인적인 욕심으로 국가를 팔아먹은 사람이오. 더구나 박 위원장 때문에 특공대로 작전에 참가했던 꽃다운 젊은이들이 목숨을 잃었소. 자고로 배신자에게 돌아가는 몫은 불명예스러운 죽음뿐이란 건 알고 있겠죠?"

박민희는 범접하기 어려운 위엄을 풍기는 거구의 남자가 바로 소문으로만 듣던 X라는 걸 직감한다. 그런데 통일한국의 수장으로 거론되기도 하는 그는 도대체 누구란 말인가? 하늘에서 떨어진 사람인가, 땅에서 솟은 사람인가? 그녀가 듣기로 통일한국의 수장을 정하는 방안으로 두 가지가 떠오르고 있었다.

첫째는 당연한 이야기지만 국무위원장이나 대통령이 잠정기간동안 직무를 수행한 후 국민투표를 통해 새로운 지도자를 뽑는 방안이다. 둘째는 두 사람이 합의하여 국민들이 납득할 수 있는 어떤 특정 인물을 지도자로 모시는 방안이다.

둘째 방안에 대해서는 국민들의 의견도 들어보지 않고 군주제 방식으로 지도자를 모시는 것이 말이 되느냐는 반대도 있지만 국민이 납득할 수 있는 사람이 과연 누구일까에 대해서는 궁금증과 함께 여론이 분분하다.

광개토대왕, 세종대왕, 김구 주석 등 여러 사람의 이름이 입에 오르내리지만 그들은 모두 살아있는 사람이 아니라 역사 속의 인물로서 지도자의 유형으로 거론될 따름이다.

그런데 바로 박민희의 눈앞에 나타난 인물은 그가 누구든 간에 통일한국의 지도자로 손색이 없어 보이는 풍모와 위엄을 갖추고 있다. 대통령도 쩔쩔 맬 정도의 현상 때문에 그런 게 아니라 뭔지 모르지만 사람을 빨아들이는 강렬한 흡인력을 발휘하는 인물이다. 가히 타고난 지도자라고 할 수밖에 없는 것이다.

박민희가 이런 생각에 빠져 있을 때 X가 다소 부드러워진 어조로 타이르듯 다음 말을 잇는다.

"나는 박 위원장이 배신한 이유를 정확히 알고 있어요. 그래서 진정으로 과오를 인정하고 참회한다면 그 실수를 만회할 수 있는 기회를 주도록 대통령에게 요청했어요."

"처음에 나는 그 요청을 받아들일 수 없다고 말씀드렸지요. 한 마디로 말해 배신자에게 통일을 위한 마지막 카드를 맡긴다는 것은 고양이에게 생선가게를 맡기는 꼴이라고 말입니다. 내가 가장 우려한 것은 박 위원장이 우리의 작전을 이강렬에게 알려주고 귀순해 버리면 어떻게 되겠느냐는 것이었소. 그런데……여기 계시는 X께서 박 위원장이 그렇게 하지는 않을 거라고 확신을 하시더군요."

대통령이 X의 말에 덧붙여 부연 설명을 한다.

"제 얘기라서 여쭤보기가 뭣합니다만……제가 그렇지 않을 거라고 어떻게 확신하셨는지요?"

박민희가 X를 만난 후로 처음 입을 열고 질문을 한다.

"박 위원장이 자유민주주의 신봉자라는 것이 그렇게 확신하신 이유였소. 설사 이강렬의 붕괴 이후 권력을 차지할 수 있는 당근이 주어지더라도 흔들리지 않을 것이라는 말씀이죠."

박민희가 대통령의 말에 귀를 기울이는 한편으로 머릿속으로 복잡하게 계산을 하는 동안 대통령의 다음 말이 이어진다.

"하지만 나는 박 위원장의 정체가 탄로되었기 때문에 대한민국에서 살 수는 없다고 반대했소. 북의 체제를 좋아해서가 아니라 불가피하게 선택할 수밖에 없다는 뜻이오."

박민희는 그 정도라면 아직도 자신이 있다고 생각한다. 밑바닥까지 속속들이 알려지진 않은 셈이니까. 그러나 그녀는 빙그레 웃으며 운을 떼는 X의 다음 말에 맥이 탁 풀린다.

"내가 이 위원장을 두둔한 것은 다른 이유가 있기 때문이오. 자신의 정체가 탄로되었기 때문에 불명예를 씻기 위해 무엇이든 할 자세가 되었다기보다 만고의 영웅이 될 수 있는 기회를 결코 뿌리치지 않을 것이라고 생각했기 때문이오."

"이 위원장이라고 하셨습니까?"

박민희가 의아한 표정으로 되묻는다.

"그렇소. 우리는 박민희 위원장의 진짜 이름이 이영애라는 것과 할아버지가 친일파인 박동민이 아니고 아버지도 박민철이 아니라는 것을 알고 있소. 진짜 아버지는 북에서 쿠데타를 일으킨 이강렬이란 것도 알아요."

"그걸 어떻게?"

박민희는 경악하고 만다.

그쯤에서 대통령이 X에게 인사를 드리고 물러난다.

박민희 위원장, 그러니까 이영애 위원장과 함께 X를 만나기 전에 머물렀던 공간으로 옮긴 대통령이 오금을 박듯 이야기한다.

"이미 이영애 위원장과 이강렬의 DNA를 분석하여 부녀간이란 것을 확인했소. 그 사실마저 부인하지는 못할 거요. 그런데도 불구하고 이 위원장에게 이런 임무를 맡기는 까닭은 부녀의 정이라는 것을 쉽게 끊을 수는 없다고 생각했기 때문이오."

대통령의 말에 박민희는 기어 들어가는 목소리로 반문한다.

"희대의 도박인 셈이군요?"

"그렇소. X께서는 이 위원장이 북에서 권력을 차지하기 위해 아버지인 이강렬을 몰아내는 데 앞장서지는 않을 것이라 판단하고 계십니다. 우리가 걱정할 건 아니지만……. 한 가지 더 부연하자면 항간에서 알려진 미국과의 타협, 즉 미국의 조건을 모두 승낙하고 북한 정권의 수반으로 인정받는 것도 실현성이 아주 희박하다는 거요."

박민희도 그 말에 대해서는 감히 물어볼 엄두를 내지 못하고 속마음을 조금 드러낸다.

"제가 아버지에게 도움을 드린 것은 북한 정권의 수반이 되기 위해서가 아닙니다."

대통령도 그 정도는 알고 있다는 표정으로 갑자기 화제를 바꾼다.

"이 위원장은 앞에 계신 분이 누구라고 생각하세요?"

박민희도 무척 알고 싶은 사실이지만 고개를 가로 저을 수밖에 없다.

"전혀 모르겠습니다."

"그럴 테지요. 앞에 계신 분은 한민족이라면 어느 누구도 감히 넘볼 수 없는 분이오. 그래서 국무위원장과 나는 통일이 되면 수장으로 추대하기로 한 겁니다. 앞에 계신 분은 바로 우리 민족 역사상 가장 강력한 국가를 건설했던 고구려의 광개토대왕이십니다."

"광개토대왕?"

"그렇소. 국무위원장도 대왕을 만나 뵙고 전격적으로 통일에 합의했던 거요. 이제 이해하겠소?"

"도무지 믿어지지 않는 일이라 뭐라고 말씀드려야 할지……그게 사실이라면 누가 지지를 하지 않겠습니까?"

"이런 상황인데도 또 다시 배신을 할 수 있겠소? 그래서 우리는 이 위원장이 한민족의 역사상 만고의 영웅이 될 수 있는 기회를 스스로 뿌리치지는 않을 거라고 믿게 되었지요."

"저로서는 할 말이 없습니다."

"그렇겠지요. 더구나 현재의 한반도 주변 상황을 살펴볼 때 우리가 평화 통일을 이룩하지 못할 경우 대한민국은 박민희라는 배신자를 민족통일준비위원장으로 발탁했다는 사실 때문에 정권이 붕괴될 수 있고 북한 역시 미국의 공격을 받을 수밖에 없을 것으로 짐작되고 있소."

"그렇습니다."

"내 말은 적어도 그렇게 되어서는 안 된다는 거요."

"저도 전쟁이 일어나지 않고 모든 일이 원만하게 끝나야 한다는 생각에는 이론의 여지가 없습니다."

"또 한 가지……이 위원장이 이강렬의 딸이라는 사실이 알려진 다음에도 미국이나 일본이 이 위원장을 북한의 수반으로 지원하겠소?"

"북한의 수장이 되겠다고 생각한 적은 없습니다."

"알고 있소. 꿩 놓치고 알 깬다는 말이 있듯이……민족의 염원을 저버리고 한반도를 초토화시키면서 평화 통일은 물 건너가게 만드는 일에 정말 앞장서겠소?"

"제가 어떻게 하면 되겠습니까?"

"대왕께서는 이 위원장이 비록 이강렬의 딸이기는 하지만 절대로 통일한국에 반역하지는 않을 거라고 확신하셨습니다. 역사적 소명과 역할을 자각할 줄 아는 인물이라고 판단하신 거죠. 더구나 이 위원장은 인생의 대부분을 자유민주주의 국가에서 살아왔기 때문에 공산주의와의 경쟁은 의미가 없다는 사실을 잘 알 거라는 점도 판단의 근거가 되었소."

"아버지가 달에 우주인을 보내겠다고 선언하여 폐기되었다는 ICBM을 보유하고 있다는 사실을 발표하는 악수를 두었기 때문에 평화 통일에 동의하고 은퇴하는 것이 최선의 선택이라는 점도 잘 알고 있습니다. 그렇지만 그분은 아직도 강수를 두면 북한 정권이 버틸 수 있다고 믿는 것이 문제입니다."

"그렇소. 우리는 바로 그 점을 역이용하여 평화 통일을 하자는 거요. 이 위원장이 아버지를 선택한다 해도 결코 상황이 좋아지지 않는다는 사실만 명심하면 되겠죠."

"솔직히 말씀드려서 아버지를 속이는 일에 제가 어떻게 처신해야 할지 감당하기 어렵습니다. 저에게 하루만 말미를 주실 수 있는지요?"

"하루의 말미라?"

"당장 결정을 내릴 순 없기 때문입니다. 제가 두 분의 제안을 거절한다면 저는 아침에 시체로 발견될 것이고 그렇지 않다면 통일을 위해 제가 할 수 있는 모든 일을 하겠다는 뜻입니다."

평소에도 맺고 끊는 것이 정확하다고 알려진 박민희다운 요청이다.

"알겠소. 그게 오히려 이 위원장의 진면목이라고 할 수 있겠소."

"사실 통일을 위해 정진하는 일만큼 좋은 명분도 없습니다만 저도 인간인 이상 아버지를 도와드릴 수밖에 없었기 때문에 지금까지 아버지를 위해 서슴없이 각종 정보를 제공해 왔다는 사실을 실토합니다."

"인간적으로 고충이 컸으리라는 점은 잘 알아요. 충분히 생각한 다음에 알려주시오. 물론 우리는 이 위원장이 거절하더라도 반드시 통일을 완수할 계획이 있다는 사실을 참고로 알아두시오."

제41장 인도*태평양 함대의 출동

1.

다나카 도꾸지로 일본 방위청장관의 공관.

우람한 체구를 자랑하는 미국의 인도·태평양사령부 사령관 존스 대장과 역시 건장한 체구의 다나카가 만나고 있다.

다나카는 일본의 전통 무인 차림으로 앉아 있고 그의 뒤로 보이는 벽에는 일본도가 걸려 있다.

"존스 대장, 일본은 미국의 정책을 적극 지원할 모든 준비가 되어 있습니다."

"이번 작전에 일본의 직접적인 지원은 필요하지 않습니다. 북한에 대한 공격은 우리 인도·태평양 사령부에서 직접 지휘할 것입니다."

"국제 관계를 고려할 때 우리가 직접 이번 전투에 참가할 수 없다는 것은 잘 알고 있습니다. 하지만 북한 공격에 우리가 손을 놓고 있을 수는 없지 않겠습니까?"

"감사합니다, 장군."

해상자위대 시절부터 친분이 있었던 터라 방위청장관이 된 지금도 존스는 다나카 도꾸지로를 장군이라고 부른다.

"그렇지만 우리가 미국의 노고에 조그마한 성의라도 표해야죠. 직접 인도·태평양 함대에 합류하여 공격에는 참가하지 않더라도 지원할 방법은 얼마든지 있을 테니까요."

"말씀만도 정말 고맙습니다."

"우리의 직접적인 지원이 필요하지 않다면 현재 일본해협에 출동할 항공모함을 포함하여 이번 작전에 소요되는 모든 비용을 제공할 용의가 있습니다."

일본은 북한이 미국을 공격할 수 있는 ICBM을 비밀리에 확보하고 있으므로 초기에 완전히 제어하지 않으면 두고두고 속을 썩일 거라고 계속 설득했다.

그러나 한반도 문제는 미국과 일본만의 문제가 아니라 최소한 러시아와 중국의 협조도 필요하다.

미국은 인도·태평양 함대가 북한을 공격하는 것을 지지한다는 성명을 러시아가 발표해주고 블라디보스토크에 주둔하고 있는 러시아 함대의 일부가 인도·태평양 함대의 진로를 방해하지 말아달라는 것뿐이다. 러시아는 미국의 공격을 유도한 것은 이강렬의 무모한 언동 때문이라며 마지못한 듯 미국의 손을 들어 주었다.

"이번 작전은 사실 식은 죽 먹기라고 할 수 있습니다. 그런데 남한이 북한에 대한 어떤 공격도 한사코 반대한다는 입장을 취하고 있는 것이 걱정이라면 걱정입니다."

"한국으로서는 당연히 그렇겠죠. 북한이 소규모라도 공격을 받으면 여러 모로 피해를 볼 테니까. 우리는 이강렬이 최후 발악으로 남쪽을 총공격할지도 모른다고 생각합니다만……존스 대장은 어떻게 생각하시는지요?"

다나카가 존스에게 조심스럽게 묻는다.

사실 일본으로서는 이번 작전이 꽃놀이패나 마찬가지다. 그래서 미국과 러시아에게 자진해서 비용을 듬뿍 지원하려는 것이다.

북한이 궤멸을 예상하여 남한을 공격하면 남한의 피해는 상상할 수 없을 정도로 커진다. 세계시장에서 반도체 등 한국 제품의 비약적인 약진으로 일본의 입지가 위축되고 있는 판에 북한의 남침은 그야말로 전화위복의 돌파구가 되는 셈이다.

설사 북한이 남침을 하지 않더라도 그런 대로 만족할 만하다. 적어도 한반도가 통일이 되는 상황은 물 건너가기 때문이다. 어쨌거나 일본으로서는 한반도의 통일을 무조건 막아야 할 판인데 미국이 앞장서서 북한을 두들겨주겠다니 고마울 수밖에.

"글쎄요. 아직은 변수가 많아 그것까지는 예측하기 어렵습니다만 솔직한 말씀을 드려도 될까요?"

"아, 예."

"우리 정보 분석 자료에 의하면 북한의 이강렬은 만일 문제가 생기면 절대로 남한만 공격하지는 않을 거라고 생각합니다."

"그렇다면……?"

"공격 우선순위로 보자면 남한보다는 일본이 앞선다고 생각합니다. 이강렬도 남한 대통령과 북한의 국무위원장이 도출한 평화통일을 적극 지지한다고 발표했는데 그것마저 부정하지는 않습니다."

"그렇지만 진정으로 통일을 원하는 것은 아닙니다. 통일은 원하지만 당장은 어렵다는 말인데 그런 말은 한반도가 남북으로 갈라진 이후 지금까지 내내 그렇습니다. 이강렬이 남한과 통일하려면 무엇 하러 쿠데타를 일으킵니까?"

"그래서 이강렬을 축출하기 위해 일어선 것 아닙니까? 여하튼 이강렬이 일본을 공격 목표로 삼는다는 것은 여러 정황상 상식이나 마찬가지로 보입니다."

"이강렬이 제 무덤을 판 거지요?"

"그러나 북한의 이강렬 정권을 궤멸시키더라도 그 과실을 남한에 넘겨주지는 않는다는 것이 중요합니다."

"그래서 우리도 이번 작전에 적극 동참하는 겁니다. 이강렬은 궤멸시키되 통일은 허락하지 않는다……정말로 절묘한 작전입니다. 공격은 언제 들어가죠?"

다나카 도꾸지로는 공연히 신바람이 난 표정으로 묻는다.

"곧 결정될 겁니다. 일본에는 사전에 통보해 드리죠."

"감사합니다. 아군이 이래서 좋은 거죠. 중국의 반응은 어떻습니까?"

"중국은 방사능 피해 때문에 다소 우려하고 있지만 큰 방해는 하지 않고 있습니다."

"우리가 이번 기회에 북한을 잡지 못하면 그야말로 기회를 놓친다고 생각합니다. 북한이 핵폭탄을 장착한 대륙간탄도탄(ICBM)으로 일본이나 미국을 공격한다고 생각해 보세요. 등줄기에 식은땀이 날 만큼 끔찍합니다. 다행스럽게도 미국이 제때에 버릇을 고쳐 주겠다고 나섰으니 얼마나 아름다운 일입니까?"

잔뜩 추켜 세워주는 다나카의 말에 존스도 기분이 좋은 듯 맞장구를 친다.

"북한과 같은 '악의 축'을 응징하는 것은 세계 경찰국가인 미국의 본분이라고도 할 수 있겠죠."

"깡패국가에 대한 당연한 조치입니다."

"그래서 미국은 비난을 무릅쓰고 이번에 전격적으로 북한을 공격하려는 겁니다. 북한이 핵폭탄을 가지고 장난을 치는 한 세계의 평화를 위해 아무리 많은 핵폭탄이 한반도에서 터지더라도 두려워할 필요는 없겠지요."

"물론입니다. 미국의 결단을 치하하는 바입니다. 한반도 통일이라는 끔찍한 악몽에 시달리지 않아도 되니 이제 두 다리를 뻗고 잘 수가 있겠습니다. 방문해 주셔서 정말 감사합니다."

"이럴 때일수록 서로 협조하고 협의해야죠."

다나카 도꾸지로는 자리에서 일어서는 존스 대장에게 직접 문을 열어주고 배웅한 다음 그가 사라진 후에도 한동안 깊이 허리 숙인 자세를 풀지 않는다.

2.

항공모함이 순양함을 거느리고 동해 바다로 진출한 인도·태평양 함대를 공중에서 내려다본 위용은 한 마디로 어마어마하다.

항공모함에서 전투기들이 갑판에 속속 착륙하고 있고 조기 경보기가 상공에 떠 있다. 전투에 들어가기 직전의 상황이라는 것을 한눈에 알 수 있다. 항공모함 내의 작전 상황실에 조종사들이 착석해 있고 항공대장이 들어온다.

"일동 기립!"

앞줄에 앉아 있던 소령의 구령에 따라 모두들 앉았던 자리에서 일어선다. 고든 준장이 지휘봉을 들고 상황판 앞에 서서 말한다.

"착석!"

모두들 자리에 앉자 고든은 상황판의 한반도 지도를 지휘봉으로 가리키며 운을 뗀다.

"우리의 임무는 모든 공격 수단을 동원하여 핵 시설을 비롯한 북한의 여러 군사시설들을 철저하게 파괴하는 것이다. 작전 개시일은 아직 정해지지 않았지만 적어도 8월 15일 안에 시행될 예정이다. 공격편대는 타라와 중령이 인솔한다.

지휘봉으로 자리에 앉아 있는 타라와 중령을 지목하자 모두들 박수를 친다. 그는 엄지손가락을 높게 쳐들어 자신감을 보인다.

"우리의 임무는 목표 지점에 고성능 무기를 투하할 뿐이므로 모든 대원들이 참가하지는 않는다. 작전에 참가할 조종사는 타라와 중령이 선발한다. 이상이다. 질문 있나?"

고든이 간단하게 브리핑을 끝낸다. 이번 작전은 식은 죽 먹기라서 길게 이야기할 필요도 없다는 표정이 역력하다. 남자들보다 더 용감하고 조종술에는 일가견이 있다는 베스 대위가 질문한다.

"북한은 전략지역이 모두 땅굴로 되어 있다는데 공격 효과가 있겠습니까?"

"그 점을 고려하여 AGM-80D급으로 공격한다. 화면을 보여주도록."

고든은 이미 예상했던 질문이라는 듯 대형 스크린에 AGM-80D의 사진과 제원을 보여주며 설명을 덧붙인다.

"AGM-80D는 6미터의 길이에 2,000킬로그램의 무게를 갖고 있다. 이 폭탄은 벙커버스터로 GPS와 연결된 컴퓨터 통제에 따라 목표물을 찾으며 3미터의 콘크리트를 포함하여 지하 30미터까지 뚫고 들어가 폭발한다. 중요한 것은 첫 번째 폭탄으로 생긴 구멍에 또 다른 폭탄을 투하할 수 있기 때문에 100미터 밑에 있는 목표물도 초토화될 것이다."

"북한의 지상 반격이 만만치 않을 것이라는 지적도 있습니다."

"이번 작전에 참가하는 모든 아군기에는 130킬로미터 전방까지 탐지할 수 있는 최신 레이더 장비인 APG-63(v)1이 장착되어 있고 열을 추적하는 전방감시적외선장비(FLIR)도 탑재되어 있다. 이들 정보는 컴퓨터와 디스플레이 프로세서(ADCP)에 의해 분석되며 특히 효율적인 방어를 위해 위험을 알려주는 조기경보수신기 ALR-56C(v)1과 전파를 교란하는 자체 방어 장치인 ALQ-135M 재머(Jammer)가 있다. 북한의 구식 미사일은 조금도 걱정할 필요가 없다."

고든이 강조하지 않더라도 미국의 최첨단무기와 북한의 낙후된 장비를 비교하는 것은 무의미하게 느껴지는 분위기다.

고든이 우스갯소리를 보탠다.

"이번 작전은 한 마디로 세탁기에 빨래를 넣고 빼는 것보다 더 간단한 일이다."

고든의 말에 한 바탕이 웃음이 터져 나온다.

아랍계인 박티아르 소령이 손을 들고 질문한다.

"공격 시간은 야간입니까?"

"그건 아직 모르지만 야간 공격에도 목표물을 공격하는 데는 문제가 없다."

고든은 미국이 최신에 개발한 JDAM(합동직접공격탄, Joint Direct Attack Munition) 폭탄을 설명한다. 재래식 폭탄 꼬리부분에 신형 장치를 장착하면 GPS를 통해 스스로 목표물을 탐지하고 공격하는 스마트 폭탄으로 변신시켜 준다는 것이다.

더구나 JDAM은 과거 폭탄의 명중률이 60%대였으나 이제는 100%에 육박하며 일반 레이저 유도탄이 날씨의 영향을 받는 것과는 달리 목표물 3미터 이내에 명중할 수 있으며 적이 GPS를 교란한다 해도 30미터 이상 벗어나지 않는다고 강조했다. 또한 고공·원거리 발사로 조종사의 손실을 제로화 할 수 있으며 장착시간도 크루즈 미사일의 한 시간에 비해 10분에 불과하다.

"사용될 폭탄의 종류는 목표물의 성격에 따라 달라진다. 여하튼 아군은 악천후 속에서도 빠른 속도로 안전하게 침투하여 정밀하게 목표물을 공격하고 무사히 함대로 돌아올 수 있다. 한 마디로 악의 축인 북한은 엿을 먹는 것이다."

고든이 엿을 먹이는 제스처로 손을 번쩍 들자 모두들 웃음을 터뜨리며 박수를 친다.

제42장 부녀 상봉

1.

윤동주가 싱글벙글하며 이강렬에게 보고를 한다.

"남쪽으로부터 아주 좋은 전갈이 왔습니다."

"남쪽으로부터?"

"통일 방안을 논의하기 위해 7월 말에 북조선을 방문하겠다는 겁니다."

"북조선을 방문하겠다고?"

"그렇습니다. 남조선에서는 8월 15일로 예정되었던 전격적인 통일 선언을 취소할 모양입니다.

그래서 실무적인 작업이 필요하게 된 거겠죠."

"우리의 실체를 인정하겠다는 건가?"

"그런 셈입니다. 협상을 하자는 것은 바로 우리의 존재를 인정한다는 뜻이 아니겠습니까?"

"협상 대표는 누군가?"

"바로……박민희 위원장입니다."

"박민희라고? 며칠이나 머무를 예정인가?"

"2박 3일로 되어 있습니다."

"2박 3일로는 너무 짧아. 그동안 만나보지도 못했는데 단 이틀로 헤어질 수야 없지 않은가. 좀 더 상의할 일이 많다고 날짜를 넉넉하게 잡도록 해."

태어나서 처음으로 만나는 딸이 아닌가. 이강렬은 허우대에 어울리지 않게 눈시울이 붉어진다.

"알겠습니다. 저도 처음 만나는 처형이니까 기대가 큽니다."

"그럴 테지. 그동안 몇 나라가 우리를 승인했나?"

"중국이 우리를 승인하자 150개국이 승인한다는 전갈을 보내왔습니다. 이제 우리의 거사는 완전히 성공한 겁니다."

"150개국이면 됐어. 이제 된 거야."

지루한 쿠데타의 여정이 끝난다고 생각하자 이강렬은 저절로 미소가 떠오른다. 이빨의 통증도 씻은 듯이 가라앉았다. 중국이 이강렬 체제를 승인한다고 하자 세계 각국이 물밀 듯이 쿠데타 세력을 정부로 인정했고 마지막으로 남한이 마침표를 찍어준 것이다.

"그럼 우리가 남쪽 아새끼들과 걸맞다는 것을 보여주기 위해서라도 진영을 새로 짜야겠구먼."

"아주 참신한 사람들로 채우시죠."

"그래야지. 자네는 우리에게 충성할 군 수뇌부의 명단을 작성해 주게. 자네에게 가장 중요한 임무가 주어진다는 것을 잊지 말게.

"여부가 있겠습니까? 하지만 장인어른이 최종적으로 낙점하실 수 있도록 모두 두 배수로 추천하겠습니다."

"좋아. 그런데 자네는 어떤 직책이 좋을까?"

"저는 지금처럼 장인어른 옆에서 보좌하는 것이 좋을 듯합니다."

"바보 같은 소리……내 곁에만 있으면 군과 인민들의 신망을 얻을 수 없어. 일선에 나가서 씩씩하게 일해야 큰일을 도모할 수 있다는 것을 명심하게."

"알겠습니다, 장인어른. 언제까지 인선을 해서 올려 드릴까요?"

"빠르면 빠를수록 좋겠지만 적어도 8월 15일은 지나야겠지?"

"오히려 8월 15일 이전이 좋지 않겠습니까?"

"아냐. 이번 광복절이 지나면 우리의 거사가 공식적으로 인정받게 되니까 대외적으로도 모양새가 좋지. 그래야 인민군도 우리를 전적으로 따를 거고."

"인민군이야 국무위원장의 핵심 추종자들만 제거하면 모두 우리 편에 설 것입니다. 이번에 아예 총참모부장도 바꾸시죠?"

"좋은 사람이라도 있나?"

"장인어른께 충성할 사람이야 얼마든지 있죠. 제가 책임지고 적임자를 추천하겠습니다."

"그래야지. 이빨 아픈 게 싹 가시니까 골치 아픈 일도 술술 풀리는구면. 어쨌든 그 애가 오면 융숭하게 대접할 수 있도록 준비를 잘하라고."

"알겠습니다. 장인어른."

2.

평양을 방문한 남한의 협상 대표단을 맞아 상견례를 하는 자리다. 박민희가 먼저 인사를 한다.

"주연호 당부위원장 겸 조직지도부장을 만나게 되어서 영광입니다."

"하하. 겸손의 말씀이오, 박 위원장. 우리 측 배석자들을 소개하겠소."

주연호 당중앙위 부위원장이 자신의 좌우에 앉아 있는 배석자들을 일일이 소개하자 박민희도 배석한 남쪽의 협상단을 일일이 소개한다. 언론사의 카메라가 쉴 새 없이 이들의 역사적인 회담 장면을 찍고 있다. 언론은 남한에서 드디어 북의 이강렬 세력을 인정했다고 대서특필하고 있다. 비록 국무위원장이 통치하던 체제처럼 대등한 상대로 인정하지는 않았지만 일단 대화의 상대로 인정한다는 사실 자체가 매우 중요하다고 열을 올리고 있는 것이다.

이런 사태에 오히려 놀란 것은 미국을 비롯한 강국들이다. 북한을 응징하기 위한 대책을 다각도로 강구하고 있는 터에 남한의 대통령이 전격적으로 북측과 협상을 한다는 것은 배신행위라고 볼멘소리까지 나온다. 북측과의 협상을 취소해야 한다는 여론이 국내외적으로 팽배한 상황에서도 대통령은 자신의 결정을 밀어붙였고 드디어 그 첫 만남이 이루어지고 있는 것이다.

"우리 북측에서는 이번 회담을 성공리에 마치고 조속한 시일 내에 통일이 이루어질 수 있도록 간곡히 바라고 있습니다."

주연호의 말에 박민희가 맞장구를 친다.

"우리도 그런 마음으로 올라왔어요. 북측에서 국무위원장이 실각하는 등 다소 변화가 있었지만 그럴수록 우리의 통일 염원은 더욱 깊어지고 있습니다. 그러므로 우선 만나서 서로의 의견을 교환할 필요가 있다고 생각하여 이번 회담을 제안했던 겁니다."

"우리도 같은 생각을 갖고 있었습니다. 그러나 남측에서 워낙 완강하게 우리를 인정하지 않아서 조금 섭섭했는데 이렇게 만나게 되니 옛날 생각은 모두 잊어버렸습니다."

"사실 그건 오해입니다. 우리는 북측에서 왜 먼저 회담을 하자고 제안하지 않을까 하고 의아하게 생각하고 있었습니다. 그런데 워낙 반응이 없어 우리가 먼저 제안을 한 거죠."

박민희의 매끄러운 태도는 협상 과정에서 단연 눈길을 끈다. 구체적으로 합의된 사항이 별로 없는 협상임에도 남북이 예전의 해빙 무드를 회복했다는 보도가 줄을 이을 정도로 박민희의 존재가 돋보였던 셈이다.

3.

새벽 1시. 공식적인 상견례가 끝난 다음 박민희는 비공식적으로 이강렬을 만난다. 협상의 상대방인 쿠데타의 주역을 만나는 자리가 아니라 아버지를 만나는 자리다. 배석자는 이강렬의 사위인 윤동주 대장뿐이다.

"네 나이가 벌써 육십이 넘었다고 했지?"

"예, 아버지."

"그동안 애비가 한 번도 너를 보살펴주지 못해서 미안하다. 하지만 네가 미국에서 잘 자라고 있다는 것은 예전부터 알고 있었다."

"저도 아버지가 북의 고위층이라는 사실을 알고 무척 놀랐죠. 하지만 이렇게 건강하신 모습을 뵙게 되리라고는 생각지 못했습니다."

"너를 보지 못하고 죽을 수야 없지 않니? 윤 대장이 내 사위인 것은 알고 있겠지? 앞으로 두 사람이 합심하여 이 나라를 이끌어 나갔으면 좋겠다."

"알겠어요. 앞으로 잘 부탁해요, 윤 대장."

박민희의 말에 윤동주는 고개를 꾸뻑 숙이며 경의를 표한다. 이강렬이 테이블에 있는 차를 직접 따라 주면서 말한다.

"그동안 우리가 얼마나 네 덕을 많이 보았는지 모른다. 항상 너에게 어려운 일을 시켜서 미안했는데 이렇게 만나게 되니 정말로 기쁘다."

"사실 저도 아버지를 만나고 싶었지만 사정이 여의치 않았어요. 이번에 대통령에게 남북 관계를 이렇게 계속 방치해서는 안 된다고 건의해서 이 자리를 만들었어요."

"그래, 얼마나 좋은 기회냐? 네가 내 딸인 줄 누가 알겠나?"

"저도 아버지 얘기를 듣고 깜짝 놀랐어요. 처음에는 거짓말하는 줄 알았지요."

"나도 네가 미국에 살아있다는 것을 네 엄마가 알려 주었을 때 얼마나 놀랐는지 모른다. 나는 사실 네가 태어난 것도 몰랐다."

"그랬을 거예요.. 모두들 저를 박민철의 딸로 알고 있으니까요."

4.

쿠데타를 통해 마침내 북조선인민공화국의 최고 실력자로 등장한 이강렬. 그는 어릴 때 동만주로 건너가 1935년 김일성 항일유격대에 참가했는데 김정숙의 가까운 조카뻘이므로 직계 백두혈통은 아니지만 백두혈통에 연계되는 것은 사실이다.

1948년 중앙호위대원을 거쳐 1950년 제8야전사단 참모로서 6.25 전쟁에 참전했다. 그는 인민군이 낙동강 전투에서 패배하자 지리산에 잠입하여 이현상이 총사령관인 남부군단의 주력 3,800명을 지원했던 특이한 이력도 가지고 있다.

4개도의 경계를 이루며 산악이 중첩되어 있는 지리산은 남부군단이 은신하기에는 가장 좋은 여건을 갖고 있었다. 지리산 공비로 알려진 이들은 이남 각 지역의 남로당 조직과 여순반란사건 이래의 잔존 공비들까지 가세되어 있었다. 이들은 곳곳에서 후방 교란 작전을 벌여 치안과 유엔군의 작전에 커다란 지장을 주고 있었다. 도로·철도망에 대한 기습과 폭파 활동을 수시로 벌여 당시 경부선 철도마저 위협을 받을 정도였다. 특히 지리산의 산간오지는 '낮에는 대한민국, 밤에는 인민공화국'이라 할 만큼 공비들의 활동 무대로 유명했다.

공비의 출몰에 골머리를 앓던 한국 정부는 1951년 겨울 작전 기간 중에 대전 이남의 지역에 대해 계엄령을 선포한 다음 본격적인 공비 토벌에 나섰다. 시기를 겨울로 잡은 것도 낙엽이 지고 눈이 쌓인 겨울철이 토벌에는 최적기라고 판단했기 때문이다. 당시 8군사령관은 밴클리트 장군으로 그는 2차 세계대전 이후 그리스 군사지원단장으로 그리스 군을 도와 공산 게릴라를 소탕하는 데 공로를 세운 경력도 있기 때문에 한국군을 위협하는 공비 토벌에 많은 관심을 갖고 있었다. 그는 이종찬 참모총장과 협의하여 당시 1군단장이었던 백선엽 장군을 공비 토벌사령관으로 임명했다. 미8군 작전명령서에 의해 공비토벌부대의 명칭은 '백야전전투사령부(Task force Paik)'로, 작전 명칭은 '쥐잡이 (Operation Rat Killer)'로 명명됐다. 백 장군은 처음에 전주 북중에 임시 사령부를 차렸다가 곧바로 남원에 최종 사령부를 설치했다. 여기서 이영애의 부모인 이강렬과 김정희의 이야기가 싹튼다.

당시 김정희는 전주 북중의 양호교사였다.

그녀의 집은 학교와 담을 같이 하고 있으며 혼자 살고 있었으므로 거의 대부분 늦게까지 퇴근하지 않고 학교에 남아 자신의 일, 즉 소설을 쓰고 있었다. 어려서부터 틈틈이 써둔 원고가 많아 언젠가 책으로 펴내겠다는 것이 그녀의 꿈이었다.

그날도 200자 원고지에 소설을 써 내려 가던 중 교사(校舍) 뒤에 있는 화장실로 들어가다가 이상한 인기척을 느꼈다. 인기척이란 바로 누군가가 신음하는 소리였다. 그 소리는 거적 밑에서 나고 있었다. 전쟁 중이라 모두들 조심하고 있는 상황임에도 그녀가 가슴을 진정시키며 거적을 열자 권총을 손에 든 채 쓰러져 있는 한 남자를 발견할 수 있었다. 오른쪽 다리에 총상을 입어 피를 많이 흘리고 기절했던 것이다.

양호교사였던 그녀는 우선 그를 부축하여 양호실로 들어갔다. 그의 모습으로 보아 국군이 아닌 것은 틀림없었지만 상처의 깊이를 보고 그대로 둘 수는 없는 일이었다. 양호실에서 대충 응급치료를 한 다음 그를 자신의 집으로 데리고 갔다. 작은 집은 아니었지만 전쟁 중이라 그녀 혼자 살고 있었기 때문에 어느 누구에게도 알리지 않고 숨기기에는 적격이었다. 그녀는 우선 그의 상처만 치료해주고 내보낼 생각이었다.

"여기가 어디요?"

이강렬이 물었다.

"나는 전주 북중 양호교사 김정희예요. 부상을 당한 채 쓰러져 있기에 집에 데려왔어요."

"고맙소. 그런데 내가 여기 온 지 며칠이나 되었소?"

"이틀 전에 쓰러져 있는 댁을 발견했어요."

"이틀씩이나? 이러고 있을 순 없으니까 바로 나가야겠소."

"그 몸으로는 안 돼요. 워낙 총상이 깊어 총알을 꺼내는 데 혼이 났어요. 얼마동안이라도 휴식을 취하지 않으면 다리를 잘라야 할지도 몰라요."

"총알까지 빼주었다니 고맙소. 하지만 더 이상 여기 머물 순 없소. 발각이라도 되면 김 선생에게 큰 피해가 될 거요."

"관에 쫓기는 사람인 줄은 알아요. 그러나 부상까지 당했는데 그냥 둘 수는 없었어요."

"내가 쫓기는 사람인 줄 알고도 도와줬단 말이오?"

"부상을 당해 죽어가는 사람을 그러면 그냥 두고 봐요? 이 집에는 나 혼자 살고 있으니까 안심하셔도 돼요."

"당신은 내 생명의 은인이오. 정말 고맙소. 나는 지리산의 남부군단을 지원하기 위해 파견된 인민군 대좌 이강렬이오."

이미 짐작하고 있던 일이라 김정희는 별로 놀라지도 않았다.

이강렬이 부상을 당한 것은 보성군 문덕면 한천부락의 방화사건 때문이다. 1949년 가을에 일어난 사건인데 당시 정부 토벌군이 공비 부락이라는 이유로 300여 가구나 되는 마을을 완전히 불태웠던 것이다. 이 사건은 공비에 의한 방화라고 보고가 되었지만 실제로는 정부 토벌군이 저지른 소행이라는 것이 밝혀지자 국민들로부터 지탄의 대상이 되었고 공비들의 좋은 선전거리가 되었다. 이강렬은 지리산에 잠입한 후 한천부락의 방화사건이 공비들의 사기를 올려주는 데 호재라는 것을 파악하고 부락민을 만나 자초지종을 듣고자 현지를 방문했다.

그러나 그의 잠입 사실을 안 어떤 주민이 신고하는 바람에 체포당하기 직전 극적으로 탈출하는 데는 성공했지만 추격대에 의해 총상을 입었다. 그는 가능한 한 공비의 아지트와 멀리 떨어진 곳으로 도망가려 했으나 워낙 피를 많이 흘려 전주 북중에서 쓰러지고 말았던 것이다. 이강렬은 김정희가 만류하는 바람에 우선 다리만 치료되면 떠나겠다는 마음으로 주저앉았다. 김정희의 보살핌은 이강렬의 신원을 알고 나서도 변함이 없었다.

"아직도 이해가 되지 않는 것이 있소."

학교에서 퇴근하여 돌아오는 김정희에게 이강렬이 입을 열었다.

"뭐가요?"

"왜 나를 숨겨 주는지 이유가 석연치 않아요. 발각이 되면 김 동무는 분명 처형당할 텐데?"

"그러면 죽어가는 사람을 그냥 내버려둬요?"

"김 동무 혼자서 처리할 문제가 아니지 않소? 혹시 김 동무도 북조선에 동조하는 거요?"

"그건 아니에요. 나는 양호교사지 정치가는 아니니까요. 하지만 이 대좌가 관련된 사건을 나도 조금은 알고 있어요."

그러면서 김정희는 자신의 큰고모 이야기를 꺼냈다.

"큰고모는 이화학교를 나온 인텔리 중의 인텔리로 한천부락에 살고 있었어요. 고모가 부락을 떠나 있을 때 고모네 집도 모두 불타 버렸어요. 고모는 토벌군의 만행을 만천하에 알려야 한다고 여러 곳에 진정서를 내면서 돌아다녔는데 그 와중에 실종되고 말았지요."

이강렬은 그제야 김정희가 부상당한 자신에게 심정적으로 동정을 느끼는 것을 알고 안심했다. 김정희는 이강렬의 매끼니 식사 수발은 물론 치료에도 힘을 기울였다.

"매일 출근하는 사람이 매끼 식사까지 이렇게 정성 들여 준비할 건 없어요."

이강렬의 만류에도 김정희는 꿈쩍하지 않았다.

"나는 항상 집에서 식사를 하니까 그런 걱정은 하지 않아도 돼요. 부담 갖지 마시고 빨리 낫기나 하세요."

그날도 김정희가 변함없이 저녁을 차려 들어오자 이강렬은 주저하면서 수저를 들지 않다가 그녀가 수저를 들자 그제야 식사를 시작하면서 입을 열었다.

"선생에게 이렇게 신세만 끼치게 되어 미안해요."

"이제 많이 나아졌죠? 사나흘 후면 걸을 수 있을 거예요."

"고맙소. 내가 누워서 들으니 학교에 군인들이 왔다 갔다 하던데 무슨 일인지 알고 있소?"

"지리산 공비 토벌군인데……겨울에 대대적인 공세를 펼칠 예정이라고 하더군요."

"그런데도 나를 숨겨준단 말이오?"

"지금 와서 밀고할 수도 없잖아요? 빨리 완쾌되기나 하세요."

그 말에 이강렬은 눈물을 글썽이며 말했다.

"이제 조금 걸을 만하니까 떠나야겠소."

완쾌된 것은 아니지만 김정희가 정성을 쏟을수록 더 이상 머물러 있어서는 안 된다는 생각이 들었던 것이다. 그날 저녁 김정희는 보따리에 뭔가를 싸서 들고 왔다.

"옷을 몇 가지 싸왔어요. 밖이 추우니까 몸조심해야 할 거예요."

"고맙소. 호의를 결코 잊지 않겠소. 내 통일이 되면……김 선생을 꼭 찾아오리다."

"그보다도 여기서 빠져나가는 것이 중요해요. 부디 몸 건강……."

김정희는 더 이상 말을 잇지 못했다. 이강렬이 그녀를 으스러지게 껴안아 버렸기 때문이다. 그것이 이강렬과 김정희의 처음이자 마지막 포옹이고 결합이었다. 이강렬은 옷을 입으며 자신의 목에 걸려 있던 목걸이를 김정희에게 건네주며 한 마디 덧붙였다.

"이 목걸이는 나의 어머니께서 주신 거요. 간직하고 있으면 언젠가 꼭 만날 수 있을 겁니다."

김정희도 조그마한 자신의 사진을 이강렬에게 건네주며 말했다.

"부디 건강하게 살아남아서 만나요. 저도 당신을 잊지 않겠어요."

"토벌군이 어디로 갔는지 알고 있소?"

"그건 모르겠어요. 미군이 지원한다는 말도 있고."

"김 선생, 내 잊지 않으리다."

이강렬이 일어서자 김정희가 눈에 눈물을 글썽이며 만류했다.

"하루라도 더 있다가 떠나시면 안 돼요?"

"그럴 수 없다는 걸 김 선생도 잘 알잖소?"

굳이 떠나려고 하자 김정희는 이강렬의 발목에 정성껏 부목을 대주었다.

"부상당한 사람인 줄 알면 설사 검문에 걸리더라도 빠져나가기가 쉬울 거예요."

"내가 살아남는다면 반드시 찾아오겠소. 부디 잊지 마세요."

울먹이는 김정희를 뒤로 하고 이강렬은 떠났다. 그것으로 살아생전에 두 사람이 만날 수는 없었다. 철석같은 약속을 지킬 수가 없었던 것이다. 토벌군들에 대한 이강렬의 정보가 지리산의 공비들에게는 대단히 유용했지만, 어차피 이길 수 있는 싸움은 아니었다.

육본의 자료에 의하면 당시 공비 토벌작전은 1952년 1월 말에 마무리되었는데 사살 5,800명, 포로 5,700여 명이었고 미군의 자료에는 군경 각 부대가 9,000여 명을 사살한 것으로 적혀 있다. 당초 공비 토벌군은 지리산에 3,800명, 그 주변의 산에 4,000명의 무장공비가 있는 것으로 추정했으나 실제 사살 및 포로는 추정 숫자를 훨씬 상회하는 것이다. 이는 공비들의 세력이 예상보다 강력했고 아울러 공비들에 포섭된 비무장 입산자도 많았음을 반증한다.

사실 지리산 근처 부락의 상당수 사람들은 공비들이 자기네 세상이 되면 면장, 군수, 우체국장 등 감투를 주겠다는 유혹에 현혹되어 입산했음이 포로 신문 결과 밝혀졌다. 이들의 허리춤에서 그동안 소중히 간직했던 이러한 '임명장'들이 적지 않게 발견되기도 했다.

공비들은 우선 이들을 자기가 살던 마을에 출동시켜 '반동분자'를 처단하게 했고 일단 공비로 들어온 사람들이 자기 마을로 탈출하는 것을 방지하는 효과도 얻었다. 지리산 주변의 많은 입산자들이 토벌군의 본격적인 활동에도 불구하고 자수조차 하지 못하고 죽음의 길을 택한 것도 이러한 이유 때문이다.

이강렬은 남부군단이 괴멸될 당시까지 지리산 사령관 이현상의 곁에 있었지만 극적으로 토벌군의 추적에서 벗어나 인민군에 합류할 수 있었다. 그가 6.25 때 큰 활약을 하지 못했음에도 불구하고 군에서 계속 승진할 수 있었던 것은 바로 남부군단에게 정부 토벌군의 정보를 제공해 주어 적절하게 대비할 수 있는 시간을 벌어 주었기 때문이다.

반면에 이강렬을 치료해주고 무사히 돌려보낸 김정희의 역정은 순탄치 않았다. 그녀는 이강렬을 숨겨주었다는 사실을 아무도 모르는 줄 알고 있었지만 당시 경찰서의 순경이었던 박민철은 그녀가 어떤 남자를 숨겨주고 있다는 사실을 눈치 채고 있었다. 그는 김정희에게 눈독을 들이고 있었으나 그녀는 박민철의 아버지가 유명한 친일파인 박동민이란 걸 알자 말도 못 붙이게 했다. 경찰이었던 박민철은 당시로서는 최적의 신랑감으로 손꼽힐 만했지만 친일파를 경멸하는 김정희에게는 어림도 없었다.

신랑감으로 경찰이 최적이었다면 총각들이 첫손에 꼽는 신부 감은 여선생이었다. 박민철은 김정희가 숨겨주었던 남자를 떳떳하게 공개할 수 없다는 사실을 알고 쾌재를 불렀다. 자기가 칼자루를 쥐게 되었기 때문이다. 그는 학교로 김정희를 찾아갔다.

"김 선생. 갈수록 예뻐지는데?"

"그런 실없는 소리하려고 찾아왔어요?"

"김 선생 덕분에 많은 사람들의 병이 좋아졌다는 소문을 듣고 찾아온 거요."

"어디 아픈 데가 있나 보죠?"

박민철은 그녀의 말을 듣자마자 가슴을 활짝 풀어헤치며 심장을 가리킨다.

"무슨 뜻이에요?"

그러자 박민철은 분필로 책상 위에 하트 표시를 그린다.

"대담해지셨네요. 경찰에서 담력도 길렀나 보죠?"

"그래도 김 선생보다는 심장이 좋지 않소."

"무슨 말이에요?"

김정희는 금방 이야기가 이상하게 흘러간다고 느낀다. 박민철의 태도가 전 같지 않은 것이다. 김정희를 보고 빙글빙글 웃기만 하던 박민철이 이윽고 입을 연다.

"토벌작전 때 많은 공비들이 죽었는데……공비를 숨겨준 죄로 감옥에서 고생하는 사람들도 많아요. 내가 취조한 사람만 해도 부지기수라고요."

"공비 토벌로 훈장이라도 받게 되었다는 거예요, 뭐예요?"

김정희가 토라진 목소리로 쏘아붙인다.

"하기야 훈장도 준다고 합디다. 김 선생과 함께 미국으로 가자는 말을 하려고 찾아온 거요."

"내가 왜 박 순경과 미국에 가요? 머리가 어떻게 된 거 아니에요?"

"천만에요. 다행히 미국 갈 길이 생겼는데……함께 갈 사람이 없어서 내가 직접 나선 거요."

"대단한 능력이네요? 전쟁 중인데도 미국으로 갈 수 있다니……."

김정희는 빈정거리듯 말한다.

"그게 중요한 건 아니고……내가 김 선생과 함께 가는 것이 중요하죠. 한 달 후에 떠나니까 출발 준비나 하시오."

"뭐가 어째요? 내가 왜 박 순경과 함께 가요? 이제 정신까지 돌았군요."

김정희의 타박에도 박민철은 실실 웃기만 하다가 일어서면서 오금을 박듯 한 마디 내뱉는다.

"김 선생이 누군가를 숨겨주었다는 투서를 내가 직접 받았다는 게 다행인 줄 아시오. 그렇지 않았다면 이미 체포되어 아마도 부역자로 처형되었을 거요."

"뭐라고요?"

"나와 결혼하지 않고 김 선생이 한국에서 살아남을 수 있을 것 같아요? 자, 한 달 후에 떠나니까 준비나 하시오."

김정희는 결국 박민철과 결혼하여 미국으로 떠났다. 그녀가 임신한 사실을 안 것은 미국에 도착한 직후였다. 박민철과도 관계를 가졌지만 분명 이강렬의 아이였다. 물론 박민철은 다소 일찍 태어난 그 아이를 자신의 핏줄로 굳게 믿었다. 박민철은 태어난 아이에게 박민희라는 이름을 붙여 주었지만 김정희는 아버지의 성을 따라 따로 이영애라는 이름을 지어 자신의 가슴 속에 고이 묻어두었다.

5.

조지타운대학교 2학년인 박민희는 학교에서 여러 모로 인기였다.

매사에 적극적이고 활동적이었기 때문이다. 대학교 학보 기자로 활동하면서 공부는 하지 않고 정치계를 기웃거리는 학교 교수들을 날카롭게 비판하는가 하면 연극반의 공연에서도 셰익스피어의 연극 <햄릿>의 오필리어 역을 맡아 다방면에 재주가 있음을 보여주었다.

한국인 2세로서 다소 작은 체구에도 불구하고 열정적인 춤 솜씨로 치어리더의 명성까지 얻어 그녀의 데이트 상대가 누구인가 하는 것이 교내에서 가십거리가 될 정도였다. 아침 6시부터 45분 동안 조깅을 하는데 어찌나 시간이 정확한지 그녀가 달리는 것만 보면 시계를 보지 않아도 될 정도라는 말까지 나돌았다.

그러나 박민희가 많은 사람들로부터 주목을 받는 데는 그녀의 아버지가 가장 성공한 재미 한국인 중의 한 사람인 박민철이라는 사실도 한

몫을 한다. 그는 이민 초창기에 가발 장사로 많은 돈을 벌더니 언론계에 투자하여 뉴욕과 워싱턴, 시카고, 로스앤젤레스, 애틀랜타의 주요 신문 5개를 소유할 정도로 탁월한 사업 재능을 보였다.

박민철은 박민희가 자신의 사업을 이어갈 후계자라고 공공연히 이야기하곤 했다. 그러나 그녀는 조지타운대학교에 입학하자마자 독립해서 살았다. 아버지와 자주 전화 연락은 하지만 집으로 찾아가서 만나는 것은 매년 크리스마스가 고작이었다.

"얘, 민희야. 얼굴 잊어버리겠다. 왜 집에는 통 오지를 않는 거냐? 모레 저녁에는 오랜만에 애기나 좀 나누고 싶으니까 꼭 집으로 와라."

매달리다시피 하는 아버지의 간청에 박민희는 실로 오래간만에 그녀가 살던 집으로 찾아간다. 워싱턴에 있는 박민철의 저택은 미국의 여느 부호의 집 못지않게 크고 호화로웠다. 집이라기보다 방이 20개나 되는 성이었고 건축연대도 100년이 넘는 매우 고풍스러운 저택이었다. 언젠가 함께 방문했던 그녀의 친구들이 다음날부터 대우가 달라지는 것을 피부로 실감하곤 했지만 박민희는 자기 아버지가 부자라는 사실을 드러내기를 좋아하지 않았다. 그녀가 집에 도착하자 거실에는 박민철과 한 남자가 소파에 앉아 있었다. 아버지가 남자를 소개한다.

"클라인 선생이다. 네 엄마 변호사이셨다."

"무슨 일인데요?"

가볍게 목례를 한 다음 단도직입적으로 묻자 클라인은 조그마한 소포를 박민희에게 건네주며 이야기한다.

"박 양의 어머니께서 돌아가시기 전에 박 양이 스무 살이 되거든 전해 달라고 했던 소포를 가져왔습니다. 직접 전달해 달라고 하셨기 때문에 기다리고 있었죠. 이겁니다."

"돌아가신 어머니가……그게 뭐죠?"

"그건 나도 몰라요. 어쨌든 나는 김정희 여사께서 부탁하신 대로 직접 전달했으니까 이만 가보겠습니다."

"아버지는 이게 무슨 물건인지 아세요?"

"나도 전혀 모르는 일이다."

박민철도 고개를 좌우로 내젓는다. 박민희는 변호사가 건네준 소포를 가지고 고등학교 때 쓰던 방으로 올라갔다. 방은 그녀가 떠날 때와 조금도 달라진 곳이 없었다. 그녀는 침대에 앉아 소포를 뜯었다. 소포에는 조그마한 목걸이와 글씨체가 눈에 익은 어머니의 편지가 있었다.

'나는 이 편지와 목걸이를 클라인 변호사에게 맡기면서 네가 스무 살이 되면 직접 전해달라고 부탁했다. 그동안 여러 번 너에게 직접 이야기하려고 했지만 나이 어린 네가 충격을 받을 것 같아 단념할 수밖에 없었다. 이제 내 생명이 얼마 남지 않았다는 것을 알고 내가 간직한 모든 것을 이야기하려고 한다.'

이렇게 시작되는 어머니 김정희의 편지는 무려 12장이나 된다.

김정희는 딸에게 유서로 남긴 편지에서 우선 자신의 가문 내력과 출생, 경력은 물론 미국에 오기까지의 과정을 상세히 적었다. 6.25 전쟁 당시의 지리산 공비 토벌에 대해 설명하면서 그녀의 친아버지가 박민철이 아니라 이강렬이라는 놀라운 사실도 밝혔다.

'나는 미국에 와서도 네 친아버지인 이강렬 대좌가 살아있다는 것을 확신했다. 토벌된 공비들 중에서 인민군 대좌 정도면 매우 높은 계급이기 때문에 그가 사살되었다면 신문에서 크게 떠들었을 텐데 그런 사실이 없었던 것으로 미루어 살아있는 것이 틀림없다고 믿었다.'

김정희는 미국에서 이강렬의 행적을 계속 추적하였는데 드디어 존재를 확인했다. 이강렬은 인민군에서 계속 승진하여 계급은 중장이 되었고 결혼하여 두 명의 딸도 있다는 것이다. 미국과 북한 사이에 국교가 없었기 때문에 김정희는 이강렬을 만날 수도 없었고 연락할 생각도 하지 않았다. 그러다가 김정희가 말기 암 환자로 판명을 받고 나서 어렵사리 이강렬에게 편지를 보내 자신과 이강렬의 딸이 태어났고 현재는 박민철의 딸인 박민희로 살아가고 있지만 딸의 이름은 아버지의 성을 따라 이영애라고 지어두었다는 사실을 전했다. 그러자 곧바로 이강렬의 답장이 왔다. 김정희가 살아있다는 생각을 하지 못했고 더구나 자신의 딸이 태어났다는 것은 더더욱 생각지 못했다고 실토하면서 당장이라도 미국을 방문하여 김정희를 만나고 싶지만 미국을 방문할 수 없는 자신이 한탄스럽다고 한 다음 계기가 되면 자신의 딸을 만나보겠다고 다짐한 내용이었다.

박민희는 어머니 김정희의 유서를 통해 자신의 뿌리를 알게 되었지만 달라진 것은 아무 것도 없었기 때문에 마음속에만 묻어두고 있었다. 그러다가 감춰진 이름 이영애로서 친아버지인 이강렬로부터 편지를 받는다. 정부에서 공직을 맡고 있을 때였다.

'영애야, 네가 미국의 고급 관리가 된 것을 애비로서 진심으로 축하한다. 나도 이제 인민군 차수로 승진하여 조국에 힘을 보탤 수 있게 되었다. 피는 물보다 진하다는 말도 있으니 내가 북조선에서 큰일을 할 때 영애가 나를 많이 도와주기 바란다. 너의 조국은 남조선이 아니라 애비가 있는 북조선이라는 사실도 잊지 말기 바란다.'

박민희는 또 다른 이름의 주인공인 이영애로서 공산주의자인 아버지의 지론에 항상 동조하는 것은 아니지만 아버지라는 혈연을 끊을 수는 없다고 생각한다. 지구상에서 부모와 자식으로 인연을 맺는 것이 어디 간단한 노릇인가. 더구나 스무 살이 되어 알게 된 출생의 비밀과 그에 따른 핏줄의 진실을 외면할 수는 없다고 다짐한다.

그 후로 박민희는 이강렬이 도움을 요청할 때마다 딸인 이영애로서 모든 수단을 동원하여 도왔다. 그녀가 민족통일준비위원회 위원장이 되고 나서도 이강렬의 요청을 뿌리치지 못했지만 할 말이 없는 것은 아니었다. 어쨌든 이강렬은 그녀의 아버지였으니까.

6.

이강렬은 김정희가 딸에게 전해준 목걸이를 만지면서 감개무량한 표정을 짓는다. 그게 어떤 목걸이인가. 자신의 어머니로부터 김정희에게로, 다시 그 딸인 이영애에게로 전해진 목걸이가 아닌가. 윤동주도 목걸이를 사이에 두고 눈물바람을 하는 부녀간의 감격적인 모습에 콧마루가 시큰해지는지 먼 산 보듯 고개를 돌리고 눈을 껌벅거린다. 이윽고 감정을 추스른 이강렬이 자세를 고치며 묻는다.

"우선 대통령의 특별 제안이라는 것을 들어보자."

"그러죠. 비밀 유지를 위해 수행원들에게도 이야기하지 않은 내용이에요."

박민희는 대통령의 제안을 적은 조그마한 메모지를 핸드백에서 꺼내며 웃는다. 그러자 이강렬은 내용이야 어떻든지 딸의 모습이 대견하다는 듯 밝은 표정으로 말을 받는다.

"네가 하는 일인데 오죽 잘하겠나? 어서 들어보기나 하자."

"우선 남쪽에서는 이제까지 추진하던 8월 15일의 전격적인 통일 선언은 유보할 계획입니다. 아버지와 함께 선언하지 않는 한 의미가 없다고 생각하기 때문입니다. 그 대신 어떤 형태로든 8.15 행사는 예정대로 열었으면 하는 바람입니다."

"내가 선언하지 않는 한 의미가 없는 것은 당연하지. 그런데……행사는 예정대로 열었으면 한다는 게 무슨 말인가?"

"일단 모양새는 갖추자는 겁니다. 남쪽에서는 대통령이 판문점에서 1백만 국민들을 모아놓고 통일을 촉구할 것입니다."

"통일을 촉구한다고……?"

"예. 그래서 대통령은 아버지께서도 판문점에서 북의 인민들을 대상으로 통일을 촉구하는 선언을 발표해 주실 것을 바라고 있습니다."

"그러니까 북에서도 인민들을 모아놓고 통일을 촉구하는 집회는 예정대로 열자는 뜻이군?"

"그렇지요. 이 제안은 북의 상황 변화를 감안할 때 전격 통일은 어렵더라도 이미 내외에 공표한 행사까지 취소할 필요는 없다는 뜻이죠. 남에서 아버지를 공식적으로 인정하는 의미를 담고 있는 제안이지요."

이강렬이 가장 듣고 싶어 하는 말인 셈이다.

"형식적인 쇼를 함께 벌이자는 뜻이군. 그거야 나쁠 게 뭐 있겠나?"

이강렬의 얼굴이 환하게 밝아지자 윤동주도 그것 보라는 듯 만족스러운 표정을 짓는다. 이강렬이 다시 묻는다.

"듣기 좋은 소리긴 하다만 그래도 왜 갑작스럽게 우리를 인정하겠다고 하는지 모르겠구나?"

"사실 대통령은 아버지를 결코 인정하지 않으려고 했지요. 국무위원장과 통일을 거의 마무리했다고 생각했는데 아버지의 의거로 물거품이 되고 말았으니까요."

"그래 그건 의거야. 내가 개인적인 욕심 때문에 일으킨 일은 아니지."

"그건 저도 알아요. 하지만 대통령은 아버지에 대해 얼마나 분개했는지 몰라요. 자신의 임기 동안에 통일을 완수하려고 했는데 그것을 방해했으니까요."

"방해가 아니라 북조선 인민들을 위해서는 그럴 수밖에 없었지. 지금 당장 통일이 꼭 필요한 것도 아니고……."

"무슨 말씀이죠?"

"우리 역사를 놓고 볼 때 통일은 항상 전쟁의 소산이었지. 통일이라고 이야기하기도 부끄럽지만 신라만 해도 그 이전에 수백 년 동안 고구려, 백제로 나뉘어 살았다는 뜻이지. 그런데 남북이 분단된 것은 겨우 100년도 되지 않아. 뭘 그렇게 조급하게 통일을 추진해야 할 필요가 있겠나?"

"그래도 통일을 바라는 사람이 적지는 않잖아요?"

"그래, 통일을 바라지 않는 한민족이 어디 있겠니? 하지만 인구는 남조선보다 좀 적더라도 2,500만이나 되는 북조선 인민들의 희생을 전제로 한 통일은 결코 바람직하지 않다는 것이 내 생각이야. 그래서 내가 일어선 거야. 우리 인민들의 희생을 강 건너 불 보듯이 구경만 할 수야 없었지."

이강렬이 자신의 소신을 거듭 강조하자 윤동주도 연신 고개를 끄떡인다.

"그런데 대통령이 왜 마음을 바꾸었나?"

"당연하죠. 대통령 혼자서 고집을 피운다고 될 일이 아니니까요. 더구나 아버지께서 달에 우주인을 보내겠다는 현실마저 외면할 수는 없게 된 거죠."

"우리가 어떤 국제 규약에도 저촉되지 않는 유인 우주선을 보내겠다는 말에 미국이 정말 놀라기는 놀란 모양이야. 그걸 놓고 미국을 강타할 수 있다고 호들갑을 떠는 것 봐라."

"우주인을 달에 보낼 실력이라면 미국을 공격할 만한 기술을 갖고 있다는 사실을 알려주는 셈 아닌가요?"

"맞아. 우리가 미국의 공격에 결코 굴복하지 않는다는 사실을 보여주는 거지. 그들이 정말로 우리를 공격하면 우리는 곧바로 미국과 일본에 여러 개의 선물을 보낼 거야."

이강렬은 미국에 대항하여 혼자만 죽지 않겠다는 것을 분명히 한다. 북조선이 공격당하는 만큼 미국에도 커다란 고통을 주겠다는 뜻이다. 그러면서도 이강렬은 역시 노련한 군인이자 정치가다.

"하지만 우리는 전쟁을 바라는 게 아니야."

"알고 있어요. 하지만 군사적 긴장 관계로 미국은 손해 볼 것이 별로 없어요. 특히 이번 작전에 소요되는 모든 비용을 일본이 부담하겠다니 더욱 그렇죠."

"일본은 미국과 같은 잣대로 볼 수는 없어. 정말 긴박한 사태가 된다면 일본은 우리가 반드시 손을 볼 곳이야. 특히 독도를 점령한 것은 용서할 수 없지."

"일부 한국의 강성 군인들도 미국이 북조선을 공격할 때 함께 공격해야 한다고 주장하고 있어요. 미국과 일본에 북조선 점령을 방관해서는 안 된다는 논조죠."

"미국도 우리를 만만하게 보지 못하겠지만 남쪽 놈들이 방자한 행동을 하면 그들도 온전하지 못할 것을 모르지 않아. 남한에 돌대가리 정치가들만 있는 것은 아니겠지?"

이강렬이 박민희에게 넌지시 묻자 박민희는 고개를 끄떡인다.

"그래요. 일부 선동가들이 설치기는 하지만 남북한 간에 어떤 일이 있더라도 전쟁은 하지 않아야 한다는 데는 거의 대부분 공감하죠. 한국이 그야말로 어렵게 현재의 경제성장을 이루었는데 전쟁이 일어나면 결국 일본만 좋은 일 시키는 줄 알면서 그걸 바라는 한국인이 있겠어요?"

"그래. 남쪽에서 우리를 막장까지 몰지 않으면 결코 해코지는 하지 않을 거야. 사실 남조선은 핵폭탄도 없는데 그런 엄포가 우리에게는 통하지 않아."

"핵폭탄을 남쪽으로 쏘겠다고요?"

"방금 이야기하지 않았어? 남쪽으로 핵폭탄을 쏘겠다는 것이 아니라 경거망동한 행동을 하지 말라는 거야. 일부 남쪽 아새끼들은 한반도에서 핵폭탄이 터지면 북쪽 피해를 입을 테니까 그런 무모한 공격을 하지 않을 거라고 주장했지만, 그것은 비현실적인 논리야. 우리를 죽이려고 한다면 우리도 반격해야지."

윤동주가 끼어들어 이강렬의 말에 맞장구를 친다.

"그렇습니다. 한국에서 무지개호로 우리가 쏘는 미사일을 방어할 수 있다고 하지만, 우리가 남쪽 놈들이 쏜 미사일에 맞아달라고 입맛에 맞게 발사하겠어요. 우리의 자랑인 자주포나 방사포, 또는 무수단에 탑재하여 핵폭탄을 발사하면 대응할 방법이 없겠지요."

이강렬은 일단 서울을 비롯하여 인구 수백만의 대도시에 아무리 작은 규모의 핵폭탄이라도 터지는 날에는 그야말로 악몽이 될 것이라고 말도 덧붙인다.

"바로 그걸 남쪽에서 모를 리 없기 때문에 북의 실체를 인정하는 것이 현재로서는 유리하다고 판단한 거죠."

"그래. 다행스러운 것은 남측에는 핵폭탄이 없지만 우린 갖고 있다는 거야. 남측이 아무리 용을 써도 핵폭탄이 없는데 무엇을 할 수 있겠어. 안 그런가, 윤 대장?"

"그렇습니다. 달나라 유인 우주선 발사를 준비하고 있는 민성태, 이진숙 동무를 크게 포상해야 할 겁니다."

"그래야지. 다음에 중책을 맡길 생각이야. 그런데, 얘야. 내가 한 가지 의문이 있다."

이강렬은 윤동주의 말에 맞장구를 쳐주고는 은근한 투로 박민희에게 말머리를 돌린다.

"의문이요?"

"그래. 남에서는 국무위원장이 살아있다고 주장하는데 그건 어떻게 된 거지?"

"대통령은 어떻게 해서든지 이번에 통일을 해야겠다는 강박관념을 가지고 있었어요. 그래서 아버지를 인정하지 않고 국무위원장과 8월 15일에 전격 통일 선언을 할 예정이었죠."

"그게 아니라 내 말은……국무위원장이 살아있다는 말이 뭐냐는 거야?"

"남에서 만든 각본이죠. 북에서 처형해 버렸다고 하니까 처형된 사람이 대역이라고 하면서 남쪽에 살아있다고 역선전을 하는 거죠. 국무위원장이 살아있어야 통일 선언을 할 수 있을 테니까요."

"그렇다고는 생각했지만 남조선에서 흘린 자료가 너무나 그럴 듯해서 우리가 이만저만 고생한 게 아니라니까."

"충분히 이해가 가요. 남쪽의 컴퓨터 기술이라면 그 정도는 식은 죽 먹기죠. 국무위원장의 영상자료는 물론 지문을 찍는 장면까지 모두 정교한 컴퓨터 그래픽 기술로 만들어낸 거예요."

"그런데 남에서 보낸 녹음테이프의 국무위원장 목소리를 분석해보니 음파까지 일치하던데, 그건 어떻게 된 셈인가?"

"저도 궁금했던 부분인데……전문가들 얘기로는 음파 정도야 간단하게 조작할 수 있다는 겁니다."

이강렬은 찜찜하던 구석이 깨끗하게 정리되는 기분인지 홀가분한 표정으로 묻는다.

"그렇다면 국무위원장 자체가 없었다는 얘기 아냐?"

"아니에요. 국무위원장의 대역을 만든 것은 사실이에요. 엉뚱한 데서 문제가 터져서 그렇지……."

"엉뚱한 데서 문제가 터지다니?"

"방금 지적하신 목소리 때문이죠. 국무위원장과 대통령이 직접 통일 선언을 해야 할 텐데 그때도 대역이 나선다면 목소리가 다르다는 것이 탄로될 수밖에 없지 않겠어요?"

"그거야 녹음테이프를 쓰면 되지 않나요?"

윤동주가 끼어들어 그까짓 게 뭘 그렇게 어려우냐는 듯 되묻자 박민희는 당연히 그런 말이 나올 줄 알았다는 듯 설명을 덧붙인다.

"왜 그런 생각을 해보지 않았겠어요. 하지만 통일 선언이 립싱크 가수들의 공연과는 근본부터 다르다는 걸 깨달은 거죠. 전 세계의 보도진들이 모여 있는데 그런 조작이 통할 것 같습니까?"

"무슨 뜻인지?"

"선언 후에는 곧바로 인터뷰를 해야 할 텐데 그때도 녹음테이프를 쓸 수는 없잖아요?"

"그렇군. 인터뷰하는 것까지는 미처 생각지 못한 일이야."

"그래서 아버지와 협상하기로 한 거죠. 현실을 직시해야 한다는 제 말을 처음에는 들은 척도 하지 않다가 결국 승낙한 겁니다."

박민희의 설명은 나무랄 데 없이 깔끔하다. 더구나 그녀의 설명은 이강렬이 이미 알고 있는 사실이기도 하다. 최창수가 소환되어 왔을 때 X에 대한 의문까지 말끔하게 해소시켜 주었다. 국무위원장에 대한 최창수의 보고와 박민희의 설명이 일치한다면 더 이상 의심할 나위도 없는 것이다. 이강렬은 만족스럽다는 듯 박민희를 치하한다.

"이 어려울 때 네가 나를 이렇게 도와줄 줄 누가 알았겠나?"

"아버지가 복을 받으신 거죠."

"아암, 지리산에서 네 엄마를 만났던 것부터가 내겐 행운이었지."

"저도 아버지를 도울 수 있어서 기뻐요."

"네 엄마가 죽음을 앞두고 네가 살아있다는 편지를 보내주었을 때 나는 얼마나 놀랐는지 모른다. 그 후로 줄곧 너를 주목했는데 시간이 갈수록 네가 점점 크게 성장하더구나. 그래서 네게 연락하기로 작정했던 거란다. 내 편지를 받았을 때 내가 살아있다는 것을 알았니?"

"예. 어머니가 돌아가시기 전에 작성해둔 편지를 제가 스무 살이 되었을 때 전달받았어요. 그 편지에 아버지와 만났던 일과 북에서 인민군의 고위 간부로 계신다는 사실을 적어놓으셨더군요. 정말 이렇게 직접 만나뵐 수 있어서 너무너무 기뻐요."

이강렬은 눈시울을 붉힌 채 대견스러운 듯 손을 어루만지며 박민희의 말에 귀를 기울인다.

"나도 기쁘구나. 더구나 네가 우리 북조선 인민들이 남의 도움을 받지 않고 살아가려는 주체의 길에 도움을 주고 있는 게 너무나 대견스럽다. 아까도 이야기했듯이 내가 국무위원장을 축출한 것은 개인적인 욕심 때문이 아니라 대의를 위한 일이란 걸 알아야 한다."

"알아요. 그러니까 저도 아버지를 돕겠다는 거죠."

"고맙다. 하지만 나는 이제 나이가 너무 많다. 이제 누군가가 내 뒤를 이어야하는데 윤 대장이 큰 역할을 하겠지만 너도 힘껏 도와주렴."

"알겠어요, 아버지."

"이럴 게 아니라……네가 아예 북으로 와서 나를 도와주면 좋겠다. 네가 북으로 오면 그야말로 모든 것을 누릴 수 있다. 내 배경이 아니더라도 네 덕분에 우리 인민들이 남의 간계에서 벗어났으니 얼마나 고맙게 생각하겠나?"

"저도 그렇게 하고 싶지만 우선 이번 일 마무리 짓고 여건이 되면 아버지 곁으로 오지요."

"그래, 뭐니 뭐니 해도 가족이 최고다. 너와 윤 대장이 힘을 합하면 무슨 일인들 못 하겠니?"

이강렬의 말에 박민희는 고개를 끄떡인다.

7.

"궁금한 게 한 가지 있는데……정말로 미국을 공격하기 위해 달에 유인 우주선을 발사하겠다고 하신 건가요?"

박민희가 이강렬에게 묻는다.

"무슨 소리냐? 우리가 미국을 공격하려고 ICBM을 발사할 정도로 멍청하겠니? 달에 유인 우주선을 보내려는 것은 국무위원장이 오래 전부터 구상한 거야."

국무위원장이 집권하자마자 10년 안에 달에 유인 우주선을 보내겠다고 발표한 것은 사실이다. 특히 우주인을 우주공간에 보냈다가 생환시킬 수 있다면 그동안 북한에 대기권통과기술(Re-entry)이 없다고 하던 주장을 일거에 소멸시킬 수 있다.

"남쪽 학자들은 북조선에 대기권통과기술이 없다고 단언하더군요. 실제로 달에 유인 우주선을 보내려면 적어도 생명체 생환 증거를 보여

주어야 한다는 거죠."

"그 정도는 우리도 알고 있어. 사실 우리는 대기권통과기술을 이미 확보했어. 잘 알고 있지만 화성 미사일로 이미 대기권을 통과할 수 있다는 것을 보여준 거야."

"그건 알지만 생명체를 생환시킨 것은 아니죠. 그들은 생명체를 살려오지 않으면 결코 납득하지 않을 거예요. 미국이 아버지가 달에 유인 우주선을 보낸다는 사실 자체를 인정하지 않는 이요죠."

박민희의 말에 윤동주가 미소를 지으면 끼어든다.

"사실 그 문제는 곧바로 확인될 겁니다."

"확인이라고요?"

"그래. 네가 남조선으로 떠나면 곧바로 풍산개를 탑재한 우주선을 발사할 예정이야. 풍산개가 살아온다면 더 이상 이런 문제로 시비를 걸 것도 없고 미국도 더 이상 시비를 걸지 못할 거야."

그야말로 놀라운 일이 아닐 수 없다. 그러나 이미 미국의 결심이 굳어져 있다는 점을 박민희는 잘 알고 있었다. 대기권 통과에 관한 한 상당한 자료를 이미 읽고 온 박민희다.

"남쪽 학자들은 북조선이 대기권통과기술이 없다는 확실한 이유로 대형 태양로를 발견할 수 없다는 것을 제시하고 있어요."

"남측에도 전문가가 있는 모양인데 대형 태양로가 있으면 대기권 통과기술을 인정하겠다는 자체는 납득이 가죠. 그러나 북조선은 그런 난점을 슬기롭게 해결했죠. 그 어려운 상황에서도 핵폭탄을 개발하고 ICBM도 자체적으로 개발했는데 대기권통과기술을 꼭 미국의 입맛에 맞는 기자재로 만들어야 한다는 법이 있나요?"

윤동주의 말에 박민희는 더 이상 거론하지 않는다. 사실 박민희는 엔지니어가 아니므로 꼬치꼬치 캐물을 실력도 못 되어 방향을 바꾼다.

"미국은 현재 일본과 공조하여 북한을 공격하려는 준비에 이미 착수했어요. 그 빌미가 바로 달에 우주인을 보낸다는 것인데 풍산개가 성공리 돌아온다고 해도 중지할까요?"

"그것도 가짜라고 하지는 못하겠지. 여하튼 우리는 네가 가자마자 풍산개를 살려와 달에 우주인을 보내는 것이 결코 허상이 아니라는 사실을 보여줄 거야. 풍산개가 살아온다는 것은 우주계획의 일환으로 볼 수 있으므로 우리를 더 이상 규제할 명분이 사라지지."

"풍산개가 정말로 살아온다면 미국과 일본이 할 말을 잃겠지만 그래도 욕심을 버리지는 않을 거예요."

"우리도 그 정도는 예상하고 있어. 그런데 그들이 우리의 우주 실력을 오도하여 우리를 공격한다면 곧바로 핵폭탄을 미국과 일본에 발사하겠다고 할 거다. 윤 대장이 말해보게."

이강렬의 말에 윤동주는 이미 예상하던 질문이라는 듯 곧바로 대답한다.

"국무위원장 처형을 빌미로 미국과 일본이 북한을 공격할 수도 있다는 것은 예상할 수 있는 일이죠. 그들의 속셈은 북한을 점령하여 엄청나게 부존되어 있는 희토류 등 천연자원을 마음껏 갖겠다는 겁니다."

"그건 틀림없어요. 사실 남측에도 제안이 온 모양이에요."

"어떻게?"

"한국이 북한을 점령할 때 가만히 있으면 상당 부분의 자원을 할애하겠다는 거죠."

"남조선이 동조했나?"

"그건 아니죠. 여하튼 한반도에서 전쟁이 일어나면 안 되는 데다 북한을 점령하면 어떻게 변할지 모르죠. 일전에 북한을 점령하여 신탁통치를 하겠다는 말이 있었는데 그건 남한과 상의하지 않겠다는 뜻과 다름없어요."

"내 말이 그거다. 한국에서 미국과 일본의 북조선 공격을 막으려 해도 그들이 말을 듣지 않을 거야?"

박민희의 말에 이강렬이 동조하자 윤동주가 나선다.

"우리 시나리오에 의하면 미국과 일본이 북조선을 무력화시키려면 핵폭탄이나 미사일이 아니라 직접 상륙작전을 해서 국토를 점령해야 해요."

"하기야 거의 모든 시설이 100~200미터 지하에 있으므로 핵폭탄의 영향을 받지 않는다는 보고도 있더군요.

"맞아요. 북조선은 미국과 일본이 발사하겠다는 미니 핵폭탄에 큰 영향을 받지 않아요. 물론 방사능에 의해 상당한 피해를 보겠지만 그건 상륙군에도 치명상이죠. 그런데 이번에 미니 핵폭탄 등은 배제했더군요."

중국이 강력히 반발하자 미국은 미니 핵폭탄 사용은 고려하지 않고 있다고 발표했다. 그러나 북한을 초토화시킨다는 목표는 단념하지 않았다.

"미국의 사드, 패트리어트 등은 물론 한국에서 개발한 무지개의 성능이 매우 좋아 단 1분 30초 정도에 미사일의 궤적을 파악하고 4~5분에 요격태세를 갖추므로 우리가 발사하는 핵폭탄을 파괴할 수 있다고 자신하더군요."

"그래요. 한국에서도 그런 말을 하고 있어요."

"그런데 우린 그 방법을 찾았지요. 미국이 우리 북반부를 점령하려면 일본과 합하여 50만 명 정도의 상륙군을 동원해야 하는데 그러려면 항공모함을 포함하여 인도·태평양 함대의 주력이 출격해야 해요."

"이미 한반도 해역으로 항진 중이죠."

"맞아요. 그런데 동해상에 항공모함 등을 정박시키고 상륙군 등을 발진시켜야 하는데 우리가 갖고 있는 핵폭탄 하나면 이들을 전멸시킬 수 있다는 겁니다."

"미국과 일본의 요격 무기들은 북한에서 발사하는 핵폭탄을 간단하게 저격할 수 있다고 알려주더군요."

"지구 대기권 내에서 미사일을 발사하면 그 말이 맞을 수도 있겠죠.

하지만 ICBM처럼 우주공간에 발사한 후 대기권을 통해 들어오면 약 3분 정도 위치를 확인할 수 없죠. 대기권 재진입시 엄청난 열이 발생하기 때문인데 우리는 대기권 밖에서 위치를 이동시킬 수 있다는 사실을 보여준 겁니다. 중요한 것은 재진입대를 통과한 후 1분도 지나지 않아 목표물에 핵폭탄을 터트릴 수 있으므로 요격 무기들이 무용지물이 되는 거죠."

윤동주는 한 마디로 북한을 공격하려는 미군과 일본 자위대 50여만 명의 장병들이 모두 핵폭탄의 희생자가 될 수 있다는 것이다.

"이런 사실을 미국과 일본에게 알려 주었나요?"

"굳이 알려줄 필요가 있겠니? 그들이 정말로 경거망동한 행동으로 군을 동원하면 그때 알려줘도 되지. 막강한 미국의 인도·태평양 함대가 모양새 없이 철수한다면 다시는 우리를 넘보려하지 않을 거야."

"맞아요. 아이러니한 것은 이들 기술을 국무위원장이 우리를 위해 사전에 개발한 거죠."

"국무위원장이 미국을 공격하기 위해 만들었다고요?"

"그것이 아니라 실제로 국무위원장은 내년 8월 15일 달에 사람을 보낼 계획을 갖고 있었는데 우리가 이것을 약간 보정하여 빨리 발사하겠다는 거죠. 결론을 말한다면 한반도 통일도 우리가 주도할 수 있다는 겁니다."

"너무 낙관적으로 생각하시는 것은 아닌지요?"

"낙관이 아니다. 국제 정세를 한반도에만 국한시킨다면 금방 문제점과 해결책이 생긴다. 우리는 핵폭탄은 물론 달에 우주인을 보낼 수 있는 실력을 갖고 있기 때문에 어떤 불리한 여건에서도 버틸 수가 있는 거야."

이강렬의 단호한 이야기에 박민희도 더 이상 말문을 열지 못한다.

제43장 초토화작전

1.

안전가옥의 거실에서 X가 창밖을 내다보고 있다.

대통령이 다가가서 인사하고 그가 뒤돌아보자 서둘러 얘기를 꺼낸다.

"8월 14일 새벽에 인도·태평양 함대가 북한을 공격할 예정이라고 미국 측에서 알려왔습니다."

"한국을 배제하더라도 공격하겠다는 뜻이군."

"예. 한국을 제외하고 공격할 테니 가만히 있으라는 거죠. 한국 측에 자신들이 해야 할 예의는 갖추었다는 뜻이겠죠."

"고양이가 쥐 생각 한다는 말인가?"

"그렇습니다. 8.15일 전에 공격하여 통일 의지를 원천적으로 분쇄하겠다는 뜻입니다. 러시아 함대도 며칠 후 인도·태평양 함대에 합류한답니다."

"중국의 움직임은 어때요?"

"중국은 미적거리고 있는 듯합니다."

대통령이 한반도 주변에서 일어나고 있는 정황을 간략하게 설명하자 X가 묻는다.

"오메가 배치는 완료되었소?"

"예, 언제든지 출동 가능합니다."

"그렇다면 8월 10일 경 각국 대사들과 주한미군 지휘관들을 초청하여 시범을 보여주시오."

"8월 10일이면……너무 늦지 않을까요?"

"아니오. 저들의 간담을 서늘하게 만들어 주려면 공격하기 직전이 가장 좋아요."

"알겠습니다. 그렇게 하겠습니다."

"통일이 이루어지는 그날까지는 한 순간도 방심해서는 안 됩니다. 판문점의 준비 상황은 어떻소?"

"제대로 준비되고 있습니다. 판문점 북쪽 지역도 전혀 문제가 없다고 합니다. 너무 걱정하지 마시고 좀 쉬십시오."

"알겠소."

보고를 마친 대통령은 X에게 정중하게 인사를 한 다음 빠른 걸음으로 나간다. 그의 얼굴에는 미소가 떠오른다.

2.

북한의 유인 우주선을 위한 프로젝트, 즉 풍산개의 생환은 그야말로 세계를 놀라게 했다.

이강렬이 달에 우주인을 보내겠다고 발표했을 때 모두 ICBM 개발을 호도하기 위한 꼼수로 인식했다. 한 마디로 북한에 우주인을 생환시킬 대기권진입기술이 없다는 이유였다.

20세기 초 개발되기 시작한 거대한 액체연료 로켓에 힘입어 20세기 중반에 우주개발이 현실화되기 시작했다. 특히 당시 국제적인 냉전에 따른 지역 경쟁의 결과 우주경영에도 불이 붙었다.

1957년 10월 4일 구(舊)소련이 최초의 인공위성인 스푸트니크(Sputnik) 1호를 쏘아 올렸다. 1957년에는 생물을 최초로 궤도에 올려 놓았고 1961년에는 보스토크(Vostok) 1호로 유리 가가린을 궤도로 보내 최초로 인류의 우주비행을 성공시켰다.

미국은 소련에 우주비행에서 기선을 제압당하자 1958년 NASA를 창설하고 머큐리, 제미니, 아폴로 우주선을 통해 1969년 7월 21일(한국 시각) 암스트롱이 달의 표면을 밟았다. 그러나 본격적인 우주개발은 미국의 우주왕복선 탄생으로부터 시작한다고 볼 수 있다. 우주왕복선으로 각종 위성과 행성 탐사선의 발사, 우주과학의 실험, 우주정거장의 건설과 관리를 수행할 수 있었기 때문이다.

머큐리, 제미니, 아폴로에 이은 우주왕복선은 먼저 나온 우주선과는 차원을 달리한다. 우주왕복선은 궤도 인간 비행을 위해서 지구와 궤도 사이를 운영하는 우주선으로 재사용이 가능한 운반체다.

우주왕복선 등장 이전의 우주선은 마치 기관차를 한 번 쓰고 버리는 것과 같았다. 그러나 이 경우 우주선을 한 번 발사하는 데 많은 비용이 들기 때문에 다목적 우주개발을 위해서는 재사용 가능한 우주선을 개발하는 것이 필수였다.

그러나 우주왕복선을 개발하는 것은 간단한 일이 아니다. 우주왕복선이 대기권을 통과할 때, 즉 재진입(Re-entry) 때 발생하는 문제점 극복이 필요불가결하기 때문이다.

우주선은 우주여행을 마친 후 대기권으로 들어올 때 마하 18~20의 초고속으로 진입한다. 문제는 이때 우주선의 앞부분이 대기와 충돌하면서 충격파 등으로 1,500도 이상의 고온이 생기며 지속시간은 상황에 따라 다르지만 대체로 2~4분이다.

한 마디로 우주선 안에 우주인이 탑승하고 있다면 우주선 내부로 이런 고온이 들어오지 않아야 생존할 수 있다. 생명체가 이 온도에서 2~4분만 견디면 문제가 없는데 생명체는 단 1초도 이를 참지 못한다.

그러므로 초창기 우주인을 생환시키기 위해 사용된 방법은 매우 원천적인 해법이다. 열이 우주선 안으로 들어오지 못하게 하는 것으로 이를 '삭마법(Albative)'이라 한다.

삭마법이란 우주선을 얇은 금판과 탄소판으로 덮어 우주선이 대기권으로 들어올 때 이들이 먼저 타버림으로써 우주선 안으로 열이 들어오지 못하게 하는 방법이다. 그러므로 대기권으로 들어온 제미니와 아폴로는 우주왕복선처럼 수십 회에 걸쳐 발사될 수 있도록 계획된 것이 아니라 단 한 번만 우주여행이 가능하다(우주왕복선은 기본적으로 100회를 발사할 수 있도록 계획되었음).

물론 우주선 자체는 회수할 수 있으므로 삭마법 용으로 완벽하게 금과 탄소판으로 다시 붙인다면 재차 사용할 수 있겠지만 이것이 간단하지 않으므로 아예 새로운 우주선을 만들어 발사한 것이다. 회수된 우주선의 표면에 노란색이 보이는 것이 바로 얇은 금이다.

우주선의 앞부분이 1,500도 정도로 올라간다면 2,000도 정도를 견딜 수 있는 재료로 붙이면 된다. 즉 대기권을 통과하는 2~4분 동안 열이 우주선 안으로 들어오지 않게 만드는 것이다.

문제는 우주선이 대기권으로 들어올 때와 유사한 상황을 만드는 것이 간단한 일이 아니라는 점이다. 현재의 기술로 상온상압, 즉 대기상태에서 몇 분 동안 1,650도 이상을 만드는 것은 원천적으로 불가능하다. 레이저, 플라즈마 기법으로 100만도 이상도 올릴 수 있지만 대기상태에 장기간 지속하는 것이 어렵다는 뜻이다.

우주왕복선은 이런 고열이 우주선 안으로 들어오지 못하도록 고온용 단열타일로 완벽하게 붙인 것이다. 우주왕복선에서 사용하는 단열타일은 10cm x 10cm의 대면적(?)으로 약 30,000개 붙인 것이다. 고온용 단열타일을 제조할 수 있는 관건이 바로 초고온태양로다.

태양로를 대형으로 만들 경우 3,000도를 수월하게 만들 수 있는 것은 상온에서 2~4분이 아니라 태양이 지속되는 한 계속적으로 가동이 가능하다. NASA는 프랑스의 1MW급 오데이오 태양로를 이용하여 단열 타일을 비밀리에 개발했다.

그동안 미국이 북조선에서 달에 유인 우주선을 발사하겠다는 주장을 일언지하에 부정했던 것은 이런 단열타일을 개발할 수 있는 기술이 없다고 단정했기 때문이다. 일반적으로 상온에서 장시간 고온을 얻으려면 대형 태양로가 필요한데 북조선에서 이를 발견하지 못한 것도 그렇게 단정했던 이유 중의 하나다.

그런데 북조선에서 자랑하는 풍산개를 우주에 올렸다가 생환시켰다. 북조선에서 달에 우주인을 보낼 수 있는 기술을 만천하에 보여준 셈이었다. 미국이 이강렬의 유인 우주선 발사를 거짓이라 매도하면서 북조선을 일본과 함께 공격하려던 계획에 명분상 차질이 생긴 것이다.

3.

"스기에 총리입니다."

스기에 총리가 수건으로 이마를 닦으며 화상전화에 대고 입을 연다.

"아. 총리로부터 연락이 올 것이라 하여 기다리고 있었어요."

11월 재선에 몰두하고 있는 미국 대통령이 기다리고 있었다며 전화를 받는다. 화상전화는 일본 총리의 요청에 의해 이루어졌다.

"북조선의 이강렬이 놀랍게도 우주로 풍산개를 보내 생환시켰습니다. 그동안 달에 유인 우주선을 보낸다고 발표했을 때 이를 ICBM을 포장하기 위한 애드 립이라고 몰아붙였는데 정말로 풍산개를 살려왔습니다."

"알고 있어요. 조금 전 백악관에서 긴급회의를 했는데 북조선이 대기권 진입기술을 확보하지 못했다고 단언한 것을 질책했어요. 그 많은 국방예산을 사용하고도 북한의 대기권진입기술조차 정확하게 분석하지 못하다니 말이 되느냐는 소리였어요."

"저도 바로 그 문제를 지적했습니다. 각하."

"우리는 현재 인도·태평양 함대 25만 명을 동해에 급파하여 북조선이 항복문서를 갖고 오지 않으면 공격하겠다고 천명했어요. 스기에 총리는 큰 문제가 없겠지만 재선에 몰두해야 하는 나로서는 모양새 없이 철수할 경우 선거는 보나마나요."

미국 대통령이 정확하게 파급효과를 거론한다. 한 마디로 인도·태평양 함대의 공격으로 북한을 점령하면 그의 재선은 물론 따 놓은 당상이라고 할 수 있다. 더욱이 수많은 기업들이 파괴된 북조선에 진출하겠다는 실무계획도 준비하고 있었다. 그 모든 것이 수포로 돌아가는 끔찍한 일이 벌어지고 있는 것이다.

"북조선의 이강렬이 조금 전에 우리 공격군이 북조선에 단 한 발의 폭탄이라도 떨어트리면 곧바로 인도·태평양 함대는 물론 미국 본토와 일본에 핵폭탄을 발사하겠다고 통보했어요. 달에 유인 우주선을 보내는 것도 거짓이라고 매도했으니까 그 말이 정말인지 아닌지 폭탄이 떨어진 후에 확인하는 것은 우리 책임이라고 분명히 선언하는군요."

미국 대통령도 다소 당황하는 표정이 역력하다. 남한의 대통령은 국무위원장의 말을 토대로 국무위원장의 지시에도 불구하고 이강렬이 핵폭탄을 폐기하지 않았을 가능성이 있다고 전해왔다.

그러므로 이강렬이 풍산개를 살려온 이상 미국과 일본에 핵폭탄을 발사할 수 있는 자산이 확보된 것은 사실이다. 스기에 총리가 아얏 소리도 하지 못하자 미국 대통령이 말을 잇는다.

"일본에 핵폭탄을 발사하겠다는 통첩을 받았나요?"

"아직 받지 못했습니다, 대통령 각하."

"이강렬은 분명하게 미국 한 발에 일본 5발을 발사하겠다고 알려왔습니다. 일본이 이번 공격에 소요되는 모든 예산을 감당하고 독도를 점령한 행위를 좌시할 수 없다는 거죠."

"독도는 한국이 일본 땅을 무단으로 점령했던 것이며 독도 점령은 일본 정부와는 전혀 관련 없이 극우파들이 한 짓입니다."

"그 문제로 여기서 토론하자는 말이 아니라 이강렬이 그렇게 알려왔다는 겁니다. 일본은 이번 사건을 어떻게 처리해야 한다고 생각합니까?"

미국 대통령의 질문에 스기에는 다소 움칠한다. 결코 만만치 않은 질문인데, 스기에도 산전수전 다 겪은 노련한 정치가다.

"우리는 미국의 정책을 적극 지지하고 있습니다. 미국은 어떻게 생각하시는지요?"

"오늘 회의에서 난상토론이 벌어졌는데 결론은 결코 이강렬을 화내게 해서는 안 된다는 거예요. 껄끄러운 일이 생기면 안 된다는 거죠."

"철수하시겠다는 건가요?"

"솔직하게 모양새 없이 철수하는 것도 탐탁치는 않아요. 나에게 직격탄이 날아올 것이 빤하니까요."

재선에 목을 매고 있는 미국 대통령의 입에서 직격탄이란 말이 나올 것으로 스기에도 예상하고 있던 일이다. 무언가 대꾸를 해야 하는데 말끔한 이야기가 나오지 않아 곤혹스러운 표정을 짓는다.

스기에는 유창한 영어로 말한다. 미국의 대사를 역임한 스기에이므로 두 명의 통화에는 통역도 배석시키지 않는다.

"우리는 미국이 어떠한 결론을 내더라도 적극 지지하겠습니다. 또한 그동안 이야기한 예산도 차질 없이 집행하도록 하겠습니다. 그런데 한 가지 건의한다면……."

"말씀하세요."

"현재 남한과 북한에서는 동시에 대대적으로 8월 15일 통일 이벤트를 준비하는 모양입니다. 이강렬의 쿠데타로 전격 통일은 어려울 것으로 보이지만 한반도가 어떻게 돌아가는지는 짐작할 수 있을 것으로 보입니다. 8월 15일을 지나서 인도·태평양 함대의 거취를 결정하셨으면 합니다."

"그러니까 공격도 유보하고 철수도 유보하여 시간을 두고 기회를 보자는 뜻이군요."

"북한의 풍산개에 너무 얽매이지 말고 시간을 보면서 틈새가 있는지 찾아보자는 뜻입니다. 우리도 최소한의 손실에 최대한의 결실을 얻도록 최선을 다하겠습니다.”

시간을 벌어보자는 스기에 총리의 말에 미국 대통령도 엉거주춤 알겠다고 대답하며 긴급 화상회의의 통신을 마친다.

4.

“이강렬이 미국 한 발에 일본 5발을 쏜다고 통보했다는 겁니까?”

다나카 장관의 반문에 스기에 총리가 땡감 씹은 표정으로 답한다.

“그렇소. 이강렬은 일본이 독도를 점령하고 인도·태평양 함대의 모든 비용을 지원하는 데 대해 정확히 지적했다고 합니다.”

일본에서 인도·태평양 함대의 자금을 전적으로 지원하자고 재촉한 사람은 방위청장관인 다나카다. 다나카는 미국 대통령이 선거를 앞두고 있으므로 함부로 결정내리기 어려운 상태인데 미국 대통령에게 북한 공격작전 예산을 일본이 모두 부담하겠다고 말하면 거절할 이유가 없다고도 했다. 그의 말이 적중하여 인도·태평양 함대가 일본의 소원대로 동해에 출격해 있는데 새로운 변수가 생긴 것이다.

“미국의 반응은 어떤지요?”

“미국 대통령은 이강렬이 정말로 인도·태평양 함대에 핵폭탄을 발사할 수 있다고 믿고 있는 듯해요. 그런데 북조선에 정말로 그렇게 많은 핵탄두가 있단 말이오?”

스기에는 이강렬이 미국에 2~3발을 쏜다면 일본에는 10발~15발을 발사하여 일본을 아예 초토화시키겠다고 호언했다는 말까지 덧붙인다. 제2차 대전 때 2발의 원폭이 히로시마, 나가사키에 떨어진 이후 지구에서 핵폭탄이 공격용으로 사용된 적이 단 한 번도 없었는데 이강렬이 또 다시 일본에 핵폭탄을 발사하겠다고 공언하는 셈이다.

스기에가 다시 입을 열었다.

"미국 대통령의 말로 미루어볼 때 이강렬이 미국에 대한 공격은 자제하고 일본만 공격하겠다는 감을 받았소. 현재 실력으로 보아 북조선의 미사일을 모두 격추시킬 수 있겠소?"

"솔직히 말한다면 몇 대를 격추시키는 것은 가능할지 모르지만 십수발이라면 모두 격추시키는 것은 불가능합니다."

"그래서 걱정이오. 장관은 어떤 대안을 제시할 수 있겠소?"

맺고 끊는 것이 정확한 스기에는 군더더기 없이 곧바로 요점으로 들어가 일본의 대안이 무엇이냐고 질문한다. 그야말로 난감한 질문이 아닐 수 없는데 다나카가 묻는다.

"적어도 8월 15일까지는 시간을 벌었다고 하셨지요?"

"그래요. 사실 미국 대통령도 모양새 없이 철수한다는 것은 재선의 실패를 의미하기 때문에 반기지 않을 게 분명하니 대통령에게 명분을 주는 것이 중요하다는 뜻이오."

"한국 대통령이 가만히 있는 것이 이상하지 않습니까?"

"이강렬의 행동에 한국 대통령이 할 말이 뭐가 있겠소? 더구나 이강렬이 독도까지 거론했는데 가만히 있는 것이 유리하지 않겠소?"

"제 말은 그동안 장담하던 통일이 물 건너 간 것 같은데도 잠잠하다는 뜻이죠. 저는 우리에게 아직 카드가 있다고 생각합니다."

다나카의 말에 스기에가 깜짝 놀라며 눈을 똥그랗게 뜬다.

"카드가 있다고 했소?"

"그렇습니다. 약 10년 전에 일본에서 극비로 동해에 침몰한 북조선 잠수함을 인양한 적이 있습니다."

"수심이 너무 깊어 인양을 포기했다고 언론에 나온 것 같은데?"

"동해의 수심은 2,000~4,000미터가 되는데 북조선 잠수함은 깊이 3,000미터 정도에 침몰되어 있었습니다. 수심이 3,000미터나 되어 만만치 않지만 제가 있을 때 사실 극비로 인양한 다음 수심이 깊어 포기했다고 발표했습니다."

스기에가 깜짝 놀라며 묻는다.

"그 안에 무엇이 들어 있었소?"

"상당히 많은 미사일이 있었습니다. 그걸 8월 15일 전에 북조선으로 발사하는 겁니다. 한 두 발정도는 한국에 발사하고요."

"누가 발사하는지 곧바로 포착할 텐데?"

"그걸 확인할 수 없다고 확신하기 때문에 말씀드리는 겁니다. 우선 잠수함에서 발사하기 때문에 사전 포착이 어려운 데다 모든 폭탄이 북한제라 북조선이 항의조차 할 수 없습니다."

다나카는 당시 테러단체에서 북조선 잠수함을 인양했다는 사실을 발표하자고 부연한다. 사실 몇몇 아랍 테러단에서 잠수함을 갖고 있다는 보도는 계속 나왔으므로 그들이 북한제 미사일을 북한으로 발사했다고 말하면 된다는 것이다.

다나카 도쿠지로는 일본 잠수함은 원자력으로 가동되므로 2년 정도 보급 없이 바다 속에서 체류할 수 있다는 말도 한다.

"발상은 나쁘지 않지만 테러단에서 왜 로켓을 발사한단 말이오?"

"테러단에서 남한과 북한이 수용할 수 없는 조건을 걸고 조건이 수락되지 않았다는 이유로 발사하는 거죠."

"정말 오묘한 아이디어로군. 그러나 잠수함을 비밀리에 인양할 정도의 테러단이 실제로 있겠소?"

실무적인 질문에 다나카는 이미 답변을 준비하고 있었다.

"현재 매우 강력한 이슬람 무장단체인 IS는 그 세력이 아직도 꺾이지 않았으며 잠수함을 갖고 있다는 루머는 많이 돌아다니고 있습니다. '악마의 집단', '블랙 집단' 등도 잠수함이 있다고 알려져 있습니다."

"그들이 정말로 잠수함을 갖고 있소?"

"그 문제는 우리가 확인할 사항이 아닙니다. 단지 우리가 그들과 연계하여 작전을 벌이자고 하면 거절할 이유가 있겠습니까?"

테러단에 상당한 자금을 지원하면서 이름만 차용하자는데 승낙하지 않을 이유가 없다고 다나카는 거듭 강조한다.

"알겠소. D-day를 언제로 예상하고 있소?"

"각하께서 미국 대통령에게 8월 15일까지 관망하자고 했으니까 하루 전인 14일이 어떻겠습니까? 솔직하게 말하면 남북한의 이벤트를 통쾌하게 깨부수는 거죠."

다나카의 말에 스기에는 만면에 웃음을 지으며 말한다.

"차질 없이 진행해 보시오."

5.

CNN 뉴스의 지나박이 기사를 내보내고 있다.

"CNN뉴스입니다. 기자는 현재 북조선을 공격하기 위해 동해상에 떠 있는 칼빈슨 호에 동승하고 있습니다. 공격대를 지휘하고 있는 고든 소장을 만나 보겠습니다."

"항공모함 위에서 보니 정말 전운이 감도는 것을 느낄 수 있습니다. 현재 남북한은 8월 15일에 대규모 평화통일을 위한 집회를 열기로 발표했는데 미국이 북조선을 이보다 먼저 공격한다는 말이 있습니다. 이것이 사실인지요?"

"저는 이번 작전에 참여한 실무 비행대장에 지나지 않습니다. 작전 개시일자가 언제인지는 제가 관여할 수 있는 일이 아닙니다. 단지 공격명령이 내리면 명령에 따라 북조선을 공격할 겁니다."

"정말로 북조선을 공격하라는 명령이 내려올 것으로 생각하십니까?"

"무슨 뜻인지?"

"지금까지 미국이 북조선을 공격해야 한다는 것은 북의 이강렬이 달에 우주인을 보내겠다는 발표가 미국을 공격할 수 있는 ICBM 개발을

556

포장하기 위한 것이기 때문이라는 이유였죠. 그런데 이번에 풍산개를 태워 대기권을 무사히 통과했습니다. 그동안 부단히 북조선은 대기권 진입기술이 없으므로 유인 우주선을 달로 발사하는 것이 허구라고 말했는데, 북조선은 보란 듯이 유인 우주선 발사 능력을 증명했습니다. 북조선이 풍산개를 생환시킨 장면을 보셨겠지요?"

"그렇소."

"북조선이 정말로 유인 우주선 발사의 기본인 대기권진입기술을 갖고 있다는 것이 확인되었는데도 북조선을 공격한다는 것은 명분에 허점이 생긴 게 아닌가요?"

"좀 전에도 말했지만 북조선을 공격하고 안 하고는 제가 뭐라고 할 성질이 아닙니다. 저는 상부에서 공격 명령만 내리면 곧바로 출격할 겁니다."

고든의 말은 충분히 예견된 대답이었다. 지나박은 다른 질문으로 화제를 돌린다.

"어제 이강렬이 매우 놀라운 발표를 했습니다. 북조선에 폭탄이 단 한 개만 떨어져도 곧바로 여러 개의 핵폭탄을 발사하겠다고 했지요. 이곳 인도·태평양 함대, 미국 본토, 일본을 대상으로 발사하는데 미국에 한 개를 발사하면 일본에 5개를 발사하겠다고 했습니다. 그건 어떻게 생각하시죠?"

"이강렬이 적어도 혼자 당하지는 않겠다는 뜻으로 엄포를 놓고 있지만, 우리가 이강렬의 이야기를 고려할 필요는 없다고 생각합니다."

"그런데 이 함대 인근에 이강렬이 발사한 핵폭탄이 터진다면 이곳에 출전한 모든 장병들에게 결정적인 피해를 주는 것 아닙니까?"

"우리는 북한이 발사한 핵폭탄이 단 한 개도 목표한 지점에 떨어지지 않을 것이라고 확신합니다."

"북조선이 발사한 미사일을 모두 격퇴시킬 수 있다는 뜻인가요?"

"그렇습니다. 미국의 능력을 믿어주시기 바랍니다."

미국은 국방예산 중 약 5%를 중국, 러시아, 북한 등의 탄도미사일 위협에 맞서기 위해 사용했다. 특히 탄도미사일 요격 예산으로 그의 3분의 1 이상을 편성하고 있는데 그것은 미국 본토까지 위협할 수 있는 북한의 화성형, 고체연료 로켓엔진을 사용하는 잠수함 발사 탄도미사일(SLBM) 등에 대응하기 위한 것이다.

미국은 실제로 북한 탄도미사일 위협에 대응하기 위해 '지상배치 요격미사일(GBI)', '장거리 식별 레이더(LRDR)', '해상용 X밴드 레이더', '사드(THAAD)' 배치, 해상발사 요격미사일 'SM-3 블록 ⅡA' 등을 가동하고 있다.

'지상배치 요격미사일'은 탄도미사일이 대기권 밖에서 날아가는 동안 격추하는 시스템이며 북한이 중장거리 탄도미사일을 발사할 경우 비행 단계에서 식별하는 '장거리 식별 레이더'를 가동한다.

또한 한국 근해에서 해상 X-밴드 레이더(SBX)의 해상 체류시간 연장 및 작전을 수행하고 '사드(THAAD)', 'SM-3 블록 ⅡA' 요격 미사일을 배치하고 있다.

이는 미군이 북한 탄도미사일을 발사 전부터 추적해 요격하고 일부라도 발사되어 미국 본토로 날아오는 것을 대기권 바깥에서 요격할 수 있다는 의미다. 특히 S밴드 전파를 사용하는 이 레이더는 우주 공간에서 적 탄도미사일이 발사된 이후부터 추적할 수 있는 조기경보시스템이다. 해상 X-밴드 레이더의 탐지거리 4,000~6,000km 정도다.

고든이 지나박에게 설명을 덧붙인다.

"현재 미국은 장거리 식별 레이더, 해상 X-밴드 레이더, SM-3 블록 ⅡA 등이 실전에 배치되어 있어 이강렬의 어떠한 공격에도 즉각 대응할 수 있습니다. S밴드 전파를 사용하는 이 레이더는 우주 공간에서 적 탄도미사일이 발사된 이후부터 추적할 수 있는 조기경보시스템입니다. 또한 미군은 대기권 바깥에서 최고 속도로 날아가는 적 탄두를 직접 부딪쳐서 파괴하는 GBI를 대기시키고 있습니다."

대기권 바깥을 비행하는 ICBM 탄두부의 속도는 보통 초속 6~7km 이므로 이를 직접 맞춘다는 것은 사실상 불가능하다고 여겨져 왔지만 미군은 GBI 시험에 성공하여 북한의 어떤 미사일 공격도 막아낼 수 있다고 말한다.

"장군님의 말씀을 듣고 적어도 미국에 피해가 없다니 안심이 되는군요. 그런데 일부에서는 굳이 북조선 공격일자를 8월 15일 전후로 잡은 것은 남북통일을 방해하기 위해서라는 말도 있습니다. 그 점은 어떻게 생각하십니까?"

"아직까지 공격 날짜가 확정된 것은 아니므로 그건 와전된 말에 지나지 않습니다. 우리의 북조선에 대한 공격은 오로지 공격의 성과를 극대화하는 데만 집중됩니다. 남북통일을 방해하는 것은 우리의 일이 아닙니다."

지나박의 껄끄러운 질문에 고든 장군은 오로지 군사작전에 대해서만 자신이 전문가라는 것을 다시금 강조한다. 지나박은 한국계 미국인으로 그 어렵다는 CNN에서 리포터 자리를 차지하며 전 세계의 전장을 돌아다니고 있다.

아직 미혼이기 때문에 위험한 전장 투입에 그녀가 적격이라는 말도 있지만 예리한 질문으로 인터뷰 상대방을 곤욕으로 몰아가는 것으로도 유명하다. 한 마디로 그녀의 인터뷰 관문을 성공적으로 통과한 사람은 출세 가도에 올라간다는 말이 있을 정도다.

"그동안 숨 가쁘게 달려온 동북아시아 한반도에서 벌어진 일련의 사태가 이제 종착역으로 들어가고 있습니다. 북조선의 핵폭탄 개발, 미국 본토까지 도달할 수 있다는 화성 형 ICBM, 그동안 견지되던 한국전쟁 당시 정전협정의 평화협정 변경, 북조선 풍계리에서의 지하핵시설 파괴, 북조선 ICBM의 파괴 등으로 평화무드가 조성되자 북조선의 국무위원장과 남한의 대통령이 금년 8월 15일 전격적으로 통일한국을 탄생시키기로 결정했습니다. 그러나 북조선의 이강렬은 남북한의 통일은 북조선의 국무위원장이 남한에 항복문서를 바치는 일이라고 반발하여 쿠데타를 일으킨 후 달에 유인 우주선을 발사하겠다고 발표했습니다. 미국은 즉각 북조선이 폐기하기로 약속했던 ICBM을 사용하겠다는 뜻이라며 북조선을 공격하겠다고 선언한 후 일본 등과 협동으로 인도·태평양 함대를 출동시켰으며 현재 D-day만 남겨두고 있습니다. 그런데 변수가 생겼습니다. 북조선에서 풍산개를 우주에 보냈다 살려옴으로써 북한의 유인 우주선 발사가 거짓이 아니라는 사실이 밝혀진 것입니다. 그런데도 미국은 북조선 공격의 끈을 아직 놓지 않고 있습니다. 8월 15일 두 나라에서 대규모 통일 촉구 집회가 그동안 분단의 상징인 판문점에서 벌어질 것으로 예정되어 있는데 과연 결과가 어떻게 진행될지 궁금합니다. CNN 뉴스. 박지나입니다."

제44장 오메가 시범

1.

8월 10일 오전 9시, 제6군단 제3사단 전방 초소.

155마일 비무장 지대 안에서 북한의 GP 초소와 가장 가깝다는, 소위 백골부대의 한국군 초소에 귀빈들이 모여 자리를 잡는다. 대통령과 안보 관련 각료들, 각국 대사를 비롯한 외교관들, 그리고 정계, 관계, 경제계, 언론계 등 국내의 주요 지도층 인사들이다. 각 테이블 앞에 음료수들이 진열되어 있다.

이 초소는 국군 복지사업의 일환으로 건설된 태양열 집광장치를 이용하여 막사의 냉방과 난방 등 공조처리를 하고 있었는데, 참석자들은 우선 태양열 공조(空調)설비를 견학한 다음 곧바로 육군과 공군의 연합 작전을 볼 수 있는 참관대로 향한다.

사단장 김태수 소장이 마이크를 잡았다.

"대통령 각하, 총리 등 각료, 각국의 외교관, 유관 전문가들과 우리나라의 지도층 인사들을 두루 모시고 이 자리를 준비하게 되어 영광입니다. 근간 한반도를 중심으로 일어나고 있는 일련의 사태에 전 세계가 촉각을 곤두세우고 있습니다. 이런 중차대한 국면에 한반도에서의 파국적인 전쟁은 어떻게든 막아야 하겠다는 생각으로 우리나라가 그동안 심혈을 기울여 개발한 몇 가지를 보여드리고자 합니다."

김태수 사단장이 몇 가지를 보여주겠다고 하는데 시범 작전은 너무나 엉뚱한 방향으로 진행된다. 9시 30분 대통령이 시범작전의 시작을 명하자 처음에는 아무런 상황도 벌어지지 않아 참관자들이 술렁일 정도였다. 그런데 대형 화면에 나타난, 구축함 정도로 보이는 함선에서 연속으로 3대의 미사일이 발사된다.

미사일 3대가 정해진 궤도로 달려가는데 스피커에서 나오는 지휘본부의 교신이 참관대의 모든 참관자들에게도 들린다. 전면의 대형 화면에 미사일이 날아오는 것이 비춰지는데, 바로 참관단을 향하고 있다. 모두들 깜짝 놀라는 사이, 지휘본부의 목소리가 들린다.

"미사일의 궤적을 확인했는가?"

지휘본부의 목소리에 기계음으로 응답하는 소리가 들린다.

"예, 포착되었습니다."

곧이어 화면에 피라미드 2대가 보인다. 자막으로 '화면에 보이는 비행체는 스텔스 피라미드인 데다 방호막을 가동시키면 레이더 등에 포착되지 않지만 시범을 보이기 위해 이들 기능을 해제시켰다.'는 설명이 나온다.

"미사일 회전 장치 가동."

지휘본부의 명령이 흘러나온다.

"알겠습니다."

피라미드의 복명하는 기계음이 들린다.

곧이어 지휘본부의 장병이 회전 장치를 가동시키라고 하자 피라미드1에서 알겠다고 말하는데 화면에는 미사일 3기가 계속 질주하는 것이 보인다.

"목표 지점 15킬로미터 전방에서 미사일 3기가 포착되었습니다."

피라미드에서 보고하는 기계음이 흘러나온다.

"각 미사일의 거리는?"

"3기 모두 500미터 이하의 거리입니다."

지휘본부의 질문에 곧바로 피라미드의 대답이 이어진다.

"작전대로 진행하라."

지휘본부의 명령이 떨어진다.

"알겠습니다. 미사일 방향 회전!"

지휘본부에서 작전대로 진행하라고 하자 피라미드에서 명령을 접수하여 미사일의 방향을 회전시키겠다고 한다. 스텔스 피라미드 3대에서는 어떤 징조도 보이지 않고, 다만 화면에는 지휘본부 사령실의 게시판에 미사일에 대한 제원이 숫자로 계속 점멸한다.

참관단이 어지러워하는 순간, 직진하던 미사일 3기의 방향이 선회되는 것이 보인다. 선회한 미사일이 지나온 방향으로 되돌아가는데 얼마 지나지 않아 멀리 미사일을 발사한 함정이 보인다.

곧바로 미사일 3발이 연속적으로 함정에 충돌하며 거대한 함정은 곧바로 침몰하기 시작한다.

2.

SF영화가 아니라면 발사된 미사일의 방향을 되돌려 발사지점을 역으로 공격하는 기술이 거의 불가능하다는 것은 상식이나 마찬가지다. 참관자들이 대형화면에서 미사일의 회전 장면, 스텔스 피라미드가 공중에 떠있는 장면, 미사일을 발사한 함정의 충돌 장면이 계속 나온다.

"이제 두 번째 시범을 보여드리겠습니다."

김태수 소장의 언급에 이어 참관대의 스피커에서 한국 공군의 조종사들과 지휘본부의 교신이 계속 들려온다. 이번에는 미사일이 아니라 2대의 전투기가 화면에 나타난다.

날아오는 2대의 전투기가 전면의 대형 화면에 비춰지는데 전투기의 목표 역시 참관단이라고 설명한다.

전투기가 참관단을 향해 날아온다는 목소리가 들리자 백골부대 사단장인 김태수 장군이 곧바로 피라미드 3대에 인공 태양장치를 가동시키라고 명령한다.

그러자 피라미드 3대에서 레이저 빛이 나오더니 중앙에 하나의 인공 태양이 떠오른다.

　전면에 태양이 떠오르자 모두들 하늘을 쳐다보는데 참관대의 뒤에는 진짜 태양이 떠 있다. 2개의 태양이 동시에 하늘에 떠 있는 괴이한 현상을 모두 목격하고 있는데, 조종사들과 지휘본부 사이의 교신이 계속 들려온다.

　"지금 귀관의 비행기는 작전 지역에 들어갔다. 무엇이 보이는가?"

　"1호기에서는 아무 것도 보이지 않는다. 태양이 직접 내 비행기를 감싸고 있는 것 같다. 마치 꿈을 꾸고 있는 것 같다."

　비행기 조종사의 대답에 이어 지휘본부의 질문이 다시 이어진다.

　"정신 똑바로 차리고 다시 지상 쪽을 보기 바란다. 무엇이 보이는가?"

　"아무 것도 보이지 않는다. 햇빛에 눈이 부셔서 아무 것도 볼 수 없다."

　"아무 것도 보이지 않는다고 했는가?"

　"그렇다. 1호기에서는 아무 것도 보이지 않는다. 내 비행기가 어디 이상한 공간에 떠서 허우적거리는 것 같다."

　"2호기는 어떤가?"

　"2호기도 1호기와 마찬가지다."

　"좋다. 그럼 우선 비행기 내의 각종 계기를 확인하라. 계기 상태는 어떤가?"

　"2호기의 계기상태는 한 마디로 엉망이다. 모든 계기가 고장이 나 있다. 모든 계기가 제멋대로다."

　"1호기도 마찬가지다."

　"알았다. 그러면 미사일을 사전에 입력된 목표물로 발사하라. 다시 한 번 말한다. 사전에 입력된 목표물을 향하여 미사일을 발사하라."

　"알겠다. 2호기, 발사하겠다."

잠시 시간이 흐른다.

조종사가 안간힘을 쓰고 있다는 것이 숨소리를 통하여 느껴진다.

"여기는 2호기, 발사 장치도 고장이 났다. 아무리 버튼을 눌러도 발사가 되지 않는다."

"그렇다면 기계식 장치로 돌려라. 지금도 지상이 보이지 않는가?"

"여기는 1호기, 지상은 전혀 보이지 않는다. 눈이 부셔서 전혀 앞을 볼 수가 없다. 현재 비행기의 위치가 어디인지 확인해주기 바란다."

"그 점은 걱정하지 마라. 비행기 위치는 이곳에서 모두 파악하고 있으며 안전한 장소에 있다. 기계식 장치를 풀었는가?"

"그렇다. 2호기, 기계식 장치를 풀었다."

"다시 한 번 확인한다. 기계식 장치를 푸는 데는 이상이 없는가?"

"그렇다. 2호기는 이상 없이 기계식 장치를 풀었다."

"좋다. 그렇다면 예정된 대로 기총소사를 실시하라."

"여기는 2호기, 알았다. 아무 것도 보이지 않지만 예정대로 발사하겠다."

기총소사를 하는 소리가 시끄럽게 들린다.

"기총소사가 예정대로 이루어지는가?"

"여기는 2호기, 예정대로 말을 듣고 있다."

"어디를 보고 발사하였는가?"

"아무 것도 보이지 않아서 무조건 발사하였다. 아직도 지상을 볼 수 없다. 명령대로 무조건 발사했을 따름이다."

"알겠다. 귀관들의 작전은 끝났다. 현재대로 직진하면 조금 있다가 바다가 보일 것이다. 바다가 보이면 곧바로 사전에 지시된 명령대로 귀대하라."

"여기는 1호기, 내가 지금까지 바다 위에 있었다는 뜻인가?"

"그렇다. 기총소사는 바다를 향하여 실시한 것이다."

이 무슨 해괴한 시범이란 말인가?

대통령을 비롯한 몇몇 사람을 뺀 나머지 참관인들은 도무지 무엇에 대한 시범인지도 모른 채 어안이 벙벙한 모습이다. 약 15분의 휴식이 있다는 안내방송이 나온다.

3.

15분이 지나 모두들 다시 좌정하자 김태수 장군이 마이크를 잡는다.

"이제 1, 2차 시범이 끝났습니다. 곧이어 진행될 3차 시범을 참관해 주시기 바랍니다."

안내방송과 함께 대형 화면에 두 대의 전투기가 나타난다. 화면에 보이는 것은 2차 시범과 별로 차이가 없지만 전투기의 조종사와 지휘본부의 대화는 전혀 다르다.

"귀관은 작전 지역에 들어왔다. 지상이 보이는가?"

"잘 보인다. 평상시 작전하던 지역이기 때문에 지형이 익숙하다."

"공격 지점이 가까워졌다. 공격 준비를 하라. 계기는 정상으로 움직이는가?"

"그렇다. 모든 계기가 정상으로 돌아가고 있다."

"전면에 태양이 보이는가?"

"태양은 보이지 않는다. 무슨 뜻으로 말하는가?"

"피라미드 3대가 인공태양을 만들었다. 인공태양이 귀관의 비행기 전면에 떠 있다. 인공 태양이 정말로 보이지 않는가?"

"인공 태양이라니……태양은 뒤에 있지 않은가? 실없는 소리 말고 임무에 대해서만 이야기해 달라."

"알았다. 4호기도 이상 없는가?"

"4호기도 이상 없다."

"이상 없다면 출격 직전에 하달된 작전명령대로 시행하라."

"알겠다. 4호기 발사한다. 발사되었다. 브라보. 명중이다. 정확하게 목표물에 적중했다."

"축하한다. 여기서도 귀관이 정확하게 목표물을 공격했다는 것을 지켜보았다. 각하께서 치는 박수 소리가 들리는가?"

"하하하. 박수 소리가 들린다."

"작전의 성공을 축하한다. 명령대로 귀대하라."

"알았다. 4호기, 곧바로 귀대하겠다."

다른 공군기 2대가 또다시 작전에 참가하였고 결과는 똑 같다. 간단하게 한국군의 시범 작전은 끝이 난다. 작전이 끝난 다음 호글랜드 주한 미국대사를 비롯한 외국 참관단에게는 이번 작전에 동원된 장비가 미사일궤적변경장치, 인공펄스발생장치와 인공태양장치라는 인쇄된 자료가 배포된다.

그러나 그들 앞에 깜짝 놀랄 만한 사태가 기다리고 있다.

시범을 참관하고 귀로에 오르려고 하는데 각국 외교관들이 타고 온 모든 승용차가 출발이 되지 않았다. 한국은 시범관이 타고 온 차들에게 긴급 사항에 대비하여 시동을 끄지 말고 곧바로 출발할 수 있도록 대기하라고 했다.

그런데 막상 출발하려고 하자 전자 장비들이 모두 고장이 나서 출발이 불가능했다.

모두들 난감하게 생각하고 있을 때 한국 정부에서는 이미 모든 일을 예견하고 만반의 준비를 했다는 듯 외교관들이 타고 온 승용차와 똑같은 차량으로 교체해 주었다.

그들로서는 승용차들이 왜 고장이 났는지 당장에 알 수는 없었지만 이런 사태를 예견하고 모든 승용차를 즉시 교체해준 것으로 미루어 이미 준비가 되어 있었다는 것만 짐작할 따름이다.

'도대체 어떻게 된 일이란 말인가?'

한국군의 시범 작전은 모두 1시간에 지나지 않았다.

그런데 참관단은 귀로에 오르면서 또 한 번 놀라운 사실을 전해 듣게 된다. 30분의 작전 시간 동안 시범지역에서 반경으로 약 20킬로미터 안에 있는 전자 장비나 기계 중에서 펄스방지시스템이 장착되어 있지 않은 것은 모두 고장이 날 수 있었지만 한국 정부에서 한 시간 동안 휴대전화 등을 포함하여 모든 전자 장비를 사용하지 말도록 계도하여 실제로 고장 난 것은 거의 없었다고 발표했다.

휴대전화 등 꺼놓지 않은 전자 장비가 모두 불통되었다는 것은 더욱 놀라운 사실인데, 한국 정부는 이번 사태로 인하여 피해를 입은 모든 전자 장비는 곧바로 제조업체에서 교환해 준다고 했다.

한국 정부의 발표는 시범 작전의 마침표인 셈이었다.

제45장 불가항력

1.

시범작전을 참관하고 돌아간 각국의 외교관들은 한국 정부에서 그들에게 보여준 것이 정확하게 무엇인지 분석하기 바쁘다. 주한 미국대사관이라고 조금도 다를 게 없다. 대사관의 회의실에는 대사를 비롯하여 주한미군의 장성들도 대책을 협의하기 위해 모였다.

"정말로 놀라운 시범입니다. 한국에서 비밀리에 궤적변경장치, 인공펄스발생장치와 인공발광장치를 개발했다는 것은 앞으로 한국이 군사적인 면에서 전 세계를 주도할 수 있다는 분명한 사실을 보여준 셈입니다."

"콜린슨 장군, 찬탄하고 있을 일이 아닙니다. 차근차근 이야기해 봅시다. 우선 인공펄스란 게 뭐요?"

램버트 대사가 콜린슨의 말에 답답하다는 듯이 되묻는다.

"대사님도 아마 사이버 전쟁이라는 말은 들으신 적이 있을 겁니다."

"사이버 전쟁? 사이버스페이스에서 마치 컴퓨터 게임을 하듯 벌이는 전쟁 말이오?"

"그렇습니다. 현대전은 적의 정보와 정보기능을 사용하지 못하도록 파괴하거나 마비시키는 동시에 적의 이러한 시도로부터 아군의 정보와 정보기능을 최대한 보호하고 활용하는 것이 관건입니다. 한국은 바로 그런 목적을 위해 인공펄스장치를 개발한 것입니다."

"좀 쉽게 이야기해 주겠소? 전문가들은 항상 어려운 말만 하여 이해하기가 쉽지 않소."

램버트 대사가 군사장비 전문가로 3성 장군인 콜린슨에게 부탁 아닌 부탁을 한다. 그는 한국군의 시범이 무엇을 의미하는지는 몰라도 대단히 중요하다는 사실만은 직감하고 있다.

"한국에서 개발한 펄스장비는 이미 사이버 전쟁의 총아로 알려져 있었습니다. 높은 주파수의 강력한 전자 신호를 목표물에 발사해 컴퓨터나 항법 장치 등 각종 전자기기를 마비시킬 수 있는 무기를 허프(HERF, High Energy Rdado Frequency)라고 하는데 바로 오늘 보여준 것이 그런 종류입니다. 허프를 사용하면 한 건물 내의 모든 전자시설을 무력화시킬 수도 있고 항공기를 겨냥해서 발사하면 곧바로 격추시킬 수도 있습니다."

펄스란 에너지가 큰 광양자가 원자와 충돌하면 원자 내의 전자가 궤도를 이탈하여 튀어나오는 현상을 말한다.

이 전자들이 연속 충돌하는 원자로부터 새로운 이온화 전자를 튕겨냄에 따라 폭발 중심으로부터 방사상으로 퍼지는 전장(電場) 및 그것과 직각으로 교차하는 자장을 발생시킨다. 이 전장과 자장이 지자기 등에 의해 방해되면 강력한 전자 펄스가 생긴다.

"장군, 그것이 인공펄스장비와 어떤 관련이 있단 말이오?"

"거의 비슷한 개념으로 전자기장(EMP, Electro Magnetic Pulse) 폭탄(Bombes)이 있습니다. 강력한 전자기장을 형성하여 주변의 모든 전자시설을 파괴할 수 있는 무기입니다."

"그렇다면 한국이 그걸 최초로 개발했다는 얘깁니까?"

"최초는 아닙니다. 우리 '로스알라모스국방연구소'가 개발하였습니다."

"참관 때 보면 커다란 장비는 없었소."

"인공펄스발생 장치는 피라미드 안에 있으므로 정확한 규모는 파악되지 않았지만 광범위한 지역의 전자기기를 파괴할 수 있도록 설계되었다면 상당한 크기로 생각됩니다."

"그렇다면 그 장치의 궁극적인 효과는 어디까지요?"

"인공펄스의 경우 성격상 일부 지역에 한정하는 것이 아니라 국가 전체의 기간산업을 파괴할 수 있을 정도로 강력하다는 것이 특징입니다."

"국가 전체라고요? 그렇다면 한국이 이번에 개발한 장비로 전 세계의 군사작전을 좌지우지할 수도 있다는 뜻이 아닙니까?"

"그렇습니다. 대사님께서도 직접 참관하시지 않았습니까? 이번 시범에 참가한 한국군의 전투기는 미국이 한국에 판매한 것입니다. 그런데 무려 30분 동안이나 첨단무기로 무장된 전투기가 무용지물이 되었습니다."

"전자 장비를 가동시키지 않으면 영향을 받지 않는다고 했소?"

"꼭 그런 것은 아니지만 전자 장비를 작동시키지 않으면 피해를 줄일 수 있습니다. 그런데 전자전에서 전자 장비를 작동시키지 않는다면 무슨 의미가 있겠습니까?"

"자동차가 고장이 난 것도 그 때문이오?"

"그렇습니다. 군사용 장비뿐만 아니라 민수용 전자 장비도 모두 영향을 받습니다. 말씀드리기 거북합니다만……우리 주한미군의 초현대식 장비 역시 펄스 망이 쳐져 있었던 30분 동안 모두 무용지물이 되었을 정도니 그 파급효과가 어느 정도인지 상상하실 수 있을 것입니다."

"반경을 말하는데 360도 전체를 의미하오?"

"360도로 가동시킬 수 있지만 각도를 조정할 수 있다는 것이 특징입니다. 한 마디로 반경을 500킬로미터로 정한 후 100도로 정하면 100도 범위 내에 있는 모든 전자 장비가 영향을 받습니다."

"우리가 시범을 참관하는 동안 우리 미군의 최첨단 무기들의 상당 부분이 사용 불능이라고 하던데 사실이오."

"불행히도 그렇습니다. 제가 직접 주한미군사령관에게 확인해본 바로는 휴전선 아래 반경 20킬로미터 안의 모든 전자 장비가 고철덩어리처럼 무용지물이 되었다고 합니다. 물론 미군이 서울 이남으로 배치되어 미군 자체로는 큰 피해를 입지 않았습니다."

"한국에서 배려했다는 소리 아니요?"

"그렇습니다. 한국이 노리는 것도 바로 그 점입니다. 한국에 인공펄스발생장치가 있는 한 마음만 먹으면 한국에 배치된 모든 첨단무기들을 쓸모없게 만들 수 있다는 것을 보여준 셈입니다."

콜린슨의 전자 장비 전문가다운 설명은 듣는 사람을 충분히 주눅 들게 만든다. 미국은 휴전선 부근에 배치되었던 부대들을 철수시켜 한국의 서울 이남에 배치했다.

그러나 미국과 한국은 군사협정에 의거 한국이 북한으로부터 공격받을 때 미군이 자동 개입할 수 있도록 '인계철선' 역할을 하는 주한 미 제210화력여단을 경기 북부에 주둔시키고 있었다. 그는 이들 부대의 전자 장비들이 모두 고장 났다고 말했다.

"하지만 펄스 망이 쳐져 있을 때만 그렇다는 것 아니요?"

"원칙적으로는 그렇습니다만……다시 한 번 말씀드리지만 현대전에서 최첨단 전자 장비를 작동시키지 않는다면 장님이나 마찬가지지요. 더구나 한국이 보여준 오늘 시범은 가장 약한 강도로 출력을 조절한 것입니다."

"그게 가장 약한 강도라고?"

여러 사람이 모인 자리지만 콜린슨 장군과 램버트 대사만 얘기를 주고받을 뿐 다른 사람은 아무도 입을 열지 않는다. 그만큼 사태가 심각한 것이다. 콜린슨이 설명을 계속한다.

"한국에서 개발한 펄스장치를 최대 용량으로 가동시키면 펄스방지장치가 되어 있지 않은 모든 전자 장비는 파괴되고 맙니다. 한국은 자신들의 개발품에 대한 성능을 보여줌으로써 그들이 원하면 언제든지 펄스장치를 가동시킬 수 있다는 것을 증명했습니다. 외교관들의 승용차를 즉각 교체해준 것만 봐도 사전에 모든 검토가 끝났다는 뜻이 아니겠습니까?"

"그러니까 3차 시범에 나온 전투기들은 펄스 망에 대비한 장치가 장착되어 있었다는 뜻이오?"

"그렇습니다. 바로 그 점이 중요합니다."

"결론은 펄스 망에 대비한 시설을 지금 당장 설치하지 않으면 현재 한반도에 있는 모든 전자 장비는 무용지물이 될 수도 있다는 겁니까?"

"그렇습니다, 대사님."

램버트는 아찔한 기분을 맛본다. 현재 계획대로라면 며칠 후 동해에 진출한 인도·태평양 함대가 북한을 공격한다고 알려져 있지만 그들의 모든 첨단 장비들이 무력화되고 만다는 뜻이 아닌가?

대사뿐만 아니라 이미 북조선의 풍산개 생환에도 불구하고 북조선 공격을 기정사실로 결정했다는 것을 알고 있는 모든 참석자들은 일시에 무기력한 상태로 빠져든다.

"미사일을 우주에서 쏘면 어떻게 되겠소?"

램버트 대사가 콜린스에게 묻는다.

"펄스 망이 처져 있는 곳에서는 미사일도 작동되지 않습니다. 설사 미국에서 장거리 탄두를 발사한다고 해도 펄스 망 안에서는 그 효능을 잃어버리고 별똥별과 마찬가지 신세가 됩니다."

"최첨단 미사일이 별똥별 신세라?"

"시범에 참가한 전투기는 두 종류인데 하나는 펄스 망에 대비한 장치를 설치하였고 다른 것은 펄스 망에 대비한 장비를 설치하지 않았습니다. 시범의 핵심은 바로 이 부분입니다."

콜린슨은 잠시 숨을 고른 다음 자신이 전문가라는 점을 강조하듯 다소 목청을 돋워 설명을 이어간다.

"일반적으로 펄스 망이 퍼져 있더라도 항공기의 경우 거의 모든 기계를 기계식 장치, 즉 수동으로 작동시킬 수 있습니다. 펄스 때문에 모든 기계 장비가 작동되지 않는 것은 아닙니다."

"그런데요?"

"항공기를 비롯한 각종 군사장비에 보급되어 있는 전자장치의 대부분은 수동으로도 작동시킬 수 있기 때문에 설혹 일부 전자장치가 망가지더라도 완전하게 못 쓰는 것은 아니라는 뜻입니다."

"장군, 미안하지만 좀 쉽게 설명해 주시오. 무슨 말인지 이해하기가 힘들어요."

램버트 대사의 말에 콜린슨은 그럴 줄 알았다며 고개를 끄떡이고 다시 설명한다.

"예를 들자면 조종사가 직접 목표물을 보면서 수동으로 미사일을 발사할 수 있습니다. 그러나 한국은 바로 그러한 펄스망의 단점도 보완했습니다. 홀로그래피 성 인공태양을 만들어 비행기 앞에 비춰주자 조종사가 자신이 바다 위에 있는지 육지 위에 있는지 전혀 구별하지 못했습니다."

"설사 수동으로 항공기를 조작하더라도 앞을 전혀 볼 수 없는 상태에서는 작전을 수행할 수 없다는 뜻입니까?"

"그렇습니다, 대사님."

"정말 뜻밖이오. 한국이 그 정도로 뛰어난 기술을 확보하다니……등잔 밑이 어둡다는 속담을 실감할 수밖에 없네요. 그러나 오늘 소집한 비상회의는 한국의 능력을 평가하기 위해 모인 자리가 아니고 본국에 긴급 보고를 위해 한국이 보여준 시범 내용을 정확히 분석해 보자고 모인 자리입니다. 모두들 냉철하게 생각해 주십시오. 오늘 한국 정부가 보여준 장치가 미국에는 어떤 영향을 미칠 것 같습니까?"

"미국에까지 큰 영향은 미치지 못할 것입니다. 그러나 중요한 것은 첫 번째 시범입니다."

"아. 참관단으로 향하던 미사일이 되돌아가 오히려 발사지점을 폭파시켰소."

"바로 그것입니다. 한국은 자신이 원하는 미사일의 방향을 바꾸어

원하는 곳에 충돌시키거나 폭발시킬 수 있습니다. 다소 껄끄러운 일이 지만 인도·태평양 함대에서 미사일을 발사하면 모두 인도·태평양 함대로 되돌아가 폭파시키도록 행로를 바꿀 수 있다는 뜻입니다."

그야말로 끔찍한 일이 아닐 수 없다. 미군이 일본과 찰떡궁합으로 뭉쳐져 북한 공격을 끝까지 공격하겠다고 했는데 한국이 이를 방해하면 결국 인도·태평양 함대만 피해를 받는다는 뜻이다.

콜린슨이 계속 말을 잇는다.

"이번 시범 작전의 근본 목적은 분명해 보입니다."

"근본 목적, 그게 뭐요?"

"첫째는 인도·태평양 함대의 북한 공격이 실효성을 거둘 수 없다는 것, 둘째는 일본의 전자시설을 완전히 초토화시킬 능력을 갖추고 있다는 것을 보여준 시범이라고 생각합니다."

콜린슨의 지적이 옳다면 너무나 씁쓸한 일이 아닐 수 없다. 이미 인도·태평양 함대가 출동했고 러시아와 중국은 마지못하여 인도·태평양 함대의 공격을 방해하지는 않겠다고 알려졌는데 이제 와서 그 공격이 한국의 신개발제품에 의해 수포로 돌아가게 되었다는 것이다.

"가장 끔찍한 분석을 하는구려, 콜린슨 장군."

"저는 단지 한국이 보여준 장비의 성능에 대해서만 나타난 대로 이야기하고 있을 뿐입니다."

"알고 있어요. 하지만 어째서 일본을 상대로 한다고 생각하시오?"

"제 추측입니다만 독도 문제도 그렇고 이번 인도·태평양 함대의 북한 공격을 틈타 기회를 잡으려는 일본의 노골적인 의도도 그렇고…… 분명 일본에 대한 포석이 감춰져 있다는 생각이 듭니다."

"그럴 듯한 추리요."

"시범이 끝난 후 한국이 배포한 인공펄스발생장치의 제원을 보면 유효 반경이 2,500킬로미터라고 되어 있는데 이 거리면 일본의 동경을 비롯한 산업 중심지를 거의 모두 커버할 수 있습니다. 한국에서 마음만 먹으면 일본의 경제를 순식간에 파괴시킬 수 있다는 뜻이죠. 그런데 가장 중요한 것은 세 번째입니다."

"세 번째요? 그게 뭡니까?"

"북한이 ICBM을 발사하여 미국 본토를 공격할 수 있기 때문에 우리가 출동하여 북한을 응징하겠다는 것이 이번 작전의 목표입니다."

"그렇소. 달에 우주인을 보낸다는 주장을 거짓말이라고 몰아붙인 것도 그 때문이지요."

"이강렬이 대기권을 통과한 풍산개를 살려서 귀환시킨 것으로 그동안 우주 개발에 신경 써온 것은 사실이라는 게 이번에 밝혀졌으므로 그들이 진짜로 미국 본토를 공격할 수 있다는 것도 함께 입증되었다는 것이 더 큰 문제죠."

"이강렬이란 자는 만만한 사람이 아니군. 그는 북한에 단 한 발의 폭탄이 떨어져도 미국 본토와 일본을 공격하겠다고 했소. 결코 허풍이 아닐 것 같아 걱정하고 있었소."

램버트를 비롯한 참석자들은 이강렬이 북조선을 공격하기만 하면 곧바로 인도·태평양 함대는 물론 미국 본토와 일본을 핵폭탄으로 공격하겠다고 선언하여 8월 15일까지 잠정적으로 공격 계획을 유보하고 있다는 사실은 모르고 있다.

미국에서 적의 미사일을 효율적으로 방어할 수 있다고 하더라도 만일 하나만 떨어지더라도 그야말로 미국이나 일본이 치명상을 입는 것은 당연지사다. 북조선을 혼내주려다 큰 코 다치는 셈이다.

"솔직하게 북한이 핵폭탄을 발사하겠다는 것이 엄포만은 아니라고 생각합니다. 그런데 한국은 북한의 그런 공격도 막을 수 있다는 걸 보여준 데 이번 시범의 중요성이 있습니다."

"한국이?"

"한국은 이강렬의 쏘는 미사일은 물론 인도·태평양 함대의 미사일도 조종할 수 있습니다. 전쟁이 일어나 양쪽에서 발사하는 것을 막거나 막지 않거나 한국의 마음이라는 뜻입니다."

그야말로 끔찍한 일이 아닐 수 없다. 인도·태평양 함대에서 발사한 미사일을 인도·태평양 함대에 되돌려 줄 수도 있고 북한이 쏜 미사일도 마찬가지라고 한다.

"정말 껄끄럽게 되었소. 한국이 부단히 북한을 공격하면 한국도 큰 피해를 볼 수 있다고 지적했는데 결국 오늘까지 이르렀소. 한국이 이제 우리말을 들을 이유가 없지 않겠소?"

"한국을 무시했던 것은 사실입니다. 한국과 북한이 남북통일을 준비하고 있다고 했지만 막상 통일한국이 미국 국익에 도움이 되는지는 분명하지 않으므로 한국을 패싱하려고 했지요."

그야말로 참석자들의 안면이 확 바뀐다.

"진작 이런 일이 일어날 것에 대비해야 했는데……사실 우리는 이상한 조짐을 보고도 너무 소홀히 넘겨 버렸습니다. 아까 대사님께서 등잔 밑이 어둡다는 속담에 대해 말씀하셨습니다만 우리가 한국의 존재를 너무 가볍게 생각해왔던 게 불찰입니다."

"가볍게 생각해왔다니?"

"얼마 전부터 갑자기 한국 정부와 기업이 전자 장비의 펄스 피해에 대한 대비책을 세워야 한다고 입이 닳도록 떠들어댔는데 정보국이나 우리 군에서는 장삿속이라고 대수롭지 않게 치부해 버렸습니다. 한국의 전자시장이 답보 상태에서 침체 국면을 보이자 구매 의욕을 부추기고 새로운 시장을 창출하기 위한 아이디어 정도로 본 거죠."

"그런 일이 있었죠. 특히 일부 언론에서 펄스 피해가 커지는 원인으로 태양의 흑점이 예상보다도 크게 발달했기 때문이라고 보도하자 여러 학자들이 벌떼처럼 일어나 반박했던 기억이 납니다."

"흑점에 의해 전자 장비가 다소 영향을 입기는 하지만 큰 피해를 주는 것은 아니기 때문에 학자들의 반박은 당연하다고 하겠습니다만……그때 이미 한국 정부는 인공펄스발생 장치를 가동시키더라도 펄스방지장치를 구비하고 있으면 큰 문제가 없다는 사실을 우회적으로 알려준 것이라고 생각합니다. 단지 그 계획을 우리가 눈치 채지 못했을 뿐이죠.”

　“허참, 어떻게 이런 일이……?”

　“그나마 인도·태평양 함대의 북한 공격이 시작되기 전에 이런 사실을 알려준 데 대해 고맙게 생각해야 할 것 같습니다. 물론 본국에까지 영향을 미치는 것도 아니고. 다만 일본은 경우에 따라 상당한 타격을 입을 텐데……저력이 있는 나라니까 시간이 지나면 펄스 피해를 복구할 수 있을 겁니다. 그러나 그 기간 동안에 한국이 일본을 경제적으로 제칠 수도 있겠죠.”

　“알겠소. 본국에는 영향이 없다니 그나마 다행이오. 그런데 한국은 왜 그런 장치를 개발할 생각을 했는지 그게 궁금하군요?”

　콜린슨의 이야기를 듣고서야 한국이 미국이나 일본 등 주변 관련국들의 간섭을 배제하고 독립으로 우뚝 서기 위해 모든 계획을 수립하였음을 모두들 느끼고 있었다.

　“제 의견을 솔직하게 말씀드리자면……한반도의 일에 외세는 간섭하지 말라는 시위인 동시에 사사건건 부딪히는 일본에 대한 견제가 목적이라고 봅니다.”

　“알겠소. 그러면 실무적인 문제로 들어갑시다. 만약 한국에 배치된 미군이 보유하고 있는 군사 장비를 펄스가 가동되더라도 피해를 입지 않도록 보완하려면 시간이 얼마나 걸리겠소?”

　“아무리 빨라도 1년 정도는 걸리지 않겠습니까?”

　“1년씩이나?”

　대사의 신음소리가 신호라도 되는 듯 또 다시 경악하는 분위기에 사로잡힌다.

　“그것도 재빨리 조치를 취할 경우라야 그렇다는 겁니다.”

　“1분 1초가 승패를 가르는 현대전에서 1년이라면 원초적으로 상대가 되지 않는다는 뜻이잖소?"

"그렇습니다. 사실상 주한미군과 인도·태평양 함대는 한국군에 비하면 당분간 한반도에서 벌거숭이 상태입니다."

"알겠소. 그러나 너무 비관적으로 흐르지는 맙시다. 한국이 미국에 대해 적대감을 표시하는 것도 아니므로 콜린슨 장군과 포스먼 참사관은 한국이 오늘 제시한 인공펄스발생장치 등 첨단 장비에 대해 상세한 자료를 첨부하여 곧바로 제출해 주시오. 본국에 긴급으로 보내야겠소."

"알겠습니다, 대사님."

램버트 대사는 작은 나라에 덜미가 잡힌 대국의 처지가 못마땅하다는 표정을 감추지는 못하면서 간신히 낙관론으로 발을 빼고 회의를 마무리한다. 회의장을 나서는 참석자들의 표정 역시 어둡기는 마찬가지다. 인도·태평양 함대의 북한 공격에 대한 무언의 경고를 무시할 수 없다는 것을 잘 알았기 때문이다.

2.

수상 관저의 상황실에 전화벨 소리가 요란하게 울린다.

"지금 수상 각하께서는 주무시고 계십니다. 지금 몇 시인지 아십니까, 마에다 대사?"

상황실의 비서관이 짜증을 낸다.

"이것 봐요, 내가 한국과 일본의 현재 시간도 모르면서 각하께 전화를 걸겠나? 한 시가 급한 일이니까 급히 깨워서 전화를 바꾸어 주시오."

스기에 신임 총리의 비서관은 툴툴거리며 마지못해 수상의 침실로 들어간다.

'밤 2시에 수상을 바꾸라니?'

비서관은 스기에 내각이 탄생되자 외무성에서 발탁되어 수상 관저에 머무르고 있는데 마에다 대사의 숨넘어가는 전화를 받은 것이다. 평소에 마에다 대사에게 좋은 점수를 주지 않던 그였지만 워낙 강경한 통화 요청이라 도리가 없다. 총리가 전화를 받는다.

"아, 마에다 대사. 이 밤중에 웬일이오?"

"각하, 큰일 났습니다. 한국에서 일본을 공격할 준비를 하고 있습니다."

"허허……아닌 밤중에 홍두깨라더니, 한국이 어떻게 일본을 공격한단 말이오? 갑자기 우주 용병이라도 고용하여 일본을 공격한다는 뜻은 아니겠지?"

"제 말을 농담으로 들으실 일이 아닙니다. 한국은 오늘 오전에 신무기를 개발하여 시범을 보였습니다. 신무기의 정체를 파악하느라 이제야 보고 드립니다만……일본의 산업체를 순식간에 초토화시킬 수 있는 무기입니다. 만약 미국과 일본이 협력하여 북한을 공격한다면 오히려 공격군에게 치명상을 입힐 수 있다는 것을 은연중 보여주었는데 그런 사태를 막아야 합니다."

"내가 조센징(한국인을 비하할 때 쓰던 말)들에게 부탁하란 말이오? 일본이 한국을 통치해 주어서 오늘날 이만큼이라도 발전했는데 오히려 사과하라고 큰소리치는 놈들 아니오?"

"지금 그런 문제를 따질 때가 아닙니다. 한국은 당장이라도 일본을 공격할 수 있습니다."

"도대체 무슨 소리요? 좀 천천히 이해가 되도록 이야기해 보시오."

"저보다는 옆에 있는 미국의 군사 전문가 콜린슨 장군을 바꾸어 드리겠습니다."

마에다가 전화를 바꾸자 콜린슨은 한국군의 시범 작전에 대해 사실대로 이야기해준다. 흥분한 전화 목소리만 들어봐도 스기에 총리가 간이 떨어질 정도로 놀랐다는 것을 알 수 있다.

"알겠소, 장군. 그런데 한국이 일본을 인공펄스발생장치로 공격하리라는 근거는 뭡니까?"

"확실한 근거는 독도 점거와 이번 작전에 소요되는 모든 비용을 일본이 부담하겠다고 한 발표입니다. 각하께서도 이번 독도 사태로 한국이 무척 흥분하고 있다는 건 잘 아시겠죠? 한국군 소식통의 정보에 의하면 독도 사건을 결코 좌시하지 않겠다는 겁니다."

"아, 다께시마……."

"한국은 일본이 북한에서의 소요를 틈타 독도의 한국 경비대를 공격하여 살해한 것은 일본 정부의 묵인 아래 자행된 일이라고 생각합니다."

"그건 일부 극우파가 벌인 일이지 일본 정부와는 관련 없는 일이요."

"독도 점령에 일본 정부가 관여했는지 아닌지는 주제가 아닙니다. 한국은 지금의 사태가 일본의 사주로 일어났다고 판단한 것 같습니다만 그 문제는 제가 말씀드릴 형편이 못 되는군요. 물론 지금까지의 상식으로는 한반도의 전력이 일본에 못 미치지만 그것은 한국의 신무기가 개발되기 전입니다. 어떠한 명목이든 한국이 인공펄스발생장치를 가동시키면 일본의 전자산업은 당장에 치명상을 입고 후진국으로 낙후될 수 있습니다."

"알겠소. 마에다 대사를 바꾸어주시오."

"마에다입니다."

"마에다 대사, 도대체 어떻게 된 일이오?"

"한국의 전력에 대한 정보도 없이 이번에 인도·태평양 함대의 북조선 공격을 유도한 것이 화를 자초할 수도 있습니다. 당장이라도 독도 문제를 비롯하여 난제들을 무마시켜 한국의 분노를 진정시키는 것이 가장 시급합니다."

"알겠소. 긴급히 국방회의를 소집하여 현 상황을 냉정히 검토하고 대책을 세우도록 하겠소. 국방회의를 할 때 마에다 대사도 화상회의로 참석할 수 있도록 준비하시오."

"알겠습니다, 총리 각하. 한국을 자극할 만한 내용은 모두 양보하셔야 한다는 게 저의 솔직한 바람입니다."

"한국을 자극할 만한 내용은 모두 양보하라고……빠가야로(돌대가리)!"

전화를 끊는 대사의 어깨가 축 처진다. 스기에 총리가 '빠가야로!'라는 욕설을 내뱉는 것도 이해가 되지만 어차피 자승자박인 셈이다. 실제로 미국이 인도·태평양 함대를 동원하도록 부추기고 러시아와 중국의 동의를 얻어낸 것이 모두 일본의 막후 조종에 의해 이뤄졌다는 사실을 이제는 모르는 사람이 없다.

그뿐이 아니다. 일본은 남북통일을 저지하고 한반도를 혼란에 빠트리는 데 주저하지 않았다. 북한의 자원을 확보하고 한국의 산업을 철저하게 파괴하여 한국이 당분간 일본과 경쟁할 수 없도록 만드는 것이 기본 목적이다. 그러므로 이강렬이 핵공격을 시사했지만 일본에서 테러단을 포섭하여 잠수함에서 북조선이 만든 미사일을 발사하는 구체적인 계획도 수립했다.

그러나 그런 결과가 부메랑이 되어 일본으로 돌아온다는 것을 생각하지 못했을 뿐이다.

제46장 대통령의 아침

1.

대통령은 평소보다 두 시간 정도 일찍 깼다.

사실 일찍 깼다기보다는 잠을 이루지 못한 셈이다. 침대 옆에 놓아 둔 시계를 보니 새벽 4시 반이다.

그동안 많은 사람들이 피를 말리면서 공들인 일들도 결국 오늘을 위 하여 준비한 것이다. 옆에서 곤히 자고 있던 아내가 깰지도 모른다고 주의하면서 조용히 일어난다.

대통령은 잠옷 차림 그대로 서재에 들어가 회전의자에 몸을 뒤로 눕 히면서 지나간 일들을 곰곰이 생각한다. 그러나 처음 몇 장면이 지나가 면 가슴 벅찬 판문점 행사장이 떠오르면서 생각이 멈추고 만다.

'결국 오늘을 위해 살아온 셈인가.'

드디어 오늘 10시에 역사적인 사건의 중심에 선다.

일분일초가 여삼추(如三秋)라는 말이 실감되지 않을 수 없다. 대통 령 선거전에 뛰어들어 3번이나 낙선하였고 4번째 도전하여 드디어 대 권을 잡기 직전에도 지금처럼 초조하지는 않았다. 몇 번씩이나 정신을 집중시키려 해도 허사다.

다시 아내가 누워 있는 침대로 가서 눕는다. 컴컴한 허공을 쳐다보 다가 다시 일어나 서재로 간다.

"왜 그러세요?"

"잠이 오지 않아서 그렇소."

아내가 물었지만 이런 대답밖에 할 수 없다. 서재의 의자에 앉아 다시 벽을 바라본다. 시계를 보니 이제 겨우 5시 30분이다.

분주하게 일이 돌아가는 대통령의 하루 일과가 시작되려면 아직도 30분이나 남아 있다.

대통령은 비망록을 펴고 오늘 날짜에 무언가 쓰려고 한다. 그러나 아무 것도 쓸 수 없다는 것을 느끼고 커다랗게 동그라미를 그린다. 한참 동안 동그라미만 바라보고 있다가 조용히 의자에서 일어나 몇 번 기지개를 켠 후 준비된 조깅 복장으로 갈아입는다.

30년 이상 아침 6시면 어김없이 30분씩 뛰었던 조깅은 자신이 지금까지 감기 한 번 안 걸리고 정력적으로 정치 활동에 투신할 수 있었던 요인이다. 오늘 역사적인 사건을 앞두고 조깅을 하루 쉬어볼까 생각하며 씩 웃는다. 잡생각에 지나지 않는다고 얼른 떨쳐 버리고 건물 밖으로 나간다. 비서실 직원이 인사를 한다.

"안녕히 주무셨습니까, 각하."

평소보다 다소 일찍 나왔음에도 항상 함께 조깅을 하는 비서실 직원과 경호원들이 나와 있다.

그들에게나 자신에게나 평소와 다른 점이 전혀 없는 날이다. 조깅을 끝낸 다음 샤워를 하고 나오는데 비서실장이 바쁜 걸음으로 다가오더니 TV를 켠다.

"우선 CNN뉴스를 보시죠."

지나박이 전날 전격적으로 철수하기 시작한 인도·태평양 함대의 모습을 자막으로 깔면서 미국 국방부장관의 발표를 보도한다.

"미국이 '악의 축'으로 규정한 바 있는 북한을 공격하기 위해 동해로 진출했던 인도·태평양 함대가 어젯밤 11시부터 철수하기 시작했습니다. 아울러 북한에 대한 공격 작전인 '두더지 잡기' 작전도 공격 개시 전에 모두 취소했습니다. 미국이 이번 연합작전을 취소한 이유는 북한을 공격하지 않아도 미국이 요구하는 조건을 북한이 승낙할 것으로 예상하기 때문입니다. 따라서 이번 작전은 미국의 완벽한 승리라고 할 수 있습니다."

비서실장이 TV를 끄자 대통령이 운을 뗀다.

"미국이 급하게 되었군."

"예. 갑자기 인도·태평양 함대를 철수하려니 그게 간단한 일이겠습니까? 오늘은 더욱 놀랄 겁니다."

"으음……준비는 잘 되어가고 있겠죠?"

대통령은 흡족한 듯 고개를 끄떡이며 지나가는 말로 묻는다.

"이미 준비가 완료되었다는 보고를 받았습니다."

"그거 잘 됐군."

"일본 수상이 7시에 전화를 연결해 달라고 요청해 왔습니다."

"일본 수상이?"

"예, 커다란 선물을 받으실 거라는 귀띔도 있었습니다."

"갑자기 커다란 선물은 또 뭐요?"

대통령은 선물이라는 말에도 흔쾌한 표정이 아니다.

"한국과의 우호 증진을 위하여 지금까지의 여러 쟁점에 대해 취했던 조치들을 모두 취하하겠다고 했습니다. 오늘 새벽, 그러니까 방금 끝난 임시 각의에서 그렇게 결정했답니다."

"임시 각의요?"

"우리의 시범 때문에 부랴부랴 각의를 소집했던 모양입니다."

"그쪽도 나처럼 잠을 제대로 못 잤겠군."

"어쨌든 오메가의 위력이 가시화되고 있는 셈입니다. 모든 일이 우리 계획대로 실행되고 있다는 증거이기도 하고요."

"듣기 좋은 소리인 것 같은데……일본이 내놓겠다는 중요한 카드란 게 뭐요?"

"각하, 놀라지 마십시오. 당장 오늘 오전 아홉 시에 독도는 한국 영토라고 선언하겠답니다. 또 일제 강점기 수탈 문화재 반환, 재일동포 처우 문제, 어업 분쟁 등도 긍정적으로 재검토하는 방향으로 협상을 할

용의가 있다고 합니다."

"똥끝이 탄 모양이군. 그런데 왜 일본의 태도가 갑자기 돌변한 것 같소?"

"그야말로 역부족이라고 느낀 거겠죠. 어차피 이렇게 된 마당에 통일이 되더라도 우호적인 관계를 유지하고 싶다는 뜻도 있을 겁니다."

"우리의 통일 계획을 방해하지 못해 안달을 하더니……이것도 섬나라의 근성인가? 아무리 그렇더라도 좀 낯간지러운 일일 텐데?"

"국가 존망이 걸려 있는데 체면이 문제겠습니까? 더구나 통일한국의 군사력에 대한 공포도 한 몫을 했을 겁니다."

"그렇긴 하군. 강력한 한국군의 오메가와 북한의 핵폭탄까지 더해지면 세계적으로도 가공할 전력이 되고말고."

대통령의 기분이 좋아졌다는 것은 한 마디로 알 수 있다. 눈엣가시 같던 일본이 가장 먼저 머리를 숙이고 들어온 것이다.

"어쨌든 반가운 소리로군. 그런데 일본이 한국의 통일을 반대하지 않겠다니 정말 오래 살고 볼 일이요."

"그렇습니다. 중국이 귀띔한 모양입니다."

"중국이 일러줘요?"

"중국은 이강렬이 통일한국보다 더 위험하다고 보는 입장이니까 자연스럽게 알려줬겠죠."

"하지만 우리의 작전을 알 수는 없을 텐데?"

"상세한 것은 모르겠지만 그들도 8월 15일이 갖는 상징성과 의미를 알고 있으니까……이왕 선물을 주려면 빠를수록 좋다고 생각한 모양입니다."

"잘했군. 오늘이 대한민국 역사상 가장 뜻깊은 날인 동시에 가장 기나긴 날이 되겠군."

"그렇습니다, 각하."

2.

대통령의 표정은 붉게 상기되어 있다.

이제 대단원이 다가온다는 생각에 팽팽한 긴장감을 느끼며 시계를 본다. 9시 45분. 이제 불과 10여 분이 남아 있을 뿐이다. 대통령과 가면을 쓴 또 한 사람의 특별한 승객을 태운 대통령 전용 헬리콥터는 수많은 관중이 운집한 지상을 향하여 내려간다.

역사적인 8.15 광복절 기념식을 열기로 되어 있는 판문점에는 남쪽 광장에 100만 명, 북쪽 광장에 50만 명이 발 디딜 틈도 없이 운집해 있다. 북에서는 이강렬이 직접 나와서 평화 통일을 촉구하는 연설을 할 예정이다.

대통령과 가면을 쓴 건장한 사람이 헬리콥터에서 내리자 기념식장은 흥분의 도가니에 휩싸이기 시작한다. 그러나 가면을 쓰고 있는 사람이 누구인지 아는 사람은 아무도 없다.

3.

기념식장에서 대통령의 특별성명이 발표될 것이라고 통보되었던 터라 수많은 보도진들이 연단을 중심으로 모여서 대기하고 있다. 10시 정각. 사회자의 말이 흘러나온다.

"지금부터 8.15 광복절 기념식을 거행하겠습니다."

이어 대통령이 전 세계의 이목을 집중시키면서 기념식장의 중심을 차지한 연단에 선다. 대통령은 감격스러운 표정으로 크게 한 번 심호흡을 한 다음 연단 위에 미리 준비해놓은 원고를 보며 특별 성명서를 발표한다. 전 세계의 이목을 집중시키고 온 민족의 기대를 한 몸에 받고 있는 대통령의 성명서 내용은 예상보다 너무나 짧다.

"나는 대한민국의 대통령으로서 북조선인민공화국의 국무위원장과 함께 이 순간부터 남북한이 통일 대한민국으로 태어남을 선포합니다. 이 순간부터 한반도에서 남북한을 구분하고 있던 인위적인 장벽은 사라졌습니다. 통일 대한민국은 국민의 자유선거에 의해 지도자를 선출할 때까지 남북통일을 실질적으로 이끌어주신 고구려의 광개토대왕께서 직접 통치해주실 것입니다."

대통령의 발표가 끝나자 곧바로 육척장신으로 만만치 않은 거구의 사람이 마스크를 쓰고 연단으로 걸어 나온다. 그가 연단 옆에 서서 얼굴에 썼던 마스크를 벗겨내자 놀랍게도 국무위원장의 얼굴이 모습을 드러낸다. 대통령이 자리를 비키자 국무위원장이 앞으로 나선다.

"나는 북조선인민공화국의 국무위원장으로서 대한민국의 대통령과 함께 이 순간부터 북남이 통일 대한민국으로 태어남을 선포합니다. 그러므로 이 순간부터 한반도에서 북남을 구분하고 있던 인위적인 장벽은 사라졌습니다. 통일 대한민국은 국민의 자유선거에 의해 지도자를 선출할 때까지 남북통일을 실질적으로 이끌어주신 고구려의 광개토대왕께서 직접 통치해주실 것입니다."

두 사람의 선언서에 담긴 뜻이 무엇인지 알아차리지 못하는 사람은 아무도 없었다. 그러나 너무나 엄청난 사실을 너무도 극적으로 선언하고 보니 누구나 선뜻 받아들이지 못하는 상황이 잠시 동안 이어진다.

그러나 통일을 놓고 주변국들의 숱한 방해를 원천적으로 봉쇄하면서 한민족의 염원을 전 세계에 떨쳐낸 선언의 의미를 깨닫는 데는 그리 오랜 시간이 걸리지는 않는다. 마침내 주변국과 어떤 갈등이나 분쟁도 없이 한민족 스스로 누구도 부인하지 못할 평화통일이라는 위대한 드라마를 만들어낸 것이다.

대통령과 국무위원장의 선언으로 통일 대한민국이 탄생하고 그것이 뜻하는 바가 정확히 알려지자마자 곧바로 휴전선에서 감격적인 장면이 펼쳐진다. 남쪽 비무장지대 경계선에 설치되어 있던 장벽들이 그곳을 지키던 군인들에 의해 무너지는 것과 동시에 남북을 잇는 도로를 비롯하여 155마일에 걸친 휴전선을 통하여 수많은 사람들이 환호에 차서 걸어간다. 남쪽에서 휴전선에 대기하고 있던 사람들은 판문점의 1백만 명을 비롯하여 무려 5백만 명이나 되었다.

대통령과 국무위원장이 앞장서서 비무장지대를 가로지르는 도로를 걸어가자 전 세계의 언론은 이 놀라운 사태에 흥분을 누르지 못한 채 실황을 중계하기 위해 혼이 빠져 있다. 수많은 인원이 남에서 북으로 비무장지대를 넘어가는 장면은 그야말로 감격적인 21세기 최대의 이벤트라고 할 만하다.

4.

이강렬은 박민희를 통해 합의한 대로 정각 10시에 판문점 북쪽의 통일각 앞에 운집한 군중들을 상대로 통일을 촉구하는 연설을 시작한다.

"우리는 한 번도 통일을 부정한 적이 없습니다. 북조선 인민의 이름으로 오늘 우리는 다시 한 번 평화적인 통일을 촉구하는 바입니다. 그동안 국무위원장이 말로는 통일을 원한다고 하면서 내심으로는 통일을 원하지 않는 이율배반적인 태도를 취해 왔기 때문에 부득이 우리는 혁명을 일으켜 북조선 인민을 위한 통일을 다시 추진하게 된 것입니다. 북조선 인민 여러분⋯⋯."

이강렬이 한참 열변을 토하는 도중에 갑자기 분위기가 술렁거리기 시작한다. 도대체 왜 이 모양이란 말인가. 대중연설에 익숙하지 않은 이강렬이 잠시 당황하는 사이에 윤동주가 황급하게 연단으로 올라와 쥐어짜듯 외친다.

"우리가 속았습니다. 남쪽 광장에서 대통령과 국무위원장이 전격적으로 통일을 선언하고 휴전선을 넘어오고 있습니다."

"뭐야, 전격적인 통일 선언? 그럼 우리 영애가 날 속였단 말이야?"

"그런 문제가 아니라 이미 판문점은 물론 한반도 전체 개방을 명령하여 수많은 사람들이 비무장지대를 비롯하여 각 곳을 통과하고 있습니다. 더욱이 국무위원장도 살아있었습니다."

그제야 이강렬은 평양을 방문한 박민희, 아니 자신의 딸인 이영애 등이 판문점에서 광복절 통일 집회를 열자고 한 것이 바로 자신을 판문점으로 유도하고 수많은 북조선 인민들이 모이게 하려는 계획이었다는 것을 알아차렸다.

그러나 허를 찔렸다는 사실을 알고도 더 이상 어떻게 손을 쓸 수 없다는 데 그저 아득할 따름이다. 북쪽의 비무장지대를 지키는 인민군도 휴전선을 가로막은 장벽을 무너뜨리고 있었다. 곧이어 북쪽에서도 많은 사람들이 남쪽으로 내려가기 시작한다. 이강렬의 연설은 미처 끝나기도 전이다.

"대체 어떻게 된 일이야? 영애는 이번 집회가 형식적인 통일 이벤트라고 하지 않았어?"

"그렇습니다만……처형도 속았는지 모릅니다."

"남쪽으로 내려가는 놈들은 모두 쏴 죽이라고 해. 판문점이 뚫리면 안 돼."

이강렬이 악을 바락바락 쓰자 윤동주는 경호원들에게 소리를 지른다.

"남으로 가는 놈들을 모두 쏴 죽여. 모두 쏴 죽이란 말이야."

윤동주가 권총을 빼들고 하늘을 향해 쏴대지만 이제 어디서도 그의 명령은 먹혀들지 않는다. 군복을 입은 인민군들조차 아랑곳하지 않고 남쪽으로 뛰어가기에 바쁜 것이다. 국무위원장이 살아있다는 것이 확인되자 이강렬의 존재는 이제 의미가 없어진 셈이다. 그야말로 함정에 빠져 감쪽같이 속았지만 그에게는 더 이상의 기회가 없다.

이강렬은 돌발 사태가 어떤 결과를 가져올지 이해하자마자 곧바로 자신의 권총을 머리에 대고 방아쇠를 당겨 버린다. 이강렬이 쓰러지는 것을 본 윤동주 역시 그의 뒤를 따른다.

이강렬의 갑작스러운 자살은 대세에 아무런 영향도 미치지 못했다. 총소리와 함께 잠시 소란스러워지던 순간에도 사람들은 그저 남으로, 북으로 달려가기에 바빴다. 이미 양측의 합의로 비무장지대에 매설되었던 지뢰가 모두 제거됐기 때문에 어떠한 불상사도 생기지 않았다.

드디어 비무장지대 한가운데쯤에서 남북이 서로 얼싸안고 감격의 포옹을 한다.

남도 없고 북도 없이 오로지 한 민족으로 거듭나는 순간이다.

'통일 대한민국 만세, 만만세!'

'아. 대 ~ 한민국!'

감격스러운 장면이 휴전선에서만 벌어진 것은 아니다. 중국 쪽의 국경을 통해서도 수많은 사람들이 북한으로 넘어오고 있다. 한반도 전체가 한 덩어리로 어우러져 거대한 열정을 뿜어내는 순간에 맞춰 우렁찬 노래 소리가 울려 퍼진다.

통일이 되었을 때 국가로 사용하기로 합의한 바로 그 곡이다.

제47장 황금의 쌀과 바이러스

1.

통일한국은 그야말로 많은 것을 변모시켰다.

역전의 용사인 김유라는 '과학기술연구원'의 유전 분야 연구본부장, 오민우는 경찰청, 권준혁은 특수업무 팀이 해체되었지만 파격적인 승진으로 신한수 차장 휘하의 정보국장이 되었다.

그들은 단합대회로 한 달에 한 번씩 모임을 갖는데 김미은은 전방이 휴전선이 아니라 중국과의 국경으로 바뀌었으므로 압록강 지역에 배속되어 대부분 세 명이 만난다.

일반적인 이야기를 하지만 아무래도 역전의 이야기가 나오지 않을 리 없다. 오민우가 달막달막하더니 대단한 결심이라도 한 듯 권준혁에게 묻는다.

"솔직히 몰라서 묻는 건데……진 박사 살해 사건의 진상이 뭐요?"

"수사는 경찰이 전문가잖아요?"

"이번은 달라요. 아직 감도 못 잡았소."

"좀 복잡하기는 한데……우선 진 박사는 중국, 북한과 결탁한 미국 마피아가 독자적으로 그녀를 살해하려고 했는데 그게 또 복잡하게 서로 얽혀 있었습니다."

"무슨 말인지 잘 모르겠지만 왜 그녀를 죽이지 못해서 안달이었다는 거요?"

"진 박사가 개발한 나노 칩에 큰 관심을 갖고 있었던 미국과 중국은 애당초 그녀를 납치하거나 회유하여 끌어들이려고 했는데 그게 불가능하니까 살해하려고 한 것은 사실입니다. 그런데 그녀가 결정적으로 살해당하게 된 요인은 그동안 알려진 진 박사의 획기적인 연구와는 전혀 다른 이유라고 김유라가 말하는군요."

"세상에……진 박사가 자신의 연구와 다른 이유로 살해되었다는 말입니까?"

"그래요. 그것이 일본의 야쿠자, 러시아 마피아가 끼어들면서 더욱 복잡해진 겁니다. 그런데 참, 살해된 데스테라는 여자는 어떻게 된 거죠?"

"그건 권 팀장을 살해하려던 탁원식의 작품입니다. 마피아에서 파견한 데스테가 탁원식과 총잡이를 제거하겠다고 하는 말을 엿들었기 때문이죠."

"그럼 탁원식이 데스테를 살해했다는 겁니까?"

"그 말이 그 말이지만 실행한 사람은 총잡이입니다. 데스테는 마피아의 살인기계로서 매우 유명한 여자였는데 탁원식이 총잡이더러 선수를 치게 했던 거죠."

"한 바탕 질펀하게 섹스를 하고 나서 죽었으니까 원은 없었겠네요?"

권준혁의 말에 오민우도 웃음을 띠고 고개를 끄떡여 맞장구를 친다.

"죽은 사람에게 물어볼 수는 없지만 좋은 여건에서 세상을 떠난 셈이죠."

"개똥밭에 뒹굴어도 이승이 좋다는데 좋은 여건이란 게 어디 있겠어요?"

권준혁의 말에 오민우는 모든 것이 명쾌하게 정리되어 후련하다고 하면서 김유라에게 정말 어려운 질문이라며 묻는다.

"수사하면서 느낀 건데 모사토전자회사에서 진 박사를 그렇게 빨리 살해한 것이 정말 이해가 되지 않아요. 그동안 나노 칩의 확보를 두고 벌어졌다고 하지만 그렇다면 정말로 진 박사를 죽여서는 안 되죠."

"그래요. 그래서 뭔가 다른 이유가 분명 있는 것 같아 골머리가 아픈데, 사실 사건이 너무 복잡하여 아직도 전모를 파악하지 못하고 있는 건 사실이죠."

"모사토의 중역인 피터슨이 자백하지 않았나요?"

"오히려 혼이 나고 있습니다. 한국에 큰 도움을 주고 있는 모사토사의 중역을 증거도 없이 체포하여 구금하고 있다며 길길이 날뛰고 있죠. 분명 그가 살해 지시를 내렸다고 생각되는데 결정적인 증거를 찾지 못해 곤욕을 치루고 있으니 정말 난감해요."

통일한국이 실현된 데다 진 박사의 살해 주범으로 지목된 모사토사의 피터슨도 일단 체포되었는데 사건의 중요성으로 마루어 '국가특수업무원'에서 먼저 조사하도록 조처했다.

권준혁이 그를 조사하는 담당관이다.

"피터슨의 통신기록을 찾아보았나요?"

오민우가 권준혁에게 묻는다.

"당연하죠. 그러나 통화 내역을 확인했더니 모두 일상적인 내용이더군요. 그 통화 중 분명 살해에 관한 지령이 있을 것으로 생각되는데 그걸 못 찾고 있죠. 며칠 안에 찾아내지 않으면 피터슨을 석방시켜야 하니까 여간 골머리 아픈 일이 아닙니다. 특히 진 박사가 수행한 연구들은 워낙 전문적이라 이해하기도 어렵고요."

권준혁의 말에 오민우인들 대안이 있을 리 만무다.

"정황상 연구라면 김유라도 잘 알고 있을 테니까 그녀로부터 보다 구체적으로 설명을 들으면 무언가 틈새를 찾아낼 수 있지 않을까요?"

"그래서 만나기로 했는데 함께 가실래요? 멀지는 않으니까."

권준혁의 말에 오민우는 입맛을 다시며 대꾸한다.

"나는 회사로 들어가야 하니까 좋은 소식 있으면 알려주세요."

2.

"일찍 왔어?"

권준혁이 자리에 앉으며 김유라에게 묻는다.

"아뇨. 좀 전에 왔어요. 급히 만나자고 했는데 무슨 일이죠?"

"진 박사를 살해하도록 명령한 모사토의 중역 피터슨을 당분간 우리가 확보하고 있는데 그가 아주 악종이야. 더구나 나는 유전자 분야에는 문외한이라 그가 말하는 전문적인 단어조차 이해하기 어려워 제대로 심문조차 할 수 없어."

"저더러 그를 심문해 달라는 건가요?"

"그건 아냐? 유라를 보면 더욱 더 입을 다물지도 몰라. 내가 굳이 만나자는 것은 진 박사의 연구를 좀 더 이해할 수 있도록 좀 쉬운 말로 설명해달라는 거야."

"어머니의 관심 분야가 워낙 많아 단순하게 설명하기 어려운데 어떤 분야를 말하죠?"

진 박사의 연구 내역을 모두 설명하는 것이 간단한 일이 아니므로 충분히 이해되는 일이다. 권준혁은 잠시 생각하다가 황금의 쌀에 대해 이야기해 달라고 한다. 원두영 박사가 대뜸 황금의 쌀로 살해되었을지 모른다고 말했는데 그 이유가 석연치 않다는 부연 설명과 함께.

"황금의 쌀?"

"맞아. 원두영 박사를 찾았더니 대뜸 황금의 쌀 때문이 아니냐고 묻는데 정말 이해가 되지 않거든."

"무슨 낌새를 찾았나요?"

"원 박사가 모사토 소속인데 피터슨은 모사토에서 황금의 쌀 연구 분야도 관장하더군. 그가 진 박사를 살해하라고 지령한 장본인으로 보이는데 나노 칩 때문에 살해할 이유는 없다고 생각해."

"왜 그렇게 생각하죠?"

"나노 칩 때문이라면 살해할 것이 아니라 적극적으로 포섭해본 다음 살해를 해도 늦지 않거든. 더욱이 진 박사가 나에게 전화할 때도 그랬듯이, 무언가 발견했다고 했다는데, 황금의 쌀의 비밀일지도 모른다는 거야."

김유라는 권준혁의 말을 곰곰이 씹어보는 표정을 보이더니 뭔가 큰 결심을 했다는 듯 단호한 표정으로 말한다.

"제가 직접 확인한 사실은 아니지만 모사토에서 어머니를 살해하려는 이유는 충분해요."

"왜, 무엇 때문에?"

"모사토에서 그야말로 고약한 일을 하고 있었는데 그걸 어머니가 발견한 거죠. 미국의 거대기업인 모사토 전체를 파괴시킬 수 있는 내용이라 급히 살해한 것이 분명해요."

"대체 그게 뭐지?"

"어머니의 DNA 정보저장은 큰 틀에서 바이러스와 관계된다고도 볼 수 있어요. 우리 인간이 바이러스로 되어 있다는 것은 잘 알려진 사실이죠. 그래서 어머니는 바이러스 연구의 전문가라고도 볼 수 있는데 한국인에게 중요한 쌀의 개량에도 많은 관심을 보였어요. 한 마디로 쌀의 DNA에 인간에 필요한 요소들을 포함시키자는 것이죠."

"그게 '황금의 쌀'이란 것이잖아?"

"맞아요. 그런데 어머니가 이 연구를 하면서 정말 놀라운 것을 발견한 거예요."

김유라는 권준혁에게 정말 놀랄 만한 설명을 해준다.

1949년 제4회 국제연합 총회에서 후진국개발기술원조계획이 가결되었는데 이 계획이 제정된 것은 당시 거의 대부분 저개발국이 선진국의 식민지 또는 종속국으로 있다가 제2차 세계대전 이후 정치적 독립은 얻었으나 경제적으로는 여전히 식민지적 또는 종속적 관계에 있었기 때문에 자주적 근대화를 이룩하지 못하고 빈곤의 악순환을 되풀이

함으로써 동서 냉전의 최전선이 되었기 때문이다.

그러므로 민족해방운동이라는 미명 하에 공산화의 위험이 항상 뒤따르고 있음을 직시한 미국을 비롯한 선진국들이 후진국의 생산·생활 수준의 향상을 도모해야 한다는 결론에 도달했다.

세계의 농산물 시장을 주도하고 있는 미국은 과잉생산으로 인한 농업공황을 막는 한편 자국의 농산물 가격을 유지하고 농산물 수출을 진흥하는 한편 저개발국의 식량 부족을 완화하기 위하여, 1954년 미공법 480호(PL 480)로 잉여농산물원조를 각국에 제공했다.

이 법은 미국의 정상적인 농산물의 대외수출에 일정량 이상을 더하며, 국제시장을 교란시키지 않는다는 2가지 전제조건에 따라 제1관 '현지 통화에 의한 판매', 제2관 '기근(饑饉) 기타의 외국구제', 제3관 '국제적인 무상공여, 잉여농산물과 전략물자의 교환 기타' 등의 3개 항목으로 구분하여 수출하도록 되어 있다.

"한국은 1955년 이 법의 제1조에 따라 협정을 체결하여, 1956년부터 잉여농산물 원조를 받기 시작하였으며, 1961년에는 국토건설사업을 위하여 제2조에 의한 잉여농산물원조를 받았고 1981년에 이들 법에 의한 원조는 일단 종료되었어요."

"그렇지. 한국이 미공법 480호로 값싼 쌀을 미국으로부터 수입할 수 있었기 때문에 해방 후 한국전쟁 등으로 피폐할 때 큰 도움이 되었다는 것은 잘 알려진 사실이야."

"그래요. 그런데 이들 원조는 태생적인 문제점이 있었죠. 수혜를 받는 국가들은 자유진영의 결속·강화라는 정치·군사적인 면에서는 물론, 선진 자본주의 제국의 과잉자본의 수출이라는 것을 염두에 둔 것이죠. 한 마디로 잉여농산물 원조라고는 하지만 선진국의 이익을 반영한 국제 분업론에 입각한 것이라 수원국(受援國)의 산업근대화 및 자립경제 요구와 반드시 일치하지는 않는다는 거죠."

미공법 480호에 의한 원조는 1956년에 시작되었는데 판매 수입의

10~20%를 미국 측이 사용하고 나머지 80~90%는 한국의 국방예산에 충당했다. 도입된 농산물은 밀이 전체의 40%, 원면·보리·쌀 등을 합쳐 전체의 50%를 차지했다.

잉여농산물 도입은 국내의 식량사정을 완화하는 데 일조했다는 긍정적인 측면이 있는 반면, 권력유지 기반으로 계속 과잉 도입됨으로써 국내의 곡물가격을 하락시키고 농업과 공업 사이의 불균형을 심화시켜 경제발전의 장애요소로 작용했다는 지적도 있다. 김유라가 다시 입을 열었다.

"잉여농산물 도입으로 장단점이 생겼는데 한국에서 저곡가를 유지하게 할 수 있었던 것은 큰 공헌이죠. 그러나 이들로 인해 농가소득을 감소시키고 농민의 생산의욕을 감퇴시켜 한국을 만성적인 식량 수입국으로 만들었다는 점이 큰 문제라는 지적도 있어요. 특히 공업원료를 값싼 원조 농산물로 충당함으로써 미곡 이외의 농업생산을 크게 희생시켜 농업생산구조의 파행성을 가져왔다는 건 사실이에요."

"한국은 그런 역경을 이겨 내고 오늘처럼 통일한국을 이루었어."

"그 말이 틀렸다는 것이 아니라 미국으로 보아 한국은 큰 시장이죠. 그동안 한국에 쌀을 수출하여 큰 덕을 보았거든요. 이는 사실 미국도 좋고 한국도 좋죠."

김유라는 한국에서 생산되는 쌀에 비해 미국에서 수출되는 쌀의 가격이 1/5에 지나지 않으므로 한국에서 소비하는 쌀 100%를 수입해도 한국에서 생산하는 쌀 판매가격의 20%만 투입해도 된다고 말한다. 한마디로 국내 쌀 구입으로 소요되는 80%의 예산을 다른 곳에 사용할 수 있다는 뜻이다.

"쌀은 국방과도 직결되는 거야. 만약 100% 외국쌀에만 의존한다면 이들의 수입에 문제가 생기면 국가 자체가 위험할 수도 있어."

"그걸 모르는 것이 아니죠. 하지만 어머니가 발견한 것은 정말 놀라운 사실이에요."

진영숙의 살해 요인으로 갑자기 미공법 480호 등 전혀 거론되지 않던 이야기를 김유라가 하자 다소 진이 빠지는데 김유라는 이에 아랑곳하지 않고 말을 잇는다.

"어머니가 돌아가신 게 미공법 480호와 관련되다니 무슨 소리이냐고 하겠지만 한국의 쌀 공급에 관한 한 값싼 미국의 쌀을 수입하는 것을 모두 나쁘다고 할 수는 없을지 몰라요. 그런데 쌀은 가격만 갖고 다룰 수 있는 것이 아니므로 한국에서 미국 쌀 수입을 결사반대하는 사람들도 생기기 시작했죠."

"맞아. 먹거리까지 외국에 종속되어서는 안 되며 국내 농부들을 살려야 한다는 주장이지."

"역시 장단점이 있죠. 농부들에게 외국의 5배에 달하는 생산비를 지원하는 것보다 절약되는 예산을 효율적으로 편성하여 농부들을 돕는 것이 좋다는 시각이죠. 이런 운동은 한국에서 수입하는 쌀의 대부분을 공급하는 모사토로서는 그야말로 대박으로 반길 일이죠."

김유라도 다소 흥분한 듯 크게 숨을 쉬더니 뒷말을 잇는다.

"모사토사는 한국인들이 먹을 쌀 전체를 공급하는 것을 넘어 보다 적극적인 소득 방법을 찾았어요."

"쌀 수출만 해도 대단한 것 아냐?"

"그렇죠. 그런데 그들은 한 발 더 나가려고 했어요. 한국에서 수입하는 쌀을 독점하는 것은 물론 쌀의 DNA를 약간 바꾸어 한국인들이 먹게 하자는 거죠."

"나쁜 것은 아니잖아. 황금의 쌀이 그런 용도로 개발되었다며?"

"맞아요. 인체에 유익한 인자만 황금의 쌀에 넣는다면 문제가 없죠. 그런데 모사토사에서는 황금의 쌀을 장기간 복용하면 치명적인 바이러스가 발현되도록 한 거예요. 그러니까 한국인이 황금의 쌀을 계속 먹으면 언젠가 낫세포빈혈증과 유사한 치명적인 질병에 걸려요. 낫세포빈혈증 자체는 발병하면 얼마 안 되어 모두 사망하지만, 황금의 쌀로 인한 경우에는 모사토사에서 개발한 약을 먹으면 사망하지 않아요."

"세상에……! 한국인이 모두 모사토사의 환자가 된다는 뜻이네?"

"맞아요. 놀랍게도 그들의 약은 특효약이 아니라 죽을 때까지 계속 먹어야 한다는 겁니다. 그래서 모사토사가 한국에 현재 쌀값보다 더욱 싸게, 즉 거의 헐값으로 팔겠다고 한 거죠."

"그렇다면 다른 나라 사람들도 마찬가지 부작용이 생길 것 아냐?"

권준혁의 질문에 김유라는 그렇지 않다고 고개를 좌우로 흔든다.

"그 점이 독특한데 한국인은 한국인 특유의 유전자가 있어요."

김유라는 한민족의 경우 적혈구 혈액형들인 레주스식 혈액형에서 나타나는 항원들의 양성인자 중 D항원이 세계적으로 가장 높다고 발표했다. D항원의 양성인자는 원래 아시아 인종에서는 99 ~ 99.5퍼센트, 유럽인종에서는 85%, 아프리카 인종에서는 91% 정도인데, 한민족은 D항원의 양성자가 99.71%에 달한다는 것이다.

"99.71%란 말은 한민족이라면 모두 갖고 있다고 볼 수 있는데 모사토사에서 D항원 중에서도 한민족만 갖고 있는 유전자를 약간 변형시키는 거죠."

"그걸 진 박사가 발견했다는 거야?"

"맞아요. 황금의 쌀을 계속 체크하면서 모사토사 본사의 극비 연구 내용을 발견한 거예요. 모사토사가 황금의 쌀을 변형시키면서 동시에 해독제를 개발하여 판매하고 있다는 것을 포착해낸 거죠."

"이런 세상에……? 모사토사가 그걸 판매하고 있다고?"

"맞아요. 현재 시판하고 있는 '미라클리'라는 약이 바로 그건데 일단 황금의 쌀로 인한 부작용과는 관련 없이 건강보조제로 판매되고 있죠. 아직 황금의 쌀이 판매된 지 얼마 되지 않아서인데 2년 정도 지나면 치료제로 발표할 예정이었어요."

"맙소사. 그러니까 진 박사의 주력 연구와는 관련 없이 미국 모사토의 비밀 문건을 보았기 때문에 살해된 거네?"

"그런 셈이죠. 어머니가 그곳의 파일에 들어가 발견했는데 모사토사로 보아 그것이 공개되면 사운을 걸어야 할 정도로 중요한 내용이므로 어머니가 비밀 문건을 확인했다는 것을 알고 곧바로 살해한 거죠."

"내가 직접 진 박사 사건을 수사하고 있는데 그걸 왜 나에게 이야기하지 않았지?"

그런 내용을 이야기했다면 수사가 빨리 진행되었을 것 아니냐는 권준혁의 말에 김유라는 간단히 대답한다. 자신은 황금의 쌀에 대해 전혀 의심하지 않았다는 것이다.

"그럼 지금 내게 이야기한 내용은 어떻게 알았지?"

"황금의 쌀 자체는 어머니의 아이디어를 선용한 것이라 볼 수 있으므로 의심할 여지가 없었어요. 특히 어머니가 발견했다는 부정적인 결론이 황금의 쌀과 관련된 내용이라고는 더더욱 생각지도 않았죠."

"알았어. 그런데 어떻게 그런 내용을 알았느냐? 그야말로 비밀 중 비밀 아니겠어?"

"맞아요. 그런데 어머니가 누구인가요? 자신이 모사토사의 비밀 창구로 들어갔다가 곧바로 빠져나온 다음 비밀번호를 적어 저에게 편지로 보냈어요."

"전에는 개인적인 것이고 하더니?"

"맞아요. 두 통을 보냈는데 처음 편지는 개인적인 내용으로 곧바로 한국으로 들어오라는 것이고 둘째 편지는 며칠 전에야 받았어요. 시간 차를 두고 저에게 전달되게 한 것으로, 제가 직접 확인해보라는 뜻이죠."

그야말로 진 박사답다고 생각하지 않을 수 없다. 그러나 모사토사가 바보가 아닌 한 비밀번호를 바꾸지 않았을 리 없지 않은가.

"모사토사에서 비밀번호를 바꾸지 않았다는 뜻이야?"

"당연히 바꾸었죠. 그러나 제가 누군가요?"

"유라가 바뀐 비밀번호를 찾아낼 수 있었다는 거야?"

"제가 남다른 연산 능력을 갖고 있다는 것 아시죠? 그들이 그야말로 보안장치를 완벽하게 설정했지만 제게 뚫렸다고 보시면 돼요."

"그들이 누가 들어왔는지 알 수 있을 텐데?"

"그렇겠죠. 그러나 저는 어머니처럼 추적당하지 않는 방법을 사용했죠. 저는 제가 서류를 열면서 곧바로 접속 기록 자체를 지우는 프로그램을 가동해요. 다시 말해 누군가가 동시에 접속하고 있다면 자동적으로 제가 사용하는 프로그램이 지워지며 제가 서류를 본 다음 역시 프로그램이 지워지는데 제가 확인하는 동안 동시 접촉은 없었어요."

김유라라는 천재의 말에 토를 달 수 있는 것은 아니다.

김유라가 묻는다.

"그래도 제가 이상하게 생각하는 것은 어떻게 어머니를 곧바로 살해했느냐 하는 거예요. 권 팀장님에게 전화건 지 2시간 후에 이미 살해되었다고 했죠?"

"그래. 진 박사가 살해된 것은 우연이라면 우연이야. 마침 한국에 모사토사의 중역인 피터슨이 방문했는데 진 박사에게 비밀이 노출되었다는 사실을 알고 곧바로 제거하도록 지시했던 거야."

"강원도에서 우리를 공격했던 사람들도 그의 지시를 받은 건가요?"

"맞아. 피터슨은 김유라가 진 박사고, 자신이 살해한 진 박사는 대역으로 본 거야. 하지만 마피아의 총잡이를 고용할 정도의 인물이라 위장에는 고수지."

권준혁은 한 마디로 진영숙 박사가 전천후 마녀라 할 정도로 유전자 분야에 독보적으로 발을 들여놓았기 때문에 결국 모사토사 측에 의해 살해되었는데, 공교롭게도 모사토사의 중역인 피터슨이 한국에 있었기 때문에 신속한 살해 지시가 가능했다고 설명한다.

"너무 복잡하네요. 어머니가 황금의 쌀 때문에 살해되었다니 정말 세상은 알다가도 모르겠네요."

"맞아. 이번에는 막강한 모사토사의 피터슨도 빠져나가지 못할 거야."

권준혁의 말에 김유라는 이제 내용을 알았으니 드디어 피터슨으로부터 자백을 받을 수 있겠다고 말한다. 권준혁은 고개를 끄떡이며 김미은과 약속이 있는데 함께 가겠냐고 하자 김유라는 약속이 있다며 결혼 준비나 잘하라고 한다.

3.

권준혁이 취조실로 들어가자 그동안 눈을 감고 있던 거구의 피터슨이 눈을 살며시 뜨면서 권준혁을 째려본다.

"나는 미국인으로 아무런 죄도 없이 부당하게 당신들에게 억류되어 있으며 변호사 없이는 아무 말도 하지 않겠소. 또한 분명히 당신들을 고발할 것을 약속하겠소."

"알고 있습니다. 피터슨 씨의 경력이 화려하더군요. 미국 대통령과 하버드 로스쿨을 같이 다녔고 학교 신문에 함께 근무한 재원이더군요."

"그 정도 알았으면 나를 이렇게 부당하게 억류하는 것이 어떤 결과를 갖고 올지 잘 알 것이요. 다시 한 번 말하지만 나는 이번 일을 분명하게 짚고 넘어갈 것이오."

"알고 있어요. 그래서 우리 정부는 피터슨 씨의 여러 면을 고려하여 한국주재 미국대사관과 국무부에 다음과 같은 서신을 발송하려고 합니다. 영어 번역이 신통치 않겠지만 문맥을 보아 틀린 점이 있으면 지적해 주셨으면 합니다."

"변호사 없이는 어떤 서류도 읽지 않겠소. 벌써 3일이나 억류되어 있는데 몇 번 이야기했지만 나는 당신들이 이야기하는 살인사건에는 어떤 관련도 없소."

거구의 피터슨이 계속 변호사를 거론하며 어떤 협조도 하지 않겠다고 하자 권준혁이 피터슨에게 대사관과 국무부에 보낼 서류에 서명하라고 강요하는 것이 아니라며 읽지 않겠다면 자신이 대신 읽어주겠다고 한다.

내용은 피터슨을 그야말로 놀라게 한다.

피터슨이 모사토사의 중역으로서 모사토사의 기술 개발을 총괄하고 있는데 한국인에게 큰 영향을 미칠 황금의 쌀을 개발하는 성과를 얻었다고 설명한다. 다소 길게 설명하는 내용을 듣고 피터슨은 잠자코 듣기만 한다. 틀린 이야기가 없으므로 사실 그가 거론할 건덕지도 없다.

"이제부터 좀 재미있는 내용이죠. 다시 한 번 말하지만 이 공문은 피터슨 씨의 서명 없이 미국대사관과 국무부에 바로 보낼 것입니다. 연락한 변호사가 내일 모래 도착한다고 하는데 그것과는 상관없이 이 공문은 우리 정부에서 공식적으로 발송할 것이므로 참조할 내용이 있을지 몰라 알려주는 겁니다."

피터슨이 입을 꽉 물고 있는데 권준혁이 유창한 영어로 서류를 읽어 내려간다.

한 마디로 피터슨이 진영숙 박사 살해를 직접 명령했고 마피아의 살인도구인 데스테를 초청했으며 살해된 진 박사가 대역임을 알고 강원도에서 차량으로 진 박사와 권준혁을 살해하려다 실패했다는 내용이 적혀 있다.

"수없이 이야기했듯이 나는 그런 내용과는 전혀 관련이 없소. 모사토사에서 한국에 판매될 황금의 쌀 연구를 총괄하기 때문에 한국의 직원들을 격려하고자 들어왔다가 지금까지 체류한 거요."

"원래 일주일 정도 출장 예정이었는데 현재까지 체류한 진짜 이유는 무엇이죠?"

"황금의 쌀을 한국에 판매하는 것이 매우 중요하므로 한국의 정황을 보다 정확히 파악하고자 계속 연장하고 있었던 거요."

"미국과 일본 등이 북한을 공격할 것이라는 말이 있어 미국인들에게 철수 명령이 내렸는데도 피터슨 씨가 계속 연장했다는 것은 그만큼 중요한 일이 있었기 때문이 아니겠습니까? 그 이유도 비밀입니까?"

"비밀도 아니오. 막상 미국이 북한을 공격한다면 황금의 쌀 판매가 예상대로 진행될지 어떨지 정확하게 파악하는 것이 중요해요. 하지만 나도 한국에 더 이상 머물고 싶지 않으며 이곳에 불법으로 억류되지 않았다면 이미 출국했을 거요."

"그렇군요. 다시 한 번 질문하지만 우리 정부가 미국대사관과 국무부에 전달한 내용과는 전혀 무관하다는 말이죠?"

"그렇소. 다시 말하지만 내가 당신이 나열한 사건에 관여되었다는 어떤 증거도 제시하지 못했음에도 불구하고 미국 시민인 나를 억류한 것은 국제적인 사건을 만든 것이오. 나는 더 이상 당신들이 조작한 사건에 대해 답변할 이유도 없으므로 곧바로 석방해주시오. 나는 당신들을 분명히 고발하여 한국의 비인도적인 행위를 전 세계에 알리겠소."

피터슨이 강력히 석방해야 한다고 항의하는데도 불구하고 놀랍게도 권준혁은 줄곧 미소를 짓는다. 무언가 카드가 있다는 뜻인데 권준혁이 한 장의 서류를 꺼내더니 피터슨 앞에 내밀며 말한다.

"첨부 서류 이야기를 하지 않았는데, 이 내용이 틀렸다면 당장 보내드리겠소. 읽어보시죠."

권준혁의 말에 서류를 끌어당겨 호기롭게 읽어보던 피터슨의 얼굴이 새파랗게 질린다. 권준혁은 그가 당황하는 것을 만끽하며 피터슨의 반응을 기다리지만 그는 어떤 말도 하지 않는다.

그야말로 피터슨으로선 놀라 자빠질 내용이다.

서류에는 바로 황금의 쌀에 바이러스를 넣고 그 부작용과 처방약인 '미라클리'에 대해 적혀있었다. 절대로 알려져서는 안 될 극비 중 극비 내용이 적혀 있었던 것이다. 이런 내용이 어떻게 누출되었는지는 모르지만 그가 직접 진영숙 박사 살해 명령을 내린 사실도 적혀 있었다. 브로코에 전화를 걸며 긴급히 전용 자동차를 조수와 함께 보내라는 말이 바로 진영숙 박사 살해 명령이라는 것도 적혀 있었다. 그가 절대로 알려지지 않을 것이라고 장담한 바로 그것이 적나라하게 적혀 있는데 권준혁이 얄밉게 입을 연다.

"우리 정부는 이 내용을 첨부하여 내일 아침 서류를 미국대사관과 국무부에 보내며 미국 언론에 모사토사의 비행을 알려줄 겁니다. 그러므로 내일 모래 변호사가 도착할 때까지 아무 말 하지 않더라도 좋습니다."

권준혁이 그에게 읽으라고 보여주었던 첨부 서류를 챙겨 파일에 넣더니 일어서며 말한다.

"바로 이 내용이 알려질 것을 우려하여 그런 명령을 내렸겠죠? 이 내용이 알려지면 모사토사는 아마 존폐를 걱정해야 할 겁니다. 물론 피터슨 씨는 한국에서 영원히 출국하지 못할 겁니다. 현재 한국은 사형제는 존재하는데 사형을 집행하지 않아 사형제 폐지국가와 다름없지만 피터슨 씨의 경우 가석방 없는 무기징역이 선고될 가능성이 많지요."

피터슨이 멍한 표정을 지우지 못하자 권준혁이 다시 앉으며 말한다.

"한 가지, 모사토사가 파산하지 않을 유일한 방법은 피터슨 씨가 우리에게 협조하는 것뿐이오."

권준혁의 말이 끝나자마자 신한수 차장이 들어온다.

"나는 피터슨 씨가 가장 싫어하는 '국가특수업무원'의 신한수 차장입니다. 모사토사에서 한국을 상대로 고약한 행동을 자행했는데 역설적인 것은 그동안 한국에 저렴한 가격으로 쌀을 공급해 주어 한국의 국민들에게 큰 도움을 주었다는 점입니다. 한국전쟁이 끝나 그야말로 국가가 파탄상태일 때 미공법 480호에 의한 쌀 공급은 한국에 숨통을 틔워준 셈이죠."

신한수 차장의 말에 무언가 협상의 가능성이 있다는 것을 느끼며 다소 위안을 받는데 신한수 차장은 그의 마음을 읽었다는 듯 한국정부에서 결론을 낸 내용을 설명한다.

"한국 정부는 모사토사에 약 500억 달러의 징벌적인 배상금을 청구하는데, 전문가들은 500억 달러도 싸다고 말합니다."

"500억 달러를 지불하고 살아남을 회사는 지구상에 없을 거요."

"그건 모사토사가 결정할 문제죠. 우리는 얼마 전 모사토사가 황금의 쌀에 대해 대대적인 홍보를 하고 더불어 모사토사에서 개발한 신약 '미라클리'를 건강보조제로 판매하는 이유를 이제야 알았죠. 또한 모사토사의 예상대로 한국인이 황금의 쌀을 2년 정도 먹으면 한국인 거의 모두 덤으로 치명적인 질병을 앓게 된다는 것도 파악했고요."

그야말로 한국에서 모사토사에 대해 모든 것을 알고 있었다. 피터슨이 신한수의 다음 말을 기다리는데 그의 말은 피터슨을 더욱 놀라게 한다.

"사실 미라클리와 황금의 쌀을 아직 시판하지 않았다면 모사토사를 상대로 징벌적인 보상금을 부과하는 것이 어려웠는데 2달 전부터 시판하고 있죠? 그건 모사토사에서 만용을 부린 것인데 피터슨 씨는 오히려 미라클리를 판매하는 것을 반대했더군요. 그 이유가 더욱 고약스럽지만……."

피터슨은 굳이 미라클리를 황금의 쌀과 동시에 판매할 이유가 없다고 주장했다. 황금의 쌀로 인한 부작용이 생기면 그때 고가로 판매하면 보다 수익성이 높다는 뜻이다.

그러나 경영진은 당장 미라클리의 시판을 결정했는데 이유는 건강보조제로 판매하다가 황금의 쌀로 인한 부작용이 생기면 치료 효과가 있다고 자연스럽게 선전하면 보다 큰 시장으로 성장할 수 있다는 것이다. 소위 시간차 공격이다.

신한수가 묻는다.

"한국 정부에서 모사토사와 협상하기를 바라는 것은 이미 이들이 시판되고 있다는 사실을 중대하게 보고 있기 때문입니다. 2달 정도 판매되었으므로 곧바로 중지하면 후유증은 없을 것이라고 하는데 그건 확실한 사실입니까?"

"적어도 2년 이상 장기간 복용할 때 생긴다고 보기 때문에 그건 사실이라고 볼 수 있습니다."

"한국 정부는 이 문제로 모사토사를 파산시키고 싶지는 않아요. 다행하게도 변형된 황금의 쌀을 중지시킬 수 있다니 이를 양해하겠습니다. 대신 신생 통일한국은 생각지도 못한 많은 자금이 필요할 것으로 생각되는데 모사토사에서 통일한국에 250억 달러를 투자해주기를 요청합니다."

"모사토사에 대한 어떤 소송 등도 제기하지 않는 조건입니까?"

"그래요. 겨우 2달 시판하여 아직 단 한 명의 환자도 발생하지 않았다는 것이 모사토사를 살려준 셈이죠."

"저의 문제는 어떻게 됩니까?"

"사실 피터슨 씨의 경우는 모사토사를 위했다고 하지만 죄질이 극히 나쁜 것은 실제로 유능한 진영숙 박사를 살해하고 자객들을 보낸 장본인이라는 겁니다."

"진 박사가 아니라 대역이라고 말하지 않았습니까?"

"대역도 진 박사 버금가는 재원임을 잊으면 안 되지요. 여하튼 사법적인 면은 저희들이 관련할 수 없지만 피터슨 씨가 협조하면 최대한 관용을 베풀도록 요청하겠습니다. 중요한 것은 이 모든 사건이 모사토사의 생존을 위한 것이라고 볼 수 있는데 피터슨 씨가 제반 사항들을 말끔하게 정리해 주셔야 합니다."

신한수 차장의 말에 피터슨이 아얏 소리도 하지 않고 고개를 끄떡인다. 모사토사를 살리는 것은 그로서 매우 중요한 일이다. 그가 모사토사의 상당 부분 주식을 갖고 있는데 그것은 장인이 모사토사의 회장이었기 때문이다.

제48장 통일동이

청와대 대접견실. 통일한국의 각료들은 물론 외교사절들과 각계의 요인들이 두루 참석한 가운데 훈장 수여식이 열리고 있다. 통일 공로자들에 대한 시상이다.

김유라, 권준혁, 경찰청의 오민우 경감, 김미은 대위, 김한룡 박사 등 10여 명의 수상자가 도열해 있다. 광개토대왕이 수상자들 개개인의 옷에 훈장을 달아준다. 오민우와 김미은은 훈장을 받는 동시에 1계급 특진하여 경정과 소령으로 진급하는 경사가 겹친다.

김한룡에 대한 훈장이 다소 뜻밖이지만 전비(前非)에도 불구하고 그가 중국의 왕과 만나 이강렬을 결정적으로 패배하게 만든 공을 인정한 결과다. 최창수와 박민희에게도 훈장이 수여되었으나 이미 고인인지라 다른 사람이 대신 받는다.

훈장 수여식이 끝나고 이례적으로 리셉션이 베풀어진다. 모두들 김유라를 진영숙 박사로 알고 있으므로 많은 사람들이 그녀의 주위에 몰려 있고 김한룡의 주변에도 사람들로 붐빈다.

김한룡이 중국에 든든한 배경이 있다는 것을 염두에 둔 인심 탓이다. 수상자이면서도 권준혁과 김미은, 오민우는 크게 주목받을 만한 인물들이 아니라 한쪽 구석에서 셋이 모여 이야기를 하고 있다. 권준혁이 오민우에게 인사를 건넨다.

"축하드립니다, 오 경정님."

"고맙소, 권 팀장. 이게 다 권 팀장 덕분이오. 사실 이번에 진급하지 못했으면 나는 경감 계급장 달고 옷을 벗을 수밖에 없었거든."

"감사는 제가 해야죠. 제 목숨을 구해주셨잖아요?"

"그건 황소가 뒷걸음치다가 쥐 잡은 셈이었지. 한때 권 팀장을 범인으로 몰아 괴롭히기도 했는데……훈장을 받고 진급까지 할 줄은 정말 몰랐소."

왜 아니겠는가? 만년 말뚝 경감이 으리으리한 자리에서 훈장을 받고 진급까지 했으니. 이날따라 오민우의 표정은 사춘기 소년처럼 들떠 보인다.

"운도 좋았겠지만 진짜 오 경정님의 진급을 도운 사람은 아무래도 진 박사겠죠?"

"진 박사 사건으로 끼어든 일이긴 하지만 A가 누구인지 알려준 최창수 대좌가 가장 중요한 역할을 한 셈이죠. 그래서 박 위원장이 맹활약하는 바람에 오늘처럼 통일이 된 셈이고……."

"안 그래도 통일은 되었을 겁니다. X가 누굽니까?"

"그야 그렇겠죠. 박 위원장의 장례식에는 갔다 왔어요?"

"그럼요. 한 마디로 불쌍한 사람이죠."

박민희는 통일이 발표된 지 30분 후에 위원장실에서 머리에 권총을 쏴서 자살한다. 공식적으로는 통일을 성취한 후의 허탈감과 누적된 스트레스에 의한 과로사로 발표되었다. 통일 한국 최초의 사회장으로 성대한 장례식이 거행되고 공무상 사망이 인정되어 국립묘지에 안장된다고 발표되었다.

"박 위원장으로서는 최선의 선택을 한 셈이죠. 역할도 컸고……."

김미은이 아쉬운 듯이 한 마디 한다.

"그래, 박 위원장이 아니었다면 이강렬을 그렇게 감쪽같이 속이지는 못했을 거야."

"그래요. 결국 피보다는 민족을 선택한 거죠. 후일담이기는 하지만 X께서도 그녀가 변심할까 봐 무척 조바심을 했다고 하더군요."

"당연하겠지. 아버지를 배신하는 것이 그렇게 쉽겠어?"

이때 김유라가 그들에게 다가오는 것을 보고 권준혁이 잔뜩 목소리를 낮춰 말한다.

"비밀 한 가지 이야기해 드릴까요?"

"무슨 비밀?"

김유라가 다가오자 권준혁이 의아해하는 오민우에게 소개한다.

"소개해 드리죠. 김유라 양입니다."

"김유라라니? 진영숙 박사가 아니고?"

김미은이 깜짝 놀라서 목소리가 높아지자 권준혁은 더욱 목소리를 낮춘다. 조용히 하라는 뜻이다.

"예수의 부활을 빼면 인류가 생겨난 이래 단 한 명도 다시 살아난 사람은 없어. 진 박사가 살해되었는데 어떻게 살아난단 말이야?"

"맙소사. 그럼 내가 나이 어린 유라한테 언니, 언니 했단 말이에요?"

"당연하지. 유라의 머리에는 진 박사의 기억도 모두 들어 있거든."

김유라는 가만히 웃고만 있다. 김미은이 김유라에게 묻는다.

"그런데 기억 칩이 5개 만들어졌다고 하지 않았어?"

"그렇죠."

"국무위원장과 김유라가 복제되었다면 나머지 세 사람은 누구야?"

"나머지 셋 중에서 두 사람은 X와 Y인데 X는 광개토대왕이고 Y는 몰라도 돼요."

"몰라도 되다니?"

"Y는 사망했거든요."

김유라는 진영숙의 기억까지 들춰내어 설명을 한다.

"복제를 하긴 했는데 사망했단 말이야?"

권준혁이 묻는다.

"그게 문제라니까요. 아직 Y의 사망 원인을 몰라요. 다시 말해서 복제인간은 아직 100% 성공을 장담할 수 없다는 거죠. 어머니가 가장 먼저 나를 복제했고 그 다음이 X, Y예요."

"국무위원장은 어떻게 된 거야?"

권준혁이 김유라에게 물었다.

"국무위원장은 정상회담을 위해 서울로 와서 광개토대왕을 확인한 다음 광복절 날 남북통일을 선언하고 통일 대통령으로 그분을 추대하자는 데 합의했어요. 그런데 북에서 쿠데타 조짐이 보여 국무위원장이 서울에 체류하는 동안 국무위원장을 복제하여 북쪽에 복제된 사람을 올려 보냈죠."

"그럼 국무위원장은 유라가 복제했겠네?"

"그래요, 뭐. 어머니가 한 대로 하면 되니까 간단한 일이었죠."

"유라가 국무위원장을 복제하는 건 나도 보지 못했어."

"당연하죠. 연구원이 아닌 비전문가가 복제 장면을 항상 볼 필요는 없잖아요?"

"사실은 나도 남한에 있는 국무위원장이 가짜인 줄 알았어. 복제 장면을 본 적도 없을 뿐 아니라 진 박사가 살해되었으니까 기억 이전에 관한 노하우가 사라졌을 것으로 생각했거든."

"그게 바로 이 작전의 꽃이죠. 남을 속이려면 나부터 속여라. 같은 팀인 오빠도 그 사실을 모르게 하는 것이야말로 통일을 성취하는 관건이었거든요."

"그랬단 말이지? 바보같이 나는 국무위원장 머리를 스캔하면 기억 칩이 나타날 거라는 생각을 하고 있었지."

"아니에요. 복제된 국무위원장의 머리에 기억 칩을 넣을 이유가 전혀 없거든요. 국무위원장은 광개토대왕과는 달리 현실인물이므로 그의 DNA에 모든 기억인자가 들어 있으므로 칩은 필요하지 않죠."

"내가 유전자에 대해 잘 몰라서 그런데, 인간에게는 100조 정도나 되는 수많은 세포가 있으니까 그 모든 세포 DNA에 입력을 시켜야 하는 것 아냐?"

"그렇게 생각할 수도 있겠지만 인체는 오묘하여 한 DNA에 정보를 넣으면 순식간에 모든 세포의 DNA가 변형이 되어요. 저 자신도 그 사실에 놀랐으니까요."

김유라는 다시 한 번 사람들이 깜짝 놀랄 이야기를 한다.

"그러니까 다시 한 번 뒤집기를 했다는 이야긴데……처형된 국무위원장의 머리에서 기억 칩이 나오지 않았으니까 진짜라고 생각하라는 뜻으로 그런 말을 퍼뜨렸다는 거야?"

"그래요. 어쨌든 어머니가 복제인간의 기억을 DNA 기법으로 복원했다는 사실은 숨겨야 했거든요."

"하긴 북쪽이나 남쪽이나 국무위원장은 똑 같은 사람이었지."

"그래요. 그러니 이강렬이 펄펄 뛸 만도 하죠. 그는 복제인간의 존재를 상상조차 못했을 테니까요."

"특공대를 보낸 것도 그럼 쿠데타 세력이 방심하도록 만들기 위해서였다는 거야?"

"그건 아니었을 거예요. 특히 박민희 위원장이 그들을 구출해야 한다고 바람을 잡았고 사실 그녀가 정보를 주지 않으면 구출은 성공했을 거예요."

오민우가 김유라에게 묻는다.

"아까도 거론되었는데 나머지 한 사람은 누구요?"

"비밀이에요."

"좋아요. 그렇다면 다섯 번째 사람이 있는지 없는지만 이야기해 주면 어때요?"

"그것도 비밀. 모든 비밀을 다 알아야 하는 것은 아니잖아요? 더구나 복제 기술은 두 가지로 나눌 수 있어요. 현재 살아있는 사람의 경우 DNA 자체에 기억이 들어 있으므로 복제하기만 하면 되고 과거 인물인 경우 새로운 정보를 주기 위해 나노 칩을 삽입해주는 거죠."

"둘을 합할 수는 없는 거야? 한 마디로 현대 인물의 DNA에 과거와 현대의 정보를 동시에 저장하는 것……."

권준혁의 질문에 김유라가 대답한다.

"그게 다음 과제죠. 그렇게 되면 과거의 유명 인물을 모두 되살릴 수 있어요."

"우와, 클레오파트라도 새로 태어날 수 있겠네?"

김미은이 탄성을 지른다.

"그래요. 단 DNA가 그녀의 것이야 하지요. 그 문제는 여기서 끝내요."

김유라가 더 이상 거론하지 말자며 똑 부러지게 이야기하자 모두들 입을 다문다.

이때 광개토대왕과 대통령, 국무위원장이 그들을 향해 걸어오는 것이 보인다. 통일 이후에도 국무위원장과 대통령은 하던 일을 계속 맡고 있다. 잠정적으로 각각 남한과 북한을 독립적으로 통치하되 통일에 관한 문제만 광개토대왕이 관여하는 방식이다.

X는 하루빨리 모든 실무적인 문제점들을 제거해 진정한 통일을 이룩해야만 자신이 은퇴할 수 있다며 두 사람의 업무를 독려한다.

"여기 권준혁 팀장과 김미은 소령은 조만간 결혼을 하게 됩니다."

세 사람이 다가오자 김유라가 두 사람의 결혼 사실을 전한다. 그 말을 듣고 X가 반색을 하자 대통령이 대왕에게 청한다.

"남북통일의 역군이 결혼한다니 통일둥이가 태어나겠네?"

"그럼 두 사람을 격려하는 의미에서 주례를 서 주시죠?"

"주례라는 것이 생소하지만 통일의 역군들이니 그것도 뜻깊은 일이 되겠어요."

X의 말에 권준혁과 김미은이 정말로 기뻐한다.

제49장 마녀 살해

1.

권준혁과 김미은, 김유라가 인천공항의 국제선 출구에 서 있다.

김유라의 손에는 비행기 표와 여권이 들려 있고 작은 여행 가방이 그녀 옆에 놓여 있다. 김유라가 프랑스에서 열리는 '세계나노칩학회'에서 자신의 이름으로 주제 발표를 하기 위해 출국하는 것이다. 권준혁이 묻는다.

"학회에서 중국의 고를 만나면 뭐라고 할 거지?"

"저는 김유라고 어머니의 동생으로 대역이었다고 하면 되겠죠."

"유라의 머리에 기억 칩이 있다고 할 거야?"

"상황을 보고 대답해야죠. 특히 제가 어머니 진 박사 대역으로 멋진 연기를 했다고 하죠, 뭐."

"믿어줄까?"

"그거야 고 박사 마음이죠."

"출간한다는 소설책은 언제 나와?"

"출판사에서 아직 제목도 정하지 못했으니까 제가 출장 갔다 와서 협의하자고 하더군요. 몇몇 장을 약간 보완해야 하지만 적어도 한 달 후에는 나올 거예요."

"베스트셀러 작가가 되어도 자주 만날 수 있겠지?"

"당연하죠. 저. 잠깐 어딜 갔다 올 테니 가방 좀 보아주세요."

"어딜 가는데?"

"참. 여자가 가는 데를 일일이 이야기해야 하나요?"

김유라가 지나가는 스튜어디스 제복을 입은 여자에게 화장실이 어디냐고 묻자 권준혁은 머쓱한 듯 머리를 돌리며 웃는다. 김유라가 화장실로 들어간 지 30초도 되지 않아 세 발의 총성이 울린다. 권준혁이 반사적으로 총을 잡고 화장실로 뛰어 들어갔지만 이미 모든 상황이 끝나 있었다. 화장실 입구에 김유라가 쓰러져 있고 총을 잡고 부들부들 떨고 있는 원두영이 멍청한 표정으로 권준혁을 바라보고 있었다.

2.

김유라를 살해한 원두영은 간단명료하게 범행의 이유를 댔다.

"한 마디로 진영숙 박사는 마녀요, 마녀. 나의 모든 경력이 사실 진 박사의 아이디어에서 시작되었다는 것은 그런 대로 인정할 수 있었지만 연구원에서조차 해임되고 특허료마저 거부되었다는 것을 알자 더 이상 진 박사를 살려두어서는 안 되겠다는 단호한 의지로 그녀를 살해할 기회를 노리며 그녀를 뒤쫓고 있었소. 그날도 진 박사를 계속 추적하면서 공항까지 따라 왔는데 마침 그녀가 화장실로 가는 것을 보고 따라가서 살해했소."

권준혁의 앞에 수염이 덥수룩한 원두영이 취조실 책상에 앉아 얼굴을 감싸쥐고 울부짖듯 뇌까렸다.

"진 박사는 마녀야. 마녀를 죽이는 것은 내 사명이야."

"진 박사를 왜 마녀라고 생각하셨나요?"

"그녀는 내 모든 것을 빼앗아 갔어. 지금까지 내가 나노 칩의 발명자라고 알려졌는데 그렇지 않다는 걸 다른 사람들에게 알려주었어."

"그것이 진실이라면 받아들여야 하는 것 아닌가요?"

권준혁의 말에 그는 머리를 좌우로 흔들며 자신이 마녀를 살해해야 하는 당위성에 대해 이야기한다.

3.

원두영은 영어로 작성된 서류를 꼼꼼히 읽어보면서 점점 눈을 크게 뜬다. 분명히 진영숙의 이름이다. 그렇다면 진상은 분명하다.

'예상한 대로 진영숙이 아직도 살아있고 살해되었다는 진영숙은 다른 여자가 틀림없어.'

그동안 살아온 역정이 주마등처럼 스친다. 나노 칩을 개발했다고 발표했을 때의 환호성, 청와대에서 대통령으로부터 직접 과학기술상을 받았을 때의 그 감격……그런데 그 모든 연구 결과가 진영숙의 작품이라는 사실이 서류로 분명히 남아 있는 것이다.

더욱 놀라운 사실은 모사토전자회사에서 특허료를 자신에게 지급하지 않는다는 것이다. 진영숙이 원천 아이디어를 제시했으므로 원두영 박사에게 특허료를 지급할 이유가 없다는 것이다. 더욱 놀라운 사실은 진영숙 박사가 인류를 위한 연구에 특허료를 받지 않겠다고 확인했다는 내용도 명시되어 있었다.

결국 자신은 진영숙의 아이디어를 차용한 한 명의 실무자에 지나지 않으며 모사토전자회사는 자신을 언제든지 던질 기회를 보고 있었는데 드디어 칼을 뽑았다.

모사토사는 그가 평생을 봉직한 나노테크연구원의 원장으로도 임용하지 않았다. 원장으로 임명될 거라는 소문에 나름대로 연구원의 새로운 간부진을 인선하고 있었는데 그것마저 물 건너갔다는 것은 그야말로 악몽이다.

"내가 탈락한 이유가 뭡니까?"

퇴임할 예정인 원장에게 따졌지만 냉소적인 대답밖에 돌아오지 않는다.

"자네는 한 마디로 자신의 아이디어도 없고 자질도 없어."

이제야 그 이유를 알게 된 것이다. 나노 칩을 개발했다지만 원천 아이디어는 진영숙 박사가 제공했고 자신에게 독창적인 아이디어가 전혀 없다는 것을 모사토전자회사는 정확하게 알고 있었다. 원두영은 서류를 보다가 집어던지면서 부르르 치를 떨며 중얼거린다. 그가 새로 창설한 회사의 주식 3분의 1을 갖고 있다지만 단서가 있었다. 그의 아이디어로 출시되어야 한다는 조건이다.

'이 치욕……이 모욕은 반드시 갚고 말 거야.'

원두영은 김유라가 파리의 학회에서 발표하기 위해 출발한다는 것을 알고 공항에서 대기하다가 그녀가 화장실로 가는 것을 보고 따라가 살해한 것이다.

원두영은 진영숙 박사가 살해된 진짜 원인을 모르기 때문에 원론적인 면만 이야기한다.

"진 박사는 내가 지금까지 쌓아 놓은 명예를 모두 엉망진창으로 만들었어. 적어도 혼자 망할 수는 없어. 진 박사도 책임을 져야지."

오민우가 원두영에게 설명을 해준다.

"문제는 원 박사가 살해한 사람이 진 박사가 아니라 그녀의 동생인 김유라라는 점입니다."

"내가 살해한 사람이 진 박사가 아니라고?"

"그래요. 진 박사는 예전에 살해되었지요. 원 박사가 엉뚱한 사람을 살해한 겁니다."

얼굴을 감싸 쥐고 오열하는 원두영을 바라보다가 함께 취조실에 들어와 있던 권준혁은 조용히 자리에서 일어난다.

에필로그

　권준혁과 김미은은 김유라의 시신을 화장하여 유골을 진영숙 박사의 유골이 있는 영명사에 함께 안치시킨 다음 그들이 처음 함께 첫날밤을 보낸 호텔의 커피숍으로 자리를 옮겼다.

　"여기서 우리의 역사가 시작되었죠?"

　"그래. 미은이가 술을 마시고 떨어지지 않았으면 어떻게 되었을까?"

　"아직도 다른 여자들을 쫓아다니고 있었겠죠?"

　"이제 그런 소리는 그만. 여하튼 유라는 최 대좌와 오래오래 살 거라고 했는데 두 사람 모두 살해되다니 참……."

　"저는 방법이 있다고 봐요."

　"무슨 소리야?"

　"최 대좌가 죽는 순간을 기억해요. 유라는 최 대좌를 복제할 수 있을 거라고 생각했기 때문에 최 대좌가 죽자마자 그의 혈액을 채취해 두기까지 했어요."

　"복제를 했다는 뜻이야?"

　"그건 모르겠어요. 내가 알기로는 몇몇 재료 문제 때문에 새로운 사람을 복제한다는 것이 그렇게 간단한 일은 아니라고 하더군요."

　"무슨 뜻이야?"

　"자세히는 이야기할 수 없지만 사람을 복제하려면 우선 5캐럿 이상의 커다란 다이아몬드가 필요하다고 했어요."

　김미은의 말에 권준혁이 깜짝 놀란다.

　"5캐럿 이상의 다이아몬드가 필요하다고?"

　"유라가 이야기한 바로는 복제인간을 위해서는 5캐럿 이상의 다이

아몬드가 필요하고 다이아몬드 한 개로 2명까지만 복제가 가능하다고 했어요. 그러니까 전 세계의 대형 다이아몬드를 통 털어도 복제가 가능한 사람은 몇 명이 안 된다는 거예요."

"그건 몰랐어. 하지만 또 영생을 얻어 오래 산다는 것이 항상 좋은 것만도 아니지. 개체가 죽음으로써 모든 것이 단절되는 것은 아니기 때문이야. 생물은 꼭 죽어야 하지만 한 번 태어난 생물이 죽기 때문에 새로운 생명이 태어날 수 있지. 죽음과 삶은 일체(앞뒤 한 몸)이며 '태어나는' 일과 '죽는' 일을 한 쌍으로 파악하는 것이 중요하다는 뜻이야."

"좀 더 쉽게 이야기하는 것이 좋겠어요."

"그것은 어떤 종이 완전히 멸종하더라도 그들이 갖고 있는 생명체의 기본은 사라지지 않기 때문이야. 즉 지구상에 초등 생명이 태어났기 때문에 결국 인간이 태어난 것이며 인간이 태어났기 때문에 또 다른 생물의 변화가 일어날 수 있는 거지."

"양육강식도 결국 새로운 생물의 탄생을 위한 초석이라는 뜻 같군요."

"그래. 그 분야에 대해 뭐라고 말할 수는 없지만 지구가 존재하는 한 의미 없는 생명체는 없다는 거지. 그래서 인간의 수명을 인공적으로 연장하려는 시도를 반대하는 사람이 많은 거야."

인간 수명이 400세가 되면 이론적으로 한 쌍의 부부에서 시작된 3대 대가족의 총 구성원이 무려 1만6,382명이 되어 인구 문제가 심각해진다. 더구나 인간의 뇌세포는 태어나는 순간부터 죽기 시작하므로 400세까지 산다고 해도 나중 300년은 100세 노인과 같은 정신 상태로 지낼 수밖에 없다는 지적도 장수의 문제점으로 지적된다.

"<자도스>라는 영화에서는 사람들이 죄를 범한 대가로 벌을 받지 않는 한 늙지 않아. 그 영화 봤어?"

"하지만 그런 곳에서 살고 싶어요. 어떻게 죽지 않을 수 있죠?"

"그곳에 사는 사람들을 재생할 수 있는 영원한 기계가 있어서 절대로 죽지 않아. 그런데 문제가 생기는 거야."

"무슨 문제가요?"

"불사인(不死人)들은 잠을 잘 필요도 없고 항상 깨어 있어야 하지. 다만 유죄판결을 받은 사람만이 판결에 따라 적당한 햇수동안 나이를 먹는 거야. 그러나 젊음이 영원히 계속되는 것에 싫증을 느낀 사람들이 인생에 대한 회의를 느끼기 시작하는 거야."

"배가 불러서 그렇군요."

"아냐. 의식이 없는 듯 무의미한 생활이 계속되는 무감각한 사람이 되자 오히려 죽음을 요구하는 것이 영화의 줄거리지. 결국 그들의 요구를 듣고 구제자들이 불사인들을 학살하는데 그들은 죽음을 대 환영하며 순순히 받아들이더군."

"말도 안 되는 소리예요."

"실제로 300년 이상을 거의 치매와 같은 모습으로 살 수 있다는 것은 축복이 아니라 악몽일 수도 있어. 여하튼 인간복제는 여러 가지 문제점이 있다는 이야기지만 더 이상 복제인간을 만들지 않는 것도 중요해."

"무슨 소리죠?"

"광개토대왕 이야기가 흘러나가자 지금까지 언론이 얼마나 그 연구의 실제 주인공을 추적했는지 잘 알 거야."

"그래요. 전 세계에서 모든 학자들과 위정자, 돈 많은 사람들이 난리를 피웠죠."

"그런 상황에서 어떻게 세계인들을 무마시킬 수 있어? 결국 통일정부가 책임을 지고 나섰어."

"어떻게요?"

"오늘 12시, 그러니까 30분 후에 통일정부의 특별 발표가 있을 거야. 내용은 미은이도 잘 아는 거고."

"무슨 내용인데요?"

"연구 책임자였던 진영숙 박사가 괴한에 의해 피격 당했다고 발표하는 거지."

"거 참, 되게 복잡하네요. 처음에는 진 박사가 살해되었다고 하더니 동생이 살해되었다고 하고 그 후에는 김유라가 살해되었다더니 이제는 진짜 진 박사도 살해되었다는 것 아닌가요?"

"그건 우리가 아는 이야기고 외부 사람들에게는 진 박사가 살해되었다고 말하기만 하면 되지. 처음에 살해된 여자는 진 박사의 대역이고 이번에 살해된 여자를 진 박사라고 말하는 거야. 물론 진 박사와 김유라가 바뀌기는 했지만."

"진영숙 박사가 모든 연구 결과를 갖고 죽었으니까 더 이상 복제 간은 만들 수 없다고 선언한다는 뜻이군요?"

"그래."

"그걸 믿어줄까요?"

"믿어줄 거야. 학자들이 자신만 갖고 있는 노하우를 종종 전수하지 못하기 때문에 좋은 기술이 사라지는 경우가 많거든."

그러면서 권준혁은 아는 대로 설명을 덧붙인다.

지식이 부분적으로 상실된 사례는 태고뿐만 아니라 근대역사에서도 자주 보인다. 14~15세기 북아메리카에는 노르만인들의 집단 거주지가 여러 곳에 존재했다. 이들은 금속을 제련하고 가공할 줄 알았다.

그러나 그들은 본국과의 관계가 단절되자 그들보다 훨씬 낮은 문화 수준에 있었던 인디언들에게 동화되어 버렸고 그들의 지식은 영원히 상실되었다.

일찍이 마오리족은 태평양을 자유롭게 항해하던 민족이었다. 그러나 그들이 뉴질랜드에 정착한 뒤에는 차차 항해를 멀리하여 마침내 항해술을 완전히 잊어버렸다. 역사가와 인류학자는 이러한 현상을 '제2의 야만'이라는 말로 표현한다. 한 마디로 어떤 연유로든 중요한 기술이 완전히 사라지면 그것을 다시 되살리는 데는 상당한 시간이 걸리게 마련

622

이다. 또한 인간은 그런 상황에 익숙하여 곧바로 과거를 잊어버린다.

"유라의 장점은 칩으로만 복제인간을 만드는 것은 아니라는 점이죠."

"알아. 하지만 자세한 비밀을 진 박사와 유라가 갖고 갔기 때문에 더이상 알기는 힘들어. 결국 비밀이 될 가능성이 많아."

"섭섭하네요. 복제기술도 좋은 면에만 쓰면 나쁘지 않을 것 같은데……."

"당연한 이야기지. 복제가 성공했기 때문에 광개토대왕이 나타나셨고 또 통일도 이루어진 것 아니겠어?"

"저는 유라가 한 말로 미뤄볼 때 복제기술이 완전히 사라졌다고는 보지 않아요. 더구나 광개토대왕이 살아 계시니까 그 분을 납치하여 비밀을 캐려고 하지 않을까요?"

"그거야 여기 있는 김미은 소령님께서 철저히 막아주겠지."

"그러네요. 사실 그런 목적으로 우리 대원들이 SEAL에서 대테러 훈련을 받은 거죠."

그러면서 김미은은 가슴을 앞으로 쑥 내민다. 권준혁이 그녀에게 키스를 하려 하자 김미은이 그의 목을 잡고 보다 적극적으로 응하더니 묻는다.

"먼저 결혼하는 사람에게 선물하기로 했잖아요?"

"그랬지."

"오빠 저에게 무슨 선물을 할 거예요?"

"미은이는?"

"제 혈액이요. 또 알아요? 저도 복제될 수 있을지."

"좋아. 나도 혈액을 선물할게."

"그럼 신혼여행 가서 함께 뽑아요. 똑같은 날의 혈액으로 복제되어야죠." (끝)